à sombra das raparigas em flor

marcel proust
em busca do tempo perdido
volume 2
à sombra das raparigas em flor
tradução mario quintana

revisão técnica maria lúcia machado
prefácio, notas e resumo guilherme ignácio da silva
posfácio rolf renner

BIBLIOTECA AZUL

Copyright da tradução © 2006 by Editora Globo S.A.

Todos os direitos reservados. Nenhuma parte
desta edição pode ser utilizada ou reproduzida –
em qualquer meio ou forma, seja mecânico
ou eletrônico, fotocópia, gravação etc. –
nem apropriada ou estocada em sistema de bancos
de dados, sem a expressa autorização da editora.

CAPA E PROJETO GRÁFICO
warrakloureiro

REVISÃO
Beatriz de Freitas Moreira, Telma Baeza
e Maria Sylvia Corrêa

IMAGENS DE CAPA, CONTRACAPA E GUARDAS
Getty Images

Texto fixado conforme as regras do novo Acordo Ortográfico
da Língua Portuguesa (Decreto Legislativo nº 54, de 1995).

CIP-BRASIL. CATALOGAÇÃO NA PUBLICAÇÃO
SINDICATO NACIONAL DOS EDITORES DE LIVROS, RJ

P962e
4. ed.
v. 1

Proust, Marcel, 1871-1822
Em busca do tempo perdido : à sombra das raparigas em flor / Marcel
Proust ; revisão técnica Maria Lúcia Machado ; Prefácio, notas e
resumo Guilherme Ignácio da Silva ; posfácio Rolf Renner. - 4. ed. -
São Paulo : Biblioteca Azul, 2016.
il.

Tradução de: À la recherche du temps perdu: à l'ombre des
jeunes filles en fleurs
Sequência de: No caminho de swann
Continua com: O caminho de guermantes
ISBN 978-85-250-6210-9

1. Romance francês. I. Quintana, Mario. II. Título.

16-33039 | CDD: 843
| CDU: 821.133.1-3

1ª edição, 1951 [várias reimpressões]
2ª edição, revista, 1988 [15 reimpressões]
3ª edição, revista, 2006 [4 reimpressões]
4ª edição, 2016 – 1ª reimpressão, 2021

Direitos de edição em língua portuguesa
adquiridos por Editora Globo S/A
Rua Marquês de Pombal, 25
20.230-240 – Rio de Janeiro – RJ – Brasil
www.globolivros.com.br

prefácio 7

em torno da sra. swann 17
nomes de terras: a terra 265

resumo 621
posfácio 643

sumário

prefácio

I

A série *Em busca do tempo perdido* pode ser lida como uma reflexão sobre o sentido da vida. À medida que nossa leitura avança, vamos nos deparando com estágios muito diferentes da vida das personagens que representam, na verdade, maneiras de se situar diante da arte, do sexo, do amor e do meio social a que pertencem.

O começo de *À sombra das raparigas em flor* mostra justamente novos estágios de duas personagens importantes: Charles Swann, cujo drama amoroso pudemos acompanhar no primeiro volume, e o dr. Cottard, antigo convidado do salão dos Verdurin, onde Swann pôde conhecer a cortesã de luxo Odette de Crécy, com quem se casou.

Este segundo volume da série inicia-se, desse modo, com um exercício daquilo que Proust viria a denominar de "psicologia no espaço", ou seja, as páginas iniciais deste livro representam mais uma volta em torno dos "planetas-personagens" Swann e Cottard: o refinadíssimo Charles Swann, leitor das *Memórias* do duque de Saint-Simon e colecionador de objetos de arte, aparece agora como o marido bonachão de Odette, rebaixando sua inteligência e seu prestígio social para poder permanecer no mesmo nível acanhado da mulher; já o dr. Cottard, médico idiota da primeira fase do salão dos Verdurin no primeiro volume, surge agora como um clínico de prestígio, um medalhão respeitável, professor da Faculdade de Medicina de Paris.

O início do livro coincide também com os preparativos de um jantar para um outro medalhão, o ex-embaixador senhor de Norpois. Dada a importância da visita, os pais do herói tentam se lembrar de pessoas que pudessem agradar a tal conviva de peso: Swann, do ponto de vista do pai, um mundano vulgar, estaria excluído; já "um sábio ilustre como Cottard nunca faria má figura à mesa" (p. 18).

A presença do senhor de Norpois está ligada em parte a uma encenação cômica de leituras diferentes da vida e da arte: contrariamente ao que poderia esperar o herói, o ex-embaixador as vê, vida e arte, reunidas pelo objetivo único de alcançar prestígio social, pleiteando, no limite, a entrada na Academia.

Embora bastante decepcionado, o herói ainda é tomado de gratidão incontrolável pelo denso senhor quando este lhe promete transmitir a Odette e Gilberte Swann sua admiração incondicional por elas: a exaltação do agradecimento, que chega até a se esboçar no desejo fulminante de beijar as mãos claras do ex-embaixador, acaba por dissuadir o ponderado senhor de transmitir aquela mensagem. Não seria por intermédio do ex-embaixador que ele alcançaria a glória de poder conviver com Gilberte.

Anos depois, tendo o herói alcançado um estágio de indiferença quase completa diante dela, ele parte em viagem de férias com a avó, hospedando-se no Grande Hotel, na praia fictícia de Balbec.

Em um final de tarde, sentado sozinho na praia, observando o movimento dos banhistas, o herói vê se aproximar um grupo insolente de jovens, as "raparigas em flor". O desejo de voltar a encontrá-las mobilizará todo o seu ser durante essa sua estada na praia.

Antes de poder travar contato com elas, um pouco contrariado, ele parte em visita ao ateliê do pintor impressionista Elstir. Ora, cansado de rondar em busca delas, ele as encontra, por puro acaso, na casa do pintor, amigo delas.

O encontro com Elstir é mais um daqueles momentos do livro em que à narrativa dos fatos junta-se uma extensa reflexão sobre o sentido da arte: refugiado em seu ateliê, o pintor procede a uma verdadeira recriação do mundo, sob a forma de uma troca convulsiva de características entre os meios mais diferentes — o mar recebe características da terra e esta se torna paisagem em que poderiam avançar os barcos dos pescadores —, assim como ao longo de *Em busca do tempo perdido*, a realidade se dilui sob o efeito de um olhar transformador que a reorganiza.

Aos poucos, o garoto que se sentia apenas um turista idiota em quem as meninas do bando jamais prestariam atenção passa a ser convidado especial dos passeios delas pelo litoral de Balbec, e sua preferência recai cada vez mais sobre Albertine.

O volume termina brilhantemente com a lembrança dos gritos das amigas que chegavam até o quarto do herói, nos intervalos das ondas do mar e a arenga dos vendedores ambulantes: imagem diáfana e potencialmente promissora de relações humanas que, pelo contrário, se revelaram com o tempo extremamente dolorosas e enganadoras.

II

Este segundo volume de *Em busca do tempo perdido* também conclui o percurso de uma série de três visitas a lugares que o herói passara bastante tempo desejando conhecer: as primeiras páginas do livro coincidem com o momento de sua primeira ida ao teatro; depois, enquanto ele se recupera de uma infecção, chega enfim a carta de Gilberte que lhe permite adentrar o mundo misterioso da família Swann; na segunda parte do volume, quando seu amor por Gilberte já se desvaneceu quase inteiramente, ele desce com a avó até "o limite extremo da terra europeia", a praia de Balbec. Por mais diferentes que sejam os lugares visitados, o "tecido sutil" da prosa proustiana os aproxima de maneira surpreendente. O fio condutor dessas aproximações parece ser a personagem Charles Swann.

Certa vez, vendo que o herói está lendo um livro do escritor Bergotte, Swann revela-lhe um detalhe inesperado que só faz aumentar sua admiração pela obra do escritor e intensificar cruelmente seu amor por Gilberte: a garota tem o hábito de sair em companhia de Bergotte para visitar "cidades antigas, catedrais e castelos".

O que o herói não daria para passar por essa experiência de ter como guia de passeios artísticos ninguém menos que seu escritor preferido? Que menina especial é Gilberte! Enquanto ele é obrigado a ouvir a conversa monótona das tias durante as refeições, a filha de Swann debate com Bergotte questões certamente bem mais interessantes. Tudo isso só faz aumentar seu amor admirativo pela misteriosa e prestigiosa casa dos Swann.

Paralelamente a esse amor por sua companheira de jogos nos Campos Elísios e sua admiração pelos escritos de Bergotte, há seu amor platônico pelos atores e atrizes do teatro. Todos os dias, ao final das aulas, o herói se posta diante dos cartazes anunciando as peças e contempla ali os nomes e as fotos dos deuses e deusas a cujas peças seus pais não o permitem ir assistir. Dentre esses artistas estava Berma.

Naquele mesmo dia em que Swann toma conhecimento da paixão de Marcel por Bergotte, ele lhe revela que o escritor coloca Berma acima de todos os outros artistas. E que já publicou inclusive uma pequena brochura sobre Racine.

O mesmo Charles Swann vem intensificar outro dos desejos do herói: o de partir em visita a Balbec para contemplar de perto a fúria sublime da natureza naquela região. Swann lhe revela a existência de uma catedral romana naquela praia. E aos sonhos de presenciar tempestades de vulto soma-se a curiosidade arrebatadora de visitar esse monumento erguido tão estranhamente próximo da natureza selvagem.

III

Se, por um lado, o presente volume conclui com a série de visitas-percursos de busca do herói, por outro ele executa uma silenciosa abertura de compasso, que aparece sob a forma de vários encontros e a menção fortuita de certos detalhes.

É a primeira vez que o herói se encontra com membros da família nobre dos Guermantes, na figura da sra. de Villeparisis e de seus sobrinhos, o barão de Charlus e Robert de Saint-Loup; é o primeiro encontro com o grande pintor Elstir e seu escritor preferido, Bergotte; é também o primeiro contato com as "raparigas em flor".

Talvez não seja possível atingir o significado desses encontros e os detalhes das cenas em que eles se dão sem antes ter completado todo o trajeto das relações do herói com tais personagens.

Não deve ficar claro num primeiro momento, por exemplo, por que o barão de Charlus lança olhares tão intensos e dissimulados ao herói, por que sua voz oscila tanto, por que ele tem tanta repulsa por jovens efeminados, por que ele se veste de maneira tão rigorosamente sóbria e empurra para dentro com tanta energia a orla colorida do lenço que traz no bolso do casaco, qual o sentido da visita inesperada e silenciosa que faz ao quarto do herói.

Qual o sentido de nos falar da existência de uma prostituta judia que trabalha na casa de *rendez-vous* que o herói frequenta em companhia do amigo Bloch? E daquele garoto meio abobalhado de nome Octave, sempre ocupado com os esportes e dedicando tanta atenção a sua indumentária? Por que, afinal de contas, relatar os encontros com personagens tão insignificantes?

Podemos nos perguntar também por que a avó do herói se deixa fotografar pelo amigo dele, Robert de Saint-Loup, e depois passa a evitar o neto.

Sob a forma de sugestões, abre-se pouco a pouco o compasso que demarca a marcha investigativo-perceptiva do herói, no tempo. E, perto do final, o jovem Octave vai nos surpreender com a revelação de que o garoto meio idiota da praia de Balbec se tornara um dos maiores artistas que o herói já conheceu.

O poeta Manuel Bandeira já se deliciava com essas surpresas que *Em busca do tempo perdido* reserva a seus leitores à medida que o livro avança:

> Uma das delícias do romance de Proust é que ele é cheio de surpresas. O fato de a surpresa ser às vezes moralmente desagradável não lhe tira o sabor da delícia, porque em toda surpresa há o elemento intelectual de conhecimento que resulta em gozo para a inteligência. [...] Para quem conheceu o Legrandin de *No caminho de Swann* é coisa inteiramente inesperada vir a saber na *Prisioneira* que ele fosse dado sempre ao mesmo vício, digamos antes aos mesmos gostos que o barão de Charlus.[1]

As delícias são tantas que o poeta nos aconselhará a comprarmos nossos próprios exemplares da *Recherche*: "O sujeito que quer ler bem o Proust, tem que possuir o *seu* Proust, tem que comprar o *seu* Proust. Senão, terá que o ler novamente ou será infeliz o resto da vida".[2]

E a leitura de uma série de detalhes aparentemente gratuitos dependerá da percepção de seu encadeamento na grande rede ficcional que os reúne todos e lhes atribui significado.

A certa altura do livro, por exemplo, o pintor Elstir menciona ao acaso uma certa "srta. Léa" que "estava com um chapeuzi-

---

1 Manuel Bandeira, "No mundo de Proust". In: *Crônicas da província do Brasil*. Rio de Janeiro: Nova Fronteira, 1997, p. 130.

2 Manuel Bandeira, "Romance do beco". In: *Crônicas da província do Brasil*, op. cit., p. 100.

ho branco e uma sombrinha branca que eram de encantar". Albertine, uma das "raparigas em flor", cortejada pelo herói, demonstra curiosidade incomum por esses detalhes de indumentária "por outros motivos, motivos de faceirice feminil". Ora, Léa será das personagens que, em surdina, conduzirá toda a trama lésbica do final do livro e, muito provavelmente, estabeleceu relações com Albertine. E a personagem faz essas aparições fortuitas, desfilando um "chapeuzinho branco e uma sombrinha branca", como se não participasse da trama principal. Os livros de Proust vão disseminando assim toda uma série de detalhes aparentemente ao acaso.

Em maio de 1921, ou seja, antes mesmo da publicação completa do terceiro volume da série, o escritor André Gide já se dirigia a Proust, referindo-se a sua obra, dessa maneira:

> Até parece que seus livros não são "compostos" e que você vai difundindo sua profusão ao acaso; mas, se fico aguardando seus próximos livros para poder julgar melhor, já suspeito que todos os elementos vão se desenrolando segundo uma ordem secreta, como as hastes de um leque que se juntam pela extremidade e cuja divergência vem ligada por um tecido sutil em que se dá a ver os matizes de seu Majá.[3]

O leitor que se dispõe a completar a longa travessia investigativa do livro deverá, como o jovem Marcel no trem a caminho de Balbec, mostrar-se ágil o suficiente para conseguir juntar os numerosos pequenos detalhes, os inumeráveis fragmentos que sustentam a composição, as numerosas linhas invisíveis que constituem o "tecido sutil" desse leque de ilusões intuído por Gide: "[...] de modo que eu passava o tempo a correr de uma janela a outra,

---

3 André Gide, "A propos de Marcel Proust". In: *Incidences*. Paris: Gallimard, 1948, p. 47.

para aproximar, para enquadrar os fragmentos intermitentes e opostos de minha bela madrugada escarlate e fugidia e ter dela uma vista total e um quadro contínuo".

Como o herói, deveremos nos mostrar ágeis para conseguir fixar pelo menos alguns do grande número de "fragmentos intermitentes e opostos" dessa fascinante caminhada de busca e atribuição de significado às coisas da vida que é a obra de Proust.

em torno da sra. swann

Quando pela primeira vez se tratou de convidar o sr. de Norpois para jantar em nossa casa, como lamentasse minha mãe que o professor Cottard estivesse em viagem e que ela própria houvesse deixado completamente de frequentar Swann, pois tanto um como outro certamente interessariam ao ex-embaixador, respondeu-lhe meu pai que um conviva eminente, um sábio ilustre como Cottard nunca faria má figura à mesa, mas que Swann, com a sua ostentação, com aquele jeito de proclamar aos quatro ventos as mínimas relações, não passava de um vulgar parlapatão que o marquês de Norpois sem dúvida acharia, segundo a sua expressão, "nauseabundo". Essa resposta de meu pai requer algumas palavras de explicação, pois certas pessoas talvez se lembrem de um Cottard bastante medíocre e de um Swann que, em matéria mundana, levava a modéstia e a discrição à mais extrema delicadeza. Mas havia acontecido que ao "filho de Swann", e também ao Swann do Jockey,[1] o outrora amigo de meus pais acrescentara uma personalidade nova (e que não devia ser a última): a de marido de Odette. Adaptando às humildes ambições dessa mulher o instinto, a vontade, a perícia que sempre tivera, empenhara-se em construir, muito abaixo da antiga, uma posição nova e adequada à companheira que com ele a partilharia. Ora, nisto, Swann se mostrava outro homem. Pois (embora continuando a frequentar sozinho seus amigos pessoais, a quem não queria impor Odette quando não lhe solicitavam espontaneamente que a apresentasse) como era uma segunda vida que ele começava, junto com a mulher, em meio a criaturas novas, ainda se compreenderia que, para avaliar a posição destas últimas, e por conseguinte o prazer de amor-próprio que poderia experimentar em recebê-las, Swann

---

1 O Jockey Club era o círculo mais fechado de Paris, que, na época, contava apenas com um único membro judeu, Charles Haas, um dos modelos da personagem Swann. Devemos parte das notas histórico-literárias à edição do texto em francês pela Gallimard e pela Garnier-Flammarion. (N. E.)

se servisse, como ponto de comparação, não das pessoas mais brilhantes que formavam a sua sociedade antes do casamento, e sim das anteriores relações de Odette. Mas, ainda que se soubesse que era com deselegantes funcionários, com mulheres depravadas, ornamentos de bailes ministeriais que Swann desejava ligar-se, causava espanto ouvi-lo, a ele que outrora e ainda hoje tão delicadamente dissimulava um convite de Twickenham ou do Buckingham Palace, proclamar alto e bom som que a mulher de um subchefe de gabinete fora visitar a sra. Swann.[2] Talvez se atribua isso a que a simplicidade do Swann elegante não fora senão uma forma refinada de vaidade, conseguindo ele, como certos israelitas, apresentar alternadamente os estados sucessivos por que haviam passado os da sua raça, desde o esnobismo mais ingênuo e a mais grosseira descortesia à mais fina polidez. Mas a principal razão, e aplicável à humanidade em geral, é que as nossas próprias virtudes não são algo de livre, de flutuante, e do qual conservemos a disponibilidade permanente; elas acabam por associar-se tão estreitamente em nosso espírito às ações ante as quais nos impusemos o dever de exercê-las que, se nos surge alguma atividade de outra natureza, pega-nos completamente desprevenidos sem que nos ocorra ao menos a ideia de que ela poderia permitir o emprego dessas mesmas virtudes. Swann, assim tão pressuroso com aquelas novas relações e a citá-las com orgulho, era como esses grandes artistas, modestos ou generosos, que, quando se põem no fim da vida a tratar de cozinha ou jardinagem, demonstram uma ingênua satisfação com os louvores concedidos a seus pratos ou a seus canteiros, para os quais não admitem a crítica que facilmente aceitam quando se trata de suas obras-primas; ou que, dando de graça uma de suas telas, não podem em compensação perder sem mau humor quarenta vinténs no dominó.

2 A referência ao palácio de Twickenham, já mencionada no primeiro volume, reafirma a ligação da personagem Swann com a família Orléans, exilada na Inglaterra. (N. E.)

Quanto ao professor Cottard, tornaremos a vê-lo longamente, muito mais tarde, com a patroa, no castelo de Raspelière.[3] Agora, a seu respeito, baste-nos observar primeiro isto: em Swann, por exemplo, a mudança pode, em suma, surpreender, visto já estar realizada, mas insuspeitada por mim, quando via o pai de Gilberte nos Campos Elísios, onde aliás, como não me dirigia a palavra, não podia alardear perante mim as suas relações políticas (na verdade, se o tivesse feito, eu talvez não me apercebesse logo da sua vaidade, pois a ideia que a gente há muito tempo forma de uma pessoa como que nos cobre os olhos e os ouvidos; minha mãe, durante três anos, não descobriu a pintura que uma de suas sobrinhas punha nos lábios, como se estivesse invisivelmente diluída num líquido; até o dia em que uma parcela suplementar, ou então qualquer outra causa, produziu o fenômeno chamado supersaturação; toda a pintura não percebida se cristalizou, e minha mãe, ante aquela orgia súbita de cores, declarou, como se teria feito em Combray, que aquilo era uma vergonha, e quase que suspendeu toda e qualquer relação com a sobrinha). Quanto a Cottard, pelo contrário, era já bastante remota a época em que o vimos assistir à estreia de Swann nos Verdurin; ora, as honrarias, os títulos oficiais vêm com os anos; em segundo lugar, bem se pode ser iletrado, fazer trocadilhos estúpidos, e possuir um dom particular, que nenhuma cultura geral substitui, como o dom de grande estrategista ou de grande clínico. Com efeito, não era apenas como um clínico obscuro, transformado mais tarde em notoriedade europeia, que seus confrades o consideravam. Os mais inteligentes dentre os jovens médicos declaravam — pelo menos durante alguns anos, pois as

---

3 Alusão ao que ocorrerá efetivamente no quarto volume do livro, quando os Verdurin alugarão uma casa de veraneio e receberão seus caros "fiéis". O dr. Cottard já será médico de renome, professor da Faculdade de Medicina, enfim, alguém bastante diferente daquele que encontramos nos primeiros tempos do salão Verdurin. (N. E.)

modas mudam, visto elas mesmas nasceram da necessidade de mudança — que, se algum dia caíssem doentes, seria Cottard o único mestre a quem entregariam o couro. Sem dúvida preferiam o convívio de certos mestres mais letrados, mais artistas, com quem pudessem falar de Nietzsche, de Wagner. Quando se fazia música em casa da sra. Cottard, nos serões em que ela recebia os colegas e alunos do marido, na esperança de chegar a vê-lo decano da faculdade, o professor, em vez de ouvir, preferia jogar cartas numa sala próxima. Mas louvava-se a prontidão, a profundeza, a segurança de seu olho clínico, de seu diagnóstico. Em terceiro lugar, no que concerne ao conjunto de aspectos que o professor Cottard exibia a um homem como meu pai, observe-se que a natureza que apresentamos na segunda parte de nossa vida não é sempre, embora o seja muitas vezes, a nossa natureza primeira, desenvolvida ou mirrada, acrescida ou atenuada; é muitas vezes uma natureza inversa, uma verdadeira roupa às avessas. Exceto em casa dos Verdurin, que estavam caídos por ele, o ar hesitante de Cottard e a sua timidez e a sua amabilidade excessivas lhe haviam acarretado, na juventude, perpétuas zombarias. Que caridoso amigo lhe aconselhou o ar glacial? A importância da sua posição lhe tornou mais fácil assumi-lo. Por toda parte, a não ser nos Verdurin, onde se tornava instintivamente ele mesmo, mostrava-se frio, silencioso, peremptório quando era preciso falar, não se esquecendo de dizer coisas desagradáveis. Pôde ensaiar essa nova atitude em face de clientes que, não o tendo ainda visto, não estavam aptos a fazer comparações, e muito admirados ficariam ao saber que não era um homem de natural rudeza. O que antes de tudo visava era à impassibilidade, e até no serviço do hospital, quando soltava um daqueles trocadilhos que faziam rir a todos, desde o chefe da clínica ao mais recente externo, era sempre sem mover um só músculo da face, aliás irreconhecível depois que raspara a barba e o bigode.

Digamos, para terminar, quem era o marquês de Norpois. Fora ministro plenipotenciário antes da guerra e embaixador no

Dezesseis de Maio,[4] e, apesar disso, para surpresa de muitos, várias vezes encarregado, posteriormente, de representar a França em missões extraordinárias — e mesmo como fiscal da Dívida, no Egito, onde prestara importantes serviços graças à sua grande capacidade em finanças[5] — por gabinetes radicais que um simples burguês reacionário se recusaria a servir e aos quais o passado do sr. de Norpois, suas ligações e opiniões deveriam torná-lo suspeito. Mas esses ministros progressistas pareciam cônscios de que demonstravam com tal designação que largueza de espírito era a sua quando se tratava dos interesses superiores da França; e assim se punham à margem dos políticos, merecendo que até mesmo o *Journal des Débats* os qualificasse de estadistas;[6] e aproveitavam-se enfim do prestígio ligado a um nome aristocrático e do interesse que sempre desperta, como um lance teatral, uma nomeação imprevista. E sabiam também que podiam auferir essas vantagens apelando para o sr. de Norpois, sem ter de recear deste alguma deslealdade política, contra a qual o nascimento do marquês devia não pô-los em guarda, mas garanti-los. E nisso o governo da República não se enganava. Antes de tudo porque cer-

4. Referência ao dia 16 de maio de 1877, quando o então presidente da República Francesa, o marechal Mac-Mahon, decide dissolver a Câmara dos Deputados, o que desencadeará uma crise, culminando com sua renúncia e consequente consolidação do regime republicano. De ascendência nobre, o senhor de Norpois, diplomata monarquista, demonstra, assim, desenvoltura e oportunismo suficientes para permanecer no poder mesmo com a reviravolta do regime e a guinada política à esquerda. (N. E.)

5 Trata-se da dívida contraída pelo Egito junto à França e à Inglaterra quando da construção do canal de Suez: em 1874, o governo egípcio, tentando evitar uma catástofre financeira, vende a parte egípcia do canal a Disraeli, primeiro-ministro britânico. Dois anos mais tarde, com a bancarrota das finanças, um organismo encarregado do controle da receita se instala no Cairo. (N. E.)

6 Fundado em agosto de 1789, o *Journal des Débats* prega até 1870 os princípios de uma monaquia constitucional, para depois se aliar à República. Ele serve aqui como exemplo de jornal sério, acadêmico, bastante moderado e independente em seus julgamentos. (N. E.)

ta aristocracia, acostumada desde a infância a considerar o seu nome uma vantagem interior que nada lhe pode arrebatar (e cujo valor conhecem exatamente os seus pares, ou aqueles de nascimento ainda mais elevado), sabe que pode evitar, pois nada de mais lhe trariam os esforços que fazem tantos burgueses, sem apreciável resultado ulterior, para só professarem opiniões convenientes e só frequentarem gente bem pensante. Por outro lado, preocupada em engrandecer-se aos olhos das famílias principescas ou ducais abaixo de quem está imediatamente situada, sabe essa aristocracia que só o pode fazer aumentando o seu nome com o que este não continha, com o que, em igualdade de títulos, lhe permite prevalecer: uma influência política, uma reputação literária ou artística, uma grande fortuna. E as atenções de que essa aristocracia prescinde no tocante a um inútil fidalgo provinciano disputado pelos burgueses, e a cuja amizade improfícua um príncipe não ligaria a menor importância, há de prodigá-las aos políticos, ainda que sejam franco-maçons, que podem dar acesso às embaixadas ou servir de patronos nas eleições, bem como aos artistas ou aos sábios cujo apoio a auxilia a "furar" no setor em que se distinguem, a todos aqueles, enfim, que estão em condições de conferir mais uma distinção ou facilitar um casamento rico.

Mas, no tocante ao sr. de Norpois, acontecia principalmente que, numa longa prática da diplomacia, se imbuíra desse espírito negativo, rotineiro, conservador, chamado "espírito de governo", e que é, com efeito, o de todos os governos e, em particular, sob todos os governos, o espírito das chancelarias. Adquirira na carreira diplomática a aversão, o temor e o desprezo desses procedimentos mais ou menos revolucionários, e pelo menos incorretos, que são os procedimentos das oposições. Exceto entre alguns iletrados do povo e da sociedade, para quem a diferença dos gêneros é letra morta, o que aproxima não é a comunidade de opiniões, mas sim a consanguinidade de espíritos. Um acadêmico do gênero de Legouvé e que fosse partidário dos clássicos, de mais boa vontade aplaudiria o elogio de Victor Hugo por Maxime Ducamp ou Mézières, que o de Boileau por Claudel.[7] Um mesmo nacionalismo basta para aproximar Barrès dos seus eleitores, que não devem fazer grande diferença entre ele e o sr. Georges Berry, mas não aproximará de seus colegas da Academia que, tendo idênticas opiniões políticas, mas outro gênero de espírito, lhe hão de preferir até adversários como os srs. Ribot e Deschanel,[8] de quem fiéis monarquistas, por sua vez, se sentem muito mais próximos do que de Maurras e de Léon Dau-

---

7 Ernst Legouvé (1807-1903), autor do drama *Adrienne Lecvouvreur*, foi membro da Academia Francesa durante 47 anos. Entre suas obras constará uma *História moral das mulheres*. Alfred Mézières (1826-1915), professor, escritor e homem político, eleito a uma cadeira na Academia no ano de 1874, publicará toda uma série de estudos literários sobre autores, na maior parte estrangeiros, como Shakespeare, Dante, Petrarca e Goethe. Conservador na linha de Sainte-Beuve, ele prega a crítica fundada em valores de boa medida e bom gosto. Maxime Ducamp, que atacara violentamente a Academia no prefácio de um de seus livros, quando eleito pronuncia um discurso cheio de citações e lugares-comuns, bem ao estilo do sr. de Norpois. Ele elogiará seu antecessor, Taillandier, e Victor Hugo. Paul Claudel aparece aqui como imagem de radicalismo que não agradaria alguém como o sr. de Norpois: em 1911 ele proclamaria violentamente seu desprezo por Victor Hugo e sua admiração irrestrita por Nicolas Boileau (1636-1711), poeta, crítico e teórico francês. (N. E.)

8 Barrès aparece como exemplo de nacionalismo radical e antissemitismo. Lembre-se que, com a eclosão do "Caso Dreyfus", ele se empregaria com todas as forças contra a revisão do processo que condenara o coronel judeu por espionagem. Georges Berry (1852-1915), eleito deputado de Paris em 1893, antidreyfusista como Barrès, esteve do lado dos monarquistas até 1905, quando passou a integrar o grupo de republicanos progressistas. Na época do jantar com o sr. de Norpois (por volta de 1895), Berry ainda se identifica com as ideias da direita monarquista. Alexandre Ribot (1824-1923) era republicano moderado, ministro de Assuntos Estrangeiros em 1890 e presidente do Conselho em 1895. Deputado de centro-esquerda, depois chefe do partido republicano e ministro dos Assuntos Estrangeiros de 1890 a 1893, Ribot negociou a aliança franco-russa de que fala o sr. de Norpois. Apesar de ter perfil diferente de Barrès, a sobriedade de seus discursos o aproximava daqueles a quem os excessos de linguagem repugnava. Paul Deschanel (1855-1922), chefe do partido progressista no decênio de 1890, foi presidente da Câmara dos Deputados de 1898 a 1902 e de 1912 a 1920, e depois chegaria à Presidência da República durante alguns meses no ano de 1920. Ele volta a aparecer no livro como exemplo de republicano em quem as damas de sociedade confiam. (N. E.)

det,[9] que no entanto igualmente desejam a volta do rei. Avaro das palavras, não só por vinco profissional de prudência e reserva, mas também porque têm elas mais valor e oferecem mais nuanças para os homens cujos esforços de dez anos no sentido de aproximar dois países são resumidos, traduzidos — num discurso, num protocolo — por um simples adjetivo, vulgar na aparência, mas em que eles veem todo um mundo, o sr. de Norpois passava por muito frio na Comissão, onde sentava ao lado de meu pai e onde todos felicitavam a este pela amizade que lhe testemunhava o antigo embaixador. Meu pai era o primeiro a espantar-se com ela. Pois sendo geralmente pouco amável, era habitual não ser procurado fora do círculo de seus íntimos, e confessava-o com simplicidade. Tinha consciência de que havia nas atenções do diplomata um efeito desse ponto de vista inteiramente individual, em que cada qual se coloca para escolher suas simpatias e dentro do qual todas as qualidades intelectuais ou a sensibilidade de uma pessoa não serão para alguém a quem ela aborrece ou irrita uma recomendação tão boa como a lhaneza e a alegria de outra pessoa que passaria para muitos por vazia, frívola e nula. "De Norpois convidou-me de novo para jantar; extraordinário! Todo mundo está estupefato na Comissão, onde ele não tem relações íntimas com ninguém. Estou certo de que vai ainda contar-me coisas palpitantes sobre a guerra de 1870." Sabia meu pai que só talvez o sr. de Norpois avisara ao imperador do crescente poderio e das intenções belicosas da Prússia, e que Bismarck tinha em particular estima a sua inteligência.

---

9 Charles Maurras e Léon Daudet dirigiam o jornal *L'Action Française*, que defendia o regime realista, era antidreyfusista radical e ultranacionalista. Mas Proust tinha certas "dívidas literárias" para com eles: Maurras publicara uma resenha muito elogiosa do primeiro livro de Proust, *Les plaisirs et les jours*; já a seu amigo Léon Daudet ele devia nada menos que boa parte do sucesso de sua candidatura ao maior prêmio literário da França, o "Prix Goncourt", que Proust recebe justamente pelo livro *À sombra das raparigas em flor*. Enquanto Barrès assusta os acadêmicos, os diretores do *L'Action Française*, com seu radicalismo realista, metem medo nos monarquistas. (N. E.)

Ainda ultimamente, na Ópera, durante o espetáculo de gala oferecido ao rei Teodósio, tinham os jornais notado a prolongada entrevista que o soberano concedera ao sr. de Norpois.[10] "É preciso que eu saiba se essa visita do rei tem realmente importância", disse-nos meu pai, que se interessava muito pela política estrangeira. "Bem sei que o velho Norpois é muito fechado, mas comigo ele se abre direitinho."

Quanto a minha mãe, talvez o embaixador não tivesse o gênero de inteligência para a qual se sentia ela mais atraída. E devo dizer que a conversação do sr. de Norpois era um repositório tão completo das formas antiquadas de linguagem peculiares a uma carreira, a uma classe e a uma época — uma época que, para essa carreira e essa classe, bem poderia não estar de todo abolida — que às vezes lamento não ter retido pura e simplesmente as palavras que lhe ouvi. Teria assim obtido um efeito de fora de moda, com tanta facilidade e da mesma maneira como certo ator do Palais-Royal a quem perguntavam onde conseguia encontrar seus surpreendentes chapéus e que respondia: "Eu não encontro meus chapéus. Eu os guardo". Numa palavra, creio que minha mãe julgava o sr. de Norpois um pouco antiquado, o que estava longe de lhe parecer desagradável do ponto de vista das maneiras, mas encantava-a menos no domínio, não direi das ideias — pois as do sr. de Norpois eram bastante modernas —, mas das expressões. Apenas, sentia que era lisonjear delicadamente o marido falar-lhe com admiração do diplomata que lhe dedicava tão rara predileção. Fortalecendo no espírito de meu pai a boa opinião que tinha do sr. de Norpois, e levando-o assim a formar uma opinião igualmente boa de si mesmo, tinha ela consciência de cumprir aquele dentre os

---

10 O "rei Teodósio" é personagem fictícia, várias vezes mencionada nos dois primeiros volumes do livro. Ela foi inspirada no czar russo Nicolas II que, no outono de 1896, visitaria Paris, sinalizando as "afinidades" com a França no caso de uma nova guerra contra a Alemanha. Daí o fascínio do sr. de Norpois pela Rússia. (N. E.)

seus deveres, que consistia em tornar a vida agradável ao marido, como fazia quando velava por que a cozinha fosse cuidada e o serviço silencioso. E, como era incapaz de mentir a meu pai, empenhava-se em admirar o embaixador para poder louvá-lo com sinceridade. Aliás, apreciava naturalmente o seu ar de bondade, a sua polidez um pouco desusada (e tão cerimoniosa que, estando a passear, com o elevado talhe empertigado, se lhe sucedia encontrar minha mãe, que passava de carro, antes de cumprimentá-la com o chapéu, arremessava ao longe um charuto recém-começado), a sua conversação tão comedida, em que falava o menos possível de si mesmo e sempre tinha em conta o que podia ser agradável ao interlocutor, sua pontualidade a tal ponto surpreendente em responder a uma carta que meu pai, depois de lhe ter enviado uma, ao reconhecer a letra do sr. de Norpois num envelope, tinha a primeira impressão de que, por infeliz acaso, a sua correspondência se houvera entrecruzado: dir-se-ia que havia para ele, no correio, coletas suplementares e de luxo. Maravilhava-se minha mãe de que ele fosse tão exato embora tão ocupado, tão amável embora tão relacionado, sem pensar em que os "embora" são sempre "porquês" desconhecidos, e que (da mesma forma que os velhos são de espantar por sua idade, os reis cheios de simplicidade, e os provincianos cientes de tudo) eram os mesmos hábitos que permitiam ao sr. de Norpois satisfazer a tantas ocupações e ser tão ordenado nas suas respostas, agradar na alta sociedade e ser amável conosco. De resto, o engano de minha mãe, como o de todas as pessoas que têm demasiada modéstia, provinha de colocar as coisas que lhe concerniam abaixo e por conseguinte fora dos outros. A resposta que a fazia atribuir tamanho mérito ao amigo de meu pai em lha dirigir rapidamente, visto que ele escrevia muitas cartas por dia, ela a excetuava do grande número de cartas de que essa resposta não era, entretanto, senão uma; da mesma forma não considerava que um jantar em nossa casa fosse para o sr. de Norpois um dos inúmeros atos da sua vida social: não refletia que o embaixador se habituara outrora na diplomacia a considerar os jantares na cidade como parte integrante das suas funções e a empregar nisso uma graça inveterada, da qual seria muito pedir-lhe que se desfizesse extraordinariamente quando vinha jantar em nossa casa.

O primeiro jantar do sr. de Norpois lá em casa, num ano em que eu ainda brincava nos Campos Elísios, ficou-me gravado na memória, porque na tarde daquele mesmo dia é que afinal fui ouvir a Berma, na matinê, em *Fedra*, e também porque, conversando com o sr. de Norpois, verifiquei de súbito, e de uma maneira nova, como os sentimentos em mim despertados por tudo o que concernia a Gilberte Swann e seus pais diferiam daqueles que essa mesma família inspirava a quaisquer outras pessoas.

Foi decerto notando o abatimento em que me mergulhava à aproximação das férias do Ano-Bom, durante as quais, como ela própria me anunciara, eu não devia ver Gilberte, que um dia, para distrair-me, disse minha mãe: "Se ainda tens o mesmo grande desejo de ouvir a Berma, creio que teu pai talvez permitisse que vás: tua avó poderá levar-te".

Mas era porque o sr. de Norpois lhe dissera que deveria deixar-me ouvir a Berma, que constituía, para um jovem, uma recordação digna de conservar, que meu pai (até aquele momento tão hostil a que eu fosse perder tempo e correr o risco de adoecer com o que ele chamava, para grande escândalo de minha avó, de inutilidades) não estava longe de considerar o espetáculo preconizado pelo embaixador como pertencente de um modo vago a um conjunto de receitas preciosas para o êxito de uma brilhante carreira. Minha avó que, renunciando por mim ao proveito que eu teria, na sua opinião, em ver a Berma, fizera um grande sacrifício no interesse da minha saúde, espantava-se de que isso fosse considerado secundário, ante uma só palavra do sr. de Norpois. Pondo as suas esperanças invencíveis de racionalista no regime de ar livre e deitar cedo que me fora prescrito, deplorava ela como um desastre a infração que eu lhe ia fazer, e, num tom desolado, dizia: "Como você é leviano!", a meu pai, que, furioso, respondia: "Como! Agora é a senhora que não quer que ele vá! Essa é um pouco forte! A senhora que vivia a repetir-nos que o teatro podia ser útil para o menino...".

Mas o sr. de Norpois mudara as intenções de meu pai num ponto muito mais importante para mim. Este sempre desejara que eu fosse diplomata, e eu não podia suportar a ideia de arriscar-me, mesmo que devesse ficar por algum tempo adido ao Ministério, a ser enviado como embaixador a capitais que Gilberte não habitaria. Preferiria voltar aos projetos literários que outrora formulara e abandonara no curso de meus passeios para o lado de Guermantes. Mas meu pai fizera constante oposição a que eu me destinasse à carreira das letras, que julgava muito inferior à diplomacia, chegando a recusar-lhe o nome de carreira, até o dia em que o sr. de Norpois, que não estimava muito os agentes diplomáticos das novas fornadas, lhe assegurara que se podia, como escritor, atrair a mesma consideração, exercer a mesma influência e conservar mais autonomia que nas embaixadas.

"Quem diria! O velho Norpois não é de todo contrário à ideia de que faças literatura", dissera-me meu pai. E como ele próprio era muito influente, julgava que não havia nada que não se arranjasse, que não achasse solução favorável em conversa com pessoas importantes: "Eu o trarei para jantar, numa destas tardes, ao sairmos da Comissão. Tu conversarás um pouco com ele, para que possa apreciar-te. Escreve alguma coisa de bom que lhe possas mostrar; ele se dá muito com o diretor da *Revue des Deux Mondes*; lá te fará entrar, arranjará tudo, é uma velha raposa; e, palavra!, parece achar que a diplomacia, hoje!...".[11]

---

11 A *Revue des Deux Mondes* havia sido fundada em 1829 e, após 1893, estava sendo dirigida por Ferdinand Brunetière. Ela se mostrava favorável à aliança franco-russa, que tanto agradava ao velho embaixador. Além disso, certas falas do sr. de Norpois são pastiche dos editoriais austeros, muito acadêmicos em matéria literária e conservadores em política, escritos por Francis Charmes. (N. E.)

A felicidade que eu teria de não me ver separado de Gilberte me tornava desejoso mas não capaz de escrever uma bela coisa que pudesse ser mostrada ao sr. de Norpois. Depois de algumas páginas preliminares, o tédio me fazia cair a caneta da mão, e eu chorava de raiva, pensando que jamais teria talento, que não possuía dotes e não poderia sequer aproveitar a oportunidade que a próxima visita do sr. de Norpois me oferecia, de ficar sempre em Paris. Apenas a ideia de que me permitiam ir ver a Berma me distraía de meu pesar. Mas, da mesma forma que eu só desejava ver tempestades nas costas em que eram mais violentas, assim também apenas queria ouvir a grande atriz num desses papéis clássicos em que Swann me dissera que atingia o sublime. Pois quando queremos receber certas impressões de natureza ou de arte, na esperança de alguma descoberta preciosa, temos algum escrúpulo em permitir que nossa alma acolha em seu lugar impressões menores que nos poderiam enganar quanto ao valor exato do Belo. A Berma em *Andrômaca*, nos *Caprichos de Mariana*, em *Fedra*, era dessas coisas famosas que minha imaginação tanto havia desejado. Eu teria o mesmo arrebatamento que no dia em que uma gôndola me conduzisse ao pé do Ticiano dos Frari ou dos Carpaccio de San Giorgio degli Schiavoni, se algum dia ouvisse recitados pela Berma os versos: "On dit qu'un prompt départ vous éloigne de nous, Seigneur" etc.[12] Conhecia-os pela simples reprodução em preto e branco que lhes dão as edições impressas; mas

---

12 Menção do quadro de Ticiano intitulado *Assunção da Virgem* (1516), conservado na igreja Santa Maria Gloriosa dos Frari, em Veneza; também das telas de Carpaccio expostas na Scuola di San Giorgio degli Schiavoni, em Veneza. O crítico inglês John Ruskin apresentava a *Assunção da Virgem* como "o melhor exemplo de Ticiano em Veneza". Proust, influenciado pela paixão despertada pelas leituras da obra desse crítico, partiria em visita a Veneza entre os meses de abril e maio de 1900. Os versos citados em francês ("Dizem que breve partida vos afasta de nós, Senhor") são extraídos da peça *Fedra*, de Racine, no momento em que a personagem Fedra, impulsionada pela partida do jovem Hipólito, filho de seu marido, Teseu, declara enfim seu amor a ele. (N. E.)

meu coração batia quando eu pensava, como na realização de uma viagem, que os veria afinal mergulhados efetivamente na atmosfera e no ensolarado da voz de ouro. Um Carpaccio em Veneza, a Berma em *Fedra* eram obras-primas de arte pictórica ou dramática cujo prestígio as tornava tão vivas em mim, isto é, tão indivisíveis, que se eu tivesse ido ver Carpaccio numa sala do Louvre, ou a Berma nalguma peça de que jamais ouvira falar, já não experimentaria o mesmo delicioso espanto de ter enfim os olhos abertos diante do objeto inconcebível e único de tantos milhares de sonhos meus. Depois, esperando do desempenho da Berma revelações sobre certos aspectos da nobreza, da dor, parecia-me que o que havia de grande, de real, naquele desempenho, ainda mais deveria sê-lo se a atriz o sobrepunha a uma obra de verdadeiro valor, em vez de bordar verdade e beleza numa trama medíocre e vulgar.

Enfim, se fosse ouvir a Berma numa peça nova, não me seria fácil julgar da sua arte e da sua dicção, visto que não poderia fazer a distinção entre um texto que não conhecia previamente e o que lhe iriam acrescentar as entonações e os gestos que me pareceriam fazer corpo com ele; ao passo que as obras antigas que sabia de cor me apareciam como vastos espaços reservados e já prontos, onde poderia apreciar em plena liberdade as invenções de que a Berma os cobriria, como que a fresco, com os perpétuos achados da sua inspiração. Infelizmente, há anos que ela deixara os grandes palcos e fazia a fortuna de um teatro de bulevar de que era a estrela, já não representava peças clássicas, e por mais que eu consultasse os programas, nunca anunciavam senão peças recentes, fabricadas especialmente para ela, por autores em voga; quando certa manhã, procurando na coluna dos teatros as matinês da semana do Ano-Bom, ali topei pela primeira vez — no fim do espetáculo, após uma peça curta provavelmente insignificante, cujo título me pareceu opaco porque continha todo o particular de uma ação que eu ignorava — dois atos de *Fedra*, com a sra. Berma, e nas matinês seguintes o *Demi-Monde* e os *Caprichos de Mariana*, nomes que, como o de *Fedra*, eram para mim transparentes, cheios apenas de claridade, de tal modo a obra me era conhecida, iluminados, até o fundo, de um sorriso de arte.[13] Pareceram-me acrescentar nobreza à própria sra. Berma quando li nos jornais, após o programa daqueles espetáculos, que fora ela que tinha resolvido mostrar-se de novo ao público em algumas de suas antigas criações. Sabia, pois, a artista que certos papéis têm um interesse que sobrevive à novidade de sua estreia ou ao sucesso de sua repetição, considerava-os, interpretados por ela, como obras-primas de museu que poderia ser instrutivo colocar de novo sob os olhos da geração que a tinha admirado nelas, ou da que ainda não a tinha visto. Anunciando assim, em meio de peças apenas destinadas a fazer passar o tempo de uma tarde, a *Fedra*, cujo título não era mais longo que os daquelas e nem era impresso em caracteres diferentes, ela lhe acrescentava como que o subentendido de uma dona de casa que, apresentando-nos a seus convivas no instante de ir para a mesa, nos diz, em meio aos nomes de convidados que não passam de convidados e no mesmo tom em que citou os outros: o sr. Anatole France.

O médico que me tratava — aquele que me proibira qualquer viagem — desaconselhou a meus pais que me deixassem ir ao teatro; eu voltaria doente, por muito tempo talvez, e teria afinal de contas mais sofrimento do que prazer. Esse receio poderia deter-me, se o que eu esperasse de tal representação fosse apenas um prazer que, afinal de contas, um sofrimento ulterior pode anular, por compensação. Mas — da mesma forma que na viagem a Balbec e na viagem a Veneza, que tanto desejara — o que eu pedia àquela matinê eram coisas muito diversas de um prazer:

---

13 O *Demi-Monde* é uma comédia de Alexandre Dumas Filho do ano de 1855, retomada na Comédie Française no ano de 1882. (N. E.)

verdades pertencentes a um mundo mais real do que aquele em que vivia, e cuja aquisição, uma vez realizada, não me poderia ser arrebatada por incidentes insignificantes de minha inútil existência, por mais dolorosos que fossem para meu corpo. Quando muito, o prazer que teria durante o espetáculo me aparecia como a forma talvez necessária da percepção dessas verdades; e era o bastante para eu desejar que os males preditos só começassem uma vez finda a representação, a fim de que esse prazer não fosse por eles comprometido e falseado. Implorava a meus pais, que, depois da visita do médico, não mais queriam que eu fosse à *Fedra*. Incessantemente recitava comigo a tirada "On dit qu'un prompt départ vous éloigne de nous", procurando todas as entonações que ali se poderiam pôr, a fim de melhor avaliar o inesperado da que a Berma acharia. Oculta como o Santo dos Santos sob a cortina que ma furtava e atrás da qual eu lhe emprestava a cada instante um aspecto novo, segundo as palavras de Bergotte — na plaquete encontrada por Gilberte — que me voltavam ao espírito: "Nobreza plástica, cilício cristão, palor jansenista, Princesa de Trézéne e de Cléves, drama micênico, símbolo délfico, mito solar", a divina Beleza que me devia revelar o desempenho da Berma, noite e dia, sobre um altar perpetuamente aceso, imperava no fundo do meu espírito, de meu espírito que os meus pais severos e levianos iam decidir se encerraria ou não, e para sempre, as perfeições da deusa revelada naquele mesmo lugar onde se erguia a sua forma invisível. E de olhos fixos na imagem inconcebível, eu lutava da manhã à noite contra os obstáculos que me opunha a minha família. Mas quando esses obstáculos caíram, quando minha mãe — embora aquela matinê se realizasse precisamente no dia da sessão após a qual meu pai devia trazer o sr. de Norpois para jantar — assim me disse: "Pois bem, não queremos aborrecer-te; se julgas que terás tanto prazer, deves ir mesmo", quando aquele dia de teatro, até então proibido, não dependia mais que de mim, eis que pela primeira vez, já não tendo de me preocupar que deixasse de ser impossível, perguntei a mim mesmo se era desejável, se outros motivos que não a proibição de meus pais não poderiam fazer-me renunciar àquilo. Primeiramente, depois de haver detestado a sua crueldade, o seu consentimento nos tornava tão caro que a ideia de lhes causar aflição provocava outra em mim mesmo, aflição através da qual a vida já se não me apresentava como tendo a verdade por objetivo, mas sim a ternura, e não mais me parecia boa ou má senão na medida em que meus pais fossem felizes ou infelizes. "Prefiro não ir ao teatro, se isso lhes causar aflição", disse eu a minha mãe, que, pelo contrário, se esforçava por me tirar da cabeça essa ideia preconcebida de que ela pudesse ficar triste e que, segundo afirmava, estragaria o prazer que eu sentiria na *Fedra*, em consideração do qual ela e meu pai haviam voltado atrás na sua proibição. Mas já agora essa espécie de obrigação de sentir prazer me parecia bastante pesada. E depois, se eu voltasse doente, ficaria curado bastante depressa para poder ir aos Campos Elísios, findas as férias, logo que Gilberte regressasse? A todas essas razões eu confrontava para decidir do que deveria sobrepujá-la, a ideia, invisível atrás do seu véu, da perfeição da Berma. Punha num dos pratos da balança "sentir mamãe triste, correr o risco de não poder ir aos Campos Elísios" e, no outro, "palor jansenista, mito solar"; mas essas próprias palavras acabavam por se obscurecer diante de meu espírito, não me diziam mais nada, perdiam todo peso; pouco a pouco as minhas hesitações se tornavam tão dolorosas que, se tivesse agora optado pelo teatro, seria somente para fazê-las cessar e livrar-me delas de uma vez por todas. Seria para abreviar meu sofrimento e não mais na esperança de um benefício intelectual e sob o fascínio da perfeição que eu me deixaria levar, não para a sábia deusa, mas para a implacável divindade sem rosto e sem nome que sub-repticiamente a substituíra atrás de seu véu. Mas eis que tudo mudou de súbito, meu desejo de ir ouvir a Berma recebeu novo impulso que me permitiu esperar com impaciência e alegria aquele espetáculo: tendo ido fazer diante da coluna dos teatros a minha estação cotidiana, tão cruel ultimamente, de estilita, eu vira, ainda úmido, o programa detalhado de *Fedra*, que acabavam de colar pela primeira vez (e onde, a falar verdade, o resto do elenco não me trazia nenhum atrativo novo que pudesse influir-me). Mas dava a um dos alvos entre os quais oscilava a minha indecisão uma aparência mais concreta e — como o cartaz estava datado, não do dia em que eu lia, mas daquele em que se efetuaria a representação, e até da hora do erguer do pano — quase iminente, já em via de realização, tanto assim que saltei de alegria diante da coluna, pensando que naquele dia, exatamente naquela hora, eu estaria prestes a ouvir a Berma, sentado no meu lugar; e, de medo que meus pais não tivessem mais tempo de encontrar dois bons lugares para minha avó e para mim, não dei mais que um pulo até em casa, fustigado como estava por estas palavras mágicas que haviam substituído no meu pensamento "palor jansenita" e "mito solar": "As senhoras não serão admitidas de chapéu na plateia, as portas serão fechadas às duas horas".

Mas, ai de mim, aquela primeira matinê foi uma grande decepção. Meu pai se ofereceu para levar a minha avó e a mim até o teatro, quando fosse para a sua Comissão. Antes de sair, disse ele a minha mãe: "Trata de arranjar um bom jantar; estás lembrada de que devo trazer Norpois?". Minha mãe não o esquecera. E desde a véspera, Françoise, feliz por se entregar àquela arte da cozinha para a qual possuía certamente um dom, estimulada, aliás, pela notícia de um conviva novo, e sabendo que teria de preparar, segundo métodos só por ela sabidos, carne em sua própria geleia, vivia na efervescência da criação; como ligava a extrema importância à qualidade intrínseca dos materiais que deveriam entrar na fabricação de sua obra, ia em pessoa ao mercado conseguir os mais belos pedaços de alcatra, jarretes de vaca e mocotós de vitela, como Michelangelo quando passava oito meses nas montanhas de Carrara a escolher os blocos de mármore mais perfeitos para o monumento de Júlio II.

Tamanho ardor despendia Françoise naquelas idas e vindas que mamãe, ao ver o seu rosto congestionado, temia que a nossa velha criada caísse doente de esfalfamento, como o autor do Túmulo dos Médicis nas pedreiras de Pietrasanta.[14] E desde a véspera Françoise mandara cozinhar no forno do padeiro, protegido por uma camada de miolo de pão, como de mármore cor-de-rosa, o que ela chamava de presunto de Nova York. Julgando a língua menos rica do que é e seus próprios ouvidos pouco seguros, sem dúvida a primeira vez em que ouvira falar de presunto de York, tinha pensado — achando de uma prodigalidade inverossímil no vocabulário que pudesse existir ao mesmo tempo York e "New" York — que ouvira mal e que tinham querido dizer o nome que ela já conhecia. Desde então a palavra York vinha assim precedida em seus ouvidos, ou diante de seus olhos, se lia num anúncio, de *New*, que ela pronunciava *Nev'*. E era com a maior boa-fé do mundo que dizia à ajudante de cozinha: "Vá buscar presunto no Olida. A senhora me recomendou que tem de ser o de Nev' York".

Naquele dia, se Françoise tinha a ardente certeza dos grandes criadores, a mim me cabia a cruel inquietação do pesquisador. Sem dúvida, enquanto não ouvi a Berma, senti prazer. Senti-o na pracinha em face do teatro e cujos castanheiros desfolhados, duas horas mais tarde, iam brilhar com reflexos metálicos logo que os bicos de gás acesos alumiassem os pormenores de suas ramagens; diante dos encarregados da fiscalização, cuja escolha, promoção e sorte dependiam da grande artista — que só ela detinha o poder naquela administração a cuja testa diretores efêmeros e tão só nominais se sucediam obscuramente —, e que tomaram as nossas

---

14 Em 1505, o papa Júlio II encomenda a Michelangelo estátuas previstas para seu mausoléu. Das numerosas estátuas previstas, e apenas algumas concluídas, duas se encontram na igreja de San Pietro in Vincoli, de Roma. Entre os anos de 1518 e 1519, Michelangelo surpervisionaria pessoalmente a extração de mármore branco nas pedreiras de Pietrasanta. (N. E.)

entradas sem olhar-nos, preocupados como estavam em saber se todas as prescrições da sra. Berma tinham sido bem transmitidas ao pessoal novo, se estava bem compreendido que a claque nunca devia aplaudi-la, que as janelas deviam ficar abertas enquanto ela não estivesse em cena e todas as portas fechadas depois, que devia haver um jarro de água quente dissimulado perto dela para que a poeira não se elevasse do palco; e, com efeito, dali a um instante, a sua carruagem tirada por dois cavalos de longas crinas ia parar diante do teatro, ela desceria envolta em peliças e, respondendo às saudações com um gesto enfastiado, mandaria uma de suas aias informar-se a respeito do proscênio reservado para seus amigos, da temperatura da sala, do arranjo dos camarins, da apresentação das zeladoras, pois teatro e público, para ela, eram apenas um segundo vestido mais exterior no qual entraria e o meio mais ou menos bom condutor que o seu talento teria de atravessar. Senti-me feliz também na própria sala; desde que sabia que — ao contrário do que por tanto tempo me havia apresentado a minha imaginação infantil — não havia senão um palco para todo mundo, pensava eu que os outros espectadores impediriam a gente de ver direito, como no meio de uma multidão; ora, verifiquei que, ao contrário, graças a uma disposição que é como o símbolo de toda percepção, cada qual se sente o centro do teatro; o que me explicou como, uma vez em que haviam mandado Françoise ver um melodrama na terceira galeria, ela houvesse assegurado na volta que o seu lugar era o melhor que se poderia obter, e, em vez de achar-se demasiado longe, sentira-se intimidada com a proximidade misteriosa e viva do pano de boca. Meu prazer aumentou ainda quando comecei a distinguir, por trás daquele pano descido, confusos rumores como os que se ouvem debaixo de uma casca de ovo quando o pinto vai sair, que logo cresceram, e de súbito, daquele mundo impenetrável a nosso olhar, mas que nos via do seu, se dirigiram indubitavelmente a nós sob a forma imperiosa de três batidas tão emocionantes como sinais vindos do planeta Marte. E — uma vez erguido o pano — quando, no palco, uma escrivaninha e uma lareira aliás bastante comuns significaram que as personagens que iam entrar seriam não atores vindos para declamar, como já vira uma vez num sarau, mas homens prestes a viver em sua casa um dia de sua vida, na qual eu penetraria por efração, sem que eles me pudessem ver — meu prazer continuou a durar; foi interrompido por breve inquietação: justamente quando eu aguçava o ouvido antes que se iniciasse a peça, dois homens entraram no palco, muito encolerizados, pois falavam bastante alto para que, naquela sala onde havia mais de mil pessoas, se percebessem todas as suas palavras, ao passo que num pequeno café a gente é obrigado a perguntar ao garçom o que dizem dois indivíduos que altercam; mas no mesmo instante, atônito de ver que o público os ouvia sem protestar, submerso como estava num unânime silêncio à cuja tona veio em breve estalar um riso aqui, outro acolá, compreendi que aqueles insolentes eram os atores e que aquela pequena peça, chamada *lever de rideau*, acabava de começar. Foi seguida de um intervalo tão longo que os espectadores que haviam voltado para os seus lugares se impacientavam e punham-se a patear. Eu estava aterrado; pois, da mesma forma que, no relato de um processo, eu lia que um homem de nobre coração viria testemunhar em favor de um inocente, temia sempre que não fossem bastante gentis para com ele, que não lhe demonstrassem bastante gratidão, que não o recompensassem ricamente e que, enojado, ele se colocasse do lado da injustiça; assim, aproximando nesse ponto o gênio e a virtude, tinha medo de que a Berma, despeitada com os maus modos de um público tão mal-educado — no qual eu desejaria ao contrário que ela pudesse reconhecer com satisfação algumas celebridades a cujo julgamento daria importância —, fosse expressar-lhe o seu descontentamento e o seu desdém, representando mal. E olhava com ar súplice para aqueles brutos tripudiantes que iam quebrar com o seu furor a impressão frágil e preciosa que eu fora buscar. Enfim, os derradeiros momentos do meu prazer foram durante as primeiras cenas de *Fedra*. A personagem de *Fedra* não aparece nesse princípio do segundo ato: e, no entanto, logo que a cortina se ergueu e uma segunda cortina, esta de veludo vermelho, se afastou para aprofundar o palco, como acontecia em todas as peças em que representava a estrela, entrou pelo fundo uma atriz que tinha a face e a voz que me haviam dito ser as da Berma. Decerto haviam mudado a distribuição, e inútil se tornava todo o cuidado que eu tivera em estudar o papel da mulher de Teseu. Mas outra atriz deu a réplica à primeira. Devia ter-me enganado ao tomar a esta pela Berma, pois a segunda se lhe assemelhava ainda mais e, mais que a outra, tinha a sua dicção. Ambas, aliás, acrescentavam a seu papel nobres gestos — que eu distinguia claramente e cuja relação com o texto compreendia, enquanto elas agitavam seus belos peplos — e também entonações engenhosas, ora apaixonadas, ora irônicas, que me faziam compreender o significado de um verso que lera em casa sem prestar muita atenção ao que queria dizer. Mas de súbito, pela abertura da cortina rubra do santuário, como num quadro, surgiu uma mulher, e, em seguida, pelo medo que tive, muito mais ansioso do que o poderia ser o da Berma, de que a perturbassem abrindo uma janela, de que alterassem o som de uma de suas palavras amarrotando um programa, que a indispusessem aplaudindo as suas colegas e não aplaudindo a ela o suficiente, pela minha maneira, mais absoluta ainda que a da Berma, de não considerar desde aquele instante, sala, público, atores, peça, e o meu próprio corpo, senão como um meio acústico que apenas tinha importância na medida em que era favorável às inflexões daquela voz, compreendi que as duas atrizes que eu vinha admirando desde alguns minutos não tinham nenhuma semelhança com aquela que eu viera ouvir. Mas ao mesmo tempo cessara todo o meu prazer; por mais que estendesse para a Berma os meus olhos, os meus ouvidos, o meu espírito, a fim de não deixar escapar uma migalha das razões que ela me daria para admirá-la, não conseguia colher uma única. Nem sequer podia, como se dava em relação a suas colegas, distinguir-lhe na dicção e no desempenho entonações inteligentes, belos gestos. Ouvia-a como se lesse *Fedra*, ou como se a própria Fedra dissesse naquele momento as coisas que eu escutava, sem que o talento da Berma parecesse acrescentar-lhes coisa alguma. Desejaria — para poder aprofundá-la, para tratar de descobrir o que tinha de belo — fazer parar, imobilizar por longo tempo diante de mim cada entonação da artista, cada expressão da sua fisionomia; pelo menos, à força de agilidade mental, já tendo a atenção instalada e a postos antes de cada verso, procurava não distrair em preparativos uma parcela da duração de cada palavra, de cada gesto, e, graças à intensidade de minha atenção, chegar a penetrar neles tão profundamente como se tivesse longas horas ao meu dispor. Mas como era breve aquela duração! Mal chegava um som a meu ouvido, já vinha outro substituí-lo. Numa cena em que a Berma permanece imóvel um instante, com o braço erguido à altura do rosto banhado em luz esverdeada, graças a um artifício de iluminação, diante do cenário que representa o mar, a sala rompeu em aplausos, mas já a atriz mudara de posição e o quadro que eu desejaria estudar não mais existia. Disse a minha avó que não enxergava bem, e ela passou-me o seu binóculo. Apenas, quando se crê na realidade das coisas, usar de um meio artificial para vê-las não equivale inteiramente a sentir-se perto delas. Pensava que não era mais a Berma que eu ouvia, mas a sua imagem no vidro de aumento. Deixei o binóculo; mas talvez a imagem que recebia agora a minha vista, diminuída pelo afastamento, não fosse mais exata; qual das duas Berma era a verdadeira? Quanto à declaração a Hipólito, tinha eu muitas esperanças nesse trecho, onde ela, a julgar pelas significações engenhosas que suas colegas me descobriam a todo momento em partes menos belas, teria por certo entonações mais surpreendentes do que aquelas que eu, em casa, enquanto lia, tinha procurado imaginar; mas não atingiu nem mesmo às que Enone ou Arícia teriam encontrado, passou pela plaina de uma melopeia uniforme toda a tirada onde se viram confundidos tantos contrastes, contudo tão vivos que uma trágica apenas inteligente, ou mesmo alunas de liceu, não lhes teriam desdenhado o efeito; aliás, ela a disse tão depressa que somente quando chegou ao último verso foi que meu espírito tomou consciência da propositada monotonia imposta aos primeiros.

Afinal explodiu meu primeiro sentimento de admiração: foi provocado pelos aplausos frenéticos dos espectadores. Misturei-lhes os meus, tratando de prolongá-los, a fim de que a Berma, por gratidão, se superasse a si mesma, e assim pudesse eu ficar certo de que a ouvira num de seus melhores dias. E o curioso é que, segundo depois o soube, o momento em que se desencadeou o entusiasmo do público foi aquele de fato em que a Berma tem um de seus melhores achados. Parece que certas realidades transcendentes emitem ondas a que é sensível a multidão. É assim que, por exemplo, ao surgir um acontecimento, quando um exército está em perigo na fronteira, e é vencido, ou sai vitorioso, as notícias assaz obscuras que se recebem, e de que o homem cultivado não sabe tirar maiores consequências, provocam na massa uma emoção que o surpreende, e na qual reconhece, uma vez que os entendidos o puseram ao corrente da verdadeira situação militar, a percepção, pelo povo, dessa aura que cerca os grandes acontecimentos e que pode ser visível a centenas de quilômetros. Sabe-se da vitória, ou depois que a guerra terminou, ou imediatamente, pela alegria do porteiro. Descobre-se um rasgo genial do desempenho da Berma oito dias depois de a ter ouvido, pela crítica, ou no mesmo momento, pelas aclamações da plateia. Mas, estando esse conhecimento imediato da multidão mesclado a cem outros completamente errôneos, os aplausos caíam quase sempre em falso, sem contar que eram mecanicamente impulsionados pela força dos aplausos anteriores, como ocorre numa tempestade, quando o mar já está tão agitado que continua a engrossar, embora não aumente o vento. Que importava? À medida que eu ia aplaudindo, parecia-me que a Berma havia representado melhor. "Ao menos", dizia a meu lado uma mulher bastante vulgar, "esta se mexe, golpeia-se que dói, agita-se, e isto é que é representar!" E eu, muito satisfeito por encontrar essas razões da superioridade da Berma, embora suspeitasse que não bastavam para explicá-la, como não explicava a da *Gioconda*, ou a do *Perseu* de Benvenuto, a exclamação de um campônio: "Mas que coisa benfeita! Tudo de ouro e tão bonito! Que trabalho!", compartilhei com embriaguez do vinho grosseiro daquele entusiasmo popular.[15] Todavia, ao cair o pano, senti certo desapontamento de que não tivesse sido maior esse prazer que tanto almejara, mas sentia ao mesmo tempo a necessidade de o prolongar, de não deixar para sempre, ao sair da sala, aquela vida do teatro que durante algumas horas fora a minha, e de que me teria arrancado, como numa partilha para o exílio, ao voltar diretamente para casa, se ali não tivesse esperanças de saber muito mais coisas sobre a Berma, por intermédio daquele seu admirador graças ao qual me haviam permitido ir ver a *Fedra*: o sr. de Norpois.

Fui-lhe apresentado antes do jantar por meu pai, que para isso me chamou ao seu gabinete. À minha entrada, o embaixador ergueu-se, estendeu-me a mão, inclinou o elevado talhe e fixou atentamente em mim seus olhos azuis. Como os estrangeiros de passagem que lhe eram apresentados no tempo em que representava a França eram mais ou menos — até os cantores em voga — pessoas de importância e a cujo respeito sabia ele então que poderia dizer mais tarde, quando pronunciassem os seus nomes em Paris ou Petersburgo, que se recordava perfeitamente da noite que passara com eles em Munique ou em Sófia, tomara o hábito de significar com sua afabilidade a satisfação que sentia em conhecê-los: mas além disso persuadido de que, na vida das capitais, ao contato ao mesmo tempo das individualidades interessantes que as atravessam e dos costumes do povo que as habita,

---

15 Referência à grande estátua em bronze assinada por Benvenuto, *Perseu com a cabeça da Medusa*, visível sob as arcadas da Loggia dei Lanzi, na cidade de Florença. (N. E.)

adquirimos um conhecimento aprofundado, que os livros não nos dão, da história, da geografia, dos costumes das diferentes nações, do movimento intelectual da Europa, exercia ele sobre cada recém-chegado as suas agudas faculdades de observador, a fim de saber em seguida com que espécie de homem tinha de haver-se. Fazia muito que o governo não lhe confiava um posto no exterior, mas, logo que lhe apresentavam alguém, seus olhos, como se não tivessem recebido notificação da disponibilidade do embaixador, começavam a observá-lo com proveito, enquanto ele, por toda a sua atitude, procurava mostrar que o nome do estrangeiro não lhe era desconhecido. Assim, ao mesmo tempo em que me falava com bondade e o ar de importância de um homem que conhece a sua vasta experiência, não cessava de examinar-me com uma curiosidade sagaz e toda para seu proveito, como se eu fosse algum costume exótico, algum monumento instrutivo, ou alguma estrela em turnê. E destarte dava provas ao mesmo tempo, para comigo, da majestosa amabilidade do sábio Mentor e da curiosidade estudiosa do jovem Anacársis.[16]

Não me fez oferecimento algum quanto à *Revue des Deux Mondes*, mas formulou algumas perguntas sobre a minha vida e meus estudos, e sobre os meus gostos, dos quais eu ouvia falar pela primeira vez como se pudera ser razoável segui-los, quando até então julgava que era um dever contrariá-los. E já que meus gostos me inclinavam para a literatura, o sr. de Norpois não me desviou desta; pelo contrário, falou-me a seu respeito com toda a deferência, como se se tratasse de uma pessoa venerável e encantadora de cujo escolhido círculo, em Roma ou em Dresden, se guardou a melhor lembrança e que se lamenta encontrar tão raramente

---

16 Em Homero, Mentor era o preceptor de Telêmaco. Já a "curiosidade estudiosa" é uma alusão ao livro *Voyage du jeune Anacharis en Grèce* (1783), romance educativo escrito pelo abade Barthélemy, no qual o jovem Anacársis atravessa a Grécia antiga e vai adquirindo sempre novos conhecimentos. (N. E.)

depois, por culpa das injunções da vida. Parecia invejar-me, sorrindo com um ar quase picaresco, os bons momentos que, mais feliz do que ele e mais livre, ela me faria passar. Mas os próprios termos de que se servia me mostravam a literatura muito diferente da imagem que dela eu formara em Combray, e compreendi que tivera dobrada razão em renunciar a ela. Até então, eu apenas reconhecera que não tinha o dom de escrever; agora o sr. de Norpois me tirava até o desejo de fazê-lo. Quis exprimir-lhe o que havia sonhado: trêmulo de emoção, tinha o máximo escrúpulo de que minhas palavras fossem todas o equivalente mais sincero possível do que eu sentira e jamais tentara formular a mim mesmo; o que quer dizer que minhas palavras não tiveram a mínima clareza. Talvez por hábito profissional, talvez em virtude da calma que adquire todo homem importante cujo conselho é solicitado e que, sabendo que conservará o domínio da conversação, deixa o interlocutor agitar-se, esforçar-se, penar à vontade, talvez também para realçar as características de sua cabeça (grega, segundo ele, apesar das grandes suíças), o sr. de Norpois, enquanto lhe expunham alguma coisa, conservava uma imobilidade fisionômica tão absoluta como se estivessem falando diante de algum busto antigo — e surdo — numa gliptoteca. De súbito, tombando como o martelo do leiloeiro, ou como um oráculo de Delfos, a voz do embaixador, ao dar a resposta, tanto mais nos impressionava quanto nada em sua face nos deixara suspeitar a impressão que lhe causáramos, nem a opinião que ele ia emitir.

— Precisamente — disse-me ele de súbito, como se a causa estivesse julgada e depois de ter-me deixado patinhar ante os olhos imóveis que não me largavam um só instante —, conheço o filho de um de meus amigos que, *mutatis mutandis*, é bem como você. — E tomou para falar de nossas disposições comuns, o mesmo tom tranquilizador de como se fossem disposições, não para a literatura, mas para o reumatismo, e como se quisesse demonstrar-me que disso não se morre. — De modo que preferiu deixar o Quai d'Orsay, onde no entanto o caminho já lhe estava previamente traçado pelo pai e, sem se preocupar com o que diriam, começou a produzir. E por certo não teve ensejo de se arrepender. Publicou há dois anos — é aliás muito mais velho do que você, naturalmente — uma obra relativa ao sentimento do Infinito na margem ocidental do lago Vitória-Nianza, e, este ano, um opúsculo menos importante, mas conduzido com pena ágil, e às vezes até acerada, sobre o fuzil de repetição no exército búlgaro, e que o colocaram numa posição verdadeiramente ímpar. Já fez um belo caminho, nem é homem que se detenha na metade, e eu sei que, sem que tenha sido encarada a ideia de uma candidatura, já citaram duas ou três vezes o seu nome, em conversação, e de um modo nada desfavorável, na Academia de Ciências Morais. Em suma, sem que se possa dizer que já esteja no pináculo, conquistou galhardamente uma belíssima posição, e o sucesso, que nem sempre coroa aos espertalhões e irrequietos, aos intrigantes que são quase sempre uns charlatães, o sucesso recompensou os seus esforços.

Meu pai, já a ver-me acadêmico dentro em poucos anos, respirava uma satisfação que o sr. de Norpois levou ao cúmulo quando, após um instante de hesitação em que pareceu calcular as consequências do seu ato, disse, estendendo-me o seu cartão: "Vá visitá-lo da minha parte; ele lhe poderá dar conselhos muito úteis", causando-me com essas palavras uma agitação tão penosa como se me houvessem anunciado que me embarcariam no dia seguinte como grumete a bordo de um veleiro.

Tia Léonie me deixara, junto com inúmeros objetos e móveis muito incômodos, quase toda a sua fortuna líquida — revelando-me assim após a morte uma afeição que eu nunca suspeitara durante a sua vida. Meu pai, que devia gerir essa fortuna até a minha maioridade, consultou o sr. de Norpois sobre certo número de inversões. Aconselhou títulos de pouco rendimento, que julgava particularmente sólidos, sobretudo os Consolidados ingleses e o

4.% russo.[17] "Com esses valores de primeiríssima ordem", disse o sr. de Norpois, "se a renda não é muito elevada, ao menos o senhor está seguro de não ver em perigo o capital". Quanto ao resto, disse-lhe meu pai em linhas gerais o que havia adquirido. O sr. de Norpois teve um quase imperceptível sorriso de congratulações: como todos os capitalistas, considerava a fortuna uma coisa invejável, mas achava mais delicado não cumprimentar alguém pela fortuna que possuía senão com um sinal de inteligência apenas esboçado; por outro lado, como era ele próprio colossalmente rico, achava de bom-tom assumir o ar de quem julgava consideráveis os rendimentos menores dos outros, não sem uma alegre e confortável lembrança da superioridade dos seus. Em compensação, não deixou de felicitar meu pai pela "composição" de sua carteira de títulos, "de um gosto tão seguro, tão delicado, tão fino". Dir-se-ia que emprestava às relações dos valores de bolsa entre si, e até aos valores da Bolsa, em si, algo assim como um mérito estético. De um deles, muito novo e ignorado, de que lhe falou meu pai, o sr. de Norpois, como essas pessoas que leram livros que só a gente julgava conhecer, lhe disse: "Como não?, pois se eu até me diverti algum tempo em seguir-lhe as cotações... Era interessante", e isso com o sorriso retrospectivamente encantado de um assinante que leu o último romance de uma revista, aos bocados, em folhetim. "Eu não o desaconselharia a subscrever a emissão que vai ser lançada proximamente. É atraente, pois oferecem os títulos a preços tentadores." Quanto a certos valores antigos, como não lhe recordasse exatamente os nomes, fáceis de confundir com ações similares, meu pai abriu então uma gaveta e mostrou os próprios títulos

---

17 Os "Consolidados" designavam particularmente ações inglesas. A Rússia toma uma série de empréstimos junto à França, a partir de 1880, empréstimos que facilitarão justamente uma aproximação entre os dois países. No penúltimo volume, saberemos que esses "valores de primeiríssima ordem", recomendados pelo sr. de Norpois, são os que terão a maior baixa. (N. E.)

ao embaixador. Sua vista encantou-me; eram adornados de frechas de catedrais e de figuras alegóricas, como certas publicações românticas que eu folheara outrora. Tudo quanto é de uma mesma época se assemelha; os artistas que ilustram os poemas de determinados tempos são os mesmos a quem encomendam trabalhos as Sociedades Financeiras. E nada evocava tão bem certas brochuras de Notre-Dame de Paris e de obras de Gérard de Nerval, tais como estavam penduradas à frente da loja de Combray, do que, no seu enquadramento retangular e florido suportado por divindades fluviais, uma ação nominal da Companhia das Águas.

Meu pai dedicava a meu gênero de inteligência um desprezo suficientemente corrigido pela ternura, de modo que tinha afinal uma cega indulgência por tudo quanto eu fazia. Assim, não hesitou em mandar-me buscar um pequeno poema em prosa que eu escrevera outrora em Combray, ao voltar de um passeio. Tinha-o composto com uma exaltação que me parecia dever comunicar-se aos que o lessem. Mas com certeza não atingiu o sr. de Norpois, pois mo devolveu sem dizer palavra.

Minha mãe, cheia de respeito pelas ocupações de meu pai, veio perguntar-lhe timidamente se podia mandar servir o jantar. Tinha medo de interromper uma conversação em que não poderia imiscuir-se. E, com efeito, a cada momento meu pai lembrava ao marquês qualquer medida útil que haviam resolvido defender na próxima sessão da Comissão, e fazia-o no tom particular que assumem num meio diferente — semelhantes nesse ponto a dois colegiais — dois colegas cujos hábitos profissionais lhe criam recordações comuns a que não têm acesso os outros e que eles se escusam de tratar na sua frente.

Mas a perfeita independência dos músculos da face a que chegara o sr. de Norpois lhe permitia escutar sem parecer que estava ouvindo. Meu pai acabava por se perturbar: "Tinha pensado em solicitar o parecer da Comissão...", dizia ele ao sr. de Norpois, depois de longos preâmbulos. Então do rosto do aristocrático virtuose, que conservara a inércia de um instrumentista que ainda não chegou ao momento de executar a sua parte, soltava-se com dicção monótona, num tom agudo e como que só para terminar, mas confiando-a desta vez a outro timbre, a frase começada: "Que, está visto, o senhor não hesitará em reunir, tanto mais que os seus membros lhe são pessoalmente conhecidos e poderão fazê-lo sem dificuldade". Evidentemente, não era lá uma terminação muito extraordinária. Mas a imobilidade precedente destacava-a com a nitidez cristalina, o imprevisto quase malicioso dessas frases com que o piano, silencioso até então, replica, no momento devido, ao violoncelo que se acaba de ouvir, num concerto de Mozart.

— E então, estás contente com a tua matinê? — indagou meu pai, enquanto passávamos para a mesa, a fim de fazer-me brilhar e pensando que, pelo meu entusiasmo, o sr. de Norpois me pudesse julgar melhor. — Ele foi ouvir a Berma há pouco; o senhor se lembra de que faláramos a propósito... — disse ele, voltando-se para o diplomata no mesmo tom de alusão retrospectiva, técnica e misteriosa, como se se tratasse de uma sessão da Comissão.

— Você sem dúvida ficou encantado, principalmente se é a primeira vez que a ouve. O senhor seu pai alarmava-se com o choque que poderia trazer para sua saúde essa pequena escapada, pois você é um pouco delicado, um pouco frágil, creio eu. Mas eu tranquilizei-o. Os teatros não são hoje em dia o que eram apenas há vinte anos. Dispomos de lugares mais ou menos confortáveis, de ar renovado, embora tenhamos ainda muito que fazer para alcançar a Alemanha e a Inglaterra, que neste ponto, como em muitos outros, nos levam formidável dianteira. Não ouvi a sra. Berma em *Fedra*, mas ouvi dizer que ela era admirável nesse papel. E você naturalmente ficou encantado, não?

O sr. de Norpois, mil vezes mais inteligente que eu, devia estar de posse daquela verdade que eu não soubera extrair do desempenho da Berma, e certamente ma iria revelar; respondendo à sua pergunta ia pedir-lhe que me dissesse em que consistia tal verdade; e assim justificaria ele o desejo que eu tivera de ver a atriz. Só dispunha de um momento, era preciso aproveitá-lo e conduzir meu interrogatório para os pontos essenciais. Mas quais eram eles? Fixando toda a atenção em minhas impressões tão confusas, e sem absolutamente cuidar em que o sr. de Norpois me admirasse, mas sim em obter da sua parte a verdade desejada, não procurei substituir por frases feitas as palavras que me faltavam, balbuciei e, finalmente, para induzi-lo a declarar o que tinha a Berma de admirável, confessei-lhe que ficara decepcionado.

— Mas como!? — exclamou meu pai, aborrecido com o juízo desfavorável que a minha confessada incompreensão pudesse provocar no sr. de Norpois. — Como podes dizer que não gostaste, se tua avó nos contou que não perdias uma palavra do que dizia a Berma, que teus olhos pareciam que iam saltar, e que não havia ninguém assim como tu entre os espectadores?!

— Sim, eu escutava o melhor que podia, para ver o que tinha ela de notável. Sem dúvida, ela estava muito bem...

— E se ela estava muito bem, que mais queres?

— Uma das coisas que certamente contribuem para o sucesso da senhora Berma — disse o sr. de Norpois, voltando-se atenciosamente para minha mãe, a fim de não a deixar fora da conversação e satisfazer conscienciosamente o seu dever de polidez para com uma dona de casa — é o perfeito bom gosto que ela demonstra na escolha dos papéis e que sempre lhe traz francos e legítimos sucessos. Raras vezes representa coisas medíocres. Como vê, ela atirou-se ao papel de Fedra. De resto, esse bom gosto, ela tem tanto para vestir-se como para representar. Embora tenha feito frequentes e felizes excursões pela Inglaterra e pela América, a vulgaridade, não direi de John Bull, o que seria injusto, pelo menos para a Inglaterra da era vitoriana, mas do Tio Sam, não chegou sequer a contagiá-la. Nada de cores demasiado vivas, nem de gritos exagerados. E depois, essa voz admirável, que tanto a auxilia e que ela emprega fascinantemente, quase me atreveria a dizer qual musicista!...

Meu interesse pelo desempenho da Berma não cessara de aumentar depois de finda a representação, pois não mais sofria a compressão e os limites da realidade; mas sentia a necessidade de lhe encontrar explicações; de resto, esse interesse havia atuado, com igual intensidade, enquanto a Berma representava, sobre tudo quanto ela oferecia, na indivisibilidade da vida, a meus olhos e a meus ouvidos; ele nada separara e diferenciara; de modo que se alegrou em descobrir uma causa razoável naqueles elogios dedicados ao bom gosto e à simplicidade da artista e os atraía a si com o seu poder de absorção, apoderava-se deles como o otimismo de um bêbado se apodera das ações de seu próximo, encontrando nelas um motivo para se enternecer. "É verdade", pensava eu, "que bela voz, que ausência de gritos, que simplicidade de vestuário, que inteligência em haver escolhido *Fedra*! Não, eu não fiquei decepcionado!"

Surgiu o fiambre com cenouras, estendido pelo Michelangelo da nossa cozinha sobre enormes cristais de geleia semelhantes a blocos de quartzo transparente.

— Tem um mestre-cozinheiro de primeira ordem, minha senhora — disse o sr. de Norpois. — E não é coisa de pouca monta. Eu, que tive de sustentar no estrangeiro certo padrão doméstico, sei como é difícil encontrar um perfeito mestre-cuca. A senhora nos convidou para um verdadeiro festim!

E, com efeito, Françoise, posta em brios pela ambição de triunfar junto a um convidado importante, de uma ceia afinal semeada de dificuldades dignas dela, dera-se a um trabalho que não mais tomava, quando estávamos sozinhos, e havia reencontrado o seu incomparável toque de Combray.

— Eis o que não se pode encontrar nos restaurantes, e digo nos melhores: uma carne estufada em que a geleia não cheire a cola e em que a carne se haja impregnado do perfume das cenouras... É admirável! Permita-me repetir — acrescentou ele, fazendo sinal de que queria mais geleia. — Teria curiosidade de julgar o seu Vatel num prato inteiramente diverso, desejaria, por exemplo, vê-lo às voltas com a vitela à Stroganof.[18]

O sr. de Norpois, para contribuir também da sua parte à amenidade da ceia, nos serviu diversos casos com que frequentemente regalava seus colegas da diplomacia, ora citando alguma frase ridícula dita por um político contumaz em tais coisas e que as compunha longas e cheias de imagens incoerentes, ora certa expressão lapidar de um diplomata cheio de aticismo. Mas, a falar verdade, o critério que distinguia para ele essas duas ordens de frases não se assemelhava em nada àquele que eu aplicava em literatura. Muitas nuanças me escapavam; as palavras que ele recitava a rebentar de riso, eu não as achava muito diferentes das que lhe pareciam notáveis. Pertencia ao gênero de homens que, ante as obras que eu amava, teria dito: "Compreende, então? Pois eu confesso que não compreendo, não sou iniciado", mas eu podia dar-lhe o mesmo troco, não percebia o espírito ou a tolice, a eloquência ou o exagero que ele achava numa réplica ou num discurso, e a ausência de qualquer razão perceptível por que isto estava mal e aquilo estava bem fazia com que aquela espécie de literatura me fosse mais misteriosa e me parecesse mais obscura do que nenhuma outra. Percebi apenas que repetir o que todo mundo pensava não era em política sinal de inferioridade, mas de superioridade. Quando o sr. de Norpois se servia de certas expressões que andavam rolando pelos jornais e as pronunciava com força, sentia-se que se tornavam ação pelo simples fato de que ele as empregara, e uma ação que provocaria comentários.

Minha mãe contava muito com a salada de ananás e trufas. Mas o embaixador, depois de aplicar um instante sobre o prato a penetração de seu olhar de observador, comeu-a permanecendo

---

18 A "vitela à Stroganof" é especialidade russa, novo signo da russofilia do sr. de Norpois, assim como a palavra "ucasse" e o "pudim à Nesselrode", que encerrará o jantar. (N. E.)

envolto em discrição diplomática e não nos revelou seu pensamento. Minha mãe insistiu em que ele a repetisse, o que fez o sr. de Norpois, mas dizendo apenas, em vez do cumprimento que se esperava:

— Obedeço, minha senhora, pois vejo que é da sua parte um verdadeiro ucasse.

— Nós lemos nas "folhas" que o senhor conversou longamente com o rei Teodósio — disse-lhe meu pai.

— Com efeito, o rei, que possui uma rara memória das fisionomias, teve a bondade de lembrar-se, ao avistar-me no proscênio, que me coubera a honra de falar-me várias vezes na corte da Baviera, quando nem sequer sonhava ele com o seu trono oriental, pois sabem que foi chamado a ocupá-lo por um congresso europeu, e até hesitou muito em aceitá-lo, pois julgava essa soberania não muito à altura de sua linhagem, a mais nobre, heraldicamente falando, de toda a Europa. Um ajudante de ordens veio dizer-me que fosse saudar Sua Majestade, ordem essa que naturalmente me apressei a cumprir.

— E está o senhor satisfeito com os resultados da sua visita?

— Encantado! Era lícito conceber algumas apreensões quanto ao modo por que um monarca ainda tão jovem sairia daquele passo difícil, e principalmente em conjunturas tão delicadas. Da minha parte, tinha plena confiança no senso político do soberano. Mas confesso que minhas esperanças foram ultrapassadas. A saudação que pronunciou no Elísio, e que, segundo informes que me vêm de fontes inteiramente autorizadas, fora composta por ele da primeira à última palavra, era verdadeiramente digna do interesse que por toda parte despertou. É pura e simplesmente um golpe de mestre: quiçá um pouco atrevido, reconheço-o, mas de uma audácia que afinal as circunstâncias plenamente justificaram. As tradições diplomáticas têm certamente o seu lado bom, mas, no caso em questão, tinham acabado por fazer o seu país e o nosso viverem numa atmosfera abafada já de todo irrespirável. Pois bem! Uma das maneiras de renovar o ar, evidentemente das que se não podem recomendar, mas que o rei Teodósio podia permitir-se, consiste em quebrar as vidraças. E ele o fez com um bom humor que encantou a todo mundo e também com uma justeza de termos em que logo se reconheceu, a raça de príncipes letrados a que pertence pelo lado materno. É certo que, quando se referiu às "afluidades" que unem seu país à França, a expressão, por mais inusitada que possa ser no vocabulário das chancelarias, era no entanto singularmente feliz. Bem vê que a literatura não prejudica, nem mesmo na diplomacia, nem mesmo sobre um trono — acrescentou, dirigindo-se a mim. — Reconheço que a coisa estava de há muito constatada, e as relações entre as duas potências se haviam tornado excelentes. Mas ainda assim era preciso dizê-lo. A palavra era esperada, foi escolhida à maravilha, e bem viram como deu no alvo. Da minha parte, aplaudi calorosamente.

— Seu amigo, o senhor de Vaugoubert, que há tantos anos vinha preparando essa aproximação, deve estar muito satisfeito...

— E tanto mais que Sua Majestade, assaz costumeiro em tais gestos, timbrara em fazer-lhe surpresa. A surpresa foi aliás completa para todos, a começar pelo ministro dos Negócios Estrangeiros, o qual, pelo que me disseram, não a achou muito a seu gosto. A alguém que lhe falava no assunto, teria ele respondido bem nitidamente, e bastante alto para que o ouvissem os próximos: "Eu não fui consultado, nem prevenido", indicando assim claramente que declinava toda e qualquer responsabilidade no caso. Cumpre confessar que o acontecimento causou uma bela agitação, e eu não ousaria afirmar — acrescentou com um sorriso malicioso — que certos colegas meus, para quem a lei suprema parece ser a do menor esforço, não tenham sido abalados na sua quietude. Quanto a Vaugoubert, bem sabem que foi muito atacado por sua política de aproximação com a França, e tanto mais devia sofrer com isso porque é um sensitivo, um coração delicado. Posso perfeitamente assegurá-lo, pois embora seja muito mais moço do que eu, convivemos muito, somos amigos de longa data, e conheço-o bastante.

Aliás, quem o não conheceria? É uma alma de cristal. É esse até o único defeito que se lhe poderia censurar, não é preciso que o coração de um diplomata seja tão transparente como o seu. Isso não impede que se fale em mandá-lo para Roma, o que é um belo progresso, mas um osso bem duro de roer. Entre nós, creio que Vaugoubert, por mais isento que seja de ambição, ficaria muito satisfeito e não pede absolutamente que afastem dele esse cálice. Talvez faça maravilhas por lá; é o candidato da Consulta, e, da minha parte, vejo-o muito bem, ele que é tão artista, no cenário do palácio Farnésio e na galeria dos Carracci. Parece que pelo menos ninguém poderia odiá-lo; mas há em torno do rei Teodósio toda uma camarilha mais ou menos enfeudada na Wilhelmstrasse, cujas inspirações segue docilmente e que procurou por todas as maneiras de metê-lo em maus lençóis.[19] Vaugoubert teve de enfrentar não só as intrigas de bastidores, mas também as injúrias de foliculários a soldo que, mais tarde, covardes como todo jornalista estipendiado, foram dos primeiros a implorar perdão, mas que, enquanto isto, não recuaram em assacar contra o nosso representante ineptas acusações de gente sem responsabilidade. Durante mais de trinta dias os inimigos de Vaugoubert dançaram em torno dele a dança do escalpo — disse o sr. de Norpois, acentuando com ênfase a última palavra. — Mas o homem prevenido vale por

---

19 O palácio da Consulta era a sede do Ministério dos Assuntos Estrangeiros da Itália. Já o palácio Farnésio era sede da embaixada francesa em Roma. Ele contém uma grande galeria de afrescos de inspiração mitológica executados em 1597 por Agostino Carracci. Na Wilhelmstrasse, em Berlim, encontrava-se o Ministério dos Assuntos Estrangeiros da Alemanha. A chamada "camarilha" que circundaria o rei Teodósio refere-se ao grupo de homossexuais que rodeavam o rei Guilherme II, da Alemanha. O sr. de Norpois não parece consciente do campo de sugestões em que está tocando quando refere-se a essa "camarilha" e classifica Vaugoubert de "um sensitivo, um coração delicado": não devem ter sido simples intrigas de articulação política que Vaugoubert teve de enfrentar — ficaremos sabendo mais tarde que esse embaixador também era homossexual. (N. E.)

dois; e essas injúrias, ele as repeliu com a ponta do pé — acrescentou mais energicamente ainda, e com um olhar tão feroz que nós paramos um instante de comer. — Como diz um belo provérbio arábe: "Ladram os cães e a caravana passa".

Depois de lançar essa citação, o sr. de Norpois interrompeu-se para olhar-nos e verificar o efeito que provocara em nós. Foi grande, o provérbio já nos era conhecido. Naquele ano esse provérbio substituíra, entre os homens importantes, este outro: "Quem semeia ventos, colhe tempestades", o qual tinha necessidade de repouso, pois não era tão infatigável e vivaz como: "Trabalhar para o rei da Prússia". Porque a cultura daquelas pessoas eminentes era uma cultura alternada, e geralmente trienal. Por certo as citações desse gênero, com as quais o sr. de Norpois primava em esmaltar seus artigos da *Revue,* não eram necessárias para que estes parecessem sólidos e bem informados. Mesmo desprovidos do ornamento que lhes traziam, era suficiente que o sr. de Norpois escrevesse no momento adequado — o que não deixara de fazer: "O Gabinete de Saint-James não foi o último a farejar o perigo", ou então: "Enorme foi a emoção no Pont-aux-Chantres, onde se seguia com olhar inquieto a política egoísta mas hábil da monarquia bicéfala", ou: "Um brado de alarma partiu de Montecitório", ou ainda: "Esse eterno jogo duplo tão do feitio do Ballplatz".[20] Nessas expressões, logo o leitor profano reconhecia e saudava o diplomata de carreira. Mas o que fazia com que dissessem que ele era mais do que isso, que possuía uma cultura superior, era o emprego ponderado de citações cujo perfeito modelo permanecia

---

20 Saint-James designava o palácio em que se situava o Ministério dos Assuntos Estrangeiros, em Londres. "Pont-aux-Chantres" designa o Ministério dos Assuntos Estrangeiros russo, em São Petersburgo. Montecitório é o palácio da Câmara dos Deputados em Roma. "Ballplatz", o Ministério dos Assuntos Estrangeiros austro--húngaro em Viena. A expressão "monarquia bicéfala" designa justamente a monarquia austro-húngara. (N. E.)

então o seguinte: "Dai-me boa política e eu vos darei boas finanças, como costumava dizer o barão Louis".[21] (Ainda não haviam importado do Oriente: "A vitória pertence àquele dentre os dois adversários que saiba resistir um quarto de hora mais do que outro, como dizem os japoneses".) Essa reputação de grande letrado, a par de um verdadeiro gênio de intriga oculto atrás da máscara da indiferença, fizera o sr. de Norpois ingressar na Academia de Ciências Morais. E algumas pessoas chegaram até a pensar que ele não ficaria mal colocado na Academia Francesa, no dia em que, querendo indicar que só estreitando a aliança franco-russa poderíamos chegar a um acordo com a Inglaterra, não hesitou em escrever: "Que o saibam no Quai d'Orsay, que o ensinem doravante em todos os compêndios de geografia, que se mostram incompletos nesse ponto, que se recuse implacavelmente o diploma de bacharel a todo candidato que não o saiba dizer: 'Se todos os caminhos levam a Roma, também é verdade que a estrada que vai de Paris a Londres passa fatalmente por Petersburgo'".

— Em suma — continuou o sr. de Norpois, dirigindo-se a meu pai —, Vaugoubert conseguiu aí um belo êxito, que ultrapassa ao que ele próprio havia calculado. Esperava com efeito um discurso correto, o que já era muito, depois das nuvens dos últimos anos, mas nada mais do que isso. Muitas pessoas que se achavam no número dos assistentes me asseguraram que não se pode avaliar, ao ler esse brinde, o efeito que provocou, pronunciado e acentuado às maravilhas pelo rei, que é mestre na arte de dizer e que sublinhava, de passagem, todas as intenções, todas as finuras. Contaram-me a propósito um fato muito saboroso que mais uma vez vem evidenciar essa amabilidade juvenil do rei Teodósio, que lhe tem cativado tantos corações. Afirmaram-me que precisamen-

---

21 Ministro da Fazenda de Napoleão I e de Luís XVIII, o barão Joseph Dominique Louis (1755-1837) disse essa frase durante uma reunião do ministério provisório, ministério constituído em agosto de 1830, logo após os dias de revolução. (N. E.)

te nessa palavra "afinidades", que era afinal a grande inovação do discurso e que, como verá, continuará por muito tempo a ser comentada nas chancelarias, Sua Majestade, prevendo a alegria do nosso embaixador, que ia ver justamente coroados os seus esforços, os seus sonhos, digamos assim, pois alcançaria o bastão de marechal, voltou-se a meio para Vaugoubert e, fixando nele esse olhar tão sedutor dos Oettingen, destacou essa palavra tão bem escolhida de "afinidades", essa palavra que era um verdadeiro achado, num tom que dava a entender a todos que era empregada com plena consciência e conhecimento de causa. Parece que Vaugoubert mal podia dominar a emoção e, até certo ponto, confesso que o compreendo. Uma pessoa digna de todo o crédito chegou até a confiar-me que o rei teria se aproximado de Vaugoubert após o banquete, quando Sua Majestade formou círculo, e lhe teria dito a meia-voz: "Está contente com o seu discípulo, meu caro marquês?". É certo — concluiu o sr. de Norpois — que um brinde como esse fez mais do que vinte anos de negociações para estreitar as "afinidades" entre os dois países, conforme a pitoresca expressão de Teodósio II.[22] Não passa de uma palavra, se quiser, mas veja a voga que adquiriu, como a repete toda a imprensa europeia, que interesse desperta, como soa a coisa nova. Isso aliás é bem do soberano. Não posso dizer-lhe que ele ache todos os dias puros diamantes como esse. Mas é raro que nos discursos preparados, melhor ainda, no improviso da conversação, ele não mostre a sua marca — ia dizer, não aponha a sua assinatura — com algum dito incisivo. E tanto menos suspeito sou de parcialidade na matéria, visto ser inimigo de qualquer inovação nesse gênero. Em dezenove vezes por vinte, são perigosas.

---

22 O czar russo, Nicolau II, provável inspirador da personagem fictícia "Teodósio II", viria à França em 1896 confirmar a aliança franco-russa, firmada anos antes. A citada *Revue des Deux Mondes* traria, na crônica política da visita, expressões semelhantes às empregadas pelo "rei Teodósio". (N. E.)

— Sim, acho que o recente telegrama do imperador da Alemanha não deve ter sido de seu gosto — disse meu pai.[23]

O sr. de Norpois ergueu os olhos para o céu, como quem diz: "Ah!, esse! Antes de mais nada, é um ato de ingratidão. É mais do que um crime, é uma falta,[24] e de uma tolice que eu qualificarei de piramidal! De resto, se alguém não dá o alarma, o homem que escorraçou Bismarck é bem capaz de repudiar pouco a pouco toda a política bismarckiana, e então será o salto nas trevas".[25]

— Meu marido disse-me que o senhor o levaria talvez um destes verões à Espanha; estou encantada por ele.

— Sim, é um projeto muito atraente, que me alegra. Gostaria muito de fazer essa viagem com o senhor, meu caro. E a senhora, já pensou no emprego das suas férias?

— Talvez vá com meu filho a Balbec, não sei bem.

— Ah!, Balbec é agradável, passei por lá há alguns anos. Estão começando a construir ali umas vilas muito bonitas: creio que o lugar lhe agradará. Mas poderei perguntar-lhe o que a fez escolher Balbec?

— Meu filho tem muita vontade de ver certas igrejas da região, principalmente a de Balbec. Eu temia um pouco para a sua saúde as fadigas da viagem, e principalmente da estada. Mas soube que acabam de construir um excelente hotel que lhe permitirá viver nas condições de conforto requeridas em seu estado.

---

23 O pai do herói alude a um telegrama do dia 10 de janeiro de 1896 enviado pelo imperador Guilherme II ao chefe de Estado do Transvaal, região que lutava bravamente contra a colonização britânica. Tal telegrama quase desencadeou uma guerra entre a Inglaterra e a Alemanha. (N. E.)

24 Novo clichê empregado pelo sr. de Norpois: uma expressão atribuída a Fouché ou a Talleyrand depois do assassinato do duque d'Enghien. (N. E.)

25 Dois anos após a tomada de poder (1888), Guilherme II força o chanceler Bismarck a se demitir. Dos principais motivos conta-se a resistência do imperador em renovar um tratado de aliança com a Rússia, em favor da aliança com o império austro-húngaro. (N. E.)

— Ah! Vou dizê-lo a uma amiga minha, que há de apreciar essa informação.[26]

— Não é admirável a igreja de Balbec, senhor? — indaguei eu, dominando a tristeza de saber que um dos atrativos de Balbec consistia naquelas vilas bonitas.

— Não, não é má, mas enfim não pode sustentar o confronto com essas verdadeiras joias cinzeladas que são as catedrais de Reims, de Chartres, e, para meu gosto, a pérola de todas, a Santa Capela de Paris.

— Mas a igreja de Balbec é em parte romana, não é?

— Com efeito, é de estilo romano, que já por si mesmo é extremamente frio e nada deixa pressagiar da elegância e fantasia dos arquitetos góticos, que trabalham a pedra como renda. A igreja de Balbec merece uma visita quando se está no lugar, é bastante curiosa; se num dia de chuva você não tiver o que fazer, poderá visitá-la, e verá o túmulo de Tourville.[27]

— O senhor não esteve ontem no banquete das Relações Exteriores? Eu não pude comparecer — disse meu pai.

— Não — respondeu o sr. de Norpois com um sorriso —, confesso que o desprezei por uma reunião muito diferente. Jantei em casa de uma mulher de quem talvez já ouviram falar, a bela senhora Swann.

Minha mãe teve de reprimir um estremecimento, pois sendo de sensibilidade mais viva que meu pai, alarmava-se por ele com o que só deveria aborrecê-lo um instante depois. As contrariedades que lhe surgiam eram primeiro percebidas por ela, como essas más notícias

---

26 Saberemos adiante que o sr. de Norpois alude aqui à sra. de Villeparisis, sua amante há anos, que passará efetivamente uma temporada no Grande Hotel da praia de Balbec. (N. E.)

27 Indicação bem ao gosto do embaixador: visitar a igreja "bastante curiosa" não pelo seu valor artístico, mas para ver o túmulo do marechal francês, Anne-Hilarion de Cotentin, o conde de Tourville (1642-1701), que, na verdade, se encontra na igreja de Santo Eustáquio, em Paris. (N. E.)

da França que são conhecidas mais cedo no estrangeiro do que entre nós. Mas, curiosa por saber que gênero de pessoas poderiam ser recebidas pelos Swann, inquiriu com quem o sr. de Norpois havia então se encontrado.

— Meu Deus... é uma casa em que me parece que vão principalmente... cavalheiros. Havia alguns homens casados, mas suas mulheres estavam indispostas naquela noite e não tinham comparecido — respondeu o embaixador com uma finura velada de bonomia e lançando em torno olhares cuja suavidade e discrição fingiam temperar e exageravam habilmente a malícia. — Para ser inteiramente justo — acrescentou —, devo dizer que vão também mulheres, mas... pertencentes mais... como direi?... ao mundo republicano do que à sociedade de Swann. — ele pronunciava Svann. — Quem sabe? Será talvez um dia um salão político ou literário. De resto, parece que estão contentes assim. Acho que Swann até o demonstra um pouco excessivamente. Enumerava as pessoas que os haviam convidado para a semana seguinte, mas de cuja amizade não havia motivos de se orgulharem, com uma falta de reserva e de gosto, quase de tato, que muito me espantou num homem tão fino como ele. "Não temos uma noite livre", repetia, como se isso fosse uma glória, e à maneira de um verdadeiro arrivista, coisa que no entanto ele não é. Pois Swann tinha muitos amigos e até amigas, e, sem muito arriscar, nem incorrer nalguma indiscrição, creio poder afirmar que não todas, nem mesmo a maioria, mas uma pelo menos e que é uma grande dama, não seria talvez inteiramente refratária a ideia de travar relações com a senhora Swann, caso este em que, verossimilmente, mais de um carneiro de Panúrgio a teria seguido. Mas parece que da parte de Swann não houve nem um passo em tal sentido. Como! Ainda um pudim à Nesselrode! Não será demais a cura de Carlsbad para refazer-me deste festim de Lúculo. Talvez Swann haja percebido que teria muitas resistências a vencer. O casamento é certo que não agradou. Falou-se na fortuna da mulher, mas é puro boato. Enfim, nada disso agradou. E, depois, Swann tem uma tia riquíssima e de admirável posição, esposa de um homem que, financeiramente falando, é uma potência. E ela não só se recusou a receber a senhora Swann como conduziu uma campanha em regra para que suas amigas e conhecidas fizessem o mesmo. Não quero dizer com isso que algum parisiense da boa sociedade haja faltado com o respeito à senhora Swann... Não!, mil vezes não! Aliás, o marido é homem de levantar a luva. Em todo caso, o curioso é ver como Swann, que conhece tanta gente, e da mais escolhida, se mostra tão solícito para com uma sociedade da qual o mínimo que se pode dizer é que é muito mesclada. Eu que o conheci outrora, confesso que me sentia tão surpreso quão divertido ao ver um homem de tanta educação, tão em moda nos círculos mais depurados, agradecer com efusão ao chefe de gabinete do ministro dos Correios por ter ido à casa deles, e perguntar-lhe se a senhora Swann poderia *permitir-se* ir visitar sua esposa. E no entanto deve achar-se deslocado; não é mais a mesma sociedade, evidentemente. Mas não creio que Swann seja infeliz. É verdade que houve nos anos anteriores ao casamento muitas manobras de mesquinha chantagem da parte da mulher; cada vez que Swann lhe recusava alguma coisa, ela o privava de sua filha. E o pobre Swann, que é todavia tão ingênuo quanto refinado, julgava de cada vez que o rapto da filha era mera coincidência e não queria ver a realidade. Aliás, ela lhe fazia cenas tão repetidas que se pensava que no dia em que lograsse o seu intento, e o apanhasse como marido, nada mais a deteria e que a vida do casal seria um inferno. Pois bem! Foi o contrário que aconteceu. Gracejam muito a respeito da maneira como Swann se refere à mulher, e mesmo escarnecem dele abertamente... Por certo não iam exigir que, mais ou menos consciente de ser um..., conhecem o termo de Molière,[28] ele saísse a proclamá-lo *urbi et orbi*; o que não impe-

---

28 O termo que o embaixador não ousa citar é "chifrudo", aludindo à peça de Molière *Sganarelle ou le cocu imaginaire* [*Sganarelle ou o chifrudo imaginário*]. (N. E.)

de que o achem exagerado quando diz que sua mulher é uma excelente esposa. Ora, isso não é tão falso como julgam. À sua maneira, que não é a que todos os maridos prefeririam, e, entre nós, parece-me difícil que Swann, que há tanto tempo a conhecia e está longe de ser um parvo, não soubesse a que se ater, o inegável é que ela parece ter-lhe afeição. Não digo que não seja leviana e que o próprio Swann não deixe de o ser, a acreditar nas boas línguas que seguem sua rotina, como bem podem imaginar. Mas ela lhe é reconhecida pelo que Swann fez por ela, e, contrariamente aos receios de todo mundo, parece haver-se tornado de uma doçura angélica.

Tal mudança não era talvez tão extraordinária como julgava o sr. de Norpois. Odette não acreditava que Swann acabasse por desposá-la; cada vez que ela tendenciosamente lhe anunciava que um homem de posição desposara a amante, vira-o guardar um silêncio glacial e, quando muito, se o interpelava diretamente, indagando: "Então não achas que está bem, que foi muito bonito o que ele fez por uma mulher que lhe dedicou a mocidade?", responder secamente: "Mas eu não digo que esteja mal, cada um age como quer". Nem sequer estava longe de acreditar que ele a abandonasse completamente, como lhe dizia nos momentos de cólera, pois não fazia muito ouvira uma escultora dizer: "Tudo se pode esperar da parte dos homens; são tão ordinários!", e, impressionada com a profundeza dessa máxima pessimista, adotara-a para si, repetindo-a sob qualquer pretexto com um ar de desânimo que parecia dizer: "Afinal de contas, não seria nada impossível, é a minha sorte". E, por conseguinte, perdera toda e qualquer virtude a máxima otimista que até então guiara Odette na vida: "Podemos fazer tudo aos homens que nos amam; eles são tão idiotas!", e que se expressava em seu rosto pelo mesmo piscar que acompanharia frases como esta: "Não se assustem, ele não quebrará nada". Enquanto isso, Odette sofria ao pensar no que certa amiga sua, casada com um homem com quem estivera menos tempo do que

Swann com ela própria, e que não tinha filhos, agora relativamente considerada, e convidada para os bailes do Elísio, iria pensar a respeito do procedimento de Swann. Um consultor mais profundo que o sr. de Norpois diagnosticaria sem dúvida que esse mesmo sentimento de humilhação e de vergonha é que azedava Odette, que o caráter infernal que denotava não lhe era intrínseco, não era um mal sem remédio, e facilmente profetizaria o que tinha acontecido, isto é, que um regime novo, o regime matrimonial, faria cessar com rapidez quase mágica aqueles acidentes penosos, cotidianos, mas de nenhum modo orgânicos. A quase todos espantou esse casamento, o que também é coisa de espantar. Indubitavelmente, raríssimas pessoas compreendem o caráter puramente subjetivo desse fenômeno em que consiste o amor e como é o amor uma espécie de criação de um indivíduo suplementar, distinto daquele que usa no mundo o mesmo nome, e que formamos com elementos na maioria tirados de nós mesmos. Por isso, poucos são os que podem achar naturais as proporções enormes que acaba assumindo para nós uma criatura que não é a mesma que eles veem. No entanto parece que, no concernente a Odette, poderiam ver que, se jamais compreendera inteiramente a inteligência de Swann, pelo menos sabia dos títulos e do andamento de seus trabalhos, de modo que o nome de Vermeer lhe era tão familiar como o de seu costureiro; de Swann, conhecia ela a fundo essas particularidades de caráter que o resto do mundo ignora ou ridiculariza e de que só uma amante, uma irmã possuem a imagem semelhante e amada; e tanto apego criamos a essas características, mesmo àquelas que mais desejaríamos corrigir, que, se os nossos velhos amores participam em algo do carinho e da força dos afetos de família, é porque a amante acabou por acostumar-se a tais coisas do modo indulgente e amigavelmente zombeteiro com que nos habituamos a olhá-las e com que as olham nossos pais. Os elos que nos unem a uma criatura se santificam quando ela se coloca no mesmo ponto de vista que nós para julgar algum de nossos defeitos. E, entre esses traços particulares, havia os pertencentes tanto à inteligência como ao caráter de Swann e que, no entanto, em razão de terem neste suas raízes, Odette discernira mais facilmente. Queixava-se de que, quando Swann escrevia e publicava ensaios, não se reconhecessem esses traços como nas suas cartas ou na sua conversação, nas quais abundavam. Aconselhava-o que lhes desse mais espaço em seus trabalhos. Assim o desejava porque eram os que preferia nele, mas, como os preferia porque eram os mais genuinamente dele, talvez não andasse mal em desejar que se encontrassem em seus escritos. Talvez também pensasse que obras mais vivas, trazendo-lhe afinal o triunfo, permitiriam que ela constituísse o que aprendera, com os Verdurin, a colocar acima de tudo: um salão.

Entre a gente que considerava ridículo esse gênero de casamento, gente que indagaria no seu próprio caso: "Que pensará o senhor de Guermantes, que dirá Bréauté, quando eu desposar a senhorita de Montmorency?", entre as pessoas que alimentavam essa espécie de ideal social, teria figurado, vinte anos antes, o próprio Swann, aquele Swann que se dera tanto trabalho para ser admitido no Jockey Club e contara naquele tempo com um casamento brilhante que, consolidando a sua posição, acabaria por torná-lo um dos homens mais distintos de Paris. Mas as imagens que um casamento desses apresenta ao interessado têm necessidade, como todas as imagens, para não empalidecer e apagar-se completamente, de ser alimentadas do exterior. Suponhamos que o nosso mais ardente desejo seja humilhar o homem que nos ofendeu. Mas, se se mudou para outras terras e nunca mais ouvimos falar nele, esse inimigo acabará por não ter a mínima importância para nós. Se perdemos de vista durante vinte anos todas as pessoas por causa de quem desejaríamos entrar para o Jockey ou para o Instituto, já não nos tentará em absoluto a perspectiva de ser membro de um ou de outro. Ora, tanto como um retiro, uma doença, ou uma conversação religiosa, uma prolongada ligação de amor nos traz imagens novas em substituição às antigas. Da parte de Swann, não houve renúncia às ambições mundanas, ao desposar Odette, pois de há muito Odette o havia desprendido dessas ambições, no sentido espiritual do termo. Aliás, se assim não fosse, maior seria o mérito. Esses casamentos infamantes são geralmente os mais estimáveis de todos, pois implicam o sacrifício de uma posição mais ou menos lisonjeira a uma ventura puramente íntima (e não se pode considerar infamante um casamento por dinheiro, pois não há exemplo de um casal em que um dos dois se haja vendido, a que não acabem por abrir as portas, ao menos por tradição, baseada em tantos casos análogos, e para não usar de dois pesos e duas medidas). Por outro lado, como artista, se não como corrompido, talvez sentisse Swann certa volúpia em juntar a si, num desses cruzamentos de espécies como os praticam os mendelianos ou como os conta a mitologia, um ser de raça diferente, arquiduquesa ou cocote, em contrair uma aliança principesca ou fazer um mau casamento. Não havia no mundo mais que uma pessoa que o preocupasse, cada vez que encarava a possibilidade de casar-se com Odette, e nisso não entrava nenhum esnobismo: a duquesa de Guermantes. Em compensação, não ocorria a Odette pensar em tal pessoa, mas em outras situadas em escala imediatamente superior à sua; nunca, porém, naquele vago empíreo. Quando Swann, em momentos de devaneio, via Odette convertida em sua esposa, imaginava invariavelmente o instante em que a levaria, e sobretudo sua filha, à casa da princesa des Laumes, que então já era, por morte do sogro, duquesa de Guermantes. Não sentia desejos de apresentá-las em nenhuma outra parte; mas enternecia-se inventando, e até enun-ciando as palavras, todas as coisas referentes a ele, Swann, que Odette contaria à duquesa e a duquesa a Odette, e pensando no carinho e nos mimos com que a sra. de Guermantes trataria Gilberte e como ficaria orgulhoso de sua filha. Representava para si mesmo a cena da apresentação com a mesma nitidez no pormenor imaginário que têm as pessoas que examinam como empregariam, se o ganhassem, um prêmio cujo montante fixam arbitrariamente. Na medida em que motiva alguma resolução nossa a imagem que a acompanha, pode-se dizer que, se Swann desposou Odette, foi para apresentar a esta e a Gilberte, sem que ninguém estivesse presente, e mesmo sem que ninguém jamais o soubesse, a duquesa de Guermantes. Ver-se-á que essa única ambição mundana que sonhara para a mulher e para a filha foi justamente aquela cuja realização lhe foi negada, e por um veto tão absoluto que Swann morreu sem imaginar que a duquesa jamais pudesse conhecê-las. Ver-se-á também que, ao contrário, a duquesa de Guermantes travou amizade com Odette e Gilberte após a morte de Swann. E talvez fosse mais sábio da sua parte — na medida da importância que atribuía a coisa tão somenos — se Swann não formasse uma ideia demasiado sombria do futuro, a tal respeito, reservando-se a hipótese de que a desejada reunião bem poderia realizar-se quando ele não mais estivesse no mundo para saboreá-la. O trabalho de causalidade, que acaba por produzir quase todos os efeitos possíveis, e por conseguinte também aqueles que havíamos julgado menos viáveis, esse trabalho é às vezes lento, tornando-se ainda um pouco mais lento devido ao nosso desejo — que, procurando acelerá-lo, o entrava — e também devido à nossa própria existência, e só se realiza depois de termos deixado de desejar e, muitas vezes, de viver. Será que Swann não o sabia por experiência própria? Porventura não houve em sua vida — como prefiguração do que aconteceria depois de morto — algo assim como uma felicidade póstuma nesse casamento com Odette, a quem quis com tamanha paixão — embora no princípio não lhe houvesse agradado — e com quem não se casou até que deixou de amá-la, quando já estava morto aquele ser que ele tinha dentro de si e que tanto desejara, e sem esperanças, viver para sempre com Odette?

Pus-me a falar do conde de Paris, a indagar se não era amigo de Swann, pois temia que a conversação se desviasse deste último.

— Sim, com efeito — respondeu o sr. de Norpois, voltando-se para mim e fixando em minha modesta pessoa o olhar azul onde flutuavam, como em seu elemento vital, as suas grandes faculdades de trabalho e o seu espírito de assimilação. — E por Deus — prosseguiu, dirigindo-se a meu pai — que não é ultrapassar os limites do respeito que dedico ao referido príncipe, sem no entanto manter com ele relações pessoais que a minha posição tornaria difíceis, por menos oficial que seja, se lhe contar o caso assaz divertido de quando, não há mais de quatro anos, numa estaçãozinha férrea de um dos países da Europa Central, o príncipe teve ensejo de avistar a senhora Swann. Está visto que nenhum de seus familiares se permitiu perguntar-lhe como a achara. Não seria azado. Mas quando, por acaso, vinha o seu nome à baila na conversação, o príncipe, por certos sinais digamos imperceptíveis, mas que não enganam, parecia dar a entender de bom grado que a sua impressão, em suma, estava longe de ser desfavorável.

— Mas não haveria possibilidade de apresentá-la ao conde de Paris? — perguntou meu pai.

— Que quer! Com os príncipes nunca se sabe — respondeu o sr. de Norpois —, os mais compenetrados, os que mais sabem angariar o que se lhes deve, são também às vezes os que menos se embaraçam com os decretos da opinião pública, até os mais justificados, por pouco que se trate de recompensar certos amigos. Ora, é certo que o conde de Paris sempre aceitou com muita benevolência o devotamento de Swann, que é aliás um dos homens de mais espírito que possuímos.

— E qual foi a sua impressão pessoal, senhor embaixador? — perguntou minha mãe, por polidez e curiosidade.

Com uma energia de velho conhecedor, que contrastava com a habitual moderação de suas palavras:

— Ótima! — respondeu o sr. de Norpois.

E como sabia que confessar uma forte impressão causada por alguma mulher, desde que feita com bom humor, entra numa forma particularmente apreciada da arte da conversação, explodiu num risinho que se prolongou por alguns instantes, umedecendo os olhos azuis do velho diplomata e fazendo vibrar as asas de seu nariz nervuradas de fibrilhas vermelhas.

— Ela é simplesmente encantadora!

— Não estava nesse jantar um escritor chamado Bergotte, senhor de Norpois? — perguntei timidamente, para ver se retinha a conversa no assunto dos Swann.

— Sim, Bergotte lá estava — respondeu o sr. de Norpois, inclinando polidamente a cabeça para o meu lado, como se, no seu desejo de ser amável com meu pai, ligasse verdadeira importância a tudo que lhe tocasse de perto, e até às perguntas de um menino da minha idade e que não estava habituado a que o tratassem com tanta cortesia as pessoas da idade do embaixador.

— Conhece-o? — acrescentou, fixando em mim aquele olhar claro cuja penetração Bismarck admirava.

— Meu filho não o conhece, mas admira-o muito — disse minha mãe.

— Meu Deus — disse o sr. de Norpois (que me inspirou sobre minha própria inteligência dúvidas mais graves do que as que até então me atormentavam, quando vi que aquilo que eu colocava mil vezes acima de mim, o que eu achava de mais elevado no mundo, estava para ele no mais baixo da escala de suas admirações) —, não compartilho desse modo de ver. Bergotte é o que eu chamo um tocador de flauta; cumpre reconhecer aliás que ele a toca agradavelmente, embora com amaneiramento e afetação. Mas enfim não é senão isso, e isso não é grande coisa. Em suas obras sem músculos, jamais se encontraria o que podemos chamar de estrutura. Nenhuma ação, ou pouquíssima, mas principalmente nenhum alcance. Seus livros pecam pela base, ou, antes, não têm base nenhuma. Numa época como a nossa, em que a crescente complexidade da vida mal deixa tempo para ler, em que o mapa da Europa sofreu modificações profundas e está talvez em vésperas de sofrer ainda maiores, em que tantos problemas novos e ameaçadores se nos apresentam por toda parte, você reconhecerá que temos o direito de pedir a um escritor alguma coisa mais que um sutil engenho que nos faz esquecer, em discussões ociosas e bizantinas sobre méritos de pura forma, que podemos ser invadidos de um momento para outro por uma dupla onda de bárbaros, os de fora e os de dentro. Sei que isso é blasfemar contra a Sacrossanta Escola do que esses senhores chamam a Arte pela Arte, mas, na nossa época, há tarefas mais urgentes do que ordenar palavras de um modo harmonioso. O modo como o faz Bergotte é muitas vezes atraente, não o nego, mas em suma é tudo isso muito amaneirado, muito frágil, muito pouco viril. Compreendo melhor agora, reportando-me à sua exagerada admiração por Bergotte, as linhas que você me mostrou há pouco e que fiz bem em passar por alto, porque, como você mesmo me disse com toda a franqueza, não passavam de garatujas infantis — na verdade, eu assim o dissera, mas sem acreditar de modo algum nas minhas palavras. — Para todo o pecado, a misericórdia, e principalmente para os pecados da mocidade. Afinal de contas, muitos outros têm semelhantes pecados na consciência, e você não foi o único que se julgou poeta por sua vez. Mas nota-se no que me mostrou a má influência de Bergotte. Não o surpreenderei evidentemente se lhe disser que no referido trecho não havia nenhuma das qualidades de Bergotte, pois ele é um verdadeiro mestre na arte, aliás inteiramente superficial, de certo estilo do qual você, na sua idade, não pode possuir nem sequer os rudimentos. Mas os defeitos já são os mesmos: esse contrassenso de alinhar palavras sonoras, para só depois atentar no sentido. E pôr o carro adiante dos bois. Mesmo nos livros de Bergotte, a mim me parecem bastante vãs todas essas chinesices de forma, essas sutilezas de mandarim deliquescente. Ante alguns fogos de artifício agradavelmente lançados por um escritor, brada-se em seguida que é uma obra-prima. As obras-primas não são assim tão frequentes! Bergotte não tem em seu ativo, na sua bagagem, se assim posso dizer, um romance de certo descortino, desses livros que a gente coloca no lugar de honra da biblioteca. Não vejo um único em toda a sua obra. O que não impede que no seu caso a obra esteja infinitamente acima do autor. Ah!, eis aí um para justificar o homem de espírito que dizia que só devemos conhecer os escritores por intermédio de seus livros. Impossível achar um indivíduo que corresponda menos aos seus, mais pretensioso, mais solene, de convívio menos agradável. Vulgar por vezes, em outras falando como um livro, e nem mesmo como um livro seu, mas como um livro aborrecido, o que ao menos não são os de sua autoria, tal é esse Bergotte. É um espírito dos mais confusos, alambicado, o que nossos pais chamavam um gongórico e que torna ainda mais desagradáveis as coisas que diz pela sua maneira de as enunciar. Não sei se é Loménie ou Sainte-Beuve que refere que Vigny pecava pelo mesmo defeito.[29] Mas Bergotte jamais escreveu *Cinq- -Mars*, nem o *Cachet Rouge*, onde há certas páginas que são verdadeiros trechos de antologia.

Aterrado com o que o sr. de Norpois acabava de dizer-me do fragmento que lhe mostrara, e pensando nas dificuldades que tinha quando desejava escrever um ensaio ou apenas entregar-me a reflexões sérias, mais uma vez reconheci a minha nulidade intelectual e que não tinha nascido para as letras. Não havia dúvida de que outrora, em Combray, certas impressões bastante humildes, ou uma leitura de Bergotte, me tinham levado a um estado de cisma que me parecera de grande valor. Mas esse estado, meu poema em prosa o refletia; e, se o sr. de Norpois não apreendera e descobrira imediatamente a beleza que eu ali só

---

29 O comentário depreciativo encontra-se nos *Nouveaux-Lundis* de Sainte-Beuve. Em sua *Galérie des contemporains illustrés par un homme de rien*, Loménie comenta, pelo contrário, a "fala doce" de Vigny. (N. E.)

encontrava graças a uma enganosa miragem, era porque ele não se deixava enganar. Acabava de revelar-me, pelo contrário, quão ínfimo era o meu lugar (quando eu era julgado do exterior, objetivamente, pelo conhecedor mais arguto e esclarecido). Sentia-me consternado, diminuído; e meu espírito, como um fluido que só tem as dimensões do vaso que lhe fornecem, da mesma forma que se dilatara antes até encher as capacidades imensas do gênio, agora contraído, cabia inteiro na mediocridade estreita em que o sr. de Norpois subitamente o encerrara e restringira.

— As relações entre mim e Bergotte — acrescentou, dirigindo-se a meu pai — foram um tanto espinhosas, o que afinal de contas era também divertido. Alguns anos antes, fez Bergotte uma viagem a Viena, quando eu era embaixador ali; foi-me apresentado pela princesa de Metternich, inscreveu-se na embaixada e mostrou desejos de ser convidado para as suas recepções. Ora, eu, como representante da França no estrangeiro, à qual em certa medida ele honra com os seus escritos, e numa medida bastante fraca, digamos, para ser exato, poderia eu passar por alto a triste opinião que tenho da sua vida privada. Mas ele não viajava sozinho e, ainda mais, tinha a pretensão de que fosse também convidada a sua companheira. Não creio ser mais pudibundo do que outro qualquer, e, como celibatário, podia talvez abrir um pouco mais largamente as portas da embaixada, do que se fosse casado e pai de família. Contudo, confesso que há um grau de ignomínia com que eu não poderia acomodar-me, e que é tanto mais repugnante pelo tom mais que moral, ou melhor, moralizador, que Bergotte assume em seus livros, nos quais não se veem mais que análises perpétuas e, entre nós, um pouco frouxas, de escrúpulos dolorosos, de remorsos doentios, e isto por simples pecadilhos, uns verdadeiros sermões, e bem baratos, ao passo que mostra tanta inconsciência e cinismo na sua vida privada. Em suma, esquivei-me à resposta, a princesa voltou à carga, mas sem maior êxito. Assim sendo, não suponho que deva estar muito em odor de santidade perante essa personagem, e não sei até que ponto apreciou ele a atenção de Swann em convidá-lo ao mesmo tempo que a mim. A menos que ele próprio o tenha solicitado. Não se pode saber, pois no fundo é um doente. E esta é a sua única desculpa.

— E nesse jantar não estava a filha da senhora Swann? — disse eu ao sr. de Norpois, aproveitando o momento em que se passava à sala para lhe dirigir essa pergunta, pois aí poderia dissimular mais facilmente a minha emoção do que quando estava à mesa, imóvel e em plena luz.

O sr. de Norpois pareceu que se quedava um instante a recordar:

— Sim... uma menina de catorze para quinze anos? Com efeito, lembro-me de que me foi apresentada antes do jantar como filha do nosso anfitrião. Pouco a vi, pois foi dormir cedo. Ou ia visitar amiguinhas, não me lembro bem. Mas vejo que você está muito informado acerca dos Swann...

— Eu costumo brincar com a senhorita Swann nos Campos Elísios; ela é deliciosa.

— Aí está! É verdade, ela me pareceu encantadora. Mas confesso-lhe que não creio que chegue um dia a comparar-se com a mãe, se assim posso dizer sem ferir algum sentimento demasiado vivo em você.

— Prefiro o rosto da senhorita Swann, mas também admiro enormemente a sua mãe; passeio pelo Bois só na esperança de vê-la passar.

— Ah! Não deixarei de contar-lhes essa: elas ficarão muito lisonjeadas.

Enquanto dizia tais palavras, estava o sr. de Norpois, por alguns instantes ainda, na situação de todas as pessoas que, ouvindo-me falar de Swann como de um homem inteligente, de seus parentes como reputados corretores, de sua casa como de uma bela casa, julgavam que eu de bom grado falaria de outro homem tão inteligente, de outros corretores tão bem reputados, de outra casa igualmente bela; é o momento em que um homem são de espírito que conversa com um louco ainda não percebeu que se trata de um louco. Sabia o sr. de Norpois que não há nada tão natural como o prazer de ver mulheres bonitas e que, quando alguém nos fala com entusiasmo de algumas delas, é amável fingir que o julgamos apaixonado, gracejar com ele e prometer auxiliá-lo em seus desígnios. Mas, quando disse que falaria de mim a Gilberte e à sua mãe (o que me permitiria, como a divindade do Olimpo que tomou a fluidez de um sopro, ou antes, o aspecto do velho de quem Minerva assume as feições, penetrar eu próprio, invisível, no salão da sra. Swann, atrair-lhe a atenção, ocupar-lhe o pensamento, provocar o seu reconhecimento por minha admiração, surgir-lhe como amigo de um homem importante, parecer-lhe, no futuro, digno de ser convidado por ela e de entrar na intimidade de sua família), aquele homem importante que ia utilizar-se em meu favor do grande prestígio que devia ter perante a sra. Swann inspirou-me subitamente tamanha ternura que tive dificuldade em conter-me para não beijar as suas suaves mãos brancas e enrugadas, que pareciam ter permanecido por muito tempo dentro d'água. Quase esbocei o gesto, que supus ter sido o único a notar. É-nos verdadeiramente difícil calcular em que escala aparecem para os outros as nossas palavras ou movimentos; por medo de exagerar nossa importância, e aumentando enormemente o campo sobre o qual são obrigadas a estender-se as recordações das outras pessoas no decurso da sua vida, imaginamos que as partes acessórias de nossa fala, de nossas atitudes, mal penetram na consciência daqueles com quem conversamos, e, com muito mais forte razão, não permanecem na sua memória. É aliás a uma suposição desse gênero que obedecem os criminosos quando retocam mais tarde uma frase que disseram, criando uma variante que imaginam impossível confrontar com qualquer outra versão. Mas é bem possível que, até no concernente à vida milenária da humanidade, essa filosofia de folhetinista que julga que tudo está predestinado ao esquecimento seja menos verdadeira que uma filosofia contrária que predissesse a conservação de todas as coisas. No mesmo jornal em que o moralista do "Premier Paris" nos fala de um acontecimento, de uma obra-prima, e com maior razão de uma cantora que teve o "seu momento de celebridade" e indaga: "Quem se lembrará disso daqui a dez anos?", logo na terceira página a resenha de uma seção da Academia das Inscrições não fala muita vez de um fato em si mesmo menos importante, de um poema de escasso valor, datado da época dos faraós e que ainda é conhecido integralmente?[30] Talvez não aconteça exatamente o mesmo na curta vida humana. Todavia, alguns anos mais tarde, numa casa onde o sr. de Norpois se achava de visita e onde me parecia o mais sólido apoio que pudesse encontrar, por ser ele amigo de meu pai, bondoso, inclinado a querer-nos bem a todos, além disso habituado à reserva por sua profissão e por suas origens, contaram-me, depois de partir o embaixador, que fizera alusão a uma noite de anos atrás, dizendo que "vira o momento em que eu ia beijar-lhe as mãos"; e eu não só enrubesci até a raiz dos cabelos, mas fiquei estupefato ao descobrir como era diferente do que eu imaginava o modo que tinha de falar de mim o sr. de Norpois e principalmente a composição de suas recordações; esse mexerico muito me esclareceu sobre as inesperadas doses de distração e de presença de espírito, de esquecimento e de memória que formam a alma humana; e fiquei tão maravilhado de surpresa como no dia em que li pela primeira vez, num livro como o de Maspero, que se conhecia exatamente a lista dos caçadores que Assurbanipal convidava para as suas batidas, dez séculos antes de Jesus Cristo.[31]

---

30 Chamava-se de "Premier Paris" o editorial de capa dos jornais parisienses. Já a "Academia das Inscrições" refere-se à sociedade histórico-arqueológica de estudos de erudição criada por Colbert no ano de 1663. (N. E.)

31 Essa lista dos caçadores aparece no capítulo XV do livro de Gaston Maspero (1846--1914) intitulado *Au temps de Ramsès et d'Assourbanipal*. Assurbanipal foi o rei assírio entre os anos de 668 e 626 a.C. (N. E.)

— Oh!, senhor — disse eu ao sr. de Norpois, quando me anunciou que comunicaria a Gilberte e a sua mãe que eu as admirava muito —, se fizer isso, se falar de mim à senhora Swann, nem toda a minha existência bastará para agradecer-lhe, minha vida lhe ficará pertencendo; mas devo avisar-lhe que não conheço a senhora Swann, que nunca lhe fui apresentado.

Dissera essas últimas palavras por escrúpulo e para que não parecesse que me gabava de relações que não possuía. Mas, ao mesmo tempo em que o dizia, vi que já era inútil, pois logo que começaram minhas palavras de reconhecimento, de um ardor refrigerante, vi perpassar pela fisionomia do embaixador uma expressão de dúvida e descontentamento, e notei-lhe nos olhos esse olhar vertical, estreito e oblíquo (como no desenho em perspectiva de um sólido, a linha de fuga de uma de suas faces), olhar destinado a esse interlocutor invisível que temos em nossa própria pessoa, no momento de dizer-lhe alguma coisa que o outro interlocutor, o cavalheiro com quem até então se falava — eu, no caso —, não deve ouvir. E notei logo que essas frases por mim pronunciadas, débeis ainda para a efusão de reconhecimento que sentia e que me pareceu chegariam ao coração do sr. de Norpois, acabando por induzi-lo àquela intervenção, que a ele lhe daria tão pouco trabalho e a mim tanto prazer, eram talvez (dentre todas as que poderiam diabolicamente escolher as pessoas que me quisessem mal) as únicas que poderiam ter como resultado fazê-lo renunciar a seu primeiro intento. E com efeito, ao ouvi-las (assim como no momento em que um desconhecido, com quem terminávamos de trocar agradavelmente impressões que julgávamos idênticas sobre passantes que concordávamos ambos em achar vulgares, revela de súbito o abismo patológico que o separa de nós, acrescentando negligentemente, enquanto tateia o bolso: "É pena que não tenha aqui o meu revólver; não sobraria um só"), o sr. de Norpois, que sabia que nada era menos precioso nem mais fácil do que ser recomendado à sra. Swann e recebido em sua casa, e que para mim, pelo contrário, apresentava isso tamanho valor e, por conseguinte, uma grande dificuldade, pensou que o desejo aparentemente normal que eu expressara devia dissimular algum pensamento diferente, algum desígnio suspeito, alguma falta anterior, em vista do que, na certeza de desagradar à sra. Swann, ninguém até então quisera encarregar-se de lhe transmitir o que quer que fosse da minha parte. E compreendi que jamais lhe diria coisa alguma de mim e que podia vê-la diariamente durante anos e anos sem que nem por isso lhe falasse uma única vez da minha pessoa. Contudo, alguns dias depois lhe perguntou uma coisa que eu queria saber e encarregou meu pai de transmitir-me a resposta. Mas não disse à sra. Swann de quem partia a pergunta. Assim, não ficaria ela sabendo que eu conhecia o sr. de Norpois e que desejava tanto frequentar a sua casa, o que talvez não fosse desgraça tamanha como a imaginava. Pois a segunda dessas novidades em pouco aumentaria a eficácia, aliás duvidosa, da primeira. Como a Odette não despertava nenhuma misteriosa turbação a ideia de sua própria vida e de sua casa, uma pessoa que a conhecesse e ali fosse visitá-la não se lhe apresentava como um ser fabuloso, como a mim acontecia, que era bem capaz de atirar uma pedra às vidraças de Swann se pudesse escrever nela que conhecia o sr. de Norpois: estava convencido de que uma mensagem assim, embora transmitida de maneira tão brutal, me daria muito mais prestígio perante a dona da casa do que a indisposição que lhe pudesse provocar contra mim. E, mesmo que estivesse certo de que era inútil a missão de que o embaixador desistira, ou mais, que me era prejudicial perante os Swann, eu não teria coragem, caso o sr. de Norpois se mostrasse disposto a levá-la a cabo, de dizer-lhe que não o fizesse, e assim renunciar à volúpia, por funestas que fossem as suas consequências, de que o meu nome e a minha pessoa estivessem por um momento junto de Gilberte, na sua casa e na sua vida ignotas.

Depois que partiu o sr. de Norpois, meu pai lançou os olhos pelo jornal da tarde; eu pensava de novo na Berma. O prazer que eu sentira ao ouvi-la precisava ser completo, tanto mais que ficara muito aquém do prometido; e por esse motivo assimilava tudo quanto fosse capaz de aumentá-lo, como, por exemplo, aqueles méritos que o sr. de Norpois via na Berma e que minha alma bebera de um só trago, como um prado muito seco a água que lhe foi lançada. Meu pai passou-me o jornal, assinalando-me uma nota concebida nos seguintes termos: "A representação de *Fedra*, realizada ante uma sala entusiasta onde se notavam as principais notabilidades do mundo das artes e da crítica, foi para Madame Berma, que desempenhava o papel de Fedra, ensejo para um triunfo como raramente os terá ela conhecido mais brilhantes no decurso da sua prestigiosa carreira. Voltaremos a tratar mais longamente desse espetáculo que constitui um verdadeiro acontecimento teatral; digamos apenas que os juízes mais autorizados concordavam em declarar que tal representação renovava inteiramente o papel de Fedra, um dos mais belos e conhecidos do teatro de Racine, e constituía a mais pura e mais alta manifestação de arte que nos haja sido dado assistir em nosso tempo". Logo que meu espírito concebeu essa ideia nova da "mais pura e alta manifestação de arte", aproximou-se esta do prazer imperfeito que eu sentira no teatro, acrescentou-lhe um pouco do que lhe faltava, e essa reunião formou algo tão excitante que exclamei: "Que grande artista!". Hão de achar sem dúvida que eu não era absolutamente sincero. Mas atente-se ao caso de tantos escritores insatisfeitos de uma página que acabam de escrever e que, ao lerem um elogio do gênio de Chateaubriand, ao evocarem a memória de um artista a quem desejariam igualar-se, cantarolando, por exemplo, uma página de Beethoven, cuja tristeza comparam à que desejariam infundir na sua prosa, de tal modo se impregnam dessa ideia de gênio que a acrescentam a suas próprias produções, quando tornam a pensar nelas não mais as veem como se lhes afiguravam a princípio, e dizem, arriscando-se a uma profissão de fé quanto ao valor de sua obra: "Mas que coisa, apesar de tudo!", sem atinarem a que nesse todo que provoca a sua satisfação final incluíram a recordação de maravilhosas páginas de Chateaubriand que assimilaram às suas, mas que não são suas, afinal de contas; atente-se a tantos homens que acreditam no amor de uma amante que não tem feito outra coisa senão enganá-los, e eles bem o sabem; atente-se ao caso dos que esperam, alternativamente, ora uma vida futura incompreensível quando pensam, maridos inconsoláveis, na mulher que perderam e que continuam querendo, ou artistas, na glória vindoura que poderão alcançar, ora em um nada tranquilizador, se, pelo contrário, consideram os pecados que, sem ele, terão de expiar depois de mortos; atente-se também a esses turistas que se exaltam ante a beleza de uma viagem apreciada em conjunto, embora os aborrecesse dia a dia, e diga-se depois se na vida comum que levam as ideias no seio de nossa alma haverá uma única das que nos fazem felizes que não tenha ido antes, verdadeira parasita, pedir à vizinha a melhor parte da força que lhe faltava?

Minha mãe não parecia muito satisfeita de que meu pai já não pensasse na "carreira" para o meu futuro. E creio que, como a preocupava antes de tudo que eu tivesse uma regra de vida para disciplinar os caprichos de meus nervos, o que lamentava era menos o ver-me renunciar à diplomacia do que dedicar-me à literatura. "Ora, deixa-o", disse meu pai, "o essencial é fazer as coisas com gosto. Não é mais uma criança, já sabe o que lhe agrada; é pouco provável que mude, e pode reconhecer o que há de trazer-lhe felicidade nesta vida". Enquanto decidia, graças à liberdade que me davam as palavras de meu pai, se eu ia ser feliz ou não nesta vida, o fato é que logo aquelas palavras paternais me causaram muito pesar. Até então, a cada vez que meu pai tivera para comigo um de seus imprevistos assomos de bondade, vinham-me tais desejos de beijar-lhe, acima das barbas, as coradas faces, e, se não chegava a fazê-lo, era só por temor de que não lhe agradasse. Mas agora, assim como um autor se assusta ao ver que suas próprias fantasias, que não considerava de grande valor porque não as separava de si mesmo, obrigam um editor a escolher determinado papel, caracteres talvez mais belos do que merecem, indagava eu comigo se meu desejo de escrever seria realmente tão importante que valesse a pena que meu pai desperdiçasse com ele tanta bondade. Mas, sobretudo ao falar ele na imutabilidade de meus pendores e nas coisas que me traiam felicidade, insinuou em minha alma duas suspeitas terrivelmente dolorosas. A primeira era que (quando eu me considerava todos os dias no umbral de minha vida ainda intata e que só começaria no dia seguinte) na realidade a minha existência já havia começado, e, ainda mais, o que ocorreria depois não seria muito diferente do que ocorrera até então. A segunda suspeita, que na verdade constituía outra forma da primeira, era que eu não estava situado fora das contingências do tempo, mas submetido às suas leis, tal como aquelas personagens de romance que, exatamente por isso, me inspiravam tamanha tristeza quando lia suas vidas na minha cadeira de vime, em Combray. Sabemos teoricamente que a Terra gira, mas na verdade não o notamos; o chão que pisamos parece que não se move, e a gente vive tranquilo. O mesmo acontece com o tempo na vida. E para fazer-nos ver como foge depressa, os romancistas não têm outro remédio senão acelerar freneticamente a marcha dos ponteiros e fazer com que o leitor franqueie dez, vinte ou trinta anos em dois minutos. Nos primeiros períodos de certa página, deixamos um enamorado cheio de esperanças; nas últimas linhas da página seguinte vamos encontrá-lo já octogenário, dando penosamente o seu passeio cotidiano pelo pátio do asilo, sem ao menos responder ao que lhe dizem, sem memória nenhuma do passado. Meu pai, ao dizer de mim que "não era mais uma criança, que meus gostos não mudariam", fez-me logo imaginar a minha própria pessoa no tempo, e me provocou a mesma tristeza que se eu tivera sido, não já o asilado decrépito, mas um desses heróis de quem nos diz o autor no final de um livro, em tom de cruel indiferença: "Cada vez sai menos do campo. Terminou por ir viver ali definitivamente" etc.

Entretanto, meu pai, a fim de prevenir nossas possíveis críticas sobre o seu convidado, disse a mamãe:

— Confesso que o velho Norpois esteve um tanto "medalhão", como dizem vocês. Quando saiu com aquela de que "não seria azado" fazer determinada pergunta ao conde de Paris, tive medo de que começassem a rir.

— Qual! — retrucou minha mãe —, agrada-me que um homem do seu mérito, e na idade que tem, conserve essa espécie de ingenuidade, que no fundo indica honradez e boa educação.

— Acredito. E isso não impede que seja perspicaz e inteligente; sei-o muito bem porque o vejo na Comissão muito diferente de como se mostrou aqui — exclamou meu pai, satisfeito de ver que minha mãe apreciava o sr. de Norpois, desejando convencê-la de que ainda valia mais do que ela supunha, com essa cordialidade que sente o mesmo gosto em exagerar méritos que a malevolência em menoscabá-los. — E como ele disse aquilo de que "com os príncipes nunca se sabe...".

— Sim, é verdade. Eu já o tinha notado, é muito arguto. Vê-se que tem grande experiência da vida.

— É esquisito que tenha jantado em casa dos Swann, e é esquisito que ali vá gente boa, afinal de contas, altos funcionários... Onde terá ido pescá-los a senhora Swann?

— Notaste com que malícia disse: "É uma casa onde vão principalmente cavalheiros"?

E punham-se os dois a imitar a maneira que teve o sr. de Norpois de dizer essa frase, como se imitassem uma entonação de voz de Bressant ou de Thiron na *Aventureira* ou no *Genro do sr. Poirier*.[32]

---

32 *A aventureira* (1848), comédia escrita por Émile Augier, passou a ser encenada a partir de 1860 no teatro da Comédie Française. *O genro do sr. Poirier*, escrita pelo mesmo Augier em companhia de Jules Sandeau, estava também no repertório da Comédie Française. Os atores Thiron e Bressant já foram evocados no primeiro volume do livro como paixões platônicas do herói, antes de sua ida ao teatro. A alusão às duas peças pode também estar relacionada ao casamento de Swann com Odette: *A aventureira* conta justamente a história de uma cortesã que quer se casar com um burguês; já *O genro do sr. Poirier* fala do casamento entre um aristocrata e uma jovem burguesa. (N. E.)

Mas quem mais saboreou uma frase do embaixador foi Françoise, que, mesmo anos depois, não podia "ficar séria" quando lhe recordavam que o sr. de Norpois a chamou de "mestre-cozinheiro de primeira ordem", frase que minha mãe lhe transmitiu como transmite um ministro da Guerra às Forças Armadas as felicitações de um monarca estrangeiro, depois da parada das tropas. Mas quando mamãe entrou na cozinha, já estava eu ali. Pois havia arrancado à pacifista mas cruel Françoise a promessa de que não faria sofrer muito um coelho que tivera de matar, e eu ainda não sabia nada acerca dessa morte. Françoise me assegurou de que tudo correra muito bem e depressa: "Nunca vi um animalzinho como aquele; morreu sem dizer uma palavra: parecia mudo". Como eu não estava a par da linguagem dos animais, aleguei que talvez os coelhos não gritassem tanto como os frangos: "Pois sim!", exclamou Françoise, indignada com a minha ignorância. "Com que então os coelhos não gritam tanto como os frangos? Têm até a voz muito mais forte." Françoise recebeu as felicitações do sr. de Norpois com essa soberba singeleza e esse olhar alegre e — embora não mais que por um instante — inteligente, de um artista quando lhe falam de sua arte. Minha mãe mandara Françoise, já há tempos, a alguns restaurantes famosos, para que visse como ali se cozinhava. E naquela noite, quando ouvi Françoise qualificar de frege-moscas os mais famosos restaurantes, senti o mesmo prazer de quando soubera, de outra feita, que a hierarquia do mérito dos atores não era a mesma que a hierarquia de sua reputação. "O embaixador assegura", disse-lhe minha mãe, "que em parte alguma se come um fiambre ou um suflê como os seus". Françoise, com ar modesto, e como quem rende preito à verdade, concordou com essa opinião, sem mostrar-se impressionada com o título de embaixador; pois dizia do sr. de Norpois, com a amabilidade que se deve a uma pessoa que trata a gente de "mestre-cozinheiro": "É um bom velho, como eu". Françoise queria ver o sr. de Norpois quando este chegou em nossa casa; mas como não agradava a minha mãe que andassem espiando por trás das portas ou pelas vidraças, e Françoise temia que os porteiros ou os outros criados contassem à patroa que estivera à espreita (pois Françoise via por toda parte "invejas" e "falações" que na sua fantasia exerciam o mesmo funesto e permanente ofício das intrigas dos jesuítas e dos judeus, na imaginação de outras pessoas), contentou-se em olhar da janela da cozinha, para "não ter de andar discutindo com a patroa"; e, na sumária percepção que teve do embaixador, afigurou-se-lhe ver uma "parecença com o senhor Legrandin", pela *agilidade*, dizia ela, embora na verdade não houvesse entre as duas pessoas o menor traço de semelhança.

— Mas vejamos, como se explica que você saiba fazer a geleia melhor do que ninguém, quando quer? — perguntou-lhe minha mãe.

— Não sei como me decorre isso — respondeu Françoise, que não estabelecia demarcação muito nítida entre os verbos ocorrer, ao menos em certas acepções, e decorrer. Aliás, em parte dizia a verdade, e não se sentia muito mais capaz, ou desejosa, de desvendar o mistério que fazia a superioridade de suas geleias ou de seus cremes do que uma elegante com referência aos seus vestidos, ou uma grande cantora com referência ao seu canto. Suas explicações não nos dizem grande coisa; o mesmo acontecia com as receitas de nossa cozinheira. — É que cozinham correndo — respondeu, falando dos cozinheiros dos grandes restaurantes — e não cozinham tudo junto. A carne tem de ficar como uma esponja, e então bebe o suco até o fim. Mas havia um desses cafés onde me parece que entendiam um bocado de cozinha. Não digo que fosse mesmo a minha geleia, mas era feito bem devagar, e os suflês tinham bastante creme.

— Era o Henry? — indagou meu pai, que viera ter conosco na cozinha e apreciava muito o restaurante da praça Gaillon, onde tinha em datas fixas banquetes comemorativos.

— Oh!, não — disse Françoise, com uma brandura que ocultava profundo desdém —, eu falava de um pequeno restaurante. Nesse Henry está tudo muito bem, mas não é um restaurante, é mais uma casa de pasto!

— O Weber, então?

— Oh!, não, senhor, eu queria dizer um bom restaurante. Weber fica na rua Royale, não é um restaurante, é uma cervejaria. Nem sei se eles têm serviço. Creio que até nem usam toalha, e vão pondo tudo à valentona em cima da mesa.

— O Cirro?

Françoise sorriu:

— Oh! Lá eu creio que em matéria de comida há principalmente mulheres da sociedade. — Sociedade significava para Françoise sociedade suspeita. — Que diabo, a mocidade precisa dessas coisas!

Íamos vendo que, com o seu ar de simplicidade, Françoise era para os cozinheiros célebres uma "camarada" mais terrível do que o poderia ser a atriz mais invejosa e enfatuada. Sentimos no entanto que tinha um sentimento justo da sua arte e o respeito das tradições, pois acrescentou:

— Não, eu queria dizer um restaurante que parecia ter uma boa cozinha de família. É uma casa ainda bastante às direitas. Lá se trabalhava muito. Ah!, como juntavam *sous* — Françoise, econômica, contava por *sous* e não por luíses, como os pródigos. — A senhora sabe onde é: ali à direita, nos grandes bulevares, um pouco para trás...

O restaurante de que falava com essa equidade mesclada de orgulho e bonomia era... o Café Inglês.

Chegado que foi o 1º de janeiro, logo fui fazer as visitas de família com minha mãe, que, para não cansar-me, as classificara previamente (com auxílio de um itinerário traçado por meu pai) por bairros e não segundo o grau exato de parentesco. Mal, porém, entrávamos na sala de uma prima bastante afastada, aonde íamos mais porque sua casa nos ficava muito próxima, ao contrário do parentesco, minha mãe assustava-se ao ver ali, trazendo os seus marrons-glacés ou *déguisés*,[33] um amigo íntimo do mais suscetível de meus tios, a quem iria contar que não havíamos começado por ele as nossas visitas. Meu tio certamente se daria por ofendido: parecer-lhe-ia muito natural que fôssemos da Madalena ao Jardim Botânico, onde ele residia, sem parar em Santo Agostinho, para ter de voltar logo à rua da Escola de Medicina.

Quando findaram as visitas (minha avó nos dispensava da sua, porque naquele dia jantávamos em sua casa), corri aos Campos Elísios, para entregar à nossa vendedora, que por sua vez a daria ao criado de Swann, que vinha várias vezes por semana comprar-lhe pão de mel, a carta que, desde o dia em que minha amiga me causara tanto pesar, eu resolvera enviar-lhe no Ano-Novo, e na qual lhe dizia que a nossa antiga amizade desaparecia com o ano findo, que eu esquecia as minhas queixas e decepções e que, a partir de 1º de janeiro, era uma amizade nova que íamos edificar, tão sólida que nada a destruiria, tão maravilhosa que eu esperava que Gilberte tivesse alguma faceirice em conservar-lhe toda beleza e em avisar-me a tempo, como eu também o prometia, logo que sobreviesse o mínimo perigo capaz de arruiná-la. Na volta Françoise me fez parar num posto da esquina da rua Royale, onde comprou para suas boas-festas retratos de Pio IX e de Raspail; eu comprei um da Berma.[34] Tantas admirações provocava a artista, que parecia pobre aquele rosto único que tinha para corresponder a todas, precário e imutável como a vestimenta dessas pessoas que não têm traje de muda, aquele rosto em que tinha de exibir sempre o mesmo: uma ruguinha em cima do lábio superior, umas

33 Docinhos de frutas (tâmaras, ameixas, cerejas) recheados com amêndoas. (N. E.)
34 A escolha de Françoise compreende duas personalidades mortas no ano de 1872, o papa Pio IX, que proclamou o dogma da infalibilidade pontifical, e Raspail, revolucionário de destaque em 1830 e 1848, que passaria vários anos na prisão. O ecletismo do gosto da criada vem sugerido dessa união entre um médico, jornalista e militante político e um representante bastante reacionário do conformismo eclesiástico. (N. E.)

sobrancelhas arqueadas, e algumas particularidades físicas que estavam sujeitas a algum golpe ou queimadura. Quanto ao resto, aquele rosto não me teria parecido bonito em si mesmo; mas inspirava-me a ideia e dava-me o desejo de beijá-lo por causa de todos os beijos que já tinha recebido: aqueles beijos que parecia estar ainda solicitando do fundo do cartão de álbum, com o olhar de carinhosa faceirice e o sorriso de ingênuo artifício. Porque a Berma devia sentir na verdade para com muitos moços os desejos que confessava sob o disfarce da personagem de Fedra, desejo que lhe seria muito fácil satisfazer por tudo, até pelo prestígio de seu nome que lhe realçava a beleza e prolongava a juventude. Ia caindo a tarde, parei diante de um cartaz que anunciava a representação que daria a Berma no primeiro dia do ano. Corria um vento suave e úmido. Aquele tempo me era bastante conhecido; tive a sensação e o pressentimento de que aquele dia do Ano-Novo não era um dia diferente dos demais, não era o primeiro dia de um mundo novo em que eu poderia, tentando a minha sorte, ainda não explorada, refazer minha amizade com Gilberte, como no tempo da Criação, como se ainda não existisse o passado, como se tivessem sido reduzidas a nada todas as decepções que por vezes me causava Gilberte e os indícios que delas se pudessem inferir para o futuro... um novo mundo em que não subsistisse nada do antigo, nada... a não ser uma coisa: que Gilberte me amasse. Compreendi que se meu coração ansiava que em torno dele se renovasse aquele universo que não o satisfizera, era porque ele, meu coração, não havia mudado, e pensei que tampouco havia motivo para que tivesse mudado o de Gilberte; que aquela amizade era a mesma de antes, como acontece com os novos anos, que não estão separados dos outros por um fosso, e que o nosso desejo, impotente para chegar até as suas entranhas e modificá-los, os reveste, sem que eles o saibam, de um nome diferente. De nada servia que eu dedicasse a Gilberte aquele que começava e, como se superpõe uma religião às leis cegas da natureza, tentasse imprimir ao primeiro dia do ano a ideia particular que formava a seu respeito; tudo em vão; senti que ele não sabia que o chamávamos o dia do Ano-Novo, que ele expirava no ocaso de um modo que não era novo para mim: no vento suave que soprava em torno do mostrador, vi reaparecer a matéria eterna e comum, a unidade familiar, o inconsciente fluir dos dias de sempre.

Voltei para casa. Acabava de viver o primeiro dia do ano dos homens velhos, que nesse dia se distinguem dos jovens não porque já não lhes deem boas-festas, mas porque não acreditam mais no Ano-Novo. Eu ganhei boas-festas, sim, mas não a única que me teria alegrado: uma carta de Gilberte. E no entanto eu era ainda jovem, pois lhe escrevera uma carta com a qual esperava, contando-lhe os sonhos solitários da minha ternura, inspirar-lhe sonhos semelhantes. A tristeza dos homens que envelheceram consiste em nem ao menos pensar em escrever tais cartas, porque já sabem que são inúteis.

Quando me deitei, os ruídos da rua, que se prolongavam até mais tarde naquela noite festiva, impediram-me de dormir. E eu pensava em todas as pessoas que acabariam a noite nos prazeres, pensava no amante, no grupo de devassos talvez, que deviam ter ido procurar a Berma no fim daquele espetáculo que eu vira anunciado para a noite. E nem sequer podia dizer comigo, para acalmar a agitação que essa ideia me causava na noite de insônia, que a Berma talvez não pensasse em amor, pois os versos que recitava, e que trazia tão bem estudados, lhe recordavam a cada instante como o amor é delicioso, coisa que ela aliás tão bem sabia, que mostrava as suas conhecidas emoções — mas dotadas de uma violência nova e de uma imprevista doçura — a espectadores maravilhados, cada um dos quais no entanto já as havia experimentado por conta própria. Tornei a acender a vela para olhar mais uma vez o seu rosto. Ao pensamento de que ele estava sendo acariciado naquele instante por aqueles homens que eu não podia impedir que dessem à Berma, e dela recebessem, alegrias sobre-humanas e vagas, sentia uma emoção, mais que voluptuosa, cruel, uma nostalgia agravada pelo som de uma trompa, essa trompa que se ouve na noite da *mi-carême*[35] e em outras festas e que, como é então destituído de poesia, torna-se muito mais triste, ao sair de uma taberna, que "à noite, no fundo das florestas".[36] Naquele momento, um recado de Gilberte não seria talvez o que me conviesse. Nossos anelos se vão entrecruzando e, na confusão da existência, é raro que uma felicidade venha pousar justamente sobre o desejo que a reclamara.

Continuei a ir aos Campos Elísios nos dias de bom tempo, por umas ruas cujas casas elegantes e róseas mergulhavam, visto que era na época da grande voga das exposições de aquarelistas, num céu móvel e tênue.[37] Mentiria se dissesse que os palácios de Gabriel me pareciam naquele tempo mais belos que as casas vizinhas ou mesmo de outra época. Achava com mais estilo e julgaria de mais antiguidade, se não o Palácio da Indústria, pelo menos o Trocadero.[38] Mergulhada num sono agitado, minha adolescência

35 Terceira quinta-feira da Quaresma. Nos primeiros anos da década de 1890, havia o hábito de se percorrer as ruas de Paris, jogando confete e festejando. (N. E.)

36 "Adoro o som da trompa, à noite, no fundo das florestas" ("J'aime le son du cor, le soir, au fond des bois") é uma citação do poema "Cor", de Alfred de Vigny, do livro *Poèmes antiques et modernes*. (N. E.)

37 A "época da grande voga das exposições de aquarelistas" compreende os anos entre 1879 e 1883. Mas essas exposições continuam a acontecer até 1914. (N. E.)

38 Os palácios de Gabriel são os dois prédios que ficam ao norte da praça da Concórdia. Eles foram construídos entre os anos de 1760 e 1775 pelo arquiteto Jacques-Ange Gabriel (1698-1782). Tanto o Palácio da Indústria como o Trocadero aparecem como exemplos de construções contemporâneas ao jovem herói. O Palácio da Indústria havia sido construído nos Campos Elísios com vistas à Exposição Universal de 1855, abrigando até 1897 as exposições anuais de pintura e escultura. Ele seria destruído de 1897 a 1900, dando lugar ao Grand e ao Petit Palais. Já o Trocadero, construído para a Exposição Universal de 1878, apresentava uma imensa fachada semicircular de estilo mouresco enquadrada por duas torres retangulares e abrigava, entre outros eventos, uma exposição constante de esculturas. Ele também seria destruído, em 1937, para dar lugar ao atual palácio Chaillot, ao fundo da torre Eiffel. (N. E.)

envolvia num mesmo sonho todo o bairro por onde eu costumava passear, e nunca me ocorreu que pudesse haver um edifício do século XVIII na rua Royale, da mesma forma que me teria assombrado saber que a Porta Saint-Martin e a Porta Saint-Denis, obras-primas da época de Luís XIV, não eram contemporâneas dos mais recentes imóveis daqueles sórdidos distritos. Uma única vez um dos palácios de Gabriel me fez parar longamente; é que, tendo anoitecido, as suas colunas, desmaterializadas pelo luar, pareciam recortadas em papelão, e lembrando-me um cenário da opereta *Orfeu nos infernos*, me davam pela primeira vez uma impressão de beleza.[39]

No entanto, Gilberte continuava ausente dos Campos Elísios. E eu tinha grande necessidade de vê-la, pois nem ao menos me lembrava de seu rosto. O modo inquisitivo, ansioso, exigente com que olhamos para a pessoa amada, nossa expectativa da palavra que nos vai dar ou tirar a esperança de um encontro para o dia seguinte, e, até que essa palavra seja dita, a nossa imaginação alternada, se não simultânea, da alegria e do desespero, tudo isso torna a nossa atenção em face do ente querido muito trêmula para que se possa obter uma imagem sua devidamente nítida. E talvez também essa atividade de todos os sentidos ao mesmo tempo, e que tenta conhecer apenas com o olhar o que se acha além dele, se mostre demasiado indulgente ante as mil formas, sabores e movimentos da pessoa viva, que habitualmente imobilizamos quando não nos achamos em estado de amor. O modelo querido, pelo contrário, move-se; nunca se tem dele mais que instantâneos frustrados. Eu, na verdade, não sabia mais como eram as feições de Gilberte, salvo nos momentos divinos em que elas se abriam para mim; só me lembrava do seu sorriso. E como não

---

39 *Orfeu nos infernos* (1858), inicialmente ópera-cômica em dois atos de Hector Cremieux e Jacques Offenbach, com seu estrondoso sucesso, seria transformada em 1874 em uma *féerie* musical em quatro atos e doze quadros. (N. E.)

podia ver, por mais esforços que fizesse para recordá-lo, aquele rosto querido, irritava-me ao encontrar na memória, com definitiva exatidão, as caras inúteis e incisivas do homem do carrossel e da vendedora de pirulitos, como acontece com essas pessoas que perderam um ente querido e não conseguem vê-lo em sonhos, e exasperam-se por encontrar continuamente em seus sonhos tantas criaturas insuportáveis a quem já é demais ter visto em estado de vigília. Na impotência de figurar o objeto da sua dor, quase se acusam de não sentir mais dor. E eu não estava longe de acreditar que, como não podia recordar as feições de Gilberte, esquecera-a também e não mais a amava.

Afinal tornou a vir brincar quase todos os dias, pondo ante mim novas coisas que desejar, que lhe pedir, para o dia seguinte, e fazendo cada dia, nesse sentido, da minha ternura uma ternura nova. Mas uma coisa veio mudar uma vez mais, e bruscamente, o modo como se apresentava todas as tardes, pelas duas horas, o problema de meu amor. Descobrira o sr. Swann a carta que eu havia escrito para a sua filha, ou Gilberte não fazia mais que me confessar muito tempo depois, a fim de que eu fosse mais prudente, um estado de coisas já antigo? Como eu lhe dissesse quanto admirava seus pais, tomou aquele ar vago, cheio de reticências e de segredo, de quando lhe falavam no que tinha para fazer, em seus passeios e visitas, e acabou dizendo: "Pois não sabe? Eles não podem tragar você"; e, fugidia como uma ondina — que assim era ela —, deu uma gargalhada. Muita vez o seu riso, em desacordo com as suas palavras, parecia, como faz a música, descrever em outro plano uma superfície invisível. O sr. e a sra. Swann não pediam a Gilberte que deixasse de brincar comigo, mas preferi-riam, pensava ela, que aquilo não tivesse começado. Não encaravam favoravelmente as minhas relações com ela, não me atribuíam grande moralidade e imaginavam que eu só poderia exercer má influência em sua filha. Essa espécie de rapazes pouco escrupulosos com quem Swann me julgava parecido, imaginava-os eu como sujeitos que detestam os pais da moça a quem amam, adulam-nos quando estão presentes, mas zombam deles com ela, induzem-na a desobedecer-lhes, e, uma vez conquistada a filha, chegam até a impedir-lhes que a vejam. A esses traços (que nunca são aqueles sob os quais se vê o maior miserável), com que violência opunha meu coração os sentimentos de que se achava imbuído no tocante a Swann, sentimentos esses tão apaixonados que eu não duvidava de que, se os suspeitasse, ele se teria arrependido do seu julgamento a meu respeito como de um erro judiciário! Tudo quanto sentia por ele, ousei dizer-lho numa longa carta que dei a Gilberte, e pedi-lhe que lha entregasse. Ela consentiu. Ai de mim! Ele me considerava muito mais impostor do que eu supunha; aqueles sentimentos que eu julgara ter descrito com tanta fidelidade, em dezesseis páginas, ele os pusera em dúvida; a carta que lhe escrevi, tão ardente e tão sincera como as palavras que tinha dito ao sr. de Norpois, não obtivera maior sucesso. No dia seguinte, Gilberte, depois de me levar à parte para detrás de um bosque de loureiros, numa pequena alameda onde nos sentamos cada um numa cadeira, contou-me que, ao ler a carta, que ela me trazia de volta, seu pai erguera os ombros, dizendo: "Isso tudo... não tem significação alguma. Apenas vem provar como eu tinha razão". E eu, que conhecia a pureza de minhas intenções e a bondade de minha alma, indignei-me de que minhas palavras não houvessem causado a mais leve mossa no absurdo engano de Swann. Pois estava certo de que se tratava de um engano. Tinha a sensação de haver descrito tão exatamente certas indiscutíveis características de meus sentimentos de generosidade que, se depois disso tudo Swann não os havia sabido reconstituir em seguida e não tinha vindo pedir-me perdão, confessando que se havia enganado, era porque ele nunca sentira esses nobres sentimentos, o que devia incapacitá-lo para os compreender nos outros.

Ora, talvez simplesmente Swann soubesse que a generosidade, muitas vezes, não é senão o aspecto interior que tomam os nossos sentimentos egoístas, antes de os havermos nomeado e classificado. Talvez tivesse reconhecido na simpatia que eu lhe expressava um simples efeito — e uma confirmação entusiástica — de meu amor a Gilberte, pelo qual — e não por minha veneração secundária a ele — seriam fatalmente dirigidos os meus atos no futuro. Eu não podia partilhar das suas previsões, pois não conseguira abstrair de mim mesmo o meu amor, fazê-lo entrar na generalidade dos outros amores e suputar-lhe experimentalmente as consequências; estava desesperado. Tive de deixar Gilberte por um instante, pois Françoise me havia chamado. Acompanhei-a até um pequeno pavilhão de persianas verdes, muito parecido com as recebedorias do imposto de trânsito da velha Paris, e no qual estava há pouco instalado o que na Inglaterra se chama um *lavabo*, e em França, por uma anglomania mal informada, *water-closet*. As paredes úmidas e velhas da entrada, onde fiquei a esperar Françoise, desprendiam um cheiro frio de coisas fechadas que, aliviando-me logo dos cuidados que acabavam de fazer brotar em mim as palavras de Swann transmitidas por Gilberte, me impregnou de um prazer que não era da mesma espécie dos outros, que nos deixam mais instáveis, incapazes de os reter, de os possuir, senão de um prazer consistente em que eu podia apoiar-me, delicioso, tranquilo e pleno de verdade duradoura, certa e inexplicada. Eu desejaria, como outrora em meus passeios para o lado de Guermantes, ver se penetrava o encantamento daquela impressão que me dominara e permanecer imóvel a interrogar aquela emanação avelhentada que me oferecia, não o gozo do prazer que só me dava por acréscimo, mas a descida até o fundo da realidade que ela não me revelara. Mas a zeladora do local, velha dama de faces muito maquiadas e peruca ruiva, começou a falar-me. Françoise a considerava "de gente muito boa". Sua filha desposara o que Françoise chamava "um rapaz de família", por conseguinte alguém a quem achava mais diferente de um operário do que Saint-Simon um duque de um homem "saído da vasa do povo". Sem dúvida a zeladora, antes de o ser, tivera os seus reveses. Mas Françoise assegurava que ela era marquesa e pertencia à família de Saint-Ferréol. A tal marquesa me aconselhou que não ficasse ali à fresca e chegou a abrir-me um gabinete, dizendo: "Não quer entrar? Aqui tem um limpinho. Para você será de graça". Fazia-o talvez apenas como as senhoritas da casa Gouache, quando íamos fazer alguma encomenda, me ofereciam um dos bombons que tinham sobre o balcão, debaixo de uma tampa de vidro e que infelizmente mamãe me proibia de aceitar; talvez também menos inocentemente, como certa velha florista que vinha encher as "jardineiras" de mamãe e que me dava uma rosa com uns olhares significativos. Em todo caso, se a "marquesa" tinha queda pelos rapazinhos, abrindo-lhes a porta hipogeia desses cubos de pedra onde os homens estão acocorados como esfinges, devia ela procurar nas suas generosidades menos a esperança de os corromper que o prazer que a gente experimenta em mostrar-se inutilmente pródigo para com as pessoas amadas, pois nunca vi junto dela outro visitante a não ser um velho guarda do parque.

Um instante depois eu me despedia da "marquesa", acompanhado de Françoise, a quem deixei para ir ter de novo com Gilberte. Avistei-a logo, numa cadeira, atrás do bosque de loureiros. Era para não ser vista pelas amigas: brincavam de esconder. Fui sentar-me a seu lado. Tinha um gorro achatado que descia bastante sobre os olhos, dando-lhe aquele mesmo olhar "por baixo", pensativo e bravio, que eu lhe vira pela primeira vez em Combray. Perguntei-lhe se não me seria possível conseguir uma explicação verbal com seu pai. Gilberte me disse que lha propusera, mas que ele a julgava inútil.

— Olhe — acrescentou —, não esqueça a sua carta; vou para junto das outras, porque elas não me encontraram.

Se Swann tivesse chegado então, antes mesmo que eu recolhesse aquela carta de cuja sinceridade me parecia insensato que não se deixasse convencer, talvez tivesse visto que era ele quem tinha razão. Pois, aproximando-me de Gilberte, que, estirada para trás na sua cadeira, me dizia que levasse a carta e não ma alcançava, senti-me tão atraído por seu corpo que lhe disse:

— Olhe, impeça-me de apanhá-la, e vamos ver quem ganha.

Ela escondeu a carta nas costas, eu passei as mãos pelo seu pescoço, soerguendo-lhe as tranças que usava soltas sobre os ombros, ou porque fosse ainda próprio da sua idade, ou porque sua mãe quisesse fazê-la parecer por mais tempo menina, para rejuvenescer a si mesma; nós lutávamos, retesados. Eu procurava atraí-la, ela resistia; seus pômulos inflamados pelo esforço estavam vermelhos e redondos como cerejas; ria-se como se eu lhe fizesse cócegas; eu a mantinha apertada entre minhas pernas, como um arbusto a que se quisesse trepar; e, no meio da ginástica que eu fazia, sem que ao menos se acelerasse a sufocação que me causava o exercício muscular e o ardor do brinquedo, expandi o meu prazer, com algumas gotas de suor arrancadas pelo esforço, prazer em que nem sequer me pude demorar o tempo suficiente para lhe conhecer o gosto; em seguida tomei a carta. Gilberte me disse então, com bondade:

— Bem, se quiser, podemos lutar ainda mais um pouco.

Talvez tivesse ela obscuramente sentido que meu brinquedo tinha outro objetivo além daquele que eu confessara, mas não tinha sabido notar que eu já o atingira. E eu, que temia que o houvesse notado (e certo movimento retrátil e tenso de pudor ofendido que teve um instante depois me obrigou a pensar que meu temor não era infundado), aceitei a luta de novo, temeroso de que ela imaginasse que eu não me propunha outra coisa senão aquela que, depois de realizada, não me deixou mais desejos que de estar quieto a seu lado.

Ao voltar para casa percebi, recordei subitamente a imagem, até então oculta, de que me havia aproximado, sem me deixar vê-la nem reconhecê-la, o frescor, quase cheirando a fuligem, do pavilhão gradeado. Aquela imagem era a da pequena peça de meu tio Adolphe, em Combray, a qual exalava, com efeito, o mesmo perfume de umidade. Mas não pude compreender e deixei para mais tarde o trabalho de pesquisar por que a lembrança de uma imagem tão insignificante me dera tamanha felicidade. Enquanto isso, pareceu-me que verdadeiramente merecia o desdém do sr. de Norpois; preferira até então, a todos os escritores, aquele a quem ele chamava um simples "tocador de flauta", e uma verdadeira exaltação me fora comunicada, não por alguma ideia importante, mas por um cheiro de mofo.

Desde algum tempo, em certas famílias, o nome dos Campos Elísios, quando alguma visita o pronunciava, era acolhido pelas mães com o ar malévolo que costumam reservar para um médico de fama a quem julgam ter visto diagnosticar erroneamente demasiadas vezes para que possam ainda ter confiança nele; asseguravam que esse parque não servia para as crianças e que poderia citar-se mais de uma dor de garganta, mais de um sarampo e várias febres pelas quais era responsável. Sem pôr em dúvida abertamente a ternura de mamãe, que continuava a deixar-me ir lá, algumas de suas amigas deploravam pelo menos a sua cegueira.

Apesar da expressão consagrada, os nevropatas são talvez os que menos "se escutam": ouvem em si mesmos tantas coisas que logo depois compreendem não ser motivo para alarmas, que acabam por não mais prestar atenção a nenhuma. Tantas vezes o seu sistema nervoso lhes gritou: "Socorro!", como se fosse para uma grave doença, quando simplesmente ia nevar ou porque iam mudar de casa, que tomam o hábito de não levar em conta essas advertências, como sucede ao soldado que, no ardor do combate, tão pouco as percebe que é capaz, já moribundo, de continuar levando ainda por alguns dias a vida de um homem de boa saúde. Certa manhã, levando coordenados dentro de mim os meus males habituais, de cuja circulação constante e intestina eu mantinha sempre o meu espírito desviado assim como da circulação do meu sangue, corria alegremente à sala de jantar onde meus pais já estavam à mesa, e — depois de considerar que muitas vezes estar com frio não significa a necessidade de aquecer-se, mas, por exemplo, que se foi repreendido, e estar sem fome, que vai chover e não que não se deva comer — eu me assentava à mesa quando, no momento de engolir uma apetitosa costeleta, uma náusea, uma tontura me detiveram, resposta febril de uma doença iniciada, cujos sintomas o gelo da minha indiferença havia mascarado e retardado, mas que recusava obstinadamente o alimento que eu não estava em condições de absorver. Então, no mesmo segundo, o pensamento de que me impediriam de sair se descobrissem que eu estava doente deu-me, como instinto de conservação a um ferido, a força de arrastar-me até o meu quarto, onde verifiquei que a minha temperatura estava a quarenta graus, e em seguida de me preparar para ir aos Campos Elísios. Através do corpo langue e permeável que o envolvia, meu pensamento sorridente anelava, exigia o prazer tão doce de uma corrida com Gilberte, e uma hora depois, mal podendo sustentar-me, mas feliz ao lado dela, eu tinha ainda forças para saborear esse prazer.

Na volta Françoise declarou que eu tivera uma "indisposição", que deveria ter "apanhado ar", e o médico, chamado em seguida, declarou "preferir" a "severidade", a "virulência" do surto febril que acompanhava minha congestão pulmonar e não passaria de "um fogo de palha", a formas mais "insidiosas" e "larvadas". Já fazia muito que eu era sujeito a sufocações, e o nosso médico, apesar da desaprovação de minha avó, que já me via morrendo alcoólico, aconselhara, além da cafeína, que me era prescrita para ajudar-me a respirar, que tomasse cerveja, champanhe ou conhaque quando sentisse se aproximar uma crise. Estas abortariam, dizia ele, na "euforia" causada pelo álcool. Para que minha avó permitisse que me dessem bebida, muitas vezes me via obrigado a não dissimular, a quase ostentar o meu estado de sufocação. Aliás, logo que o sentia aproximar-se, sempre incerto das proporções que assumiria, aquilo me inquietava devido à tristeza de minha avó, que eu receava muito mais do que o meu sofrimento. Mas ao mesmo tempo o meu corpo, ou porque fosse muito fraco para guardar sozinho o segredo da dor, ou porque receasse que, na ignorância do mal iminente, exigissem de mim algum esforço que lhe fosse impossível ou perigoso, me impunha a necessidade de comunicar à minha avó as minhas indisposições com uma exatidão em que eu acabava pondo uma espécie de escrúpulo fisiológico. Se percebia em mim algum sintoma desagradável que ainda não discernira, meu corpo sentia-se em desamparo enquanto eu não comunicava isso à minha avó. Se ela fingia não prestar nenhuma atenção, meu corpo pedia que insistisse. Às vezes eu ia demasiado longe; e o rosto amado, que já não era tão senhor das suas emoções como outrora, deixava transparecer uma expressão de piedade, uma contração dolorosa. E meu coração torturava-se à vista da pena que ela sentia; como se meus beijos pudessem apagar aquela pena, como se a minha ternura pudesse dar à minha avó tanta alegria como o meu bem-estar, eu lançava-me em seus braços. E como os escrúpulos já se apaziguavam ante a certeza de que ela conhecia o meu mal, meu corpo não se opunha a que a tranquilizasse. Fazia protestos de que esse mal não era penoso; dizia que não havia motivos para que se compadecesse de mim, que não tivesse dúvida de que me sentia feliz; meu corpo já havia conseguido toda a compaixão que merecia e, desde que se soubesse que tinha uma dor do lado direito, não achava inconveniência em que eu declarasse que essa dor não era um mal e não constituía obstáculo a meu bem-estar, pois meu corpo não se importava com filosofia; esta não era da sua alçada. Durante a convalescença, tive quase que diariamente dessas crises de sufocação. Uma tarde minha avó saiu e deixou-me muito bem; mas, ao voltar já de noite ao meu quarto, viu que me faltava a respiração. "Meu Deus, como estás sofrendo!", disse ela, com as feições alteradas. Deixou-me em seguida, ouvi bater a porta da rua, e ela entrou um pouco mais tarde com o conhaque que fora comprar, porque não o tínhamos em casa de momento. Dentro em pouco comecei a sentir-me bem. Minha avó tinha no rosto um tanto afogueado um ar aborrecido, e seus olhos, uma expressão de cansaço e desânimo.

— Acho melhor deixar-te, e que te aproveites um pouco desse alívio — disse ela, e retirou-se bruscamente. Mas beijei-a, e senti nas suas faces frescas qualquer coisa de molhado que eu não sabia se era da umidade do ar da noite que ela acabava de atravessar. No dia seguinte, não entrou em meu quarto até a noite, porque, segundo me disseram, tivera de sair. Achei que isso era muita indiferença para comigo, e tive de conter-me para não lha censurar.

Como continuassem minhas sufocações, sem que pudessem ser atribuídas à congestão, que já cessara de todo, meus pais resolveram recorrer ao professor Cottard. A um médico chamado em casos desse gênero não basta que seja douto. Posto em presença de sintomas que podem pertencer a três ou quatro enfermidades diferentes, é afinal de contas o seu faro e o seu olho clínico que decidem com que doenças terá probabilidade de haver-se, malgrado as aparências mais ou menos semelhantes. Esse dom misterioso não implica superioridade nas outras partes da inteligência, e uma criatura de grande vulgaridade, que goste da pior pintura, da pior música, que não tenha a mínima curiosidade de espírito, pode perfeitamente possuí-lo. No meu caso, o que era materialmente observável, podia também ser causado por espasmos nervosos, por um começo de tuberculose, pela asma, por uma dispneia tóxico-alimentar com insuficiência renal, pela bronquite crônica, por um estado complexo em que teriam entrado vários desses fatores. Ora, os espasmos nervosos precisavam ser tratados com desprezo, a tuberculose, com grandes cuidados e um gênero de superalimentação que seria mau num estado artrítico como a asma, e poderia tornar-se perigoso num caso de dispneia tóxico-alimentar, a qual exige um regime que por outro lado seria nefasto para um tuberculoso. Mas as hesitações de Cottard foram curtas e suas prescrições, imperiosas.

— Purgantes violentos e drásticos, leite durante vários dias, nada mais que leite. Nada de carne, nada de álcool.

Minha mãe murmurou que eu no entanto tinha necessidade de recuperar forças, que era já muito nervoso, e aquela purga de cavalo e aquele regime decerto me abateriam muito. Vi pelo olhos de Cottard, tão inquietos como se tivesse medo de perder o trem, que ele indagava consigo se não se teria entregado à sua bondade natural. Procurava lembrar se havia cogitado de afivelar uma máscara impassível, como a gente procura um espelho para ver se não esqueceu o nó da gravata. Na dúvida, e para compensá-lo, respondeu grosseiramente:

— Não costumo repetir duas vezes as minhas prescrições. Deem-me uma caneta. E principalmente não esquecer o leite. Mais tarde, quando houvermos jugulado as crises e a agripina, dê-lhe alguma sopa, depois purê, mas antes de tudo dê-lhe leite, dê-lhe leite, o que decerto o deleitará.[40]

Seus alunos conheciam bastante esse trocadilho que ele fazia no hospital cada vez que punha um cardíaco ou um hepático em regime lácteo.

— Depois, faça-o voltar progressivamente à vida comum. Mas, cada vez que começarem as tosses e sufocações, purgantes, lavagens, leito e leite.

Escutou com um ar glacial, sem responder, às últimas objeções de minha mãe, e como nos deixou sem dignar-se a explicar as razões daquele regime, meus pais o julgaram sem relação alguma com o meu caso, inutilmente debilitante, e não me obrigaram a adotá-lo. Procuraram naturalmente ocultar ao professor a sua desobediência e, para melhor consegui-lo, puseram-se a evitar todas as casas onde poderiam encontrá-lo. Depois, como se agravasse o meu estado, resolveram fazer-me seguir à risca as prescrições de Cottard;

---

40 O inseto "agripina" emprestara seu nome ao vocabulário médico para designar a insônia. (N. E.)

ao fim de três dias, eu não tinha mais estertores, nem tosse, e respirava bem. Compreendemos então que Cottard, sem deixar de achar-me, como disse depois, bastante asmático e principalmente "tocado", discernira que o que predominava naquele momento em mim era a intoxicação e que, lavando-me bem o fígado e os rins, me descongestionaria os brônquios e me devolveria a respiração, o sono e as forças. E compreendemos que aquele imbecil era um grande clínico. Pude afinal levantar-me. Mas falavam de não mais mandar-me aos Campos Elísios. Diziam que era por causa do ar insalubre; eu achava que se aproveitavam desse pretexto para que não mais pudesse avistar-me com a srta. Swann, e sentia-me na obrigação de repetir a todo momento o nome de Gilberte, como essa língua natal que os naturais de um país vencido se esforçam por conservar, para não se esquecerem da pátria que jamais tornarão a ver. Algumas vezes mamãe passava a mão pela minha fronte, dizendo-me:

— Então agora os rapazinhos não contam mais às suas mães os cuidados que têm?

Todos os dias Françoise se aproximava de mim, dizendo: "O senhorzinho está com uma cara! Não se olhou no espelho? Parece um defunto!". É verdade que Françoise tomaria o mesmo ar fúnebre se eu tivesse um simples resfriado. Essas lamentações provinham mais da sua "classe" do que do meu estado. Eu não discernia se tal pessimismo implicava dor ou satisfação da parte de Françoise. Concluí provisoriamente que era social e profissional.

Um dia, à hora do correio, mamãe me pôs uma carta em cima da cama. Abri-a distraidamente, pois não podia trazer a única assinatura que me faria feliz, a de Gilberte, com quem eu não tinha relações fora dos Campos Elísios. Ora, na parte de baixo do papel, que tinha um sinete prateado representando um cavaleiro com o seu capacete, a cujos pés se retorcia a divisa *Per viam rectam*, no final de uma carta escrita com letra muito grande e que parecia ter quase todas as frases sublinhadas, simplesmente porque o traço horizontal do "t" não ficava na própria letra, mas solto acima dela, vi a assinatura de Gilberte. Mas como considerava impossível aquela assinatura em uma carta a mim dirigida, não me causou alegria vê-la, porque a visão não vinha acompanhada pela fé. Durante um instante, ela não fez mais que tocar de irrealidade tudo quanto me cercava. Com vertiginosa velocidade, aquela assinatura inverossímil brincava de esconder com o meu leito, a minha lareira, a minha parede. Via tudo oscilar, como acontece a quem cai do cavalo, e perguntava-me se não havia uma existência completamente diferente daquela que eu conhecia, em contradição com ela, mas que seria a verdadeira e que, ao ser-me revelada de súbito, me infundia a mesma perplexidade posta pelos escultores que representam o Juízo Final nas figuras dos ressuscitados que se acham nos umbrais do Outro Mundo. "Meu caro amigo", dizia a carta, "soube que você esteve muito doente e que não tem ido aos Campos Elísios. Nem eu tampouco, porque há muita doença atualmente. Mas minhas amigas costumam vir merendar todas as segundas e sextas em nossa casa. E da parte de mamãe, digo-lhe que teremos muito gosto em que venha logo que estiver restabelecido, e assim poderíamos continuar em casa nossas belas conversas dos Campos Elísios. Adeus, meu caro amigo. Espero que seus pais o deixem vir frequentemente. Com toda a amizade de Gilberte".

Enquanto eu lia tais palavras, o meu sistema nervoso recebia com admirável diligência a nova de que me chegava uma grande felicidade. Mas minha alma, isto é, eu mesmo, e em suma o principal interessado, ainda a ignorava. A felicidade, a felicidade por intermédio de Gilberte, era uma coisa em que eu tinha constantemente pensado, uma coisa toda em pensamentos, *cosa mentale*, como dizia Leonardo da pintura. Uma folha de papel coberta de caracteres é coisa que o pensamento não assimila imediatamente.[41] Mas, logo que terminei a leitura, pensei na carta, e ela tornou-se um objeto de sonho, tornou-se ela também *cosa mentale*, e

---

41 Alusão à expressão presente no *Tratado de pintura*, de Leonardo da Vinci. (N. E.)

eu já a amava tanto que a cada cinco minutos me era preciso relê-la e beijá-la. Tive, então, conhecimento da minha felicidade.

A vida está semeada desses milagres, pelos quais podem sempre esperar os enamorados. É possível que esse tivesse sido artificialmente provocado por minha mãe, que, ao ver que desde algum tempo eu perdera todo ânimo para viver, talvez mandasse pedir a Gilberte que me escrevesse, como no tempo de meus primeiros banhos de mar, para que eu sentisse prazer em mergulhar, coisa que eu detestava porque me cortava a respiração, ela entregava ocultamente a meu guia banhista maravilhosas caixas de conchinhas e ramos de coral, que eu supunha encontrar por mim mesmo no fundo das águas. De resto, em todos esses acontecimentos que na vida e em suas contrastantes situações se relacionam com o amor, o melhor é não intentar compreendê-los, visto que, no que possuem de inexorável como de inesperado, parecem antes regidos por leis mágicas do que por leis racionais. Quando um multimilionário, e homem encantador apesar disso, é despedido por uma mulher pobre e sem atrativos com quem vive, e avoca a si, no seu desespero, todas as potências do ouro e movimenta as influências todas da Terra, sem conseguir ser de novo aceito, mais vale, ante a invencível teimosia da sua amante, supor que o Destino quer prostrá-lo e fazê-lo morrer de uma doença do coração que procurar uma explicação lógica. Esses obstáculos com que têm de lutar os amantes e que a sua imaginação, superexcitada pelo sofrimento, procura em vão adivinhar, residem muita vez nalguma singularidade de caráter da mulher que eles não podem atrair para si, na tolice dela, na influência que sobre ela tiveram e nos receios que lhe sugeriram certas pessoas a quem o amante não conhece, no gênero de prazeres que ela pede no momento à vida, prazeres que o seu amante, e a fortuna de seu amante, são incapazes de lhe oferecer. Em todo caso, o amante está mal colocado para conhecer a natureza dos obstáculos que a astúcia da mulher lhe oculta e que seu próprio juízo falseado pelo amor impede de apreciar exatamente. Assemelham-se a esses tumores que o médico acaba reduzindo, mas sem saber qual foi a sua origem. Como eles, esses obstáculos permanecem misteriosos, mas são temporários. Somente que em geral duram mais que o amor. E como este não é uma paixão desinteressada, o enamorado que deixou de amar não procura saber por que motivo a mulher pobre e leviana a quem amava se recusara obstinadamente durante anos a continuar com ele.

E em assuntos de amor, um mistério semelhante ao que muitas vezes oculta à nossa vista a causa de uma catástrofe, envolve igualmente, com muita frequência, essas repentinas soluções felizes (como a que me trouxe a carta de Gilberte). Soluções felizes ou que pelo menos o parecem, porque não há solução realmente venturosa quando está em jogo um sentimento de tal natureza que qualquer satisfação que se lhe dê só serve para mudar de sítio o sofrimento. Todavia, às vezes é concedida uma trégua e tem-se por algum tempo ilusão de estar curado.

Quanto àquela carta que trazia embaixo um nome que Françoise não queria acreditar que fosse o de Gilberte, porque o G, muito adornado e apoiado num "i" sem ponto parecia um A e a última sílaba estava indefinidamente prolongada por um rendilhado rabisco, se se quiser buscar uma explicação racional da mudança que implicava, e que tanto me alegrou, talvez se chegue à conclusão de que a devi em parte a um incidente que me pareceu, muito pelo contrário, que me perderia para sempre na consideração dos Swann. Pouco tempo antes Bloch viera visitar-me, quando o professor Cottard, que voltara a tratar de mim depois que adotamos o seu regime, se achava no quarto. O médico já me havia examinado e continuava no quarto na qualidade de visitante, porque estava convidado para jantar naquela noite em nossa casa; de modo que deixaram Bloch entrar. Estávamos todos conversando, e Bloch contou que ouvira de uma pessoa com quem havia jantado na noite anterior, e que era muito amiga da sra. Swann, que esta me estimava muito: eu desejaria responder-lhe que sem dúvida estava enganado e afirmar que não conhecia a sra. Swann e nunca havia falado com ela, pelo mesmo escrúpulo que me levou a dizê-lo ao sr. de Norpois e de receio que a sra. Swann me tomasse por um impostor. Mas faltou-me coragem para corrigir o engano de Bloch, pois compreendi muito bem que era voluntário e que, se ele inventava alguma coisa que a sra. Swann não poderia ter dito, era para fazer ostentação de que havia jantado junto de uma amiga dessa senhora, coisa que considerava muito lisonjeira, e que era mentira. E aconteceu que, ao passo que o sr. de Norpois, ao saber que eu não conhecia a sra. Swann e que me agradaria conhecê-la, se abstivera de lhe falar em mim, Cottard, que era seu médico, induziu das palavras de Bloch que a mãe de Gilberte me conhecia e apreciava muito, e pensou em dizer-lhe quando a visse que eu era um rapaz encantador e que estava sob seus cuidados médicos, o que em nada poderia ser útil para mim e seria lisonjeiro para ele, razões estas que o decidiram a falar a Odette da minha pessoa logo que se apresentou ocasião.

E então me foi dado conhecer aquela casa de onde emanava até a escada o perfume que usava a sra. Swann, mas aromada muito mais ainda pelo encanto peculiar e doloroso que se evolava da vida de Gilberte. O implacável porteiro, mudado em benevolente Eumênide, tomou o hábito, quando eu lhe perguntava se podia subir, de me indicar, levantando o gorro com a mão propícia, que fora ouvida a minha prece.[42] As janelas que, do exterior, interpunham entre mim e os tesouros que não me estavam destinados um olhar brilhante, remoto e superficial que me parecia o próprio olhar dos Swann, sucedeu-me, num dia de bom tempo, depois de ter passado uma tarde inteira com Gilberte no seu quarto, abri-las com minhas próprias mãos para que entrasse um pouco de ar, e

---

42 Proust associa o ato do porteiro a uma das "Eumênides", anteriormente as implacáveis "Eríneas" que, na *Oreteia* de Ésquilo, se tornam "benevolentes". (N. E.)

até debruçar-me a seu lado, nos dias em que sua mãe recebia, para ver chegarem as visitas, que, muitas vezes, levantando a cabeça ao descer do carro, acenavam-me com a mão, tomando-me por algum sobrinho da dona da casa. Naqueles momentos, as tranças de Gilberte me roçavam a face. Elas me pareciam, pela fineza da sua grama, ao mesmo tempo natural e sobrenatural, e pelo vigor das suas folhagens de arte, uma obra única para a qual haviam utilizado a própria relva do Paraíso. Que celeste herbário não daria eu de moldura a um fragmento delas, por mínimo que fosse! Mas não esperando conseguir um pedaço verdadeiro daquelas tranças, se pudesse conseguir-lhes a fotografia quanto mais preciosa não seria do que as flores desenhadas por Da Vinci![43] Para obtê-la, fiz junto a amigos dos Swann, e até com fotógrafos, baixezas que não me valeram o que eu desejava mas ligaram-me para sempre a pessoas muito aborrecidas.

Os pais de Gilberte, que, se por tanto tempo me haviam impedido de vê-la, agora — quando eu entrava na sombria antecâmara onde pairava perpetuamente, mais formidável e mais desejada do que outrora em Versalhes a aparição do rei, a possibilidade de os encontrar, e onde habitualmente, depois de haver tropeçado num enorme cabide de sete braços como o Candelabro das Escrituras,[44] eu me confundia em saudações ante um lacaio sentado, com o seu longo saio cinzento, sobre a arca de madeira, e que, na obscuridade, eu havia tomado pela sra. Swann —, os pais de Gilberte, quando sucedia que um dos dois ali passasse no

---

43 Nova equiparação "proustiana": a superioridade afetiva das mechas de cabelo de Gilberte sobre os desenhos florais de Da Vinci. O empenho de criação culinária de Françoise já foi equiparado ao do próprio Michelangelo. Lembre-se ainda que, no primeiro volume, o herói preferia ter notícias do casaco trajado por Swann a saber as consequências políticas da visita do rei Teodósio à França. (N. E.)

44 Novo "rompimento de níveis" na equiparação: a casa dos Swann possui para o herói candelabro semelhante ao Candelabro de Ouro, com seis e não com sete braços, que Moisés manda colocar no Tabernáculo (cf. Êxodo, XXV, 31-37). (N. E.)

momento da minha chegada, longe de ter um ar irritado, apertavam-me a mão, sorrindo, e me diziam:

— Como vai você? *Comment allez-vous?* — diziam-no sem fazer a ligação do "t" de *comment*, ligação esta que, como é de se imaginar, mal eu chegava em casa, fazia um incessante e voluptuoso esforço por suprimir. — Gilberte já sabe que você está aqui? Então vou deixá-lo.

Ainda mais as próprias merendas que Gilberte oferecia às amigas, e que por tanto tempo me haviam parecido a mais intransponível das separações acumuladas entre nós, tornavam-se agora um ensejo para nos vermos e que ela me anunciava num bilhete, escrito (porque eu era uma relação ainda muito recente) num papel de cartas sempre diferente. Às vezes vinha ornamentado de um cachorro azul em relevo sobre uma legenda humorística escrita em inglês e seguida de um ponto de exclamação; outra vez vinha assinalado com uma âncora, ou com o monograma G. S., desmesuradamente alongado num retângulo que cobria todo o alto da página, ou ainda com o nome "Gilberte", ora traçado de viés em um canto, em caracteres dourados que reproduziam a assinatura de minha amiga e terminavam num rabisco, acima de um guarda-chuva aberto impresso em preto, ora encerrado num monograma em forma de chapéu chinês, que lhe continha todas as letras em maiúsculas, sem que fosse possível distinguir um só. Enfim, como a série de seus papéis de carta, por numerosa que fosse, não era limitada, ao fim de certo número de semanas, eu via voltar aquele que trazia, como da primeira vez em que ela me escrevera, a divisa *Per viam rectam*, debaixo do cavaleiro de capacete, num medalhão de prata brunida. E cada qual era escolhido em tal dia deliberadamente, em virtude de certos ritos, pensava eu então, mas agora creio que era porque ela procurava lembrar-se do que usara na última vez, de maneira a nunca enviar o mesmo aos seus correspondentes, pelo menos àqueles por quem valia a pena dar-se esse trabalho, senão nos intervalos mais distanciados possíveis. Como, devido à diferença das horas de suas lições, algumas amigas que Gilberte convidava eram obrigadas a partir quando as outras apenas vinham chegando, desde a escada eu ouvia escapar-se da antecâmara um murmúrio de vozes que, na emoção que me causava a cerimônia imponente a que ia assistir, rompia bruscamente, muito antes que eu alcançasse o patamar, os elos que ainda me prendiam à vida anterior e me tiravam até a lembrança de retirar o cachecol, logo que estivesse dentro de casa e de olhar as horas para não voltar muito tarde. Aquela escada, aliás, toda de madeira, como se construíam então nas casas de apartamento desse estilo Henrique II que fora por tanto tempo o ideal de Odette e que ela em breve devia abandonar, aquela escada, com um cartaz sem equivalente em nossa casa, no qual se liam estas palavras: "É proibido servir-se do elevador para descer", me parecia uma coisa de tal modo prestigiosa que eu disse a meus pais que se tratava de uma escadaria antiga, mandada vir de muito longe pelo sr. Swann. Tão grande era o meu amor à verdade que eu não hesitaria em lhes dar esse informe, mesmo que soubesse que era falso, pois só ele podia permitir que tivessem pela dignidade da escadaria dos Swann o mesmo respeito que eu. E assim que, diante de um ignorante, que não pode compreender em que consiste o gênio de um grande médico, julgar-se-ia bom não confessar que ele não sabe curar um resfriado. Mas como eu não tinha nenhum espírito de observação, como em geral não sabia nem o nome nem a espécie das coisas que se encontravam diante de meus olhos, e compreendia apenas que elas, quando estavam próximas dos Swann, deviam ser coisas extraordinárias, não me parecia certo que, avisando a meus pais do valor artístico e da procedência remota daquela escada, estivesse pregando uma mentira. Não me pareceu certo, mas deve ter-me parecido provável, pois senti que ficava muito vermelho, quando meu pai me interrompeu, dizendo: "Conheço essas casas; já vi uma, são todas iguais; Swann ocupa simplesmente vários andares, são construção de

Berlier".[45] Acrescentou que quisera alugar um apartamento numa delas, mas desistiu, por não achá-las nada cômodas, e com a entrada pouco clara; assim disse ele; mas senti instintivamente que meu espírito devia fazer ao prestígio dos Swann e à minha felicidade os necessários sacrifícios, e, com um golpe de autoridade interior, apesar do que acabava de ouvir, afastei para sempre de mim, como um devoto à *Vida de Jesus*, de Renan, a ideia dissolvente de que o apartamento dos Swann era um apartamento qualquer, onde nós poderíamos ter morado.[46]

Naquelas tardes de recepção, elevando-me de degrau em degrau na escadaria, já sem pensamento e sem memória, sem ser mais que um joguete dos mais vis reflexos, chegava eu à zona onde se fazia sentir o perfume da sra. Swann. Julgava já ver a majestade do bolo de chocolate, rodeado por um círculo de pratos de *petits fours* e pequenos guardanapos damasquinados cinzentos e com desenhos, exigidos pela etiqueta e peculiares aos Swann. Mas aquele conjunto imutável e ordenado parecia depender, como o universo necessário de Kant, de um ato supremo de liberdade. Pois quando estávamos todos no salãozinho de Gilberte, olhando de repente para o relógio, ela dizia:

— Já faz tempo que almocei, e só janto às oito, de modo que tenho vontade de comer alguma coisa. Que me dizem?

E fazia-nos passar para a sala de jantar, sombria como o interior de um templo asiático pintado por Rembrandt, e onde um bolo arquitetural, tão bonachão e familiar quanto imponente, parecia reinar ali à vontade como num dia qualquer, para o caso

---

45 O engenheiro francês Jean-Baptiste Berlier (1843-1911) ficara mais conhecido pela invenção dos "pneumáticos", envio de correspondência por tubos, do que por suas construções. (N. E.)

46 Alusão à obra de Ernst Renan (1823-1892) em que ele pretendia contar a história de Cristo de um ponto de vista estritamente racional, contra qualquer dogma e livre dos numerosos erros dos textos sagrados. O livro constava do Index, relação de obras proibidas pela Igreja. (N. E.)

que desse na fantasia de Gilberte descoroá-lo de suas ameias de chocolate e abater suas muralhas de flancos abruptos, cozidas no forno como os bastiões do palácio de Dano.[47] E ainda mais, para proceder à destruição da pastelaria ninivita, Gilberte não consultava apenas o seu apetite; informava-se também do meu, enquanto extraía para mim, do monumento desabado, todo um lanço lustroso e engastado de frutos vermelhos, ao gosto oriental. E até me perguntava a hora em que meus pais jantavam, como se eu ainda o soubesse, como se a perturbação que me dominava deixasse persistir a sensação da inapetência ou da fome, a noção do jantar ou a imagem da família, na minha memória vazia e no meu estômago paralisado. Infelizmente, essa paralisia era apenas momentânea. Viria um momento em que seria preciso digerir aqueles doces que eu tomava sem dar-me conta do que fazia. Mas ainda estava longe. Enquanto isto, Gilberte preparava "o meu chá". Eu bebia indefinidamente, quando uma só taça me impedia de dormir por vinte e quatro horas. Assim, minha mãe tomara o hábito de dizer: "Que aborrecimento! Esse menino não pode ir à casa dos Swann sem que volte doente". Mas, quando me achava em casa dos Swann, sabia eu ao menos que era chá o que estava bebendo? Ainda que o soubesse, da mesma forma o tomaria, pois admitindo que houvesse recuperado por um instante o discernimento do presente, isso não me teria devolvido a lembrança do passado e a previsão do futuro. Minha imaginação não era capaz de ir até o tempo longínquo em que eu poderia ter a ideia de me deitar e a necessidade de dormir.

As amigas de Gilberte não estavam mergulhadas nesse estado de embriaguez que torna impossível qualquer decisão. Algumas recusavam chá! Então Gilberte dizia, frase muito

---

47 Equiparação proustiana entre o bolo servido por Gilberte a seus convidados e os palácios erguidos pelo rei Dano, que exerceria seu poder sobre a Pérsia entre os anos de 521 e 485 a.C. (N. E.)

espalhada por aquela época: "Decididamente, eu não tenho sucesso com o meu chá!", e, para afastar ainda mais a ideia de cerimônia, desarranjava a ordem das cadeiras em torno da mesa, dizendo: "Até parece um casamento! Meu Deus, como são estúpidos esses criados...".

E mordiscava um doce, sentada de lado numa cadeira em forma de xis colocada de través. E como se fora possível ter tantos doces à sua disposição, sem licença de sua mãe, quando a sra. Swann, cujos dias de recepção costumavam coincidir com as merendas de Gilberte, acabava de acompanhar até a porta uma visita e entrava correndo um momento na sala de jantar, algumas vezes de veludo azul, e quase sempre com um vestido de cetim negro guarnecido de rendas brancas, dizia com um ar atônito:

— Parece bom isso aí; até me dá fome ao ver vocês comerem *cake*.

— Pois bem, mamãe, nós a convidamos — respondia Gilberte.

— Mas não, meu tesouro, que haviam de dizer as minhas visitas? Tenho ainda a senhora Trombert, a senhora Cottard e a senhora Bontemps, e sabes que essa boa senhora Bontemps não faz visitas muito curtas, e mal acaba de chegar. Que diria toda essa boa gente se não me visse voltar? Se não vier mais ninguém, voltarei para tagarelar com vocês, o que me divertirá muito mais, depois que elas tiverem partido. Creio que mereço um pouco de paz; tive quarenta e cinco visitas, e, dessas quarenta e cinco, quarenta e duas falaram do quadro de Gêrome![48] Mas venha qualquer dia — dizia-me ela — para tomar o *seu* chá com Gilberte, ela o preparará como você gosta, tal como

---

48 Referência a Jean-Léon Gérôme (1824-1904), inimigo declarado dos pintores impressionistas, chefe dos "neogregos" e pintor favorito dos mundanos, que expõe em 1897 o quadro *Entrada de Cristo em Jerusalém*. (N. E.)

você o toma no seu pequeno *studio*[49] — acrescentava ela, enquanto fugia para as suas visitas, como se eu tivesse ido àquele mundo misterioso da sua casa em busca de coisas tão conhecidas como os meus costumes, como o de tomar chá, se eu tivesse o hábito de tomá-lo; quanto a um *studio*, não estava bem certo se possuía um ou não. — Quando virá? Amanhã? Faremos *toasts* tão bons como os de Colombin. Não? Você é um malandro... — dizia ela, porque depois que também começava a ter um salão, assumia as maneiras da sra. Verdurin, seu tom de faceiro despotismo.

Aliás, como os *toasts* me eram tão desconhecidos como Colombin, essa última promessa nada poderia acrescentar à minha tentação. Parecerá mais estranho, pois agora todo mundo fala assim, até mesmo em Combray, que eu não tivesse compreendido no primeiro instante de quem queria falar a sra. Swann, quando a ouvi fazer-me o elogio da nossa velha *nurse*. Eu não sabia inglês, mas logo depois compreendi que essa palavra designava Françoise. Eu, que nos Campos Elísios tivera tanto medo da má impressão que ela devia provocar, soube pela sra. Swann que fora tudo quanto Gilberte lhes contara sobre a minha *nurse* que despertara nela e no marido a simpatia por mim. "Vê-se que ela lhe é tão dedicada, e que é tão boa!" Logo mudei inteiramente de opinião a respeito de Françoise. Em consequência, ter uma governanta provida de impermeável e pluma não me pareceu coisa tão necessária. Compreendi afinal, por algumas palavras escapadas à sra. Swann sobre a sra. Blatin, cuja afabilidade reconhecia mas de quem temia as visitas, que relações pessoais com essa dama não me seriam tão preciosas como eu julgara e em nada teriam melhorado minha situação junto aos Swann.[50]

---

49 Termo que, na época, designava um ateliê de um artista ou seu quarto de trabalho. (N. E.)

50 Tanto a alusão à vestimenta de Françoise como a menção à sra. Blatin retomam trechos do primeiro volume do livro. Na época de seus encontros com Gilberte nos

Se já começara a explorar com esses frêmitos de respeito e alegria o domínio feérico que, contra toda a expectativa, abrira ante mim as suas avenidas até então fechadas, era no entanto apenas como amigo de Gilberte. O reino onde era eu acolhido estava ele próprio contido em um outro ainda mais misterioso, onde Swann e a esposa levavam a sua vida sobrenatural e para o qual se dirigiam, depois de me apertarem a mão, quando atravessavam a antecâmara ao mesmo tempo que eu, em sentido inverso. Mas em breve penetrei também no coração do Santuário. Por exemplo, Gilberte se achava ausente, e o sr. ou a sra. Swann estava em casa. Haviam perguntado quem batia e, ao saber que era eu, mandavam-me pedir que fosse ter um instante com eles, desejando que eu usasse em tal ou qual sentido, numa coisa ou noutra, da minha influência junto à sua filha. E eu me lembrava daquela carta de tal maneira completa e persuasiva, que escrevera outrora a Swann e à qual nem sequer se dignara responder. Admirava a impotência do espírito, do raciocínio e do coração em operarem a mínima conversão, em resolverem uma só dessas dificuldades, que em seguida a vida, sem que se saiba ao menos como o fez, tão facilmente soluciona. Minha nova posição de amigo de Gilberte, dotado de excelente influência sobre ela, me fazia agora alcançar o mesmo favor que se tivesse por amigo, em um colégio onde ocupava sempre o primeiro lugar, ao filho de um rei, e por essa casual circunstância conseguisse entradas no palácio e audiências na sala do trono; Swann, com uma benevolência infinita e como se não estivesse sobrecarregado de ocupações gloriosas, fazia-me entrar na sua biblioteca e ali me deixava durante uma hora a responder com balbucios, com silêncios de timidez

Campos Elísios, o herói, comparando a criada que a acompanhava com Françoise, concluía envergonhado que sua criada não estava devidamente vestida. A seus olhos, a sra. Blatin, pelo simples fato de conversar diariamente com Gilberte, acaba atingindo um prestígio que só pouco a pouco ele consegue perceber exagerado. (N. E.)

entrecortados de breves e incoerentes ímpetos de coragem, às suas considerações, de que a minha emoção impedia de compreender uma só palavra; mostrava-me objetos e livros que julgava capazes de me interessar e que eu de antemão não duvidava que ultrapassassem infinitamente em beleza a todos os que estão no Louvre e na Biblioteca Nacional, mas que era impossível olhar. Em tais momentos, o seu mordomo me deixaria encantado, pedindo-me que lhe desse o meu relógio, o meu alfinete de gravata, as minhas botinas e que assinasse um documento em que o reconhecia como meu herdeiro; segundo a bela expressão popular, de que não se conhece o autor, como acontece com as mais famosas epopeias, mas que, como elas e contrariamente à teoria de Wolf, teve certamente algum[51] (um desses espíritos inventivos e modestos que aparecem todos os anos, que fazem achados tais como "pôr um nome numa cara", mas que não dão a conhecer o próprio nome), *eu não sabia o que estava fazendo*. Quando muito me espantava, se a visita se tornava demasiado longa, a que nulidade de realização, a que ausência de conclusão satisfatória levavam aquelas horas vividas na mansão encantada. Mas a minha decepção não provinha nem da insuficiência das obras-primas mostradas nem da impossibilidade de deter sobre elas um olhar distraído. Pois não era a beleza intrínseca das coisas que tornava miraculoso para mim estar no gabinete de Swann, era a aderência a essas coisas — que poderiam ser as mais feias do mundo — do sentimento particular, triste e voluptuoso que desde tantos anos eu ali localizava e que o impregnava ainda; da mesma forma, a multidão dos espelhos, das escovas de prata, dos oratórios a santo Antônio de Pádua esculpidos e pintados pelos maiores artistas, seus amigos, em nada entravam no sentimento da minha indig-

---

51 Frédéric-Auguste Wolf (1759-1824), filólogo alemão que defendia que a *Ilíada* e a *Odisséia* não tinham autor único, e sim que eram uma coletânea de textos, de épocas e autores diferentes. (N. E.)

nidade e da sua benevolência real que me era inspirado quando a sra. Swann me recebia um momento no seu quarto, onde três belas e imponentes criaturas, suas primeira, segunda e terceira criadas de quarto, preparavam sorrindo maravilhosas toaletes, e para o qual, à ordem proferida pelo lacaio de calções curtos, de que a senhora desejava dizer-me uma palavra, eu me dirigia pelo caminho sinuoso de um corredor, todo ele aromado a distância por essências preciosas cujos fragrantes eflúvios se exalavam incessantemente do toucador.

Quando a sra. Swann voltava para junto das suas visitas, nós ainda a ouvíamos falar e rir, pois mesmo diante de duas pessoas, e como se tivesse de se haver com todos os "camaradas", ela elevava a voz e dizia frases, como tantas vezes vira a "patroa" fazer no pequeno clã, nos momentos em que aquela "dirigia a conversação". Como as expressões que tomamos de empréstimo aos outros são, pelo menos durante algum tempo, as que mais gostamos de empregar, a sra. Swann escolhia ora as que aprendera de pessoas distintas que o marido não pudera deixar de apresentar-lhe (dessas é que tomara o maneirismo que consiste em suprimir o artigo ou o pronome demonstrativo diante do objetivo que qualifica uma pessoa), ora mais vulgares por exemplo: "É um nada!", frase favorita de uma das suas amigas) e que procurava inserir em todas as histórias que gostava de contar, segundo um hábito adquirido no "pequeno clã". Em seguida aprazia-lhe dizer: "Gosto muito desta história", "Oh! Confesse que é uma *bela* história!", o que lhe vinha, por parte do marido, dos Guermantes, a quem ela não conhecia.

A sra. Swann deixara a sala de jantar; mas o marido, que acabava de entrar, fazia por sua vez uma aparição entre nós.

— Não sabes se a tua mãe está sozinha, Gilberte?

— Ela ainda está com visitas, papai.

— Como, ainda? Às sete horas! Terrível. A pobre mulher deve estar moída. É odioso. — Em casa, eu sempre ouvira, na palavra *odieux*, ser pronunciado o *o* longo, mas o casal Swann a pronunciava com *o* breve. — Imagine, desde as duas da tarde! — continuava ele, voltando-se para mim. — E Camille me dizia que entre as quatro e as cinco chegaram umas doze pessoas. Doze? Creio que ele me disse catorze. Não, doze; enfim, não sei mais. Quando voltei, não pensava que fosse o seu dia e, ao ver todos esses carros diante da porta, julguei que houvesse um casamento na casa. E desde o instante em que estive na biblioteca, as campainhas não cessaram, palavra que cheguei a ficar com dor de cabeça. E há ainda muita gente com ela?

— Não, apenas duas visitas.

— Sabes quem?

— A senhora Cottard e a senhora Bontemps.

— Ah!, a mulher do chefe de gabinete do ministro das Obras Públicas.

— Sei que o seu marido é funcionário de um ministério, mas não sei ao certo o que seja — dizia Gilberte, fazendo-se de ingênua.

— Como, sua tolinha! Estás falando como se tivesses dois anos. Que dizes? Funcionário de um ministério? Ele é simplesmente chefe de gabinete, chefe de toda a história, e ainda mais... Onde estou com a cabeça? Palavra que sou tão distraído como tu, ele não é chefe do gabinete: é *diretor* do gabinete.

— Não sei; então é muita coisa ser diretor do gabinete? — retrucava Gilberte, que nunca perdia ocasião de manifestar indiferença por tudo quanto era motivo de vaidade para os pais, e pode ser que pensasse que desse modo realçava ainda mais o mérito de relações tão brilhantes, não parecendo ligar-lhes muita importância.

— Se é muita coisa! — exclamava Swann, que preferia àquela modéstia, que me poderia deixar na dúvida, uma linguagem mais explícita. — Mas é simplesmente o primeiro depois do ministro! É até mais que o ministro, pois é ele quem faz tudo. Parece de resto que é uma capacidade, um homem de primeira ordem, um indivíduo muito distinto. É oficial da Legião de Honra. Um homem encantador, até mesmo um bonito rapaz.

A mulher aliás o desposara, contra tudo e contra todos, porque ele era "um encanto". Tinha, o que pode bastar para constituir um conjunto raro e delicado, uma barba loira e sedosa, lindas feições, uma voz nasal, a respiração forte, e um olho de vidro.

— Afianço-lhe — acrescentou, dirigindo-se a mim — que muito me divirto ao ver essa gente no governo atual, pois se trata dos Bontemps da casa Bontemps-Chenut, o tipo da burguesia reacionária, clerical, de ideias estreitas. Seu pobre avô conheceu bem, pelo menos de fama e de vista, ao velho Chenut, que só dava um *sou* de gorjeta aos cocheiros, embora fosse rico para a época, e o barão Bréau-Chenut. Toda a fortuna soçobrou no craque da União Geral,[52] você não se lembra, é muito jovem... Mas que diabo! A gente se refez como pôde.

— Ele é tio de uma pequena que frequentava meu curso — disse Gilberte — numa classe muito abaixo da minha, a famosa "Albertine". Ela será certamente muito *fast*, mas agora tem um ar muito engraçado.

— É de espantar esta minha filha! Conhece todo mundo...

— Eu não a conheço. Via-a simplesmente passar, gritavam Albertine daqui, Albertine dali. Mas conheço a senhora Bontemps, e essa também não me agrada.

— Estás muito enganada, ela é encantadora, bonita, inteligente. É até mesmo espirituosa. Eu vou cumprimentá-la, perguntar-lhe se o marido acredita que vamos ter guerra, e se se pode contar com o rei Teodósio.[53] Ele deve saber isso, não é?, ele que está no segredo dos deuses...

---

52 Acontecido em 1882, o "craque" da sociedade financeira formada de investimentos, na sua maioria, de grupos católicos, foi atribuída à intervenção dos meios financeiros israelitas e protestantes. (N. E.)

53 Como se pôde acompanhar da conversa entre o pai do herói e o sr. de Norpois, a França, depois da derrota de 1871, não tinha certeza de poder contar com a Rússia, em caso de nova guerra com a Alemanha. (N. E.)

Não era assim que Swann falava antigamente; mas quem já não viu princesas de sangue real muito singelas que, se dez anos mais tarde se deixam raptar por um ajudante de câmara e, procurando a convivência social, verificam que os outros não as visitam de bom grado, adotam então espontaneamente a linguagem das velhas sirigaitas, e quem já não as ouviu dizer, quando lhes citam uma duquesa em moda: "Ela estava ontem em minha casa", ou: "Eu vivo muito afastada". De modo que é inútil estudar os costumes, pois podemos deduzi-los das leis psicológicas.

Os Swann participavam desse defeito dos que não veem a sua casa muito concorrida; a visita, o convite, a simples frase amável de alguma pessoa um tanto em evidência constituíam para eles um acontecimento a que desejavam dar publicidade. Se a má sorte fazia com que os Verdurin estivessem em Londres quando Odette tivera um jantar um pouco brilhante, arranjava-se de modo que algum amigo comum lhes cabografasse a notícia através da Mancha. E nem as cartas, nem os telefonemas lisonjeiros recebidos por Odette, podiam os Swann guardar só para si. Falava-se deles aos amigos e passavam de mão em mão. O salão dos Swann se assemelhava assim a esses hotéis de balneários, onde se expõem em público os telegramas.

Ademais, as pessoas que não haviam apenas conhecido o antigo Swann extrassocialmente, como eu, mas na alta sociedade, naquele meio dos Guermantes que, excetuando as Altezas e duquesas, era de uma exigência infinita quanto ao espírito e encanto pessoal, onde se decretava a exclusão de homens eminentes por serem considerados aborrecidos ou vulgares, poderiam essas pessoas espantar-se ao verificar que o antigo Swann deixara não só de ser discreto quando falava de suas relações, mas também de ser exigente quando se tratava de as escolher. Como era que não o exasperava a sra. Bontemps, tão comum e tão má? Como podia declará-la agradável? A recordação do círculo dos Guermantes parece que devia impedi-lo, mas na verdade o auxiliava nisso. Certamente que entre os Guermantes, ao contrário do que sucede em três quartas partes dos meios mundanos, havia gosto, um gosto refinado até, mas também esnobismo, e daí a possibilidade de uma interrupção momentânea no exercício do gosto. Se se tratasse de alguém que não era indispensável àquela banda, de um ministro dos Negócios Estrangeiros, republicano um tanto solene, de um acadêmico loquaz, o gosto exercia-se a fundo contra ele, Swann lamentava a sra. de Guermantes por ter jantado ao lado de tais convivas numa Embaixada, e mil vezes lhes preferiam um homem elegante, um homem do círculo de Guermantes, um inútil, mas que possuía o espírito dos Guermantes, alguém que era da mesma capela. Apenas, se uma grã-duquesa, uma princesa de sangue real jantava seguidamente em casa da sra. de Guermantes, sucedia-lhe então fazer também parte da capela, sem direito algum, sem absolutamente lhe possuir o espírito. Mas, com a simplicidade dos mundanos, já que a recebiam, empenhavam-se em achá-la agradável, por não poderem dizer que era porque a achavam agradável que a recebiam. Swann vinha em socorro da sra. de Guermantes e dizia-lhe, depois que a Alteza se retirara:

— No fundo, é uma boa mulher, possui até certo senso do cômico. Meu Deus, não penso que ela tenha aprofundado a *Crítica da razão pura*, mas não é desagradável.

— Sou inteiramente da sua opinião — respondia a duquesa. — E depois, estava intimidada, mas verá que pode ser encantadora.

— Ela é muito menos aborrecida que a senhora X (tratava-se da esposa do acadêmico tagarela, mulher aliás notável), que nos cita vinte volumes em seguida.

— Mas não há mesmo comparação possível.

A faculdade de dizer tais coisas, de as dizer sinceramente, Swann a adquirira nos salões da duquesa, e ainda a conservava. Exercia-a agora com as pessoas a quem recebia. Esforçava-se por discernir, por estimar nessas pessoas as qualidades que toda criatura humana revela, quando examinada com uma prevenção favorável e não com o enfado dos exigentes; punha em evidência os méritos da sra. Bontemps, como outrora os da princesa de Parma, a qual devia ter sido excluída do círculo dos Guermantes, se aí não houvesse entradas de favor para certas Altezas e se, mesmo em se tratando de Altezas, não se tivesse verdadeiramente considerado senão o espírito e certo encanto. Aliás, já se viu que Swann tinha o gosto (de que fazia agora uma aplicação apenas mais duradoura) de trocar a sua situação mundana por uma outra que mais lhe convinha em determinadas circunstâncias. Só as pessoas incapazes de decompor, em suas percepções, o que à primeira vista parece indivisível, é que julgam que a situação social forma um só corpo com a pessoa. Um mesmo ser, encarado em momentos sucessivos da sua vida, mergulha, sob diferentes graus da escala social, em meios que não são forçosamente cada vez mais elevados; e, toda vez que, num período diferente da nossa vida, criamos relações ou reatamo-las em um meio determinado, onde nos sentimos bem, começamos muito naturalmente a criar-lhe apego e a deitar nele raízes humanas.

No tocante à sra. Bontemps, creio também que ao falar dela com tanta insistência, Swann não deixava de pensar com gosto que assim meus pais ficariam sabendo que ela costumava visitar sua esposa. Em nossa casa, a falar verdade, os nomes das pessoas que a sra. Swann ia pouco a pouco conhecendo despertavam mais curiosidade que admiração. Ao ouvir o nome da sra. Trombert, dizia minha mãe:

— Ah!, um novo recruta, que há de arrastar outros.

E acrescentava, como se comparasse a uma guerra colonial o modo um pouco sumário, rápido e violento com que a sra. Swann conquistava as suas relações:

— Agora que os Trombert estão submetidos, as tribos vizinhas não tardarão em render-se.

Quando se encontrava na rua com a sra. Swann, dizia-nos ao regressar:

— Vi a senhora Swann em pé de guerra; devia estar partindo para alguma frutuosa ofensiva contra os Masochutos, os Cingaleses ou os Trombert.

E quanto às pessoas novas que lhe contava ter visto naquele meio um tanto heteróclito e artificial, onde muitas vezes tinham sido levadas com dificuldade e de mundos assaz diferentes, minha mãe logo lhes adivinhava a origem e falava delas como de troféus duramente conquistados; dizia:

— Trazido de uma expedição à casa de X.

Meu pai se espantava de que a sra. Swann pudesse achar alguma vantagem em atrair uma burguesa tão pouco elegante como a sra. Cottard, e dizia: "Apesar da boa posição do professor, confesso que não compreendo". Minha mãe, pelo contrário, compreendia muito bem: sabia que grande parte do prazer que sente uma mulher quando penetra num ambiente diverso daquele em que vivia antes consiste em poder informar a seus velhos amigos das amizades relativamente mais brilhantes com que os substituiu. Para isso é preciso uma testemunha, a quem se deixa penetrar naquele mundo novo e delicioso, como em uma flor um inseto zumbidor e doidivanas, que em seguida, ou pelo menos assim se espera, espalhará a nova, o germe de inveja e admiração ali roubado, ao acaso das suas visitas ulteriores. A sra. Cottard, talhada de propósito para o referido papel, entrava naquela categoria especial de convidados a quem mamãe, que tinha certos aspectos da feição de espírito de seu pai, chamava de: "Estrangeiro, vai a Esparta e dize...".[54] Ademais — além de outro motivo que só se soube muitos anos depois —, a sra. Swann, ao convidar aquela amiga benévola, reservada e modesta, não temia introduzir em casa, nos seus "dias"

---

54 Alusão à inscrição sobre a sepultura dos trezentos espartanos mortos nas batalhas de Termópilas, travadas contra os persas (480 a.C.): "Estrangeiro, vai a Esparta e dize que aqui jazemos em obediência a suas leis". A citação, extraída de um fragmento do poeta Simônides, era conhecida no ensino secundário. (N. E.)

brilhantes, uma traidora ou uma concorrente. Sabia do número enorme de cálices burgueses que poderia, quando armada da egrete e do porta-cartões, visitar em uma só tarde aquela ativa obreira. Ela lhe conhecia o poder de disseminação e, baseando-se no cálculo das probabilidades, tinha fundamentos para pensar que, muito provavelmente, certo conviva dos Verdurin ficaria sabendo logo no dia seguinte que o governador de Paris deixara cartão em casa dela, ou o próprio sr. Verdurin ouviria contar que o sr. Le Hault de Pressagny os havia levado, a ela e ao sr. Swann, à função de gala em honra do rei Teodósio; e se não imaginava que os Verdurin se informassem mais do que desses dois acontecimentos, tão lisonjeiros para ela, é que as materializações particulares sob as quais representamos e perseguimos a glória são mesmo pouco numerosas, por culpa de nosso espírito, incapaz de imaginar ao mesmo tempo todas as formas que esperamos — em conjunto — que a glória não deixará de revestir um dia para nós.

Por outro lado, a sra. Swann só obtivera resultado no que se chama "o mundo oficial". As mulheres elegantes não lhe frequentavam a casa. E não era a presença de notabilidades republicanas que as fazia fugir. Na minha infância, toda a sociedade conservadora pertencia à alta-roda, e numa reunião de bom-tom não se poderia receber a um republicano. As pessoas que viviam em tal meio imaginavam que a impossibilidade de convidar um "oportunista",[55] e com mais fortes razões um terrível "radical", era uma coisa que duraria para sempre, como os lampiões de azeite e os ônibus de tração animal. Mas, semelhante aos calidoscópios que giram de tempos em tempos, a sociedade coloca sucessivamente de modo diverso elementos que se supunham imutáveis e compõe uma nova figura. Eu ainda não fizera a primeira comu-

---

55 Eram chamados de "oportunistas" os deputados republicanos que se dispuseram a se ligar aos monarquistas na elaboração da Constituição de 1871. Eles governariam a França de 1879 a 1885. (N. E.)

nhão, quando senhoras bem pensantes tinham a estupefação de encontrar de visita em nossa casa a alguma elegante judia. Essas novas disposições do calidoscópio são provocadas pelo que um filósofo chamaria de mudança de critério. O Caso Dreyfus trouxe nova mudança, em época um pouco posterior àquela em que eu começava a frequentar a casa da sra. Swann, e o calidoscópio inverteu uma vez mais os seus pequenos losangos coloridos.[56] Tudo quanto era judeu passou para baixo, até a elegante dama, e nacionalistas obscuros subiram a ocupar seu lugar. O salão mais brilhante de Paris foi o de um príncipe austríaco e ultracatólico. Se, em vez do Caso Dreyfus, sobreviesse uma guerra com a Alemanha, noutro sentido se efetuaria a volta do calidoscópio. Demonstrando os judeus, com espanto geral, que eram patriotas, teriam conservado a sua posição, e ninguém teria ido jamais, nem jamais confessaria que fora alguma vez às recepções do príncipe austríaco. Isso não impede que, de cada vez que a sociedade se acha momentaneamente imóvel, aqueles que nela vivem imaginem que jamais se efetuará mudança alguma, da mesma forma que, tendo visto começar o telefone, não querem crer no aeroplano. Entretanto, os filósofos do jornalismo arrasam o período precedente, não só o gênero de prazeres então adotado e que lhes parece a última palavra da corrupção, mas até as obras dos artistas e dos filósofos, que já não têm para eles nenhum valor, como se estivessem indissoluvelmente ligadas às modalidades sucessivas da frivolidade mundana. A única coisa que não muda é que de cada vez parece que há "alguma coisa de mudado em França". No momento em que comecei a frequentar os Swann, ainda não havia estourado o Caso Dreyfus, e certos grandes judeus eram

---

56 O capitão judeu Dreyfus foi condenado por espionagem em 1894, mas o "Caso Dreyfus" só eclodiria três anos depois, com as suspeitas de fraude e racismo na sua condenação (cf. texto sobre o "Caso Dreyfus" e a obra de Proust, posfácio ao quarto volume desta coleção). (N. E.)

muito poderosos. Nenhum o era mais do que sir Rufus Israel, cuja esposa, lady Israel, era tia de Swann. Pessoalmente, não tinha ela íntimos tão elegantes como o seu sobrinho que, por outro lado, não a estimava e nunca estreitara relações com ela, embora devesse presumivelmente ser o seu herdeiro. Mas era a única das parentas de Swann que tinha consciência da situação mundana do sobrinho, pois os demais parentes ficaram sempre, a esse respeito, na mesma ignorância em que estivemos por tanto tempo. Quando nalguma família existe um membro que transmigra para a alta sociedade — o que a este parece um fenômeno único, mas que, a dez anos de distância, verifica ter sido efetuado de um modo ou de outro, e por motivos diferentes, por mais de um jovem com quem fora juntamente educado —, descreve ele em torno de si uma zona de sombra, uma *terra incognita*, muito visível, em seus mínimos matizes, a todos os que a habitam, mas que não passa de escuridão e puro nada para os que ali não penetram e costeiam, sem suspeitar, tão perto de si, a existência dela. Não tendo nenhuma Agência Havas informado às primas de Swann sobre as pessoas a quem ele frequentava, era (antes do seu horrível casamento, está visto) com sorrisos de condescendência que se contava nos jantares de família terem empregado "virtuosamente" o domingo em visitar o "primo Charles", ao qual, julgando-o um pouco invejoso e parente pobre, chamavam espirituosamente "o primo *bête*",[57] gracejando com o título do romance de Balzac. Apenas lady Rufus Israel sabia às maravilhas quem eram aquelas pes-soas que prodigavam a Swann uma amizade de que ela se sentia ciumenta. A família de seu marido, que era mais ou menos o equivalente dos Rothschild, tratava, desde várias gerações, dos negócios dos príncipes de Orléans. Lady Israel, extraordinariamente rica, dispunha de grande influência e empregara-a no sen-

---

57 O título do romance de Balzac a que Proust se refere é *A prima Bette*, e a palavra *bête* nesse caso significa tolo, bobo, trouxa. (N. E.)

tido de que nenhuma pessoa conhecida sua recebesse Odette. Uma única havia desobedecido, às ocultas. Era a condessa de Marsantes. Ora, quisera o azar que, tendo Odette ido visitar a sra. de Marsantes, lady Israel entrasse quase ao mesmo tempo. A sra. de Marsantes estava sobre brasas. Com a covardia das pessoas que no entanto tudo poderiam permitir-se, ela não dirigiu uma única vez a palavra a Odette, que não se viu desde então encorajada a levar avante uma incursão num mundo que aliás não era absolutamente aquele em que desejaria ser recebida. Naquele seu completo desinteresse pelo Faubourg Saint-Germain, continuava Odette a ser a cocote iletrada, tão diferente dos burgueses entranhados nos mínimos pontos de genealogia e que enganam, na leitura de memórias antigas, a sede das relações aristocráticas que a vida real não lhes proporciona. E Swann, da sua parte, continuava sem dúvida a ser o amante a quem todas essas particularidades de uma antiga companheira parecem agradáveis ou inofensivas, pois muita vez ouvi sua mulher proferir verdadeiras heresias mundanas sem que (por um resto de ternura, uma falta de estima, ou preguiça de a aperfeiçoar) ele tentasse corrigi-las. E também talvez estivesse aí uma forma daquela simplicidade que por tanto tempo nos enganara em Combray, causa agora de que, embora continuando a tratar, ele pelo menos, com pessoas muito brilhantes, não tinha interesse em que nas conversas do salão de sua esposa se lhes atribuísse alguma importância. Para Swann, aliás, tinham muito menos importância do que nunca, pois o centro de gravidade de sua vida se havia verdadeiramente deslocado. Em todo caso, tamanha era a ignorância de Odette em matéria mundana que, quando ocorria na conversação o nome da princesa de Guermantes depois do da duquesa, sua prima: "Ah, príncipes... Quer dizer então que subiram?", dizia ela. Se alguém dizia "o príncipe", referindo-se ao duque de Chartres, ela retificava: "O duque, ele é duque de Chartres, e não príncipe". Quanto ao duque de Orléans, filho do conde de Paris: "Engraçado, o filho é mais que o pai", não sem acrescentar, visto que era anglômana: "A gente se embrulha nessas *royalties*"; e a uma pessoa que lhe perguntava de que província eram os Guermantes, respondeu: "Do Aisne".[58]

Swann era de resto cego, no concernente a Odette, não só ante essas lacunas da sua educação como também ante a mediocridade da sua inteligência. Ainda mais, cada vez que Odette contava uma história tola, Swann escutava a mulher com uma complacência, uma alegria, quase uma admiração, onde deviam entrar uns restos de volúpia; ao passo que, na mesma conversação, o que ele próprio pudesse dizer de fino, até mesmo de profundo, era habitualmente escutado por Odette sem interesse, às pressas, impacientemente, e às vezes contraditado com severidade. E há de concluir-se que essa servidão do escol à vulgaridade é de regra em muitos casais, quando se pensa, inversamente, em tantas mulheres superiores que se deixam encantar por um brutamontes, implacável censor das suas mais delicadas palavras, ao passo que elas se extasiam, com a indulgência infinita da ternura, diante das suas facécias mais ordinárias. Para voltar aos motivos que impediram naquela época que Odette entrasse no Faubourg Saint-Germain, cumpre dizer que a mais recente volta do calidoscópio mundano fora motivada por uma série de escândalos. Senhoras a cuja casa se ia com a máxima confiança, averiguou-se que eram prostitutas, espiãs inglesas. E veio um tempo em que se exigia, ou pelo menos supunha-se exigir de todo mundo uma posição sólida, bem assentada. Odette representava exatamente todas essas coisas com que acabavam de romper relações, para reatá-las em seguida (pois os homens não mudam de um dia para outro e procuram num regime novo a continuação do antigo), mas procurando-as sob uma forma diferente, que permitisse às pessoas ser enganadas e acreditar que não era a mesma sociedade de antes da crise. E Odette se

---

58 Erro de Odette: ao ser perguntada pelo nome da "província" dos Guermantes, ela responde com o nome de um "departamento". (N. E.)

parecia muito com as damas "marcadas" daquela sociedade. A gente do alto mundo é muito míope; no mesmo instante em que cessam quaisquer relações com as damas israelitas a quem conheciam, enquanto se perguntam como preencher aquele vácuo, avistam, trazida até ali como por uma noite de tempestade, uma dama nova, também israelita; mas, graças à sua novidade, não está associada no seu espírito, como as precedentes, com o que eles se julgam no dever de detestar. Ela não pede que respeitem o seu Deus. Adotam-na. Não se cogitava de antissemitismo na época em que comecei a frequentar a casa de Odette. Mas a sra. Swann muito se parecia com aquilo a que se queria fugir por algum tempo.

Swann, esse, ia seguidamente visitar algumas das suas relações de outrora e por conseguinte pertencentes todas à mais alta sociedade. No entanto, quando nos falava nas pessoas que acabava de visitar, notei que a escolha que fazia entre aquelas a quem outrora conhecera era guiada pela mesma espécie de gosto, meio artístico, meio histórico, que tinha como colecionador. E notando muitas vezes que era esta ou aquela grande dama desclassificada que lhe interessava, porque fora amante de Liszt ou algum romance de Balzac fora dedicado à sua avó (da mesma forma que comprava um desenho se Chateaubriand o havia descrito), tive a suspeita de que, em Combray, havíamos substituído o erro de julgar Swann um burguês que não frequentava a sociedade pelo outro erro de o julgarmos um dos homens mais elegantes de Paris. Ser amigo do conde de Paris nada significa. Quantos não há, desses "amigos de príncipes", que não seriam recebidos num salão um pouco fechado? Os príncipes sabem que são príncipes, não são esnobes e julgam-se tão acima de tudo quanto não seja do seu sangue que grão-senhores e burgueses lhes aparecem quase no mesmo nível, abaixo dele.

Ademais, não se contentava Swann em buscar na sociedade, tal como ela existe, e ligando-se aos nomes que nela inscreveu o passado e que ainda se podem ler, um simples prazer de letrado e de artista; entregava-se ao divertimento assaz vulgar de compor como que ramalhetes sociais, agrupando elementos heterogêneos, reunindo pessoas apanhadas aqui e acolá. Essas experiências de sociologia divertida (ou que Swann assim achava) nem sempre tinham a mesma repercussão — pelo menos de um modo constante — nas amigas de sua mulher. "Pretendo convidar no mesmo dia os Cottard e a duquesa de Vendôme", dizia ele, rindo, à sra. Bontemps, com o ar glutão de quem pretende substituir, num molho, as cabeças de cravo por pimenta-de-caiena. Ora, esse projeto, que efetivamente se afiguraria engraçado aos Cottard, no sentido antigo do termo, tinha o dom de exasperar a sra. Bontemps. Fora recentemente apresentada pelos Swann à duquesa de Vendôme e achara isso tão natural como agradável. E gloriar-se de tal coisa perante os Cottard não fora a parte menos saborosa do seu prazer. Mas como os recentes condecorados, que desejariam ver em seguida fechar-se a torneira das cruzes, a sra. Bontemps não queria que, depois dela, ninguém da sua classe fosse apresentado à princesa. Amaldiçoava interiormente o gosto depravado de Swann, que dissipava de uma só vez, para realizar uma miserável esquisitice estética, toda a poeira que ela havia lançado aos olhos dos Cottard, quando lhes falara na duquesa de Vendôme. Como se atreveria ela própria a anunciar ao marido que o professor e a respectiva esposa iam por sua vez ter a sua parte naquele prazer que ela lhe havia gabado como único? Ainda se os Cottard pudessem saber que não tinham sido convidados por bem, mas por divertimento! É verdade que com os Bontemps acontecia o mesmo; mas como Swann havia adquirido na aristocracia esse eterno dom-juanismo de fazer crer a duas mulheres que nada significam, que só a cada uma delas se quer seriamente, falara à sra. Bontemps da duquesa de Vendôme como de pessoa indicadíssima para jantar com ela.

— Sim, tencionamos convidar a princesa com os Cottard — disse, algumas semanas mais tarde, a sra. Swann. — Meu marido acha que essa conjunção poderá dar alguma coisa de divertido... — Pois, se conservara do "núcleo" certos hábitos caros à sra. Verdurin, como o de falar muito alto para ser ouvida por todos os fiéis, em compensação empregava certas expressões, como "conjunção", caras ao meio Guermantes, cuja atração sofria a distância e inconscientemente, como o mar a da Lua, e sem que por isso se aproximasse mais dele.

— Sim, os Cottard e a duquesa de Vendôme... Não acha que vai ser divertido? — perguntou Swann.

— Acho que não sairá nada bem e que só lhes trará aborrecimento; não se deve brincar com fogo — respondeu, furiosa, a sra. Bontemps.

Ela e o marido, bem como o príncipe de Agrigento, foram convidados para aquele jantar; e a sra. Bontemps e Cottard tinham duas maneiras diversas de contá-lo, segundo as pessoas com quem falavam. Para uns, a sra. Bontemps do seu lado, Cottard do seu, diziam negligentemente, quando lhes perguntavam que outras pessoas havia no jantar: "Só havia o príncipe de Agrigento; era muito íntimo". Mas havia o risco de haver pessoas mais bem informadas (até uma vez alguém dissera a Cottard: "Mas não estavam também os Bontemps?". "Ah!, eu tinha esquecido...", respondera, enrubescendo, Cottard, ao indiscreto, a quem classificou dali por diante na categoria das más-línguas). Para aquelas, os Bontemps e os Cottard adotaram cada qual, sem se consultarem, uma versão cuja moldura era idêntica, e em que só variavam os seus respectivos nomes. Cottard dizia: "Pois bem, havia apenas os donos da casa, o duque e a duquesa de Vendôme (e sorrindo com suficiência), o professor Cottard e senhora, e, o diabo que me carregue se eu sei o motivo, pois eles estavam lá como Pilatos no Credo, o senhor e a senhora Bontemps". A sra. Bontemps recitava exatamente o mesmo trecho, com a diferença que o sr. Bontemps e senhora é que eram nomeados com ênfase satisfeita, entre a duquesa de Vendôme e o príncipe de Agrigento, e os gatos-pingados que no fim ela acusava de se terem convidado a si mesmos e que manchavam o quadro eram os Cottard.

Muitas vezes voltava Swann de suas visitas pouco antes do jantar. Naquele momento das seis da tarde, em que antes se sentia tão desgraçado, já não indagava consigo o que poderia estar fazendo Odette e pouco se lhe dava que ela estivesse com visitas em casa ou houvesse saído. Recordava às vezes que, muitos anos antes, tentara um dia ler através do envelope uma carta dirigida por Odette a Forcheville. Mas tal lembrança não era agradável e, em vez de aprofundar a vergonha que sentia, preferia fazer uma careta com o canto da boca, devidamente completada com um abanar de cabeça que significava: "De que me adianta isso?". Naturalmente achava agora que aquela hipótese, em que antes tantas vezes se detinha, de que as fantasias do seu ciúme eram a única coisa que enegrecia a vida de Odette, na realidade inocente, aquela hipótese (afinal de contas benéfica, porque, enquanto durou a sua enfermidade amorosa, lhe mitigara os sofrimentos, apresentando-os como imaginários) não era certa, que o seu ciúme é que via claro, e que, se Odette o havia amado mais do que ele supunha, também o enganara muito mais do que ele imaginava. Outrora, quando sofria tanto, jurara que, logo que não mais amasse Odette, e não mais temesse incomodá-la ou fazer-lhe crer que a amava demasiado, dar-se-ia à satisfação de elucidar com ela, por simples amor da verdade e como um ponto de história, se Forcheville estava ou não estava deitado com ela no dia em que ele tocara a campainha e batera nas vidraças sem que lhe abrissem e em que ela havia escrito a Forcheville que se tratava de um seu tio recém-chegado. Mas o problema tão interessante que ele só esperava o fim do ciúme para esclarecer havia precisamente perdido todo o interesse para Swann depois que cessara de estar ciumento. Não imediatamente, porém. Já não o sentia, quanto a Odette, aquele ciúme que continuava a despertar nele o dia em que, de tarde, batera em vão à porta do pequeno apartamento da rua Lapérouse. Era como se o ciúme, um pouco semelhante em tal aspecto a essas doenças que parecem ter a sua sede, a sua fonte de contágio, menos em certas pessoas do que em certos lugares, certas casas, tivesse por objeto, não tanto a própria Odette, mas sim aquele dia, aquela hora do passado perdido em que Swann batera a todas as entradas da casa de Odette. Dir-se-ia que só aquele dia, aquela hora tinham fixado algumas parcelas da personalidade amorosa que Swann tivera dantes e que só ali ele podia encontrar. Desde muito que não se preocupava de que Odette o tivesse enganado ou o enganasse ainda. E no entanto havia continuado durante alguns anos a procurar antigos criados de Odette, de tal modo persistira nele a dolorosa curiosidade de saber se naquele dia, tão distante, às seis horas, estava Odette deitada com Forcheville. Depois, essa própria curiosidade desaparecera, sem que no entanto cessassem as suas investigações. Continuava procurando saber o que não mais lhe interessava, porque o seu antigo eu, chegado à extrema decrepitude, agia ainda maquinalmente, segundo preocupações a tal ponto inexistentes, que Swann nem sequer podia imaginar aquela angústia, tão forte naquele tempo que supunha nunca se libertaria dela e só a morte daquela a quem amava (a morte que, como o demonstrará mais adiante neste livro uma cruel contraprova, em nada diminui os sofrimentos do ciúme[59]) lhe parecia capaz de aplanar-lhe o caminho, inteiramente obstruído, da sua vida.

Mas esclarecer um dia os fatos da vida de Odette aos quais devera esses sofrimentos não fora o único desejo de Swann; pusera de reserva também o de vingar-se deles, quando, já não amando Odette, não mais a temesse; quanto a este segundo desejo, apresentava-se agora o ensejo de satisfazê-lo, pois Swann amava outra mulher, uma mulher que não lhe dava motivos de ciúme e

---

59 Antecipação em milhares de páginas do que ocorrerá no penúltimo volume da obra. (N. E.)

no entanto lhe dava ciúme, porque ele já não era capaz de renovar o seu modo de amar e aquele que usara para com Odette é que lhe servia ainda para uma outra. Para que o ciúme de Swann renascesse não era necessário que aquela mulher fosse infiel; bastava que, por uma razão qualquer, estivesse longe dele, numa reunião, por exemplo, e parecesse que lá se divertira. Era o bastante para despertar nele a angústia antiga, lamentável e contraditória excrescência do seu amor, e que afastava Swann do que ela era na verdade (apresentando-se como uma necessidade de chegar até o fundo do sentimento real que aquela jovem lhe dedicava, ao desejo oculto de seus dias, ao segredo do seu coração), pois essa angústia interpunha entre Swann e aquela que ele amava um amontoado refratário de suspeitas anteriores, que tinham como causa Odette, ou qualquer outra talvez que precedera a Odette, e que já não permitiam ao amante envelhecido conhecer a sua amante de hoje senão através do fantasma antigo e coletivo da "mulher que dava ciúme", no qual havia arbitrariamente encarnado o seu novo amor. No entanto, muitas vezes Swann acusava esse ciúme de fazê-lo acreditar em traições imaginárias; mas lembrava-se então de que beneficiara a Odette com o mesmo raciocínio, e erroneamente. De modo que tudo quanto a jovem a quem amava fazia nas horas em que Swann não estivesse com ela deixava de lhe parecer inocente. Mas se antes jurara, tão logo deixasse de amar aquela que então não podia imaginar fosse um dia sua esposa, manifestar-lhe implacavelmente a sua indiferença, afinal sincera, para vingar o seu orgulho tanto tempo humilhado, agora essas represálias, que poderiam efetuar-se sem risco (pois que lhe importava que Odette o tomasse ao pé da letra e o privasse daqueles momentos de intimidade que antes lhe eram tão necessários?), essas represálias não mais lhe interessavam; com o amor, desaparecera o desejo de mostrar que já não tinha amor. E ele que, quando sofria por Odette, tanto teria desejado deixar-lhe ver um dia que se enamorara de outra, agora que poderia fazê-lo, tomava mil precauções para que a mulher não suspeitasse daquele novo amor.

E não só tomava agora parte naquelas merendas que antes, nos Campos Elísios, me eram um motivo de tristeza porque Gilberte tinha de voltar para casa mais cedo, mas também a acompanhava nas saídas que ela fazia com a mãe para ir às compras ou ao teatro, aquelas saídas que outrora a impediam de ir aos Campos Elísios e me privavam dela, ficando eu a passear sozinho ao longo da grama, ou olhando para o carrossel; agora me reservavam um lugar no landô e até me perguntavam aonde queria eu que fôssemos, se ao teatro, a uma lição de dança em casa de uma companheira de Gilberte, a uma reunião social que dava uma amiga da sra. Swann (e que Odette chamava "um pequeno *meeting*") ou ver os túmulos de Saint-Denis.

Nos dias em que saía com os Swann, ia almoçar em sua casa, tomar o *lunch*, como dizia a sra. Swann; como o convite era para as doze e trinta e meus pais almoçavam naquele tempo às onze e um quarto, acontecia que eles já se haviam levantado da mesa quando eu saía em direção daquele bairro luxuoso, quase sempre solitário, e mais ainda àquela hora em que todos estavam almoçando. Embora fosse inverno e estivesse abaixo de zero, se fazia sol, quedava-me a passear por aquelas avenidas, ajustando de vez em quando o laço de uma esplêndida gravata comprada no Charvet e reparando se não haviam sujado meus sapatos de verniz, até que o relógio marcasse as doze e vinte e sete. Avistava de longe o jardinzinho dos Swann, onde o sol fazia as árvores desnudas cintilarem como se fossem de geada. É verdade que esse jardinzinho só possuía duas. O inusitado da hora dava novidade ao espetáculo. Àqueles prazeres da natureza (avivados pela supressão do hábito e também pela fome) vinha juntar-se a emocionante perspectiva de almoçar em casa da sra. Swann, o que não minguava tais prazeres, mas dominava-os, assenhoreava-os, convertia-os em acessórios mundanos; de modo que, se naquela hora, em que habitualmente não lhes notava a existência, me parecia que havia descoberto o bom tempo, o frio e a luz hibernal, tudo era como que um prefácio aos ovos com creme, uma como pátina de fresca e rosada transparência aplicada sobre o revestimento da capela misteriosa que era a casa da sra. Swann, capela em cujo seio se guardavam, pelo contrário, tanto calor, tanto perfume e tanta flor.

Às doze e trinta resolvia-me a entrar na casa que, como um grande sapato de Natal, parecia destinada a oferecer-me prazeres sobrenaturais. (Este nome, Natal, era coisa desconhecida para Gilberte e sua mãe, que o tinham substituído pelo de Christmas e não falavam senão no seu pudim de Christmas, dos seus presentes de Christmas, da sua viagem — e isto me causava um sofrimento louco — de Christmas. Assim, até em minha própria casa me pareceria desonroso falar em Natal, e sempre dizia Christmas, coisa que a meu pai se afigurava sumamente ridícula.)

No princípio, não encontrava mais que um lacaio que, depois de fazer-me passar por vários salões, me introduzia numa salinha deserta, que o azul das janelas, na tarde, ia tornando cismarenta; ficava sozinho, sem outra companhia que orquídeas, rosas e violetas, as quais — como essas pessoas que também estão esperando na mesma sala que nós, mas que não nos conhecem — guardavam um silêncio ainda mais impressionante pela sua individualidade de coisas vivas e recebiam, friorentas, o calor de uma incandescente luz de carvão, preciosamente colocada atrás de uma vitrina de cristal, numa cuba de mármore branco onde fazia desabar, de tempos em tempos, os seus perigosos rubis.

Já me havia sentado, mas levantava-me precipitadamente ao ouvir que se abria a porta; era nada mais que um segundo lacaio e em seguida um terceiro, cujas emocionantes idas e vindas não levavam senão ao ínfimo resultado de pôr um pouco de água nos vasos ou de carvão na lareira; iam-se embora e ficava eu de novo a sós enquanto fechavam aquela porta, que a sra. Swann acabaria por abrir. E por certo eu não ficaria menos perturbado ao achar-me num antro mágico do que naquela salinha de espera onde o fogo parecia que estava operando transmutações, como no laboratório de Klingsor.[60] Outra vez ressoavam passos, eu não me erguia: devia ser outro lacaio; e entrava o sr. Swann:

— Como! Está sozinho? Que quer! A pobre da minha mulher não sabe o que são as horas. Dez para uma! Cada dia mais tarde. E verá você como vem sem pressa, pensando que chega adiantada. — E como ficara neuroartrítico e se tornara o seu tanto ridículo, aquilo de ter uma mulher tão pouco pontual, que chegava tarde do Bois, ou que se esquecia do tempo no ateliê da modista e nunca estava em casa na hora das refeições, preocupava a Swann quanto ao estômago, mas lhe afagava o amor-próprio.

Mostrava-me as recentes aquisições que fizera, explicando-me a sua importância; mas a emoção, e com ela a falta de costume de estar em jejum a tais horas, me agitavam o espírito e nele produziam o vácuo, de modo que me sentia capaz de falar, mas não assim de escutar. De resto, àquelas obras que possuía Swann, já lhes bastava estar em sua casa e formar parte da hora deliciosa que precedia o almoço. E mesmo que ali estivesse a *Gioconda*, não me teria causado mais grata emoção do que um penhoar da sra. Swann ou seus frascos de sais.

Continuava esperando, sozinho com Swann e às vezes com Gilberte, que vinha fazer-nos companhia. A chegada da sra. Swann, preparada por aquelas inúmeras e majestosas entradas, afigurava-se que devia ser algo de imenso. Espiava o mínimo estalido. Mas a gente nunca acha tão altos como os esperara, uma catedral, uma vaga na tempestade, o salto de um bailarino; depois daqueles lacaios de libré, semelhantes aos comparsas cujo desfile prepara e

---

60 Alusão à personagem do mago malvado do *Parsifal*, de Wagner. Os guerreiros que buscam o Graal, ao entrarem em seu laboratório, são enfeitiçados e desviados de seu objetivo. (N. E.)

por conseguinte desmerece o aparecimento final da rainha, a sra. Swann, entrando furtivamente com um casaquinho de lontra, o véu baixado sobre um nariz vermelho de frio, não cumpria as promessas que a espera prodigara à minha imaginação.

Mas, se ficava toda a manhã em casa, quando aparecia no salão, vinha com um penhoar de crepe da china de cor clara que me parecia mais elegante que todos os vestidos.

Às vezes os Swann resolviam ficar em casa toda a tarde. E então, como havíamos almoçado em hora tão avançada, eu logo via sobre o muro do jardinzinho ir declinando o sol daquele dia que me parecia diferente dos demais, e no entanto, por mais que os criados trouxessem lâmpadas de todas as dimensões e todas as formas, cada qual a arder no altar consagrado de um consolo, de uma mesa de centro, de uma cantoneira ou de uma mesinha, como para a celebração de um culto desconhecido, nada de extraordinário nascia da conversação e eu me retirava decepcionado, como muitas vezes nos acontece na infância, após a Missa do Galo.

Mas aquele desapontamento era quase puramente espiritual. Eu irradiava de alegria naquela casa onde Gilberte, quando ainda não estava conosco, ia entrar dali a pouco, para dar-me, durante horas, a sua voz, o seu olhar atento e sorridente, tal como eu o vira pela primeira vez em Combray. Quando muito, ficava com algum ciúme ao vê-la desaparecer no fundo de vastas salas em que se entrava pela escada interior. Obrigado a permanecer no salão, como o enamorado de uma atriz que só tem a sua cadeira na plateia e pensa com inquietação no que se estará passando nos bastidores, no salão dos artistas, fiz a Swann, a respeito daquela outra parte da casa, perguntas sabiamente veladas, mas num tom de que não consegui banir alguma ansiedade. Explicou-me que a peça onde ia Gilberte era a rouparia, ofereceu-se para mostrá-la e prometeu que, cada vez que Gilberte tivesse de ir lá, faria com que ela me levasse em sua companhia. Com estas últimas palavras e o alívio que me trouxeram, Swann suprimiu subitamente para mim uma dessas terríveis distâncias interiores em cujo fim tão remota nos aparece a mulher que amamos. Naquele momento, senti por ele uma ternura que julguei mais profunda que a minha ternura por Gilberte. Porque, senhor da sua filha, ele me dava Gilberte, e Gilberte às vezes se recusava; e eu não tinha diretamente sobre ela o mesmo império que indiretamente, por intermédio de Swann. E, ademais, eu a amava e por conseguinte não podia vê-la sem essa perturbação, sem esse desejo de algo mais, que nos tira, junto da criatura amada, a sensação de amar.

Mas em geral não ficávamos em casa e saíamos a passeio. Às vezes a sra. Swann, antes de se preparar para sair, sentava-se ao piano. Das mangas cor-de-rosa, ou brancas, ou de cores muito vivas, de seu penhoar de crepe da china, surgiam as suas lindas mãos e alongavam as falanges sobre o teclado com a mesma melancolia que estava em seus olhos e não estava em seu coração. Foi num desses dias que lhe aconteceu tocar-me a parte da sonata de Vinteuil onde se encontra a pequena frase que Swann tanto havia amado. Mas muitas vezes não se entende nada, quando é uma música um pouco complicada que ouvimos pela primeira vez. E no entanto, quando mais tarde me tocaram duas ou três vezes aquela mesma sonata, aconteceu-me conhecê-la perfeitamente. Assim, não está mal dizer-se "ouvir pela primeira vez". Se nada se tivesse distinguido na primeira audição, como se pensava, a segunda e a terceira seriam outras tantas primeiras, e não haveria razão para que se compreendesse alguma coisa mais na décima. Provavelmente o que falta na primeira vez não é a compreensão, mas a memória. Pois a nossa, relativamente à complexidade de impressões com que tem de se haver enquanto escutamos, é ínfima, e tão breve como a memória de um homem que, dormindo, pensa em mil coisas que em seguida esquece, ou do homem que, na segunda infância, não recorda no minuto seguinte o que acabamos de lhe dizer. A memória é incapaz de fornecer imediatamente a lembrança dessas múltiplas impressões. Mas essa lembrança se vai formando nela pouco a pouco, e com obras ouvidas duas ou três vezes, a gente faz como o colegial que releu várias vezes antes de dormir uma lição que julgava não saber e que a recita de cor na manhã seguinte. Somente que, até aquele dia, eu nada tinha ouvido da referida sonata, e ali onde Swann e a mulher viam uma frase distinta, esta se achava tão longe da minha percepção clara como um nome que se procura recordar, e em cujo lugar só se encontra o nada, um nada de onde uma hora mais tarde, sem que o pensemos, se lançarão por si mesmas, de um único salto, as sílabas inutilmente solicitadas antes. E não apenas somos incapazes de reter imediatamente as obras verdadeiramente raras, mas até no seio de cada uma dessas obras, como me aconteceu com a sonata de Vinteuil, o que de início percebemos são exatamente as partes de menor valor. De sorte que eu não só me enganava em pensar que a obra não me reservava mais nada (o que fez com que ficasse por muito tempo sem procurar ouvi-la) logo que a sra. Swann me executou a sua frase mais famosa (era nisso tão estúpido como aqueles que já não esperam sentir surpresa alguma diante de São Marcos de Veneza, porque a fotografia lhes dera a conhecer a forma de seus domos). Mas, o que é pior, mesmo depois que escutei a sonata de princípio a fim, ela me permaneceu quase que inteiramente invisível, como um monumento de que a distância ou a névoa só deixam entrever escassas partes. Daí, a melancolia que se prende ao conhecimento de tais obras, como de tudo quanto se realiza no tempo. Quando se me revelou o que se acha mais oculto na sonata de Vinteuil, já aquilo que eu distinguira e preferira no princípio começava a escapar-me, a fugir-me, arrastado, pelo hábito, além da minha sensibilidade. Por só ter podido amar em épocas sucessivas tudo quanto me trazia aquela sonata, nunca cheguei a possuí-la inteiramente: assemelhava-se à minha vida. Mas, menos decepcionantes que a vida, essas grandes obras-primas não começam por nos dar o que têm de melhor. Na sonata de Vinteuil, as belezas que mais cedo se descobrem são também as que mais depressa nos cansam e sem dúvida pela mesma razão de diferirem menos daquilo que já se conhecia antes. Mas quando estas se afastaram, ainda nos fica, para amar, uma ou outra frase que, pela ordem demasiado nova para oferecer a nosso espírito nada mais que confusão, se nos tornara indiscernível e se guardara intata para nós; e ei-la então que vem até nós, a última de todas, essa frase pela qual passávamos todos os dias sem o saber e que pelo poder único de sua beleza se tornara invisível e permanecera desconhecida. Mas nós a deixaremos também por último. E havemos de amá-la por mais tempo que as outras, porque teremos levado mais tempo para amá-la. E esse tempo de que necessita um indivíduo — como me aconteceu a mim com essa sonata — para penetrar uma obra um tanto profunda é como um resumo e símbolo dos anos e às vezes dos séculos que têm de transcorrer até que o público possa amar uma obra-prima verdadeiramente nova. Talvez por isso considere o homem de gênio, para se poupar às incompreensões da multidão, que, visto faltar aos contemporâneos a necessária distância, as obras escritas para a posteridade só a posteridade as deveria ler, tal como sucede com certas pinturas, mal apreciadas quando vistas de muito perto. Mas na verdade qualquer covarde precaução para evitar os juízos errôneos é perfeitamente inútil, pois são inevitáveis. O motivo de que uma obra genial rara vez conquiste a admiração imediata é que o seu autor é extraordinário e poucas pessoas com ele se parecem. Há de ser a sua própria obra que, fecundando os poucos espíritos capazes de compreendê-la, os fará crescer e multiplicar-se. Foram os próprios quartetos de Beethoven (os de número XII, XIII, XIV e XV) que levaram cinquenta anos para dar vida e número ao público dos quartetos de Beethoven, realizando desse modo, como todas as grandes obras, um progresso, se não no valor dos artistas, pelo menos na sociedade dos espíritos, largamente constituída hoje pelo que era impossível encontrar quando a obra-prima apareceu, isto é, criaturas capazes de amá-la. Isso a que se chama posteridade é a posteridade da obra.[61] É preciso que a obra (sem levar em conta, para simplificar, os gênios que na mesma época possam trabalhar paralelamente, preparando para um futuro um público melhor, de que outros se aproveitarão) crie ela própria a sua posteridade. E se a obra se conservasse de reserva e só a posteridade a conhecesse, esta já não seria para a referida obra a posteridade verdadeira, mas uma assembleia de contemporâneos que simplesmente viveu cinquenta anos mais tarde. Cumpre, pois, que o artista — e assim o fizera Vinteuil —, se quiser que a sua obra possa seguir seu caminho, a lance onde haja bastante profundidade, em pleno e remoto futuro. E contudo, se o fato de não levar em conta esse tempo vindouro, verdadeira perspectiva das grandes obras, constitui o erro dos maus juízes, o levá-lo em conta constitui muita vez o perigoso escrúpulo dos juízes bons. Indubitavelmente, é cômodo imaginar, por uma ilusão análoga à que uniformiza todas as coisas no horizonte, que todas as revoluções que até então ocorreram na pintura ou na música sempre respeitaram certas regras, e o que está imediatamente diante de nós, impressionismo, busca da dissonância, emprego exclusivo da gama chinesa, cubismo, futurismo, difere afrontosamente daquilo que o precedeu. É que consideramos o precedente sem levar em conta que uma longa assimilação o converteu para nós em uma matéria variada, sim, mas homogênea, onde Hugo está junto de Molière. Mas pensemos nos chocantes disparates que nos ofereceria, se não tivéssemos em conta o tempo vindouro e as mudanças que acarreta, um horóscopo da nossa idade madura, tirado diante de nós, quando adolescentes. Somente, nem todos os horóscopos são verdadeiros, e sermos obrigados a computar no total da beleza de uma obra de arte o fator tempo entremescla a nosso juízo um

---

61 Referência aos quartetos compostos por Beethoven no final de sua vida, obras bastante difíceis que foram inicialmente muito mal recebidas pelo público. Proust os admirava particularmente. (N. E.)

elemento de acaso, e por isso tão desprovido de verdadeiro interesse como toda profecia, cuja não realização em caso algum implicará a mediocridade de espírito do profeta, porque o que chama à vida as possibilidades ou dela as exclui não é forçosamente da competência do gênio; pode-se ter tido gênio e não haver acreditado no futuro dos caminhos de ferro ou dos aviões, como se pode ser grande psicólogo e não crer na falsidade de uma amante ou de um amigo, cujas traições poderiam ser previstas por gente mais medíocre.

Se não compreendi a sonata, fiquei encantado de ouvir a sra. Swann tocar. Sua execução me parecia, como o seu penhoar, como o perfume de sua escadaria, como a sua capa, como os seus crisântemos, fazer parte de um todo individual e misterioso, num mundo infinitamente superior àquele onde a razão pode analisar o talento. "Não é mesmo linda essa sonata de Vinteuil?", disse-me Swann. Esse momento noturno sob as árvores, em que os arpejos dos violinos derramam um frescor... Confesse que é muito bonito; está aí todo o lado estático do luar, que é o essencial. Não é nada extraordinário que um tratamento de luz, como o segue minha mulher, possa agir sobre os músculos, visto que o luar impede as folhas de se moverem. É isso que está tão bem descrito nessa pequena frase, é o Bois de Boulogne em estado cataléptico. À beira-mar é mais surpreendente ainda, pois há então as débeis respostas das vagas, que naturalmente se ouvem muito bem, visto que o resto não se pode mover. Em Paris é o contrário: quando muito, notam-se esplendores insólitos nos monumentos, um céu iluminado como por um incêndio sem cor e sem perigo, espécie de imenso "fato do dia" adivinhado. Mas na pequena frase de Vinteuil, e aliás em toda a sonata, não há disso, tudo se passa no Bois, e no grupeto ouve-se distintamente a voz de alguém que diz: "Quase que se pode ler o jornal". Essas palavras de Swann poderiam falsear, para mais tarde, a minha compreensão da sonata, pois a música é muito pouco exclusiva para afastar de modo absoluto o que nos sugerem que busquemos nela. Mas por outras frases de Swann, compreendi que essas folhagens noturnas eram simplesmente aquelas debaixo das quais ouvira por muitas noites, em vários restaurantes dos arredores de Paris, a pequena frase. Em vez do sentido profundo que Swann tantas vezes lhe pedira, o que a frase lhe trazia eram folhagens arranjadas e pintadas em torno dela (e que ela lhe dava o desejo de rever porque parecia ser uma coisa interior a essas folhagens, como uma alma), era toda uma primavera que não conseguira gozar outrora, porque, febril e mortificado como estava, faltava-lhe então o bem-estar necessário e que ela lhe havia guardado, como se preparam, para um doente, as boas coisas que ele não pode comer. O encanto que certas noites no Bois lhe fizeram experimentar e sobre o qual a sonata de Vinteuil podia informá-lo, ele não poderia a seu respeito interrogar Odette, que no entanto o acompanhava como a pequena frase. Mas Odette estava simplesmente ao lado dele (e não nele, como o motivo de Vinteuil) e por conseguinte não via, ainda que fosse mil vezes mais compreensiva, o que para nenhum de nós se pode exteriorizar (pelo menos acreditei por muito tempo que essa regra não sofria exceções).

— Que bonito é no fundo — disse Swann — que o som possa refletir, como a água, como um espelho... E note que a frase de Vinteuil só me mostra as coisas a que eu não prestava atenção naquela época. De meus cuidados, de meus amores daquele tempo, ela nada mais me recorda: fez uma troca.

— Charles, parece-me que não é muito amável para mim isso que está dizendo.

— Não é muito amável? Essas mulheres são impagáveis! Eu queria simplesmente dizer a esse jovem que o que a música mostra, pelo menos para mim, não é absolutamente a "vontade em si" e a "síntese do infinito", mas, por exemplo, o velho Verdurin de redingote no Palmário do Jardim da Aclimação. Mil vezes, sem sair desta sala, essa pequena frase me levou a jantar consigo em Armenonville. Meu Deus, é sempre menos aborrecido do que ir lá jantar com a senhora de Cambremer.

A sra. Swann pôs-se a rir:

— É uma dama que passa por ter estado muito apaixonada por Charles — explicou-me ela, no mesmo tom com que me replicara um pouco antes, falando de Vermeer de Delft, quando eu me espantava de ver que ela o conhecia: — É que aqui o cavalheiro se ocupava muito desse pintor quando me fazia a corte, não é verdade, meu querido Charles?

— Não fale a torto e a direito da senhora de Cambremer — disse Swann, muito lisonjeado no íntimo.

— Mas não faço mais do que repetir o que me disseram. Aliás, dizem que é muito inteligente, eu não a conheço. Julgo-a bastante *pushing*, o que me espanta numa mulher inteligente. Mas todo mundo diz que ela esteve louca por você; isso nada tem de ofensivo.

Swann conservou um mutismo de surdo, que era uma espécie de confirmação e uma prova de fatuidade.

— Já que o que eu toco lhe recorda o Jardim da Aclimação — tornou a sra. Swann, fingindo estar zangada por gracejo —, podíamos ir passear por lá, se isso diverte esse menino. Faz um belo tempo e você tornará a encontrar as suas caras impressões! E a propósito do Jardim da Aclimação, sabe que esse jovem acreditava que estimávamos muito a uma pessoa a quem, pelo contrário, eu "corto" sempre que posso, a senhora Blatin? Acho muito humilhante para nós que ela passe por nossa amiga. Imagine que o bom do doutor Cottard, que nunca diz mal de ninguém, chega a declarar que ela é ínfeta!

— Que horror! Ela só tem em seu abono o parecer-se extraordinariamente com Savonarola. É exatamente o retrato de Savonarola por Fra Bartolomeo.[62]

---

62 Alusão ao quadro que se encontra no Museu do Convento, em Florença. Savonarola foi queimado por heresia em 1498. (N. E.)

Essa mania que tinha Swann de descobrir parecenças no domínio da pintura era assaz defensável, pois até o que chamamos expressão individual é — como a gente reconhece com tanta tristeza quando ama e desejaria crer na realidade única do indivíduo — alguma coisa de geral e que pode ser encontrada em diferentes épocas. Mas, a dar crédito a Swann, o cortejo dos Reis Magos, já tão anacrônico quando Benozzo Gozzoli ali introduziu os Médicis, muito mais ainda o seria, visto conter o retrato de uma multidão de homens, contemporâneos não de Gozzoli, mas de Swann, isto é, posteriores não mais apenas em quinze séculos à Natividade, mas em quatro ao próprio pintor.[63] Naquele cortejo, segundo Swann, não havia um único parisiense de marca que faltasse, como naquele ato de uma peça de Sardou em que, por amizade ao autor e à principal intérprete, por moda também, todas as notabilidades parisienses, médicos célebres, políticos, advogados, vieram, para divertir-se, cada qual uma noite, figurar em cena.[64]

— Mas que tem ela a ver com o Jardim da Aclimação? — perguntou Swann.

— Muito!

— Como? Acredita você que ela tenha um traseiro azul-celeste como os macacos?

— Charles, você é de uma inconveniência! Não, eu pensava na frase que lhe disse um cingalês. Conte-lhe. É na verdade uma frase de espírito.

— Uma coisa idiota. Você aí deve saber que a senhora Blatin gosta de interpelar todo mundo com um ar que ela julga amável e que é antes de tudo protetor.

63 Referência ao afresco que orna as paredes do palácio Médicis-Ricardi, em Florença. (N. E.)
64 Proust pensa aqui na peça *Fédora* interpretada em 1882 por Sarah Bernhardt. Várias personalidades parisienses parecem ter se revesado no papel do príncipe desgraçado. (N. E.)

— O que os nossos bons vizinhos do Tâmisa chamam *patronising* — interrompeu Odette.

— Ela foi ultimamente ao Jardim da Aclimação, onde há negros, cingaleses, ao que diz minha mulher, que é muito mais forte em etnografia do que eu.

— Vamos, Charles, deixe de zombarias...

— Mas eu absolutamente não estou zombando. Afinal, ela dirige-se a um daqueles negros. "Bom dia, negro!" É coisa à toa! Em todo caso, esse qualificativo não agradou ao negro. "Eu negro", disse ele furioso à senhora Blatin, "mas tu camelo!".

— Acho isso muito engraçado! Adoro essa história. Não é verdade que é "lindo"? Parece que se está vendo a velha Blatin: "Eu negro, mas tu camelo!".

Manifestei vivos desejos de ir ver aqueles cingaleses, um dos quais havia chamado a sra. Blatin de camelo. Eles absolutamente não me interessavam. Mas eu pensava que para ir ao Jardim da Aclimação e voltar atravessaríamos aquela alameda das Acácias onde eu tanto admirara a sra. Swann e que talvez aquele mulato amigo de Coquelin, a quem jamais pudera mostrar-me saudando a sra. Swann, me visse sentado ao lado dela, no fundo de uma vitória.

Durante os minutos em que Gilberte ia vestir-se e não se achava no salão conosco, o sr. e a sra. Swann compraziam-se em descobrir-me as raras virtudes da filha. E tudo quanto eu observava parecia provar que diziam a verdade; notei que Gilberte, como me dissera sua mãe, tinha, não só para com as amigas, mas para com os criados, com os pobres, delicadas atenções meditadas longamente, um desejo de ser agradável, um medo de descontentar, que se traduziam em minudências que por vezes lhe davam muito trabalho. Fizera um agasalho para a nossa vendedora dos Campos Elísios, e saíra à neve, para lho entregar ela própria, sem mais tardança.

— Você não faz ideia do coração de Gilberte, pois ela o oculta — dizia o seu pai.

Jovem como era, parecia muito mais sensata que os pais. Quando Swann se referia às relações importantes da esposa, Gilberte voltava a cabeça para o outro lado e calava-se, mas sem ar de censura, pois lhe parecia que o pai não devia ser alvo da mais leve crítica. Um dia em que falara da sra. Vinteuil, disse-me ela:

— Não quero conhecê-la nunca, por uma razão: ela não foi boa com o pai e, pelo que dizem, fê-lo sofrer muito. Isso não poderá conceber, não é verdade?, como se dá comigo, você que decerto não poderia sobreviver a seu pai, como eu ao meu, o que é natural. Como esquecer algum dia alguém a quem se quis desde sempre?

Certa vez em que se mostrou mais carinhosa que de costume com o pai, observei-lho, depois que este se foi, ao que ela me respondeu:

— Sim, coitado! É por estes dias o aniversário da morte de seu pai. Bem compreende o que ele deve estar sentindo, pois nós pensamos o mesmo a respeito dessas coisas. É por isso que trato de ser menos má que de costume.

— Mas ele não acha você má; acha-a perfeita.

— Pobre papai, é porque ele é muito bom.

Seus pais não me fizeram apenas o elogio das virtudes de Gilberte — aquela mesma Gilberte que, ainda antes de a ter conhecido, me aparecia diante de uma igreja, de uma paisagem da Ilha de França e que depois, a evocar-me, não mais meus sonhos, mas as minhas recordações, estava sempre diante da sebe de pilriteiros cor-de-rosa, no caminho que eu tomava para ir para os lados de Méséglise. Como eu perguntasse à sra. Swann, esforçando-me por assumir o tom indiferente de um amigo da família, curioso das preferências de uma criança, quais eram os que Gilberte preferia dentre os seus camaradas, a sra. Swann me respondeu:

— Mas você deve estar mais adiantado do que eu nas suas confidências, você que é o grande favorito, o grande *crack*, como dizem os ingleses.

Sem dúvida, nessas coincidências tão perfeitas, quando a realidade se aplica sobre o que nós tanto tempo sonhamos, ela oculta inteiramente o nosso sonho, confunde-se com ele, como duas figuras iguais e superpostas que não formam mais do que uma, quando, pelo contrário, para dar à nossa alegria toda a sua significação, desejaríamos manter em todos esses nossos desejos — e para estar mais certos de que são eles mesmos — o prestígio da sua intangibilidade. E o pensamento nem ao menos pode reconstituir o estado antigo para confrontá-lo com o novo, pois já não tem o campo livre: a amizade que travamos, a recordação dos primeiros minutos inesperados, as frases que ouvimos, ali estão a obstruir a entrada de nossa consciência, e dominam muito mais as embocaduras de nossa memória que as de nossa imaginação, retroagindo sobre o nosso passado, que já não somos senhores de ver sem os levar em conta, mais do que sobre a forma, ainda livre, do nosso futuro. Poderia ter levado muitos anos pensando que ir à casa da sra. Swann não passava de uma vaga quimera eternamente inacessível; mas depois de ter estado um quarto de hora em sua casa, o quimérico e vago era o tempo em que não a conhecia, como uma possibilidade aniquilada pela realização de outra. Como era possível que eu imaginasse a sala de jantar como um lugar inconcebível, quando não podia fazer um movimento mental sem dar com os raios infrangíveis que de meu espírito irradiavam até o infinito, até o mais recôndito de meu passado, a lagosta americana que ali acabava de comer? E no caso de Swann deve ter-se passado coisa semelhante: pois aquele apartamento onde me recebia podia ser considerado o lugar onde tinham ido confundir-se, e coincidir, não só o apartamento ideal que minha imaginação ideara, mas um outro ainda, aquele que o amor ciumento de Swann, tão inventivo quanto os meus sonhos, tantas vezes lhe descrevera, aquele apartamento comum a Odette e a ele, que lhe parecera tão inacessível naquela noite em que Odette o levara com Forcheville para tomarem laranjada em sua casa; e o que viera absorver-se, para ele, no plano da sala onde almoçávamos, era aquele paraíso inesperado onde ele outrora não podia imaginar, sem perturbar-se, que diria ao mordomo *deles* aquelas mesmas palavras: "A senhora está pronta?", que eu agora lhe ouvia pronunciar com uma leve impaciência mesclada de alguma satisfação de amor-próprio. E sem dúvida eu não conseguia mais do que Swann tomar conhecimento da minha felicidade, e quando a própria Gilberte exclamava: "Quem diria que a menina que você via brincar, sem lhe falar, seria sua grande amiga e iria à casa dela todos os dias que quisesse!", falava ela de uma mudança que eu era obrigado a verificar do exterior, mas que não possuía interiormente, pois se compunha de dois estados em que eu não podia pensar ao mesmo tempo sem que deixassem de ser distintos um do outro.

E contudo aquele apartamento por que a vontade de Swann anelara com tanta paixão devia ainda conservar para ele alguma doçura, a julgar pelo que me acontecia, pois para mim não perdera de todo o mistério. Ao entrar em casa de Gilberte, não afastei dali o singular encanto em que por tanto tempo imaginei estivesse mergulhada a vida dos Swann; tinha-o feito recuar, domado que fora por aquele estranho, o pária que eu tinha sido e a quem a srta. Swann avançava agora graciosamente, para que eu me assentasse, uma poltrona deliciosa, hostil e escandalizada; mas esse encanto, eu ainda o percebo na minha recordação, a envolver-me. Seria porque, naqueles dias em que o sr. e a sra. Swann me convidavam para almoçar, a fim de sair em seguida com eles e Gilberte, eu imprimia com o olhar — enquanto esperava sozinho — sobre o tapete, as cadeiras, os aparadores, os biombos, os quadros, a ideia gravada em mim de que a sra. Swann, ou o seu marido, ou Gilberte, iriam entrar? Seria porque aquelas coisas viveram desde então na minha memória ao lado dos Swann e acabaram adquirindo alguma coisa deles? Seria porque, sabendo que os Swann passavam a existência no meio delas, eu fazia de todas como que os emblemas da sua vida particular, dos seus hábitos, de que estivera por muito tempo excluído para que não deixassem de parecer-me estranhos, até quando me fizeram o favor de entremesclar-me neles? Sempre é verdade que cada vez que penso naquele salão que Swann achava (sem que essa crítica implicasse absolutamente contrariar os gostos da mulher) tão disparatado, porque, embora concebido de acordo com o tipo, meio estufa, meio estúdio, do apartamento em que conhecera Odette, ela no entanto começara a substituir, naquela confusão, inúmeros objetos chineses que achava agora muito "passados" por uma multidão de pequenos móveis forrados de velhas sedas Luís XVI (sem contar as obras de arte trazidas por Swann do apartamento do cais de Orléans), aquele salão heteróclito tem, pelo contrário, na minha lembrança, uma coesão, uma unidade, um encanto individual, como nunca os tiveram para mim os mais intatos conjuntos que nos legou o passado, nem os mais vivos ainda onde se grava a marca de uma pessoa; pois só nós podemos, com a crença de que elas possuem uma existência própria, dar a certas coisas que vemos uma alma que guardam em seguida e que desenvolvem em nós. Todas as ideias que eu formara das horas, diferentes das que existem para os outros homens, que passavam os Swann naquele apartamento que era para o tempo cotidiano da sua vida o que o corpo é para a alma, e que devia expressar-lhes a singularidade, todas aquelas ideias estavam repartidas, amalgamadas, e — por toda parte igualmente perturbadoras e indefiníveis — no lugar dos móveis, na espessura dos tapetes, na orientação das janelas, no serviço dos criados. Quando, após o almoço, íamos tomar café, ao sol, junto à grande janela do salão enquanto a sra. Swann me perguntava quantos torrões de açúcar desejava, não era apenas o tamborete de seda que ela empurrava para mim que desprendia, com o doloroso encanto que eu outrora percebera — sob o pilriteiro cor-de-rosa e depois junto ao bosque de loureiros — no nome de Gilberte, a hostilidade que me haviam testemunhado seus pais e que aquele pequeno móvel tanto parecia saber e compartilhar que eu não me sentia digno de impor meus pés ao seu acolchoamento sem defesa, como se fosse uma covardia da minha parte; uma alma pessoal ligava-o secretamente à luz das duas horas da tarde, diferente da que era por toda parte, no golfo onde fazia brincar a nossos pés as suas ondas de ouro, dentre as quais os canapés azulados e as vaporosas tapeçarias emergiam como ilhas encantadas; e até o quadro de Rubens dependurado acima da lareira possuía também o mesmo gênero e quase o mesmo poder de encanto das botinas de laço do sr. Swann e aquela pelerine, que tantos desejos me dava de ter uma igual e que agora Odette pedia ao marido que substituísse por outra capa, para ficar mais elegante, quando eu lhes dava a honra de sair com eles. Ela também ia preparar-se, embora eu protestasse que nenhum vestido de passeio se igualaria ao maravilhoso penhoar de crepe da china ou de seda, rosa-fanado, cereja, rosa-Tiepolo, branco, malva, verde, vermelho, amarelo liso ou com desenhos, com que a sra. Swann havia almoçado e que ia tirar. Quando eu lhe afirmava que devia sair assim, ela ria, por zombaria de minha ignorância ou prazer por meu cumprimento. Desculpava-se de possuir tantos penhoares porque achava que só com eles é que se sentia à vontade e deixava-nos para ir pôr um daqueles vestidos soberanos que se impunham a todos, e dentre os quais no entanto eu era às vezes convidado a escolher o que preferia que ela usasse.

E que orgulhoso ia eu pelo Jardim da Aclimação quando descíamos do carro, caminhando ao lado da sra. Swann! Enquanto na sua marcha descuidada, ela deixava flutuar a capa, eu lhe lançava olhares de admiração, aos quais me respondia faceiramente com um longo sorriso. Agora, quando encontrávamos um ou outro dos camaradas de Gilberte, menino ou menina, que nos saudava de longe, era por minha vez olhado por eles como uma daquelas criaturas a quem eu tinha invejado, um daqueles amigos de Gilberte que lhe conheciam a família e participavam da outra parte da sua vida, a parte que não se passava nos Campos Elísios.

Não raro, pelas alamedas do Bois ou do Jardim da Aclimação, encontrávamos e saudávamos alguma grande dama amiga de Swann, o qual muitas vezes não a via, tendo a esposa de advertir-lhe: "Charles, não vês a senhora de Montmorency?". E, Swann, com o sorriso amigável devido a uma longa familiaridade, se descobria no entanto amplamente, com uma elegância que era só dele. Às vezes a dama parava, contente por fazer à sra. Swann uma fineza sem maiores consequências e de que Odette não tentaria tirar partido, pois se sabia que Swann a acostumara a uma atitude de reserva. Mas Odette havia assimilado todas as maneiras da alta sociedade e, por nobre e elegante que fosse o porte da dama, a sra. Swann sempre o igualava; parada por um instante junto a essa amiga que o marido encontrara, apresentava-nos com tanta naturalidade, a Gilberte e a mim, ostentava tamanha calma e desembaraço em sua afabilidade que seria difícil descobrir qual das duas era a grande dama, se a aristocrática passeante ou a esposa de Swann. No dia em que tínhamos ido ver os cingaleses, avistamos, na volta, vindo na nossa direção e seguida de duas outras que pareciam escoltá-la, uma dama idosa mas ainda bela, envolta numa capa escura e com uma pequena touca presa ao pescoço por duas fitas. "Ah!, aí vem alguém que vai interessar a você", disse-me Swann. A velha dama, agora a três passos de nós, sorria-nos com muita doçura. Swann tirou o chapéu. A sra. Swann curvou-se numa reverência e fez menção de beijar a mão daquela dama tão semelhante a um retrato de Winterhalter,[65] mas a velha senhora fê-la erguer-se e abraçou-a. "Ande, ponha o seu chapéu", disse ela a Swann, com voz grossa e um tanto zangada, como amiga familiar.

— Vou apresentá-lo à Sua Alteza Imperial — disse-me a sra. Swann.

---

65 Alusão ao artista alemão favorito dos reis e das cortes, tanto dos Orléans como dos Bonaparte. Ele ficara célebre pela composição imensa intitulada *L'impératrice Eugénie et ses dames d'honneur*, exposta no salão de 1855. Seus quadros dão testemunho do que era a vida da alta sociedade no século XIX. (N. E.)

Swann tomou-me um instante à parte, enquanto a sra. Swann conversava com Sua Alteza sobre o tempo e os animais recém-chegados ao Jardim da Aclimação.

— É a princesa Mathilde[66] — disse ele. — Já sabe você, que foi amiga de Flaubert, de Sainte-Beuve e de Dumas. Veja só, sobrinha de Napoleão I! Napoleão III e o imperador da Rússia quiseram casar-se com ela. Não é interessante? Fale-lhe um pouco. Mas não desejaria que ela nos fizesse ficar aqui parados durante uma hora.

E Swann disse à velha dama:

— Encontrei-me com Taine; disse-me que a princesa está agastada com ele.

— Ele portou-se como um porco (*cochon*) — disse ela com voz rude e pronunciando a palavra como se fosse o nome do bispo contemporâneo de Joana d'Arc (Cauchon). — Depois do artigo que ele escreveu sobre o imperador, mandei-lhe um cartão de despedida.[67]

Eu sentia a surpresa que se tem ao ler a correspondência da duquesa de Orléans, nascida princesa Palatine. E com efeito, a princesa Mathilde, animada de sentimentos tão franceses, expressava-os com honrada brusquidão, como a que havia na Alemanha antiga e que herdara sem dúvida da sua mãe wurtemburguesa. Mas, quando sorria, sua franqueza um tanto rude e quase masculina dulcificava-se em languidez italiana. E tudo aquilo envolto numa toalete tão Segundo Império que, embora a princesa a usasse tão só por apego às modas que havia amado, parecia que a sua intenção

---

66 Procedimento proustiano de englobar numa mesma cena personagens fictícias e uma pessoa, no caso, a princesa Mathilde (1820-1904), sobrinha de Napoleão Bonaparte, que, após 1870, manteve um salão artístico-literário que receberia as principais personalidades da época. Em 1903, Proust publicaria uma resenha desse que ele denominava "salão histórico", resenha que guarda as falas da princesa desse diálogo com os Swann. (N. E.)

67 A princesa romperia efetivamente com Taine após a publicação, em 1887, na *Revue des Deux Mondes*, de um artigo dele traçando um perfil desfavorável do imperador e insultando a mãe de Napoleão, avó da princesa. (N. E.)

era não incorrer numa falta de cor histórica e corresponder à expectativa dos que esperavam dela a evocação de outra época. Segredei a Swann que lhe perguntasse se não havia conhecido Musset.

— Muito pouco, cavalheiro — respondeu com ar de fingido agastamento; e, se tratava a Swann de cavalheiro, era por pura zombaria, em vista da intimidade existente entre ambos. — Tive-o uma vez à mesa. Convidara-o para as sete horas. Às sete e meia, como ainda não havia aparecido, sentamo-nos à mesa. Ele chega às oito, saúda-me, senta-se, não abre a boca e retira-se quando acaba a ceia, sem que soubéssemos qual era o som da sua voz. Estava bêbado como uma cabra. Isso não me encorajou muito a recomeçar.

Swann e eu estávamos um pouco à parte.

— Espero que essa seçãozinha não se prolongue muito — disse-me ele —, dói-me a planta dos pés. Também não sei por que a minha mulher alimenta a conversa. Depois é ela que vai queixar-se de estar cansada, e eu não posso mais suportar essas estações de pé.

Com efeito, a sra. Swann, que o sabia pela sra. Bontemps, estava dizendo à princesa que o Governo, compreendendo afinal a sua grosseria, resolvera mandar-lhe um convite para que assistisse de uma tribuna à visita que o czar Nicolau faria aos Inválidos dali a dois dias. Mas a princesa que, apesar das aparências e da sua corte composta principalmente de artistas e literatos, continuava sendo no fundo sobrinha de Napoleão e manifestava-o quando se tratava de agir, retrucou:

— Sim, recebi o convite esta manhã e devolvi-o ao ministro, que deve tê-lo em seu poder. Disse-lhe que para ir aos Inválidos não necessito de convite. Se o Governo quiser que vá, irei, mas não a uma tribuna, e sim ao nosso subterrâneo, ao túmulo do imperador. Para isso não preciso de cartões. Tenho as minhas chaves e entro quando quero. O Governo só tem a dizer-me se quer que eu vá ou não. Mas não irei lá para baixo ou para parte alguma.

Naquele momento a sra. Swann e eu fomos saudados por um jovem que lhe deu boa-tarde sem parar e que eu não sabia que ela conhecesse: Bloch. A uma pergunta que lhe fiz, disse a sra. Swann que lhe fora apresentado pela sra. Bontemps e que era adido ao gabinete do ministro, o que eu ignorava. De resto, a sra. Swann não devia tê-lo visto seguidamente — ou então não quisera citar o nome, que achava talvez pouco "chique", de Bloch —, pois disse que ele se chamava Moreul. Assegurei-lhe de que ela estava confundindo, que ele se chamava Bloch. A princesa recolheu a cauda que se desenrolava atrás de si e que a sra. Swann contemplava com admiração.

— É justamente uma pele que me enviou o imperador da Rússia — disse ela —, e como fui visitá-lo há pouco, vesti-a, para que ele visse como se podia fazer uma capa com isso.

— Dizem que o príncipe Louis se alistou no Exército russo, a princesa decerto vai ficar desolada por não tê-lo mais a seu lado — disse-lhe a sra. Swann, que não notava os sinais de impaciência do marido.[68]

— Que necessidade tinha ele disso! Foi o que lhe disse: "Não é motivo para fazeres tal coisa o fato de que tenhas tido um militar na família" — respondeu a princesa, fazendo, com essa brusca simplicidade, alusão a Napoleão I.

Swann já não podia mais.

— Senhora, sou eu quem vai fazer de Alteza e pedir-lhe permissão para nos retirarmos, pois minha esposa esteve muito doente e eu não quero que ela fique por mais tempo imóvel.

A sra. Swann fez nova reverência, e a princesa teve para todos nós um divino sorriso, que ela pareceu trazer do seu passado, das graças da sua juventude, das noites de Compiègne, e que deslizou intato e suave pelo rosto ainda há pouco severo;[69] depois afastou-se acompanhada das duas damas de honor que, à guisa

68 O príncipe Louis (1864-1933), sobrinho da princesa, tomou parte efetivamente no Exército russo. (N. E.)
69 O castelo de Compiègne era a residência preferida de Napoleão III. (N. E.)

de intérpretes, amas-secas ou enfermeiras, não tinham feito mais do que pontuar a nossa conversação de frases insignificantes e explicações inúteis.

— Você devia ir inscrever-se em sua casa qualquer dia desta semana — disse-me a sra. Swann. — Para essas *realezas*, como dizem os ingleses, não se dobra a ponta do cartão. Mas há de convidá-lo, se você inscrever-se.

Naqueles últimos dias de inverno, entrávamos às vezes, antes de sair a passeio, nalguma das pequenas exposições que se abriam então e onde Swann, colecionador emérito, era saudado com particular deferência pelos comerciantes de quadros. E naqueles dias ainda frios, meus antigos desejos de partir para o Sul e Veneza eram despertados por aquelas salas onde uma primavera já avançada punha reflexos violáceos nos róseos Alpilles e davam ao Grande Canal a transparência profunda da esmeralda. Se fazia mau tempo, íamos a um concerto ou a um teatro, e depois a uma casa de chá. Quando a sra. Swann pretendia dizer-me alguma coisa que não queria que ouvissem as pessoas das mesas vizinhas ou mesmo os garçons que nos serviam, dizia-mo em inglês, como se fosse uma língua conhecida apenas por nós dois. Ora, todo mundo sabia inglês, só eu ainda não o havia aprendido e era obrigado a dizê-lo à sra. Swann, para que ela deixasse de fazer, sobre as pessoas que tomavam chá ou sobre as que o traziam, observações que eu adivinhava pouco lisonjeiras, sem compreendê-las, e sem que o indivíduo visado perdesse uma única palavra.

Certa vez, a propósito de uma matinê teatral, Gilberte me causou profundo espanto. Era justamente no dia de que ela me havia falado antes e em que recaía o aniversário da morte de seu avô. Devíamos ela e eu ouvir com a sua governanta os fragmentos de uma ópera e Gilberte se preparara para aquela execução musical, com o ar de indiferença que habitualmente mostrava em relação ao que devíamos fazer, dizendo que podia ser qualquer coisa, contanto que me desse prazer e fosse agradável a seus pais. Antes do almoço, sua mãe nos chamou à parte para nos dizer que não agradava ao seu pai que fôssemos ao concerto num dia como aquele. A mim me pareceu muito natural. Gilberte permaneceu impassível, mas ficou pálida de cólera, sem poder dissimulá-la, e não disse mais uma palavra. Quando Swann voltou a casa, sua esposa o levou para o outro lado do salão e falou-lhe ao ouvido. Swann chamou Gilberte e foram os dois para a peça ao lado. Ouviu-se falar forte, mas eu me recusava a acreditar que Gilberte, tão obediente, tão carinhosa, tão ajuizada, resistisse ao que lhe pedia o pai num dia como aquele e por uma causa tão insignificante. Afinal Swann se retirou, dizendo:

— Já sabes o que te disse. Faze agora o que entenderes.

Gilberte permaneceu de cara fechada durante todo o almoço, após o qual nós fomos a seu quarto. Depois, subitamente, sem hesitar, e como se não tivesse tido um momento de dúvida, exclamou:

— Duas horas! E bem sabem que o concerto começa às duas e meia.

E disse à governanta que se apressasse.

— Mas — objetei-lhe — isso não aborrecerá a seu pai?

— Não, de modo nenhum.

— E no entanto ele tinha medo de que parecesse esquisito, por causa desse aniversário...

— E que me pode importar o que os outros pensem? Acho ridículo a gente preocupar-se com os outros em questão de sentimento. Sentimos para nós mesmos e não para o público. Para *mademoiselle*, que tem tão poucas distrações, é uma festa ir a esse concerto, e eu não vou privá-la disso para agradar ao público.

E tomou o chapéu.

— Mas, Gilberte — disse-lhe eu, agarrando-a pelo braço —, não é para agradar ao público, mas para agradar a seu pai.

— Espero que não me vá fazer observações — gritou-me com voz dura e desvencilhando-se vivamente.

Favor ainda mais precioso que o de levar-me consigo ao Jardim da Aclimação, os Swann não me excluíam nem mesmo da sua amizade com Bergotte, causa do encanto que primeiramente lhes achara quando, ainda antes de conhecer Gilberte, eu pensava que a sua intimidade com o divino velho faria dela, para mim, a mais apaixonante das amigas, se o desdém que eu devia inspirar-lhe não me interditasse a esperança de que me levaria alguma vez com Bergotte a visitar as cidades que ele amava. Ora, um dia, a sra. Swann convidou-me para um almoço de gala. Eu não sabia quais seriam os convivas. Ao chegar, logo no vestíbulo, fiquei desconcertado com um incidente que me intimidou. A sra. Swann raramente deixava de adotar os usos que passam por elegantes durante uma estação e que, não chegando a manter-se, são logo abandonados (como muitos anos antes tivera ela o seu *hansom cab*,[70] ou mandava imprimir, num convite para almoço, que era *to meet* uma personagem mais ou menos importante). Muitas vezes esses usos nada tinham de misteriosos e não exigiam iniciação. Fora assim que, insignificante inovação daqueles anos e importada da Inglaterra, Odette encomendara para o marido cartões onde o nome de Charles Swann vinha precedido de "Mr.". Depois da primeira visita que lhe fiz, a sra. Swann deixara em minha casa um desses cartões. Nunca ninguém deixara um cartão para mim; senti tanto orgulho, emoção e reconhecimento que, reunindo tudo o que possuía em dinheiro, encomendei um soberbo ramalhete de camélias e enviei-o à sra. Swann. Supliquei a meu pai que fosse deixar um cartão em casa dela, mas antes mandando imprimir depressa uns em que seu nome viesse precedido de "Mr.". Não obedeceu a nenhum de meus rogos, fiquei desesperado durante alguns dias e perguntei-me depois se ele não teria razão. Mas o uso do "Mr.", embora inútil, era claro. Não assim com aquele outro uso que me foi revelado no dia do referido almoço, mas sem

---

70 Nome de um carro leve inventado pelo inglês Hansom, em 1834. Ele continha duas rodas, lugar para duas pessoas e um assento superior para o condutor. (N. E.)

a sua devida significação. No momento em que devia passar da antecâmara para o salão, o mordomo entregou-me um envelope fino e longo onde estava escrito o meu nome. Na minha surpresa, agradeci-lhe, enquanto olhava para o envelope. Sabia tanto o que devia fazer com ele como um estrangeiro com um desses pequenos instrumentos que dão aos convivas nos jantares chineses. Vi que estava fechado, tive receio de parecer indiscreto se o abrisse imediatamente e meti-o no bolso com ar de entendido. A sra. Swann escrevera-me alguns dias antes que fosse almoçar "em família". Havia, no entanto, dezesseis pessoas entre as quais eu ignorava absolutamente que se encontrasse Bergotte. A sra. Swann, que acabava de "nomear-me", como dizia, a várias dentre elas, de súbito, em seguida a meu nome, da mesma forma como acabava de pronunciá-lo (e como se fôssemos apenas dois convidados que tivessem igual satisfação em conhecer-se), disse o nome do suave Cantor de cabelos brancos. Esse nome de Bergotte fez-me estremecer como a detonação de um revólver que houvesse descarregado sobre mim, mas instintivamente, para não perder a compostura, saudei-o; ante mim, como esses prestidigitadores que a gente avista intatos e de sobrecasaca na fumarada de um tiro de pistola de onde se evola uma pomba, era-me devolvido o cumprimento por um homem moço, rude, baixo, reforçado e míope, de nariz vermelho em forma de caramujo e barbicha negra. Eu estava mortalmente triste, porque o que acabava de reduzir-se a pó não era apenas o langoroso velho, de que nada mais restava, era também a beleza de uma obra imensa que eu pudera alojar no organismo desfalecente e sagrado que construíra como um templo expressamente para ela, mas para a qual não estava reservado nenhum espaço no corpo acachapado, cheio de vasos, de ossos, de gânglios, do homenzinho de nariz esborrachado e barbicha negra que se achava à minha frente. Todo o Bergotte que eu mesmo havia lenta e delicadamente elaborado, gota a gota, como uma estalactite, com a transparente beleza de seus livros, eis que de repente esse Bergotte de nada mais servia, desde que fosse preciso conservar o nariz de caramujo e utilizar a barbicha negra, como de nada serve a solução que havíamos encontrado para um problema cujos dados lêramos incompletamente, sem levar em conta que o total devia perfazer determinado número. Nariz e barbicha eram elementos tão inelutáveis e tanto mais incômodos que, forçando-me a reedificar inteiramente a personagem de Bergotte, pareciam ainda implicar, produzir, segregar incessantemente certo gênero de espírito ativo e satisfeito consigo mesmo, o que não estava direito, pois esse espírito nada tinha a ver com a espécie de inteligência que se difundia naqueles livros tão meus conhecidos e penetrados de uma suave e divina sabedoria. Partindo deles, eu jamais teria chegado àquele nariz em caracol; mas, partindo daquele nariz, que pouco se importava com isso e destacava-se a seu capricho, eu ia em direção muito diferente da obra de Bergotte, chegaria, pelo visto, a alguma mentalidade de engenheiro apressado, da espécie dos que, quando os cumprimentamos, julgam correto dizer: "Obrigado, e o senhor?", antes que se lhes faça qualquer pergunta, e que, se a gente declara estar encantado em conhecê-lo, respondem com uma abreviatura que imaginam elegante, inteligente e moderna, por evitar que se perca em fórmulas vãs um tempo precioso: "Igualmente". Sem dúvida, os nomes são desenhistas fantasiosos que nos dão, das pessoas e dos lugares, um esboço tão pouco semelhante que muitas vezes sentimos uma espécie de estupor, quando temos à nossa frente, em vez do mundo imaginado, o mundo visível (que não é aliás o mundo verdadeiro, pois os nossos sentidos não possuem muito mais do que a imaginação o dom da semelhança, tanto assim que os desenhos aproximativos que se podem obter da realidade são pelo menos tão diferentes do mundo visto como este o era do mundo imaginado). Mas quanto a Bergotte, o incômodo do nome prévio nada era em comparação com o que me causava a obra conhecida, à qual eu era obrigado a ligar, como a um balão, o homem da barbicha, sem saber se ela conservaria a força de elevar-se. Parecia no entanto que fora ele mesmo quem havia escrito os livros que eu tanto amava, pois quando a sra. Swann se julgou no dever de comunicar-lhe o quanto admirava eu uma de suas obras, não mostrou espanto algum de que o dissessem a ele e não a outro convidado, não deu demonstração de que se tratava de um equívoco; mas, estufando a sobrecasaca envergada em honra de todos aqueles convidados, com um corpo ávido pelo próximo almoço, e tendo a atenção ocupada em outras importantes realidades, foi apenas como a um episódio encerrado da sua vida anterior e como se tivessem feito alusão a uma fantasia de duque de Guise que usara certo ano em um baile de máscaras, que ele sorriu, reportando-se à ideia de seus livros, os quais em seguida diminuíram para mim (arrastando na sua queda todo o valor do belo, do universo, da vida), até não serem mais que um medíocre divertimento do homem da barbicha. Dizia comigo que o escrevê-los devia ter-lhe custado muito, sem dúvida alguma; mas que, se tivesse vivido numa ilha cercada de bancos de ostras perlíferas, ter-se-ia dedicado com o mesmo êxito ao comércio de pérolas. Sua obra já não me parecia tão inevitável. Perguntei-me então se a originalidade prova realmente que os grandes escritores sejam deuses, cada um senhor de um reino independente e exclusivamente seu, ou se não haverá nisto algo de fingimento e as diferenças entre as obras não serão antes uma resultante do trabalho que expressão de uma diferença radical de essência entre as diversas personalidades.

Entrementes já havíamos passado para a mesa. Encontrei ao lado de meu prato um cravo, com o caule envolto em papel de estanho. Não me perturbou tanto como aquele envelope que me haviam entregado na antecâmara e que eu esquecera completamente. Também o destino daquele cravo me era desconhecido, mas pareceu-me mais inteligível quando vi que todos os convidados do sexo masculino se apoderavam dos cravos que acompanhavam seus respectivos talheres e os enfiavam na botoeira da sobrecasaca. O mesmo fiz eu, com essa naturalidade do livre-pensador na igreja, o qual não entende a missa, mas levanta-se com os outros e ajoelha-se um pouco depois que os restantes. Outro costume desconhecido, e menos efêmero, ainda mais me desagradou. Ao lado de meu prato havia outro menor, cheio de uma substância escura, que eu ignorava fosse caviar. Também não sabia o que devesse fazer com aquilo, mas resolvi não comê-lo.

Bergotte não estava muito longe de mim, e eu ouvia perfeitamente as suas palavras. Compreendi então a impressão do sr. de Norpois. Tinha uma voz realmente estranha; pois não há nada que altere tanto as qualidades materiais da voz como possuir um conteúdo de pensamento: isso influi na sonoridade dos ditongos e na energia das labiais. O mesmo acontece com a dicção. A sua me parecia completamente diferente de seu modo de escrever, e até as coisas que dizia das que se continham em suas obras. Mas a voz surge de uma máscara e não tem bastante força para revelar-nos, por detrás dessa máscara, um rosto que soubemos ver no estilo, sem nenhum disfarce. E tardei muito a descobrir que certas passagens da sua conversação, quando Bergotte começava a falar de um modo que somente ao sr. de Norpois parecia afetado e desagradável, estavam em exata correspondência com os trechos de seus livros em que a forma se tornara tão poética e musical. Nesses momentos via ele, no que dizia, uma beleza plástica independente do significado das frases, e como a palavra humana está em relação com a alma, mas sem expressá-la como faz o estilo, Bergotte parecia falar quase independentemente do sentido, salmodiando certas frases, e, se perseguia através delas uma única imagem, enfiando-as sem intervalo como um mesmo som, com fatigante monotonia. De sorte que uma dicção pretensiosa, enfática e monótona era o signo da qualidade estética do que dizia, e na sua conversação vinha a ser o efeito daquela mesma força que nos seus livros originava a continuidade de imagens e a harmonia. E por isso tanto mais me custou compreender que o que estava dizendo naquele momento não parecia ser de Bergotte exatamente porque era verdadeiro Bergotte. Era uma profusão de ideias precisas, não compreendidas nesse "gênero Bergotte" de que muitos cronistas se haviam apropriado; e essa diferença — vagamente vislumbrada através da conversação como uma imagem por trás de um vidro enfumaçado — era provavelmente outro aspecto do fato de que, ao ler-se uma página de Bergotte, nunca era semelhante ao que teria escrito qualquer desses vulgares imitadores que, no entanto, no livro e nos jornais, adornavam sua prosa com tantas imagens e pensamentos "a Bergotte". Devia-se tal diferença de estilo a que "o Bergotte" era antes de tudo certo elemento precioso e real, oculto no coração das coisas e de onde aquele grande escritor o extraía, graças ao seu gênio, extração esta que era a finalidade do suave Cantor e não a de fazer Bergotte. A falar verdade, ele o fazia sem o querer, pois era Bergotte, e, nesse sentido, cada nova beleza da sua obra era a pequena parcela de Bergotte oculta numa coisa e que ele dali retirara. Mas embora cada uma dessas belezas estivesse assim aparentada com as outras e fosse reconhecível, permanecia no entanto particular, como a descoberta que a trouxera à luz; nova e portanto diferente do que se chamava o gênero Bergotte, que era uma vaga síntese dos Bergottes, já encontrados e redigidos por ele, mas pelos quais não era dado a nenhum homem sem gênio adivinhar o que Bergotte iria ainda descobrir. É o que se dá com todos os grandes escritores: a beleza de suas frases é imprevisível, como a de uma mulher que ainda não conhecemos; é criação, porque se aplica a um objeto exterior em que eles pensam — e não a si — e que ainda não expressaram. Um autor de memórias de nossos dias que quisesse imitar disfarçadamente a Saint-Simon poderia em rigor escrever a primeira linha do retrato de Villars: "Era um homem corpulento, moreno... de fisionomia viva, franca, impressiva", mas que determinismo lhe poderá fazer encontrar a segunda linha que começa por: "E na verdade um tanto

71 Alusão a um trecho das *Memórias* do duque de Saint-Simon, do ano de 1702, sobre o "Caráter de Villars". (N. E.)

aloucado"?[71] A verdadeira variedade está nessa plenitude de elementos reais e imprevistos, no ramo carregado de flores azuis surgindo, contra toda expectativa, da sebe primaveril, que parecia incapaz de suportar mais flores; ao passo que a imitação puramente formal da variedade (e o mesmo se poderia argumentar quanto às outras qualidades do estilo) não passa de vazio e uniformidade, isto é, o contrário da variedade, e se com isso conseguem os imitadores provocar a ilusão e a lembrança da verdadeira variedade é tão somente para as pessoas que não a souberam compreender nas obras-primas.

E assim — da mesma forma que a dicção de Bergotte teria sem dúvida encantado se ele próprio não passasse de algum amador a recitar pretenso Bergotte, ao passo que estava ligada ao pensamento de Bergotte em trabalho e em ação por elos vitais que o ouvido não apreendia imediatamente — assim também, por Bergotte aplicar com precisão esse pensamento à realidade que lhe agradava, é que sua linguagem tinha qualquer coisa de positivo, de muito substancioso, que decepcionava os que esperavam ouvi-lo apenas falar da "eterna corrente das aparências" e dos "misteriosos frêmitos da beleza". Enfim, a qualidade sempre rara e nova do que ele escrevia traduzia-se na sua conversa por um modo tão sutil de abordar uma questão, negligenciando todos os seus aspectos já conhecidos, que parecia tomá-la por um lado mesquinho, achar-se enganado, estar fazendo paradoxos, e assim as suas ideias pareciam geralmente confusas, pois cada qual considera claras as ideias que estão no mesmo grau de confusão que as suas. Aliás, se toda novidade tem como condição prévia a eliminação do lugar-comum a que estávamos habituados e que nos parecia a própria realidade, toda conversação nova, bem como toda pintura, toda música originais, sempre há de parecer preciosa e fatigante. Apoia-se em figuras a que não estamos acostumados, e o conversador só nos parece falar por metáforas, o que afinal cansa e dá impressão de falta de verdade. (No fundo, as antigas formas de linguagem também haviam sido outrora imagens difíceis de apanhar quando o ouvinte ainda não conhecia o universo que pintavam. Mas imaginamos desde muito que era o universo real e nele nos apoiamos.) E por isso, quando Bergotte dizia coisas que hoje passam por muito naturais, que Cottard era um ludião em busca do equilíbrio e que a Brichot "ainda lhe dava mais trabalho fazer o penteado do que à senhora Swann, pois tinha a dupla preocupação de seu perfil e da sua reputação e era preciso que a cada momento a composição da cabeleira lhe desse ao mesmo tempo o ar de um leão e de um filósofo", logo sentíamos cansaço e desejávamos tomar pé sobre alguma coisa de mais concreto, dizíamos, para significar de mais habitual. E as palavras irreconhecíveis surgidas da máscara que eu tinha ante os olhos pertenciam mesmo ao escritor que eu admirava, mas não seria possível inseri-las em seus livros como peças de um quebra-cabeça que se encaixam entre outras, pois estavam em plano diferente e requeriam determinada transposição, mediante a qual, num dia em que repetia comigo as frases ouvidas a Bergotte, nelas encontrei toda a armação do seu estilo escrito, cujas diferentes peças pude reconhecer e nomear naquela oração falada que me parecera tão diferente.

De um ponto de vista acessório, a maneira especial, talvez minuciosa e intensa em demasia que tinha ele de pronunciar certas palavras, certos adjetivos, que lhe ocorriam seguidamente na conversação, e que não dizia sem alguma ênfase, ressaltando todas as sílabas e fazendo cantar a última (como quanto à palavra *visage*, que empregava sempre em lugar de *figure*, e a que acrescentava grande número de vv, de ss, de gg, que pareciam todos explodir da sua mão aberta em tais momentos), correspondia exatamente ao belo lugar em que ele colocava na sua prosa essas palavras prediletas, precedidas de uma espécie de margem e compostas de tal modo no número total da frase, que se era obrigado a contá-la em toda a sua "quantidade", sob pena de cometer uma falta de medida. Mas não se encontrava na linguagem de Bergotte essa espécie de iluminação que nos seus livros, como em alguns dos outros, modifica muita vez na frase escrita a aparência dos vocábulos. É que provém decerto das grandes profundezas e não traz seus raios até as nossas palavras, nas horas em que, abertos para os outros pela conversação, estamos em certa medida fechados para nós mesmos. A esse respeito, havia mais entonações, mais acento, nos seus escritos que nas suas palavras; acento independente da beleza do estilo, que o próprio autor sem dúvida não percebeu, pois não é separável da sua mais íntima personalidade. Era esse acento que, nos momentos em que Bergotte se mostrava inteiramente natural em seus livros, ritmava as palavras muita vez assaz insignificantes que ele então escrevia. Esse acento não é notado no texto, nada aí o indica e no entanto ajunta-se por si mesmo às frases, não podendo dizê-las de outro modo, e é o que havia de mais efêmero e contudo de mais profundo no escritor e é o que dará testemunho da sua natureza, que dirá se, apesar de todas as durezas que expressou, era ele brando, apesar de todas as sensualidades, sentimental.

Certas particularidades de elocução que existiam no estado de breves traços na conversação de Bergotte não lhe pertenciam exclusivamente, pois quando mais tarde conheci seus irmãos e irmãs, fui encontrá-las muito mais pronunciadas nestes últimos. Era algo de brusco e de rouco nas últimas palavras de uma frase alegre, algo de enlanguescido e expirante no fim de uma frase triste. Swann, que conhecera o mestre quando menino, disse-me que então se ouviam nele, tanto quanto em seus irmãos e irmãs, dessas inflexões de algum modo familiais, umas vezes gritos de violenta alegria, outras vezes murmúrios de uma lenta melancolia, e que na sala em que todos brincavam, Bergotte, melhor do que ninguém, executava a respectiva parte em seus concertos sucessivamente ensurdecedores e lânguidos. Por mais peculiar que seja todo esse rumor que se escapa das bocas humanas, é fugitivo e não lhe sobrevive. Mas assim não aconteceu com a pronúncia da família Bergotte. Pois, embora seja tão difícil de compreender, mesmo nos *Mestres cantores*, como pode um artista compor música ouvindo chilrear os pássaros, Bergotte transpusera e fixara em sua prosa essa maneira de arrastar as palavras que se repetem em brados de alegria ou que se esgotam em tristes suspiros.[72] Há em seus livros certas terminações de frases, em que a acumulação das sonoridades se prolonga, como nos derradeiros acordes de uma abertura de ópera que não pode terminar e repete várias vezes sua suprema cadência antes que o maestro deponha a batuta, nas quais fui encontrar mais tarde o equivalente musical daqueles metais fonéticos da família Bergotte. Mas quanto a ele, a partir do momento em que o transportou para seus livros, deixou inconscientemente de usá-lo em suas palavras. No dia em que começara a escrever e, com maior razão, mais tarde, quando o conheci, a sua voz se havia desorquestrado deles para sempre.

Aqueles jovens Bergotte — o futuro escritor e seus irmãos e irmãs — não eram decerto superiores, antes pelo contrário, a outros jovens mais finos, mais espirituosos, que achavam os Bergotte muito barulhentos, até mesmo um pouco vulgares, irritantes com as suas brincadeiras características do "gênero" metade pretensioso, metade simplório, da casa. Mas o gênio, e mesmo o grande talento, provêm menos de elementos intelectuais e de afinamento social superiores aos alheios, que da faculdade de os transformar, de os transportar. Para aquecer um líquido com uma lâmpada elétrica, não se deve conseguir a lâmpada mais forte possível, mas uma cuja corrente possa deixar de iluminar, ser desviada e produzir, em vez de luz, calor. Para passear pelos ares, não é necessário ter o automóvel mais possante, mais um automóvel que, deixando de correr por terra e, cortando com uma vertical a linha que seguia, seja capaz de converter em força ascensional a sua velocidade horizontal. Assim, os que produzem obras geniais

---

72 Alusão ao trecho da ópera de Wagner, criada em 1868, em que Walther, ignorando regras de composição, entoa maravilhoso hino à primavera, inspirado apenas no canto dos pássaros. (N. E.)

não são aqueles que vivem no meio mais delicado, que têm a conversação mais brilhante, a cultura mais extensa, mas os que tiveram o poder, deixando subitamente de viver para si mesmos, de tornar a sua personalidade igual a um espelho, de tal modo que a sua vida aí se reflete, por mais medíocre que aliás pudesse ser mundanamente e até, em certo sentido, intelectualmente falando, pois o gênio consiste no poder refletor e não na qualidade intrínseca do espetáculo refletido. No dia em que o jovem Bergotte pôde mostrar ao mundo de seus leitores o salão de mau gosto em que passara a infância e as conversas não muito divertidas que ali tivera com seus irmãos, nesse dia ele subiu mais alto que os amigos de sua família que eram mais espirituosos e mais distintos: estes, nos seus belos Rolls-Royce, poderiam voltar para casa testemunhando certo desprezo pela vulgaridade dos Bergotte; mas ele, no seu modesto aparelho que afinal acabava de "decolar", sobrevoava-os.

Era, não já com pessoas de sua família, mas com certos escritores de seu tempo, que tinha em comum outros aspectos da sua elocução. Alguns mais jovens que começavam a renegá-lo e pretendiam não ter nenhum parentesco espiritual com ele, manifestavam-no sem querer, empregando os mesmos advérbios, as mesmas preposições que ele repetia incessantemente, construindo as frases de idêntica maneira, falando no mesmo tom amortecido, lento, reação contra a linguagem eloquente e fácil de uma geração precedente. Talvez esses jovens — ver-se-á que os havia em tal caso — não tivessem conhecido Bergotte. Mas a maneira de pensar de Bergotte, neles inoculada, lhes desenvolvera essas alterações da sintaxe e de inflexão que se acham em relação necessária com a originalidade intelectual. Relação que aliás precisa ser interpretada. Assim Bergotte, se nada devia a ninguém na sua maneira de escrever, tinha a sua maneira de falar de um dos seus velhos camaradas, maravilhoso *causeur* cuja influência sofrera, a quem imitava sem querer na conversação, mas que, sendo menos dotado, jamais escrevera livros verdadeiramente superiores. De sorte que, se nos ativéssemos à originalidade da palestra, Bergotte seria catalogado como discípulo, escritor de segunda mão, ao passo que, influenciado pelo amigo no domínio da conversação, fora original e criador como escritor. Sem dúvida ainda para separar--se da geração precedente, muito amiga das abstrações, dos grandes lugares-comuns, quando Bergotte queria falar bem de um livro, o que punha em evidência, o que citava era sempre alguma cena que constituísse imagem, algum quadro sem significação racional. "Ah!, sim", dizia ele, "está bem! Há uma meninazinha de xale laranja, sim, muito bem!"; ou ainda: "Oh!, sim, tem uma passagem em que há um regimento que atravessa a cidade, ah!, sim, muito bem!". Quanto ao estilo, Bergotte não era muito de sua época (e permanecia aliás muito exclusivamente da sua terra: detestava Tolstoi, Georges Eliot, Ibsen e Dostoievski), pois a palavra que lhe vinha sempre que queria elogiar um estilo era a palavra "suave". "Sim, apesar dos pesares, prefiro o Chateaubriand de *Atala* ao de *Rancé*: parece-me mais suave."[73] Dizia essa palavra como um médico a quem um doente assegura que o leite lhe faz mal ao estômago e que responde: "E no entanto é bem suave". É verdade que havia no estilo de Bergotte uma espécie de harmonia semelhante a essa pela qual os antigos louvavam a certos oradores seus, louvor cuja natureza dificilmente concebemos, habituados que estamos a nossas línguas modernas, em que não se busca esse gênero de efeitos.

Dizia, com um sorriso tímido, de páginas suas pelas quais lhe declaravam admiração: "Creio que é bastante real, bastante exato, e pode ser útil", mas simplesmente por modéstia, como uma mulher, a quem dizem de sua toalete, ou de sua filha, que é encantadora, responde, quanto à primeira: "É cômoda", quanto à segunda:

---

73 Bergotte compara duas obras de períodos bastante distantes: *Atala* foi publicada em 1801; *Vie de Rancé* só seria publicada em 1844, sob a forma de uma reflexão sobre a penitência e a morte, e não mais como uma narrativa contínua, caso de *Atala*. (N. E.)

"Tem muito bom caráter". Mas era muito profundo em Bergotte o instinto do construtor para que ele ignorasse que a única prova de que havia edificado utilmente e segundo a verdade consistia na alegria que a sua obra proporcionara, primeiro a ele, depois aos outros. Somente muitos anos mais tarde, quando já não tinha talento, sempre que escrevia alguma coisa de que não se sentia satisfeito, para não deitá-la fora como deveria, para a publicar, é que ele repetia a si mesmo, desta vez: "Apesar de tudo, é bastante exato, não será inútil para a minha terra". De sorte que a frase murmurada outrora diante de seus admiradores, por um subterfúgio da sua modéstia, o foi, no fim, no segredo de seu coração, pelas inquietudes do seu orgulho. E as mesmas palavras que tinham servido a Bergotte de escusa supérflua para o valor de suas primeiras obras se lhe tornaram como que um ineficaz consolo da mediocridade das últimas.

Certa espécie de severidade de gosto que tinha, de vontade de nunca escrever senão coisas de que pudesse dizer: "É suave", e que tantos anos o fizera passar por um artista estéril, precioso, cinzelador de nadas, era pelo contrário o segredo da sua força, pois o hábito forma tanto o estilo do escritor como o caráter do homem, e o autor que várias vezes se contentou em atingir na expressão de seu pensamento a certo grau de satisfação assenta assim para sempre os limites de seu talento, como, cedendo muita vez ao prazer, à preguiça, ao medo de sofrer, desenha a gente, num caráter em que o retoque acaba por não ser mais possível, a imagem dos próprios vícios e os limites da própria virtude.

Se, no entanto, apesar de tantas correspondências que percebi posteriormente entre o escritor e o homem, eu nao havia acreditado no primeiro momento, em casa da sra. Swann, que fosse Bergotte, que fosse o autor de tantos livros divinos quem estava ali diante de mim, talvez não estivesse de todo errado, pois ele próprio (no verdadeiro sentido da palavra) tampouco o "acreditava". Não o acreditava, visto que se mostrava tão pressuroso para com gente do alto mundo (sem ser aliás esnobe), para com literatos, com jornalistas, que lhe eram muito inferiores. Por certo, agora sabia, pelo sufrágio dos outros, que tinha gênio, ao lado do qual nada vêm a ser a situação na sociedade e as posições oficiais. Sabia que tinha gênio, mas não o acreditava, visto que continuava a simular deferência para com escritores medíocres, a fim de chegar em breve a acadêmico, quando a Academia ou o Faubourg Saint-Germain têm tanta relação com a parte do espírito eterno que é autor dos livros de Bergotte como têm com o princípio de causalidade ou de Deus. Isso ele também o sabia como um cleptômano sabe que não é direito roubar. E o homem da barbicha e do nariz em caramujo tinha artimanhas de *gentleman* ladrão de garfos, para aproximar-se da esperada cadeira acadêmica ou de certa duquesa que dispunha de vários votos nas eleições, mas aproximar-se de forma que nenhuma pessoa que julgasse um vício colimar semelhante objetivo pudesse ver o seu manejo. Só o conseguia pela metade; ouvia-se alternarem com as palavras do verdadeiro Bergotte as do Bergotte egoísta, ambicioso e que não pensava senão em falar de certa gente poderosa, nobre ou rica, para se fazer valer, ele que nos seus livros, quando era verdadeiramente ele próprio, tão bem havia mostrado, puro como o de uma fonte, o encanto dos pobres.

Quanto a esses outros vícios a que aludira o sr. de Norpois, a esse amor meio incestuoso que diziam até agravado de indelicadeza em matéria de dinheiro, se contradiziam de modo chocante a tendência de seus últimos romances, cheios de uma preocupação tão escrupulosa, tão dolorosa, do bem, que as menores alegrias de seus heróis ficavam envenenadas com isso e que para o próprio leitor se desprendia um sentimento de angústia através do qual a mais doce existência parecia difícil de suportar, esses vícios não provavam contudo, supondo que se imputassem com justiça a Bergotte, que a sua literatura fosse mentirosa, e tanta sensibilidade, comédia. Da mesma forma que em patologia certos estados de aparência semelhante são devidos, uns a excesso, outros a insuficiência de tensão, de secreção etc., assim pode haver vício por hipersensibilidade como há vício por falta de sensibilidade. Só nas vidas realmente viciosas é que o problema moral se pode apresentar em toda a sua força de ansiedade. E a esse problema dá o artista uma solução, não no plano da sua vida individual, mas do que é para ele a sua verdadeira vida, uma solução geral, literária. Como os grandes Doutores da Igreja começaram muita vez, sem deixar de ser bons, por conhecer os pecados de todos os homens, para disso tirar a sua santidade pessoal, muita vez os grandes artistas, embora maus, se servem de seus vícios para chegar à concepção da regra moral de todos. Foram os vícios (ou apenas as fraquezas e ridículos) do meio em que viviam, as palavras inconsequentes, a vida frívola ou chocante de uma filha, as traições da mulher ou suas próprias faltas, que os escritores mais seguidamente increparam nas suas diatribes, sem nem por isso alterarem o modo de vida ou o mau ambiente que reina em seus lares. Mas esse contraste chocava menos outrora do que no tempo de Bergotte, porque, por um lado, à medida que a sociedade se corrompia, se iam apurando as noções de moralidade e, por outro lado, o público estava mais a par, do que até então, da vida privada dos escritores; e algumas noites, no teatro, apontavam o autor que eu tanto admirara em Combray, assentado ao fundo de um camarote, em companhias que pareciam por si sós um comentário singularmente risível ou pungente, um impudente desmentido à tese que ele acabava de sustentar na sua última obra. O que uns ou outros me pudessem dizer não me informou grande coisa sobre a bondade ou maldade de Bergotte. Um íntimo seu citava provas da sua dureza, um desconhecido, um rasgo (comovedor porque indubitavelmente destinado a permanecer oculto) de sua profunda sensibilidade. Agira cruelmente com a mulher. Mas num albergue de aldeia onde fora passar a noite, havia ele permanecido para atender a uma pobre que tentara afogar-se e, quando obrigado a partir, deixara bastante dinheiro ao dono do estabelecimento, para que não escorraçasse aquela infeliz e tivesse atenções para com ela. Talvez quanto mais o grande escritor se desenvolvia em Bergotte à custa do homem da barbicha, tanto mais a sua vida individual se afogava na correnteza de todas as vidas que ele imaginava, não mais parecendo obrigá-lo a deveres efetivos, os quais eram substituídos pelo dever de imaginar essas outras vidas. Mas ao mesmo tempo, como imaginava os sentimentos dos outros tão bem como se fossem os seus, quando lhe acontecia ter de dirigir-se a um infeliz, pelo menos de passagem, fazia-o colocando-se não no seu ponto de vista pessoal, mas no da criatura que sofria, ponto de vista em que lhe causaria horror a linguagem dos que continuam a pensar em seus pequenos interesses diante da dor alheia. De maneira que provocou em torno de si justificados rancores e inextinguíveis gratidões.

Era antes de tudo um homem que no fundo só verdadeiramente amava a certas imagens e (como uma miniatura no fundo de um cofre) o prazer de as compor e pintar com palavras. Por um nada que lhe tivessem mandado, se esse nada dava ensejo a entrelaçar algumas, ele se mostrava pródigo na expressão do seu reconhecimento, quando não manifestava nenhum em troca de um rico presente. E, se tivesse de defender-se perante um tribunal, ele involuntariamente escolheria as palavras não em vista do efeito que pudessem provocar no juiz, mas em vista de imagens que o juiz por certo não perceberia.

Nesse primeiro dia em que o vi em casa dos pais de Gilberte, contei a Bergotte que ouvira recentemente a Berma em *Fedra*; disse-me que na cena em que ela fica com o braço erguido à altura do ombro — justamente uma das cenas que tanto haviam aplaudido — soubera ela evocar com uma nobre arte a obras-primas que talvez nunca tivesse visto, uma hespéride que faz esse gesto no alto de uma métope de Olímpia, e também belas virgens do antigo Erecteion.[74]

---

74 Templo-túmulo ligado à morte de Erectha, que foi atingida por Zeus. Nenhum vestígio desse templo em que se celebravam vários cultos foi preservado, apenas sua representação em um baixo-relevo do museu da Acrópole. (N. E.)

— Pode ser uma adivinhação; suponho no entanto que ela frequente os museus. Seria interessante "averiguar" isso (averiguar era uma dessas expressões habituais a Bergotte e adotadas por certos jovens que nunca o haviam encontrado, falando como ele por uma espécie de sugestão a distância).

— Refere-se às cariátides? — perguntou Swann.

— Não, não — retrucou Bergotte —, exceto na cena em que ela confessa a sua paixão a Enone e em que faz com a mão o movimento de Hegeso na estela do Cerâmico, é uma arte muito mais antiga que a Berma reanima.[75] Eu falava das Korai do amigo Erecteion,[76] e reconhecia que talvez não haja nada que possa estar mais longe da arte de Racine, mas já há tantas coisas em *Fedra*... que uma de mais... Oh!, e depois, é tão bonita essa pequena Fedra do século VI, a verticalidade do braço, o cabelo cacheado "imitando o mármore", sim, afinal de contas, já é muito haver encontrado tudo isso. Há ali muito mais antiguidade que em muitos livros que este ano chamam de "antigos".

Como Bergotte dirigira em um de seus livros uma invocação famosa a uma dessas estátuas arcaicas, as palavras que pronunciava naquele momento me eram bastante claras e me proporcionavam um novo motivo para me interessar pela interpretação da Berma. Procurava representá-la na memória tal como estivera naquela cena em que, como muito bem recordava, tinha estendido o braço à altura do ombro. E dizia comigo: "Eis a hespéride de Olímpia; eis a irmã de uma dessas admiráveis orantes da Acrópole; eis o que é uma arte nobre". Mas para que tais pensamentos me pudessem embelezar o gesto da Berma, seria preciso que Bergotte mos houvesse fornecido antes da representação. Então, enquanto aquela

---

75 Referência a uma peça datada por volta de 400 a.C. em que a senhora recebe um pequeno cofre com joias das mãos de sua serva. (N. E.)

76 As "Korai" são obras mais antigas, entre os anos de 550 e 480 a.C., mas não se pode dizer com certeza que elas decoravam o antigo Erecteion, como quer Bergotte. (N. E.)

atitude da artista efetivamente existia diante de mim, no momento em que a coisa que está acontecendo ainda tem a plenitude da realidade, poderia eu tentar extrair-lhe a ideia de escultura arcaica. Mas o que eu conservava da Berma naquela cena era uma lembrança não mais modificável, tênue como uma imagem desprovida dessas profundas camadas secretas do presente que se deixam escavar e de que se pode veridicamente retirar alguma coisa de novo, uma imagem a que não se pode impor uma interpretação retroativa, a qual já não seria suscetível de verificação, de sanção objetiva. Para entrar na conversação, a sra. Swann perguntou-me se Gilberte se lembrara de mandar-me o que Bergotte escrevera sobre *Fedra*.

— Eu tenho uma filha tão estouvada! — acrescentou ela. Bergotte teve um sorriso de modéstia e protestou que eram páginas sem importância.

— Mas é tão interessante aquele opusculozinho, aquele pequeno *folheto*! — disse a sra. Swann, para se mostrar boa dona de casa, para dar a entender que lera a brochura, e também porque gostava, não só de cumprimentar Bergotte, mas de fazer uma escolha entre as coisas que ele escrevia, de o dirigir. E a falar verdade, ela o inspirou, de um modo aliás que não imaginava. Mas o fato é que existe tanta relação entre o que foi a elegância do salão da sra. Swann e todo um lado da obra de Bergotte que, para os velhos de hoje, ambas as coisas podem alternadamente servir de mútuo comentário.

Eu me entregava ao relato de minhas impressões. Bergotte muitas vezes não as achava justas, mas deixava-me falar. Disse-lhe que gostara daquela iluminação verde no momento em que Fedra ergue o braço.

— Ah!, isso daria muito prazer ao cenógrafo, que é um grande artista. Hei de contar a ele, pois está muito orgulhoso dessa luz. Quanto a mim, confesso que não me agrada muito: banha tudo numa espécie de atmosfera glauca, e a Fedra, tão pequena lá dentro, tem muito de ramo de coral no fundo de um aquário. Dirá o senhor que isso faz ressaltar o lado cósmico do drama. É verdade. Em todo caso, estaria melhor numa peça que se passasse nos domínios de Netuno. Bem sei que há ali algo de vingança de Netuno. Meu Deus, não quero que só se pense em Port-Royal, mas afinal de contas o que Racine pretendia contar não eram os amores do ouriço-do-mar. Enfim, foi o que o meu amigo quis fazer, o que já é muito e, no fundo, bem bonito. Afinal, o senhor gostou, compreendeu, não foi? No fundo pensamos o mesmo, foi um pouco insensato o que ele fez, mas muito inteligente, afinal.

E quando a opinião de Bergotte era assim contrária à minha, não me reduzia absolutamente ao silêncio, à impossibilidade de responder o que quer que fosse, como acontecera no caso do sr. de Norpois. Não prova isso que as opiniões de Bergotte fossem menos valiosas que as do embaixador, antes pelo contrário. Uma ideia forte comunica um pouco da sua força ao contraditor. Como participa do valor universal dos espíritos ela insere-se, enxerta-se no espírito daquele a quem refuta, em meio de ideias adjacentes, com auxílio das quais, retomando alguma vantagem, ele a completa e retifica; tanto assim que a sentença final é de algum modo obra das duas pessoas que discutiam. É às ideias que, propriamente falando, não são ideias, às ideias que, não tendo arrimo em coisa alguma, não encontram nenhum ponto de apoio, nenhum galho fraternal no espírito do adversário, que este, às voltas com o puro vácuo, nada encontra para responder. Os argumentos do sr. de Norpois (em matéria de arte) eram sem réplica, porque eram sem realidade.

Como Bergotte não rechaçasse as minhas objeções, confessei-lhe que haviam sido desprezadas pelo sr. de Norpois.

— Mas aquilo é um canário velho — foi a resposta. — Deu-lhe bicadas porque julga sempre que tem pela frente um molusco ou um bolo de ovos.

— Como! Conhece o sr. de Norpois? — indagou-me Swann.

— Oh!, ele é aborrecido como a chuva — interrompeu sua mulher, que tinha grande confiança no julgamento de Bergotte e temia decerto que o sr. de Norpois nos tivesse falado mal dela. — Quis conversar com ele depois do jantar, mas não sei se era idade, ou digestão... achei-o tão enjoado! Creio que seria preciso dopá-lo.

— Sim — disse Bergotte —, muitas vezes ele é obrigado a calar-se para não esgotar antes do fim do serão a provisão de tolices que lhe engomam o peito da camisa e o colete branco.

— Acho Bergotte e minha mulher muito severos — disse Swann, que assumira em casa o "cargo" de homem sensato. — Reconheço que Norpois não pode interessar-lhes muito, mas de outro ponto de vista (pois Swann gostava de recolher as belezas da "vida") ele é bastante curioso, bastante curioso como "amante". Quando era secretário em Roma — acrescentou, depois de se assegurar que Gilberte não podia ouvir —, tinha em Paris uma amante por quem estava apaixonado e achava meios de viajar duas vezes por semana para vê-la durante duas horas. Era aliás uma mulher inteligente e encantadora naquele tempo, uma velhota hoje.[77] E teve muitas outras no intervalo. Mas eu ficaria louco se a mulher a quem amava morasse em Paris enquanto eu estivesse retido em Roma. Os nervosos, seria preciso que sempre amassem, como diz o povo, "gente de classe inferior", para que uma questão de interesse deixasse a mulher amada em seu poder.

Nesse momento Swann apercebeu-se da aplicação que eu poderia fazer dessa máxima a si próprio e a Odette. E como até entre as criaturas superiores, no momento em que se diria pairarem conosco acima da vida, o amor-próprio permanece mesquinho, tomou-se de grande mau humor contra mim. Mas tal coisa só se manifestou pela inquietação do seu olhar. Nada me disse no próprio momento. O que não nos deve espantar muito. Quando Racine, segundo um relato aliás controvertido, mas cuja matéria se repete todos os dias na vida de Paris, aludiu a Scarron diante

---

77 Trata-se, como veremos, da sra. de Villeparisis, antiga companheira da avó do herói, que eles encontrarão na praia de Balbec. (N. E.)

de Luís XIV, o mais poderoso rei do mundo nada disse na mesma noite ao poeta. E foi no dia seguinte que este caiu em desgraça.[78]

Mas como toda teoria aspira a uma explanação integral, Swann, após esse instante de irritação e tendo enxugado o vidro do monóculo, completou seu pensamento com estas palavras que deviam mais tarde tomar na minha lembrança o valor de um aviso profético, que eu então não soube levar em conta.[79]

— O perigo desse gênero de amores, contudo, é que a sujeição da mulher acalma por um momento os ciúmes do homem, mas logo o torna mais exigente. E chega a fazer que a amante viva como esses prisioneiros que têm a cela iluminada dia e noite para ser mais bem vigiados. E isso geralmente acaba em drama.

Voltei ao sr. de Norpois.

— Não se fie nele: tem muito má-língua — disse-me a sra. Swann, num tom que mais me pareceu significar que o sr. de Norpois havia falado mal dela, em vista de Swann ter olhado para a mulher com um ar de repreensão e como para impedir-lhe que continuasse.

Entretanto Gilberte, a quem já havia dito duas vezes que se fosse preparar para sair, permanecia ali a ouvir-nos entre a mãe e o pai, carinhosamente reclinada ao ombro do último. Nada, à primeira vista, contrastava mais com a sra. Swann, que era morena, do que aquela menina de cabelos ruivos e pele dourada. Mas logo a gente reconhecia em Gilberte muitos dos traços — por exemplo, o nariz cortado com brusca e infalível decisão pelo escultor invisível que trabalha com o seu cinzel para várias gerações —, a expressão, os gestos de sua mãe; e valendo-nos de uma compara-

---

78 Alusão à narrativa feita por Saint-Simon da desgraça de Racine após ter pronunciado diante do rei e de sua amante, madame de Maintenon, o nome do ex-marido desta, Scarron. (N. E.)

79 Nova antecipação em muitas páginas da natureza do amor do herói por Albertine, uma das "raparigas" que ele encontrará em sua estada na praia de Balbec. (N. E.)

ção tomada a outra arte, poderia dizer-se que se assemelhava a um retrato pouco parecido da sra. Swann, e que o pintor tivesse feito, por um capricho de colorista, posar meio disfarçada, quando ia sair, de veneziana, para um jantar a fantasia. E como tinha não só uma cabeleira ruiva, mas também como todo átomo sombrio fora expulso da sua carne, que, despojada de seus véus obscuros, parecia ainda mais desnuda, recoberta apenas pelos raios desprendidos de um sol interior, a caracterização não parecia superficial, mas feita carne; Gilberte dir-se-ia que estava figurando algum animal fabuloso, ou que trazia um disfarce mitológico. Aquela pele dourada era a tal ponto a de seu pai que a natureza parecia, quando da criação de Gilberte, ter sido obrigada a resolver o problema de refazer pouco a pouco a sra. Swann, só tendo à sua disposição, como material, a pele do sr. Swann. E a natureza a utilizara perfeitamente, como um mestre ucheiro que timbra em deixar visíveis as fibras e os nós da madeira. No rosto de Gilberte, ali ao canto da perfeita reprodução do nariz de Odette, a pele soerguia-se para conservar intatos os dois sinaizinhos do sr. Swann. Era uma nova variedade da sra. Swann que fora obtida ali, ao lado dela, como um lilás branco perto de um lilás violeta. Contudo, não seria para imaginar como absolutamente nítida a linha de demarcação entre as duas semelhanças. Por momentos, quando Gilberte ria, distinguia-se o oval da face do pai no rosto da mãe, como se os tivessem ajuntado para ver no que daria a mistura; aquele oval se ia precisando como se forma um embrião, alongava-se obliquamente, inflava-se, dali a um instante havia desaparecido. Nos olhos de Gilberte havia o bom e franco olhar do pai; era o que tivera ao entregar-me a bolinha de ágata, dizendo: "Guarde-a como lembrança de nossa amizade". Mas dirigisse a gente a Gilberte uma pergunta sobre o que ela havia feito, via-se logo, naqueles mesmos olhos, o embaraço, a incerteza, a dissimulação, a tristeza que tinha outrora Odette quando Swann lhe perguntava aonde tinha ido e ela lhe dava uma dessas respostas mentirosas que desesperavam o amante e que agora o faziam bruscamente mudar de conversa, como marido sem curiosidade e prudente. Muitas vezes, nos Campos Elísios, inquietava-me ao ver esse olhar em Gilberte. Mas na maioria das vezes sem razão. Pois nela, sobrevivência puramente física da mãe, aquele olhar — aquele pelo menos — não correspondia mais a coisa alguma. Era quando tinha ido a seu curso, quando devia voltar para uma lição que as pupilas de Gilberte executavam aquele movimento que outrora nos olhos de Odette era causado pelo medo de revelar que recebera durante o dia algum de seus amantes ou que tinha pressa de dirigir-se a um encontro. Assim se viam essas duas naturezas do sr. e da sra. Swann, a ondular, a refluir, a interpenetrar-se, no corpo daquela Melusina.[80]

Sem dúvida é sabido que uma criança tem coisas do pai e da mãe, mas a distribuição das qualidades e defeitos que herda é feita de modo tão estranho que, de duas qualidades que pareciam inseparáveis num dos pais, não se encontra mais que uma no filho, e unida exatamente ao defeito do outro pai que parecia inconciliável com ela. Até a encarnação de uma qualidade moral num defeito físico incompatível é muita vez uma das leis da semelhança filial. De duas irmãs, uma terá, com a altiva estatura do pai, o espírito mesquinho da mãe; a outra, dona da inteligência paterna, será apresentada ao mundo sob o aspecto que tem sua mãe; da mãe, o grosso nariz, o ventre nodoso, e até a voz, se tornaram a veste de dons que a gente conhecia sob uma soberba aparência. De maneira que de cada uma das duas irmãs se pode dizer com razão que é ela quem mais herdou de um dos pais. Verdade que Gilberte era filha única, mas havia, pelo menos, duas Gilberte. As duas naturezas, a do pai e a da mãe, não se limitavam a misturar-se nela; disputavam-na, e ainda seria falar inexatamente e

---

80 Personagem do legendário medieval que recebeu de sua mãe, uma fada, o dom de se transmutar aos sábados em mulher-serpente. (N. E.)

fazer supor que uma terceira Gilberte sofria durante esse tempo por ser presa das duas outras. Ora, Gilberte era alternativamente uma e outra, e, em cada ocasião, apenas uma e portanto incapaz, quando era menos boa, de sofrer por isso, pois a melhor Gilberte não podia então verificar essa decaída, pelo fato da sua ausência momentânea. Assim, a menos boa das duas estava livre para desfrutar de prazeres pouco nobres. Quando a outra falava com o coração do pai, tinha vistas largas, sentíamos vontade de conduzir com ela um belo e benéfico empreendimento, e lho dizíamos, mas no momento em que se ia chegar a um acordo, o coração da mãe já retomara o seu lugar, e era ele quem nos respondia; e ficava-se decepcionado e irritado — quase intrigado como diante de uma substituição de pessoa — ante uma reflexão mesquinha, um risinho velhaco com que Gilberte se comprazia, pois saíam do que ela própria era naquele momento. E às vezes tamanha era a distância entre as duas Gilberte que a gente se perguntava, aliás em vão, o que lhe poderia ter feito para encontrá-la assim tão diferente. O encontro que ela nos propusera, não somente não comparecera a ele nem se desculpara depois, mas qualquer que fosse a influência que lhe pudesse ter mudado a decisão, ela depois se mostrava tão diferente que era de supor que, vítima de uma semelhança como a que constitui o tema dos *Menaechmi*,[81] não se estava diante da pessoa que tão gentilmente nos havia marcado encontro, se ela não nos testemunhasse um mau humor denotante de que se sentia em falta e queria evitar explicações.

— Anda, vais fazer-nos esperar — disse-lhe a mãe.

— Estou tão bem perto do meu paizinho! Quero ficar mais um pouco — respondeu Gilberte, ocultando a cabeça debaixo do braço de seu pai, que lhe acariciou os cabelos ruivos.

---

81 Comédia de Plauto cujo tema é a semelhança física total entre dois irmãos gêmeos. (N. E.)

Era Swann um desses homens que, tendo vivido muito tempo nas ilusões do amor, viram o bem-estar que deram a muitas mulheres aumentar-lhes a felicidade, sem que isso lhes desse nenhum reconhecimento, nenhuma ternura da parte delas; mas, nos filhos que tiveram, julgam descobrir um afeto que, encarnado em seu próprio nome, há de fazê-los perdurar até depois da morte. Quando não existisse mais Charles Swann, haveria ainda uma srta. Swann, ou uma sra. X; Swann de nascimento, que continuaria a amar o pai desaparecido. A amá-lo demais até, pensava decerto Swann, pois respondeu a Gilberte: "Tu és boa filhinha", com esse tom enternecido pela inquietação que nos inspira, para o futuro, a exaltada afeição de uma criatura destinada a sobreviver-nos. Para dissimular a emoção, meteu-se em nossa conversa sobre a Berma. Observou-me, mas num tom displicente, entediado, como se quisesse de algum modo permanecer à parte do que dizia, com que inteligência, com que imprevista justeza dissera a atriz a Enone: "Tu o sabias!".[82] Tinha razão: essa entonação pelo menos possuía um valor realmente inteligível e poderia assim satisfazer o meu desejo de achar razões irrefutáveis para admirar a Berma. Mas era por causa da sua própria clareza que não o satisfazia. Tão engenhosa era a entonação, de um significado e intenção tão definidos, que parecia ter existência própria e que qualquer artista inteligente a poderia adquirir. Era uma bela ideia; mas, quem quer que a concebesse, igualmente a possuiria por completo. Restava a Berma o mérito de havê-la achado, mas poder-se-ia empregar essa palavra "achar" quando se trata de achar alguma coisa que não seria diferente se a tivéssemos recebido de alguém, alguma coisa que não depende essencialmente de nosso ser, visto que outro pode em seguida reproduzi-lo?

---

82 Referência à repreensão dirigida por Fedra à ajudante Enone de não lhe ter revelado que Hipólito, na verdade, amava Aricie. (cf. *Fedra*, ato IV, cena 6). (N. E.)

— Meu Deus!, como a sua presença eleva o *nível da conversação!* — disse-me Swann, como para se escusar ante Bergotte, pois adquirira no círculo dos Guermantes o hábito de acolher os grandes artistas como bons amigos, a quem apenas se procura fazer comer os pratos de que gostam, tomar parte nos jogos e, quando no campo, entregarem-se aos esportes que lhes agradam. — Parece-me que estamos falando de *arte* — acrescentou.

— Muito bem, isso muito me agrada — disse a sra. Swann, lançando-me um olhar reconhecido, por bondade e também porque conservara as suas antigas aspirações a uma palestra mais intelectual.

Depois foi com outras pessoas que Bergotte começou a falar, especialmente com Gilberte. Dissera eu ao escritor tudo quanto sentia, com uma liberdade que me espantou, proveniente de que desde muitos anos havia tomado com ele (no decurso de tantas horas de solidão e de leitura em que Bergotte não era senão a melhor parte de mim mesmo) o hábito da sinceridade, da franqueza e da confiança, e assim me intimidava menos do que qualquer outra pessoa com quem tivesse falado pela primeira vez. E no entanto, pelo mesmo motivo, estava muito inquieto com a impressão que lhe teria causado, pois não era de hoje o desprezo que eu lhe teria causado, pois não era de hoje o desprezo que eu lhe atribuía com referência às minhas ideias, mas dos tempos já antigos em que começara a ler os seus livros, em nosso jardim de Combray. E no entanto devia haver-me ocorrido que, se fui sincero, se não fiz mais que abandonar-me ao meu pensamento ao apaixonar-me, por um lado, pela obra de Bergotte, e ao sentir, por outro lado, no teatro, uma decepção cujas razões ignorava, esses dois movimentos instintivos que me arrastavam não deveriam ser muito diferentes entre si, mas obedecer às mesmas leis; e aquele espírito de Bergotte que eu amara em seus livros não devia ser algo de inteiramente estranho e hostil ao meu desapontamento e à minha incapacidade de expressá-lo. Porque a minha inteligência devia ser una, e quem sabe mesmo se não existe uma só inteligência de que todo mundo é colocatário, uma inteligência para a qual cada um de nós, do fundo de seu corpo particular, dirige os seus olhares, como no teatro, onde cada qual tem o seu lugar e onde existe apenas um único palco. Por certo, as ideias que eu gostava de esclarecer não eram as mesmas que Bergotte ordinariamente aprofundava em seus livros. Mas se a inteligência que tínhamos ambos ao nosso dispor era a mesma, ao ouvi-las de mim, devia ele recordá-las, amá-las, sorrir-lhes, pois provavelmente conservava diante da sua vista interior, apesar do que eu supunha, uma parte da inteligência muito diversa da outra parte que se havia projetado em seus livros e que servira para fazer-me imaginar todo o seu universo mental. Da mesma forma que os padres, por possuírem a maior experiência do coração, podem melhor perdoar os pecados que não cometem, assim o gênio, por ter a maior experiência do espírito, melhor pode compreender as ideias mais opostas às que constituem o fundo de suas próprias obras. Eu deveria ter considerado tudo isso, que aliás nada tem de agradável, pois a benevolência dos espíritos elevados tem como corolário a incompreensão e a hostilidade dos medíocres; ora, muito menos folgamos com a amabilidade de um escritor, que em rigor se pode encontrar em seus livros, do que sofremos com a hostilidade de uma mulher que não foi escolhida por sua inteligência, mas que não se pode deixar de amar. Eu devia considerar tudo isso, mas não o fazia, e estava certo de que parecera estúpido a Bergotte, quando Gilberte me cochichou ao ouvido.

— Estou doida de alegria; parece que conquistou o meu grande amigo Bergotte. Ele disse à mamãe que o achou muito inteligente.

— Aonde vamos? — perguntei a Gilberte.

— Oh!, aonde quiserem; para mim, tanto faz...

Mas desde o incidente ocorrido no aniversário da morte de seu avô, indagava comigo se o caráter de Gilberte não seria outro muito diferente do que eu supunha, se aquela indiferença pelo que fizessem, aquele juízo, aquela calma, aquela doce e constante submissão, não ocultaria, pelo contrário, exaltados desejos que por amor-próprio não queria deixar transparecer e que só revelava por sua súbita resistência quando eram por acaso contrariados.

Como Bergotte morava no mesmo bairro de meu pai, saímos juntos e no carro falou-me de meu estado de saúde.

— Nossos amigos disseram-me que você estava adoentado. Lamento-o muito, mas não tanto assim, pois bem vejo que não lhe faltam os prazeres da inteligência, e é provavelmente o que mais importa para você, como para todos aqueles que o conhecem.

Mas, infelizmente, eu sentia que tudo quanto dizia Bergotte era pouco verdadeiro para mim, a quem todo pensamento deixava frio, por elevado que fosse, que só era feliz nos momentos de simples vagueação, quando experimentava bem-estar; sentia como era material tudo quanto eu desejava na vida, e com que facilidade dispensaria a inteligência. Como não distinguia entre as fontes diversas, mais ou menos profundas e duráveis de que provinham os meus prazeres, pensei, no momento de responder-lhe, que desejaria uma existência em que mantivesse relações com a duquesa de Guermantes e em que pudesse muitas vezes respirar, como na antiga recebedoria de imposto de trânsito dos Campos Elísios, um frescor que me recordasse Combray. Ora, nesse ideal de vida que eu não me atrevia a confiar-lhe, não tinham nenhum lugar os prazeres da inteligência.

— Não, senhor, os prazeres da inteligência significam muito pouco para mim, não são esses que eu procuro, nem mesmo sei se algum dia os experimentei.

— Acha mesmo? Pois bem, olhe, isso deve ser o que você prefere, apesar de tudo, digo eu.

Certamente que ele não me convencia; e no entanto sentia-me mais feliz, mais desafogado. Pelo que me dissera o sr. de Norpois, eu havia considerado os meus momentos de devaneio, de entusiasmo, de confiança própria, como puramente subjetivos e sem verdade. Ora, segundo Bergotte, que pelo visto conhecia o meu caso, o sintoma que menos devia preocupar-me eram pelo contrário as minhas dúvidas, o descontentamento de mim mesmo. Principalmente o que dissera do sr. de Norpois, tirava muito da sua força a uma condenação que eu julgava inapelável.

— Tem sido bem tratado? — perguntou-me Bergotte. — Quem é o seu médico?

Disse-lhe que recebera a visita do dr. Cottard, o que certamente se repetiria.

— Mas não é o que lhe convém — respondeu-me. — Não o conheço como médico. Mas vi-o em casa da senhora Swann. É um imbecil. Supondo que isso não impeça de ser um bom médico, o que me custa crer, impede que seja um bom médico para artistas, para pessoas inteligentes. As pessoas como você precisam de médicos adequados, diria até de regimes, de medicamentos particulares. Cottard o aborrecerá, e basta o tédio para impedir seja o tratamento eficaz. E além disso, esse tratamento não pode ser para você o mesmo que para um indivíduo qualquer. Três quartos do mal das pessoas inteligentes provêm da sua inteligência. É-lhes necessário pelo menos um médico que conheça esse mal. Como quer que Cottard possa tratá-lo? Ele previu a dificuldade de digerir os molhos, as perturbações gástricas, mas não previu a leitura de Shakespeare... E com você já os seus cálculos não são exatos, rompe-se o equilíbrio, sempre será o ludião que vai subindo. Ele lhe descobrirá uma dilatação de estômago, nem precisa examiná-lo, pois já a traz nos olhos. Você poderá vê-la refletida no pincenê de Cottard.

Essa maneira de falar cansava-me bastante, e eu pensava, com a estupidez do bom senso: "Não há nenhuma dilatação de estômago refletida no pincenê do professor Cottard, nem tolices ocultas no colete branco do senhor de Norpois".

— Eu antes lhe aconselharia — prosseguiu Bergotte — o doutor Du Boulbon, que é um homem muito inteligente.

— É um grande admirador das suas obras — respondi-lhe.

Vi que Bergotte já o sabia e concluí que os espíritos fraternais sempre se encontram, e são poucos os verdadeiros "amigos desconhecidos". O que me disse Bergotte a respeito de Cottard surpreendeu-me, por ser contrário às minhas opiniões. Pouco se me dava que meu médico fosse aborrecido; o que eu esperava dele é que, graças a uma arte cujas leis me escapavam, emitisse a respeito de minha saúde um oráculo indiscutível, depois de haver consultado as minhas entranhas. E não me interessava que, com o auxílio da inteligência, auxílio que eu próprio lhe poderia prestar, procurasse compreender a minha, que tão só se me figurava como um meio, indiferente em si mesmo, para poder chegar às verdades exteriores. Duvidava muito que as pessoas inteligentes tivessem necessidade de uma higiene diversa da dos imbecis e estava disposto a submeter-me à destes últimos.

— Quem teria necessidade de um bom médico é o nosso amigo Swann — disse Bergotte. E, como eu lhe perguntasse se estava doente: — Ora!, um homem que desposou uma mulher de vida fácil e que tem de engolir por dia cinquenta desfeitas de senhoras que não querem relações com a sua, ou de homens que dormiram com ela. Vê-se-lhe na boca, retorcida com tudo o que tem de engolir. Repare um dia nas sobrancelhas circunflexas que ele faz quando entra em casa, para ver quem estará presente.

A malevolência com que falava Bergotte, a um estranho, de amigos em cuja casa era recebido desde tanto tempo, era para mim coisa tão nova como o tom quase carinhoso com que sempre se dirigia aos Swann. É certo que uma pessoa como minha tia-avó, por exemplo, seria incapaz de ter, para com qualquer de nós, dessas gentilezas que eu ouvira Bergotte prodigalizar a Swann. Até às pessoas a quem ela estimava aprazia-lhe dizer coisas desagradáveis. Mas, longe delas, não teria pronunciado uma só palavra que não pudessem ouvir. Nada havia de menos parecido com a alta-roda que a nossa sociedade de Combray. A dos Swann já era um meio caminho para ela, para as suas ondas versáteis.

Não era ainda o mar alto, e já era a laguna.

— Tudo isto fica entre nós — disse Bergotte, ao deixar-me diante de minha porta. Alguns anos mais tarde, ter-lhe-ia eu respondido: "Nunca repito o que me dizem". É a frase ritual dos homens da sociedade, com que o falador é enganosamente tranquilizado. Era a que eu teria dirigido naquele dia a Bergotte, pois ninguém inventa tudo o que diz, principalmente quando nos comportamos como personagens sociais. Mas eu ainda não a conhecia. Por outro lado, a de minha tia-avó, em circunstâncias idênticas, seria: "Se não quer que seja repetido, por que então me diz?". É a resposta das pessoas insociáveis, das "cabeças-duras". Eu não o era: inclinei-me em silêncio.

Literatos, que eram para mim gente importante, intrigavam durante anos para conseguir travar com Bergotte relações que sempre permaneciam obscuramente literárias e não ultrapassavam seu gabinete de trabalho, ao passo que eu acabava de instalar-me em cheio e tranquilamente entre os amigos do grande escritor, como alguém que em vez de fazer fila como todo mundo para conseguir um mau lugar, alcança os melhores, passando por um corredor vedado aos demais. Se Swann mo havia franqueado, era sem dúvida porque os pais de Gilberte, da mesma forma que um rei convida com toda a naturalidade os amigos de seus filhos para o camarote ou iate real, recebiam os amigos de sua filha em meio das coisas preciosas que possuíam e das relações ainda mais preciosas que ali se achavam enquadradas. Mas então pensei, e talvez com razão, que essa amabilidade de Swann era indiretamente endereçada a meus pais. Ouvira dizer outrora em Combray que lhes oferecera, ao ver a minha admiração por Bergotte, para levar-me a jantar com este, e que meus pais haviam recusado, dizendo que eu era muito jovem e muito nervoso para "sair". Sem dúvida, meus pais representavam, para certas pessoas, justamente aquelas que me pareciam mais maravilhosas, alguma coisa de muito diferente que para mim mesmo, de forma que, como no tempo em que a dama de cor-de-rosa dirigira a meu pai elogios de que ele se mostrara tão pouco digno, desejaria que meus pais compreendessem que inestimável presente acabava eu de receber e testemunhassem seu reconhecimento àquele Swann generoso e cortês que mo havia, ou lhes havia oferecido, sem dar maior importância ao seu ato do que esse delicioso Rei Mago do afresco de Luini, de nariz arqueado e cabelos loiros, com o qual, ao que parece, lhe haviam encontrado grande semelhança outrora.[83]

Infelizmente, esse favor que me fizera Swann e que na volta anunciei a meus pais antes mesmo de tirar a capa, na esperança de que lhe despertasse no coração um sentimento tão comovido quanto o meu, e os induzisse, para com Swann, a alguma "polidez" enorme e decisiva, parece que esse favor não foi muto apreciado por eles.

— Com que então Swann te apresentou a Bergotte? Belo conhecimento, encantadoras relações! — exclamou ironicamente meu pai. — Era só o que faltava!

E quando, ai de mim, acrescentei que ele absolutamente não gostava do sr. de Norpois, tornou meu pai:

— Naturalmente! Isso bem prova que é um espírito falso e malévolo. Tu que já não tens muito senso comum, meu pobre filho, lamento que vás cair num meio que acabará transformando-te inteiramente.

Já a minha simples frequentação dos Swann estava longe de agradar a meus pais. E a apresentação a Bergotte lhes pareceu uma consequência nefasta, mas natural, de uma primeira falta, da fraqueza que haviam tido e que minha avó chamaria uma "falta

---

83 Alusão provável aos afrescos que, por volta de 1525, Bernardino Luini, aluno de Da Vinci, decorou o coro da igreja de Madonna di Miracoli, em Saronno, cidade próxima a Milão. Proust pode estar se referindo também à obra de Luini intitulada *Os Reis Magos*, conservada na época no Museu do Louvre. (N. E.)

de circunspeção". Senti que para completar o seu mau humor só me restava dizer que aquele homem perverso e que não apreciava o sr. de Norpois me havia achado muito inteligente. Com efeito, quando meu pai achava que uma pessoa, um de meus camaradas, por exemplo, estava em mau caminho — como eu naquele momento —, se o transviado caía nas graças de alguém que ele não estimava, nesse sufrágio via a confirmação de seu diagnóstico pessimista. E com isso o mal ainda lhe parecia maior. Vi que já ia exclamar: "Está visto, é *todo um conjunto de fatores*!", palavras que me assustavam porque pareciam anunciar a iminente introdução, em minha vida tão sossegada, de vastas e imprecisas reformas. Mesmo, porém, que eu não dissesse a opinião de Bergotte a meu respeito, nem por isso se ia apagar a impressão de meus pais, e pouco me importava que fosse ainda um pouco pior. Aliás, tão grande se me afigurava o seu equívoco e injustiça, que nem sequer sentia esperanças, nem mesmo desejos, de induzi-los a um ponto de vista mais equitativo. Contudo, enquanto as palavras me saíam da boca, tive consciência do choque que experimentariam ao considerar que eu agradara a um homem que achava tolas as pessoas inteligentes, que era objeto de desprezo por parte da gente honrada, e cujos elogios, por me parecerem invejáveis, me levariam para o mal; de modo que terminei minha fala e lancei o remate em voz baixa e com o ar um tanto envergonhado:

— Ele disse aos Swann que me achara muitíssimo inteligente. — E com isso fiz o mesmo que um cão envenenado que, num campo, vai arrojar-se justamente, e sem sabê-lo, à erva que é o antídoto da toxina que ingeriu; porque, sem ver que acabava de pronunciar as únicas palavras no mundo capazes de vencer no espírito de meus pais o preconceito que tinham por Bergotte, preconceito contra o qual se teriam embotado todas as razões e todos os elogios da sua pessoa que eu lhes pudesse apresentar, no mesmo instante a situação mudou de aspecto:

— Ah!... — exclamou minha mãe. — Ele disse que te achava inteligente? Isso me agrada, pois é homem de talento...

— Como! Ele disse isso? — tornou meu pai. — Absolutamente não lhe nego o valor literário, diante do qual todo mundo se inclina, apenas é lamentável que ele leve essa existência pouco honrosa de que falou em meias palavras o velho Norpois — acrescentou, sem perceber que, diante da virtude soberana das palavras mágicas que eu acabava de pronunciar, já não podia lutar a depravação de costumes de Bergotte, nem o seu errôneo juízo.

— Oh!, meu amigo — interrompeu mamãe —, nada prova que seja verdade. Dizem tantas coisas... Aliás, o senhor de Norpois é o que há de mais gentil, mas nem sempre é muito benévolo, principalmente para as pessoas que não são do seu meio.

— É mesmo, eu também já o tinha notado — retrucou meu pai.

— E depois, muito será perdoado a Bergotte, porque ele gostou de meu filhinho — acrescentou minha mãe, acariciando-me os cabelos e fitando em mim um longo olhar sonhador.

Minha mãe, aliás, não esperara por esse veredicto de Bergotte, para dizer que eu podia convidar Gilberte, quando recebesse em casa a meus amigos. Mas eu não me atrevia a fazê-lo por dois motivos. O primeiro era que na casa de Gilberte não se servia senão chá. Em nossa casa, pelo contrário, mamãe fazia questão de que, além do chá, houvesse chocolate. Tinha medo de que Gilberte achasse tal coisa vulgar e viesse a desprezar-nos por isso. A outra razão era uma dificuldade de protocolo que jamais consegui resolver. Quando eu chegava em casa da sra. Swann, ela me perguntava:

— Como vai a senhora sua mãe?

Eu tinha feito algumas sondagens para saber se minha mãe diria o mesmo quando Gilberte viesse visitar-nos, ponto que me parecia mais grave do que o "Monsenhor" na corte de Luís xiv.[84]

---

84. O rei Luís xiv ordenara que o título de "Monsenhor" seria restrito a seu filho, o "delfim". (N. E.)

Mamãe, porém, não quis dar-me ouvidos.

— Não, pois se eu não conheço a senhora Swann...

— Nem ela tampouco te conhece.

— Bem, mas nós duas não temos obrigação de fazer o mesmo. Terei com Gilberte outras atenções que a senhora Swann não tem contigo.

Mas isso não me convenceu, e achei preferível não convidar Gilberte.

Depois de deixar meus pais, fui mudar de roupa e, esvaziando os bolsos, dei com o envelope que me entregara o mordomo dos Swann ao introduzir-me no salão. Estava sozinho agora. Abri-o; no interior havia um cartão em que me indicavam a dama a quem devia oferecer o braço para ir à sala de jantar.

Foi por essa época que Bloch abalou minha concepção do mundo e me abriu novas possibilidades de ventura (que deviam aliás mudar-se mais tarde em possibilidades de sofrimento), ao assegurar-me que, contrariamente ao que eu supunha no tempo de meus passeios para os lados de Méséglise, as mulheres jamais desejavam outra coisa senão entregar-se ao amor. Completou esse serviço prestando-me um segundo que só muito mais tarde eu devia apreciar: foi ele quem me levou pela primeira vez a uma casa de *rendez-vous*. Bem me dissera ele que havia muitas mulheres bonitas a quem se podia possuir. Mas eu lhes emprestava uma fisionomia vaga, que os *rendez-vous* me permitiriam substituir por faces concretas. De modo que devia a Bloch — por aquela sua "boa-nova" de que a felicidade e a posse da beleza não são coisas inacessíveis e que é vão renunciar a elas — o mesmo favor que devemos a um médico ou filósofo otimista que nos dá esperanças de longevidade nesta vida e de não ficarmos inteiramente separados deste mundo quando passarmos para o outro; e os *rendez--vous* que frequentei alguns anos mais tarde — como me deram amostras da felicidade, permitindo-me acrescentar à beleza feminina esse elemento que não podemos inventar, que não é o resumo das belezas antigas, o presente verdadeiramente divino, o único que não podemos receber por nós mesmos, diante do qual expiram todas as criações lógicas da nossa inteligência e que só podemos pedir à realidade: um encanto individual — mereceriam, para mim, ser classificados junto a esses outros benfeitores de origem mais recente, mas de utilidade análoga (ante os quais imaginamos sem ardor a sedução de Mantegna, de Wagner ou de Sienna, através de outros pintores, outros músicos, outras cidades): as edições ilustradas da história da pintura, os concertos sinfônicos e os estudos sobre as "cidades de arte".[85] Mas a casa aonde Bloch me levou e que ele próprio não frequentava há muito era de categoria muito inferior e o pessoal muito medíocre e muito pouco renovado para que eu ali pudesse satisfazer antigas curiosidades ou contrair novas. A patroa daquela casa não conhecia as mulheres por quem se lhe perguntava e propunha sempre outras que a gente não queria. Gabava-me principalmente uma, uma de quem dizia, com um sorriso cheio de promessas (como se fosse uma raridade e uma regalia): "É uma judia! E então?". (Decerto por esse motivo é que lhe chamava Rachel.) E acrescentava com uma exaltação tola e falsa, que supunha comunicativa e quase terminava num estertor de gozo: "Veja só, uma judia! Deve ser tremendo! Ah!". Essa Rachel, que avistei sem que ela me visse, era morena, nada bonita, mas tinha um ar inteligente, e, passando a ponta da língua pelos lábios, sorria com impertinência para os clientes que lhe apresentavam e que eu ouvia entabularem conversação com ela. Sua face alongada e magra era cercada de cabelos negros e crespos, e irregulares como que traçados a nanquim num desenho de água-tinta. De cada vez eu prometia à patroa, que ma propunha com insistência particular, encarecendo-lhe a grande inteligência e instrução, que não deixaria de comparecer um dia

---

85 Alusão a uma coleção ilustrada, publicada no início do século XX, pelo editor Laurens. Ela compreendia as cidades de Veneza, Roma e Florença. (N. E.)

expressamente para travar relações com Rachel, por mim apelidada de "Rachel quando do Senhor". Mas na primeira noite ouvi-a dizer à patroa no momento em que se retirava:

— Então já sabe, amanhã estou livre; se tiver alguém, não se esqueça de mandar chamar-me.

E essas palavras me haviam impedido de ver nela uma pessoa, por me haverem imediatamente levado a classificá-la numa categoria geral de mulheres que tinham por costume comum ir àquela casa todas as noites, a ver se ganhavam um ou dois luíses. Ela apenas variava a forma da frase, dizendo: "Se tiver necessidade de mim", ou "Se precisar de alguém".

A patroa não conhecia a ópera de Halévy e portanto ignorava por que eu costumava dizer "Rachel quando do Senhor".[86] Mas não compreender um gracejo nunca fez achá-lo menos irresistível e era a rir com todo o entusiasmo que ela me dizia:

— Então, não é ainda esta noite que eu o junto com a "Rachel quando do Senhor"? Como o senhor diz isso: "Rachel quando do Senhor"! Muito bem achado! Vou dar um jeito nos dois. Verá como não se arrepende.

Uma vez estive a ponto de resolver-me, mas Rachel estava "ocupada", de outra vez entre as mãos do "cabeleireiro", um velho senhor que nada mais fazia com as mulheres senão lançar-lhes óleo sobre os cabelos soltos e penteá-los em seguida. E cansei-me de esperar, embora algumas frequentadoras muito humildes, que se diziam operárias, mas sempre sem trabalho, tivessem vindo fazer-me sala, mantendo comigo uma longa conversação à qual — apesar da seriedade dos assuntos abordados — a nudez parcial ou completa de minhas interlocutoras emprestava uma saborosa simplicidade. Aliás, deixei de ir àquela casa, porque, desejoso de

---

86 O herói fazia alusão a um verso da peça *A judia*, composta em 1835 por Fromental Halévy. Tais versos deviam ter se tornado célebres, visto que o próprio avô do herói já os citava quando o amigo judeu, Bloch, vinha visitá-los em Combray. (N. E.)

demonstrar meus bons sentimentos à mulher que a dirigia e que tinha necessidade de móveis, dei-lhe alguns, notadamente um grande sofá — que havia herdado de minha tia Léonie. Nunca os via, pois a falta de espaço não permitia que meus pais os recolhessem em casa e achavam-se em um depósito. Mas logo que tornei a vê-los na casa onde aquelas mulheres se serviam deles, todas as virtudes que se respiravam no quarto de minha tia em Combray se me afiguraram supliciadas ao cruel contato a que as entregara sem defesa! Não sofreria mais se tivesse feito violar uma morta. Não voltei à casa da medianeira, pois eles me pareciam viver e suplicar-me, como esses objetos aparentemente inanimados de um conto persa onde estão encerradas almas que sofrem um martírio e imploram libertação. Aliás, como a nossa memória não nos apresenta habitualmente as recordações na ordem cronológica, mas como um reflexo onde está alterada a ordem das partes, só muito mais tarde foi que me lembrei que sobre aquele mesmo sofá é que eu havia conhecido há anos pela primeira vez os prazeres do amor, com uma de minhas priminhas com quem não sabia onde ir meter-me e que me deu o conselho bastante perigoso de nos aproveitarmos de uma hora em que minha tia Léonie já estava levantada.

Muitos outros móveis, bem como uma magnífica prataria antiga de minha tia Léonie, eu os vendi, apesar da opinião contrária de meus pais, para dispor de mais dinheiro e enviar mais flores à sra. Swann, que me dizia, ao receber imensos buquês de orquídeas: "Se eu fosse o senhor seu pai, dar-lhe-ia um curador". Como ia eu supor que poderia mais tarde lamentar particularmente a perda da referida baixela e colocar certos prazeres muito mais acima que o de fazer atenções aos pais de Gilberte, prazer este que se tornaria talvez absolutamente nulo. E fora até por causa de Gilberte, e para não deixá-la, que eu tinha decidido não ingressar nas embaixadas. É sempre devido a um estado de espírito não destinado a durar que se tomam resoluções definitivas. Mal imaginava eu que aquela substância estranha que estava em Gilberte e irradiava sobre seus pais e sua casa, tornando-me indiferente a tudo o mais, pudesse um dia libertar-se e emigrar para um outro ser. Na verdade era a mesma substância, e no entanto deveria produzir-me efeitos completamente diversos. Pois uma mesma doença tem a sua evolução; e um delicioso veneno não é tolerado da mesma forma quando, com os anos, diminuiu a resistência do coração.

Contudo, desejariam meus pais que a inteligência que Bergotte me reconhecera se manifestasse por algum trabalho notável. Quando ainda não tinha relações com os Swann, julgava que era impedido de trabalhar pelo estado de agitação que me provocava a impossibilidade de ver livremente Gilberte. Mas, quando me foi franqueada a sua casa, apenas me sentava à mesa de trabalho, erguia-me e corria a visitá-los. E depois que os deixava e me recolhia ao quarto, meu isolamento era apenas aparente, e meu pensamento não podia remontar a torrente de palavras em que me deixara arrastar durante horas. Sozinho, continuava forjando frases que pudessem agradar aos Swann e, para dar maior interesse ao jogo, desempenhava o papel daqueles interlocutores ausentes, dirigia a mim mesmo perguntas fictícias de tal modo escolhidas que minhas tiradas brilhantes só lhes servissem de feliz réplica. Silencioso, aquele exercício era no entanto uma conversação e não uma meditação, e minha solitude uma vida de salão mental onde, não a minha própria pessoa, mas interlocutores imaginários governavam as minhas palavras e onde eu concebia, em vez dos pensamentos que julgava verdadeiros, aqueles que vinham sem dificuldade, sem regressão de fora para dentro, nesse gênero de prazer inteiramente passivo que encontra em permanecer tranquilo alguém que está amodorrado pela má digestão.

Se não estivesse tão decidido a pôr-me a trabalhar de modo definitivo, teria decerto feito um esforço para começar imediatamente. Mas já que minha resolução era formal, e antes de vinte e quatro horas, nos quadros vazios do dia seguinte, onde tudo se colocava tão bem porque eu lá ainda não havia chegado, facilmente se realizariam as minhas boas disposições, seria melhor não escolher uma noite em que não estava disposto, para um início de trabalho a que os dias seguintes não se deveriam mostrar mais propícios, infelizmente. Mas eu era razoável. Da parte de quem havia esperado anos, seria pueril não suportar um atraso de três dias. Certo de que no outro dia já teria escrito algumas páginas, não dizia nada a meus pais de minha resolução; preferia ter paciência por mais umas horas e levar à minha avó algum trabalho começado, para seu consolo e convencimento. Por desgraça, o dia seguinte não era aquele dia exterior e vasto que eu esperava febrilmente. Quando findava esse dia, minha preguiça e minha penosa luta contra certos obstáculos internos tinham simplesmente durado mais vinte e quatro horas. E, ao cabo de alguns dias, como os meus planos não se houvessem realizado, nem sequer tinha esperanças de que se realizassem imediatamente e, portanto, faltava coragem para subordinar tudo o mais a essa realização: recomeçava as minhas vigílias, visto que já não tinha, para me obrigar a deitar cedo, a visão certa de ver a obra começada na manhã seguinte. Precisava de alguns dias de sossego antes de tomar impulso, e a única vez em que minha avó ousou, num tom suave e desencantado, formular esta censura: "E então, esse trabalho, já nem se fala mais nele?", guardei-lhe rancor, convencido de que, por não haver sabido ver que era irrevogável a minha decisão de trabalho, ia talvez atrasar ainda por muito tempo a execução de meu projeto, pelo nervosismo que me causava a sua falta de justiça, e sob cujo império não poderia começar a minha obra. Sentiu que seu ceticismo vinha chocar-se às cegas contra uma vontade. Desculpou-se beijando-me: "Perdão, não direi mais nada". E para que eu não desanimasse, assegurou-me que, no dia em que me sentisse bem, o trabalho viria espontaneamente, por acréscimo.

Aliás, pensava eu, passando a vida em casa de Swann, não fazia acaso como Bergotte? E meus pais não estavam longe de pensar que, embora preguiçoso, eu levava a vida mais favorável ao talento, visto que o fazia no mesmo salão que um grande escritor. Mas que alguém seja dispensado de formar esse talento interiormente, por si mesmo, e o receba de outrem, é tão impossível como constituir uma boa saúde (apesar de infringir todas as regras da higiene e cometer os piores excessos) nada mais que jantando seguidamente com um médico. Aliás, a pessoa mais completamente enganada com aquela ilusão que dominava a meus pais e a mim era a sra. Swann. Quando lhe dizia que me era impossível comparecer à sua casa, que tinha de ficar trabalhando, imaginava que eu me fazia de rogado e que havia algo de tolo e pretensioso nas minhas palavras:

— Mas Bergotte vem, não é? Ou será que você pensa que não está bem o que ele agora escreve? Está até mesmo melhor — acrescentou —, pois é mais agudo, mais concentrado no jornal do que no livro, onde se arrasta um pouco. Consegui que ele faça de ora em diante o *leader article* no *Figaro*. Será exatamente *the right man in the right place*.

E acrescentava:

— Venha, ele lhe dirá melhor do que ninguém o que é preciso fazer.

E era como quem convida um voluntário junto com o coronel do seu regimento, era no interesse da minha carreira e como se as obras-primas pudessem ser feitas por meio de "relações" que ela me recomendava que não deixasse de ir jantar no dia seguinte em sua casa com Bergotte.

Assim, nem da parte dos Swann, nem da parte de meus pais, isto é, das únicas pessoas que em diversos momentos pareceram opor-se a isso, havia já contrariedade alguma naquela doce vida em que me era dado ver Gilberte quando quisesse, com encantamento, embora não com sossego. E sossego é coisa que não pode haver no amor, pois o que se obtém é sempre um novo ponto de partida para desejar ainda mais. Enquanto não podia ir à casa dela, com os olhos fixos nessa inacessível felicidade, não podia sequer imaginar as novas causas de inquietação que lá me esperavam. Vencida a resistência de seus pais, e resolvido afinal o problema, este começou novamente a armar-se, cada vez em termos diferentes. Nesse sentido, era mesmo uma nova amizade que cada dia se iniciava. Cada noite, ao regressar, eu descobria que tinha de dizer a Gilberte coisas importantíssimas, das quais dependia a nossa amizade, e essas coisas nunca eram as mesmas. Mas enfim era feliz e já nenhuma ameaça se erguia contra minha ventura. E dizer-se que a ameaça viria de um lado em que eu jamais percebera nenhum perigo, do lado de Gilberte e de mim mesmo. Deveria no entanto ser torturado pelo que, ao contrário, me tranquilizava, pelo que eu julgava ser felicidade. E, no amor, num estado normal, capaz de dar logo, ao acidente mais simples em aparência e que sempre pode acontecer, uma gravidade que esse acidente por si mesmo não comportaria. O que torna tão feliz é a presença, no coração, de alguma coisa de instável, que perpetuamente procuramos equilibrar e de que quase não nos apercebemos senão quando é deslocado. Na realidade, há no amor um sofrimento permanente, que a alegria neutraliza, torna virtual, adia, mas que pode a cada momento tornar-se o que desde muito seria, se não tivéssemos alcançado o nosso desejo: atroz.

Várias vezes senti que Gilberte desejava afastar minhas visitas. É verdade que quando desejava muito vê-la, bastava fazer com que seus pais me convidassem, os quais estavam cada vez mais persuadidos de minha excelente influência sobre ela. Graças a eles, pensava eu, meu amor não corre o mínimo risco; uma vez que os tenho do meu lado, posso ficar tranquilo, em vista da autoridade que exercem sobre Gilberte. Infelizmente, por certos sinais de impaciência que ela deixava escapar quando seu pai me fazia comparecer de certo modo contra a vontade dela, perguntei-me se o que eu havia considerado uma proteção para minha felicidade não seria ao contrário a razão secreta pela qual esta não poderia durar.

A última vez que fui visitar Gilberte, estava chovendo; ela fora convidada para uma lição de dança em casa de pessoas a quem conhecia muito pouco para que pudesse levar-me em sua companhia. Por causa da umidade, havia eu tomado mais cafeína que de costume. Talvez devido ao mau tempo, talvez por ter alguma prevenção contra a casa onde deveria efetuar-se a reunião, a sra. Swann, no momento em que a filha ia partir, chamou-a com extrema vivacidade: "Gilberte!", e designou-me, para significar que eu tinha ido visitá-la e ela devia ficar comigo. Esse "Gilberte!" fora proferido, ou antes gritado, em atenção a mim, mas, pelo erguer de ombros de Gilberte ao retirar os abrigos, compreendi que sua mãe havia involuntariamente acelerado a evolução, talvez até então possível de ser obstada, que pouco a pouco desligava de mim a minha amiga. "Ninguém é obrigado a ir dançar todos os dias", disse Odette à filha, com uma sensatez certamente aprendida outrora no convívio de Swann. Depois, tornando-se de novo Odette, começou a falar inglês com a filha. E logo foi como se um muro houvesse me ocultado uma parte da vida de Gilberte, como se um gênio malfazejo houvesse levado para longe de mim a minha amiga. Numa língua que sabemos, substituímos a opacidade dos sons pela transparência das ideias. Mas uma língua que não sabemos é um palácio fechado onde aquela a quem amamos nos pode enganar, sem que, ficando do lado de fora e desesperadamente crispados em nossa impotência, nada consigamos ver ou impedir. Assim aquela conversação em inglês, de que eu apenas teria sorrido um mês antes e no meio da qual alguns nomes próprios franceses não deixavam de aumentar e orientar minhas inquietações, mantida a dois passos de mim por duas pessoas imóveis, tinha a mesma crueldade e me deixava tão abandonado e só como um rapto. Afinal a sra. Swann se afastou. Naquele dia, talvez rancor contra mim, causa involuntária de que ela não fosse divertir-se, talvez porque, adivinhando-a agastada comigo, eu preventivamente estivesse mais frio que de costume, o rosto de Gilberte, desprovido de toda alegria, nu, devastado, pareceu toda a tarde votar uma nostalgia melancólica ao *pas de quatre* que a minha presença a impedia de dançar, e desafiar todas as criaturas, começando por mim, a compreender as razões sutis que nela haviam determinado uma inclinação sentimental pelo bóston.[87] Limitou-se a manter por momentos comigo, sobre o tempo que fazia, a recrudescência da chuva, o adiantamento do relógio, uma conversação pontuada de silêncios e de monossílabos, na qual eu próprio me obstinava, numa espécie de raiva desesperada, em destruir os instantes que poderíamos dedicar à amizade e à ventura. E a todas as nossas frases era conferida uma espécie de suprema dureza pelo paroxismo de sua insignificância paradoxal, o que no entanto me consolava, pois impedia que Gilberte se enganasse com a banalidade de minhas reflexões e a indiferença de meu acento. Era em vão que eu dizia: "Parece-me que no outro dia o relógio estava era atrasado"; ela traduzia evidentemente: "Como você é má!". Por mais que eu teimasse em prolongar, ao longo daquele dia chuvoso, essas palavras sem claros, sabia que a minha frieza não era alguma coisa de tão definitivamente rígido, como eu o fingia, e que Gilberte bem devia sentir que, se depois de já lhe haver dito três vezes, eu me arriscava a repetir-lhe pela quarta vez que os dias estavam diminuindo, eu teria dificuldade em não romper em pranto. Quando ela estava assim, quando um sorriso não lhe acendia os olhos nem lhe abria o rosto, impossível dizer de que desoladora monotonia eram impregnados seus olhos tristes e suas feições amuadas. Sua face, quase feia, assemelhava-se então a essas praias tediosas, onde o mar, afastado para muito longe, nos fatiga com um reflexo sempre igual a que cerca um horizonte imutável e limitado. Afinal, não vendo efetuar-se da parte de Gilberte a mudança feliz que esperava desde várias horas, disse-lhe que ela não era gentil.

---

87 O *pas de quatre* é uma dança do século XIX, de origem inglesa, dançada aos pares em compasso quaternário. Já o bóston é um tipo de dança em ritmo de valsa lenta (valsa-bóston), e também um jogo de cartas semelhante ao uíste, de origem norte-americana, disputado entre quatro pessoas. (N. E.)

— Você é que não é gentil — respondeu-me.

— Como não! — Indaguei com os meus botões o que poderia eu ter feito e, não o descobrindo, perguntei-o à própria Gilberte:

— Naturalmente, você se julga gentil! — disse ela, numa longa risada. Senti então o que havia de doloroso para mim em não poder alcançar este outro plano, mais inatingível, de seu pensamento, que o riso dela descrevia. Esse riso parecia significar: "Não, eu não me deixo levar pelo que você está dizendo, sei que você é louco por mim, mas tanto me faz... porque não me importo com você". Mas eu considerava que afinal de contas não é o riso uma linguagem suficientemente determinada para que eu pudesse ter certeza de compreender devidamente aquele. E as palavras de Gilberte eram afetuosas.

— Mas em que não sou eu gentil? — perguntei-lhe. — Diga, farei tudo o que você quiser.

— Não, isso não adiantaria nada, não posso explicar-lhe. — Por um instante, tive medo de que ela julgasse que eu não a amava, e isso foi para mim um novo sofrimento, não menos forte, mas que reclamava dialética diferente.

— Se você soubesse o pesar que me causa, diria tudo. — Mas esse pesar que, se houvesse ela duvidado de meu amor, deveria alegrá-la, pelo contrário, a irritou. Então, compreendendo meu erro, decidido a não mais levar em conta as suas palavras, deixando que ela me dissesse, sem lhe dar crédito: "Eu gostava verdadeiramente de você; há de ver isso um dia" (esse dia no qual os culpados asseguram que a sua inocência há de ser reconhecida e que, por misteriosos motivos, jamais é o dia em que os interrogam), tive a coragem de tomar subitamente a resolução de não mais a ver, mas sem lho anunciar por enquanto, porque ela não me acreditaria.

Pode ser amargo o sofrimento causado por uma pessoa a quem se ama, mesmo quando está inserto no meio de preocupações, de ocupações, de alegrias que não têm essa criatura por objeto e das quais a nossa atenção só se desvia de tempos em tempos para voltar a ele. Mas quando tal sofrimento nasce — como no presente caso — num instante em que a felicidade de ver essa pessoa nos enche inteiramente, a brusca depressão que se produz em nossa alma até então ensolarada, firme e calma, determina em nós uma tempestade furiosa contra a qual ignoramos se seremos capazes de lutar até o fim. Tão violenta era a que soprava em meu coração que voltei para casa arrasado, mortificado, sentindo que só poderia encontrar a respiração se desandasse o caminho percorrido, se voltasse sob um pretexto qualquer para junto de Gilberte. Mas esta haveria de dizer consigo: "Ainda?! Decididamente, posso fazer-lhe tudo, que ele sempre voltará tanto mais dócil quanto mais infeliz houver partido". Depois eu era irresistivelmente arrastado para ela pelos meus pensamentos, e essas orientações alternativas, esse desvario da bússola interior ainda persistiram depois que me recolhi ao quarto, traduzindo-se pelos rascunhos de cartas contraditórias que escrevi a Gilberte.

Ia eu passar por uma dessas conjunturas difíceis em face das quais acontece geralmente encontrarmo-nos várias vezes na vida e às quais, embora não tenhamos mudado de caráter, de natureza — a nossa natureza que cria por si mesma os nossos amores, e quase as mulheres que amamos, e até as suas faltas —, não fazemos frente de maneira idêntica de cada vez, isto é, em qualquer idade. Nesses momentos, a nossa existência é dividida e como que repartida numa balança, em dois pratos opostos onde cabe toda. Num, está o nosso desejo de não desagradar, de não parecer muito humilde à criatura que amamos sem conseguir compreendê-la, mas a quem achamos mais hábil deixar um pouco de lado para que não tenha o sentimento de se julgar indispensável, o que a afastaria de nós; do outro lado está um sofrimento — não um sofrimento localizado e parcial — que, pelo contrário, só poderia ser apaziguado se, desistindo de agradar a essa mulher e de fazer--lhe crer que podemos passar sem ela, a fôssemos procurar. Quando se retira do prato onde está a altivez uma pequena porção de vontade que se teve a fraqueza de deixar gastar-se com os anos e se ajunta ao prato onde está o sofrimento uma dor física adquirida e à qual foi permitido agravar-se, logo, em vez da solução corajosa que teria vencido aos vinte anos, é a outra, muito pesada e sem o suficiente contrapeso, que nos faz baixar aos cinquenta anos. Tanto mais que, embora se repetindo, as situações mudam e há possibilidades de que no meio ou no fim da vida tenhamos a funesta complacência de complicar o amor com uma parte de hábito que a adolescência desconhece, retida como está por outras obrigações e sendo aliás menos livre por si mesma.

Acabava de escrever a Gilberte uma carta onde deixava tempestear toda a minha fúria, mas não sem lançar a boia de algumas palavras colocadas como por acaso e onde minha amiga poderia suspender uma reconciliação; um instante depois, tendo mudado o vento, eram frases ternas que eu lhe dirigia, pela doçura de certas expressões desoladas, tais como "nunca mais", tão comoventes para os que as empregam, tão fastidiosas para aquela que as lerá, ou porque ela as julgue mentirosas e traduza "nunca mais" por "esta noite mesmo, se ainda quiser saber de mim", ou porque as julgue verdadeiras, anunciando-lhe uma dessas separações definitivas que nos são tão indiferentes quando se trata de criaturas de quem não estamos enamorados. Mas, já que somos incapazes, enquanto amamos, de agir como dignos predecessores da próxima criatura que seremos e que não mais amará, como poderíamos imaginar completamente o estado de espírito de uma mulher a quem, mesmo sabendo que lhe somos indiferentes, temos perpetuamente emprestado em nossos devaneios, para embalar-nos com um belo sonho ou consolar-nos de uma grande dor, as mesmas frases que teria se nos amasse? Ante os pensamentos e atos da mulher amada, sentimo-nos tão desorientados como o poderiam estar diante dos fenômenos da natureza os primeiros físicos (antes que a ciência fosse constituída e trouxesse um pouco de luz ao desconhecido). Ou pior ainda, como uma criatura para cujo espírito o princípio de causalidade mal existisse, uma criatura que não fosse capaz de estabelecer um elo entre dois fenômenos e a cuja vista o espetáculo do mundo seria incerto como um sonho. Certamente me esforçava por sair dessa incoerência, por encontrar causas. Procurava até ser "objetivo" e, para isso, levar na devida conta a desproporção existente entre a importância que tinha Gilberte para mim e, não só a que eu tinha para ela, mas também a que ela própria tinha para as outras criaturas que não fossem eu, desproporção que, se omitida, poderia fazer--me tomar uma simples amabilidade de minha amiga por uma apaixonada confissão e um passo grotesco e aviltante da minha parte pelo simples e gracioso movimento que nos dirige para uns belos olhos. Mas também receava cair no excesso oposto, em que teria visto na impontualidade de Gilberte a um encontro, em um gesto de mau humor, uma hostilidade irremediável. Tratava de encontrar entre essas duas perspectivas igualmente deformantes aquela que me daria a visão justa das coisas; os cálculos que tinha de fazer para isso me distraíam um pouco de meu sofrimento; e, ou por obediência à resposta dos números, ou por tê-los obrigado a dizer o que eu desejava, resolvi no dia seguinte ir à casa dos Swann, feliz, mas à maneira dos que, havendo-se torturado muito tempo por causa de uma viagem que não queriam fazer, não vão além da estação e voltam para casa a fim de desfazer a mala. E como, enquanto hesitamos, a simples ideia de uma resolução possível (a menos que tornemos inerte essa ideia, resolvendo não tomar a resolução) desenvolve, como vivaz semente, os lineamentos, toda a minúcia das emoções que nasceriam do ato executado, ponderei que fora um absurdo da minha parte, quando planejara não ver mais Gilberte, ter sofrido tanto como se houvesse realizado esse projeto, e, se era para acabar voltando à sua casa, bem poderia eu ter economizado tantas veleidades e concessões dolorosas.

Mas essa renovação das relações de amizade só durou o tempo de ir até a casa dos Swann, não porque o seu mordomo, o qual me estimava muito, me dissesse que Gilberte havia saído (na mesma tarde vim a saber que era verdade, por pessoas que a encontraram), mas por causa da maneira como ele me disse: "A senhorita saiu, posso afirmar-lhe que não estou mentindo. Se quiser informar-se, posso mandar chamar a camareira. Bem sabe que eu faria o possível para lhe ser agradável e que, se a senhorita aqui estivesse, eu o conduziria imediatamente à sua presença". Essas palavras, da única espécie importante, isto é, involuntárias, dando-nos a radiografia pelo menos sumária da realidade insuspeitável que ocultaria um discurso estudado, provavam que, no meio em que vivia Gilberte, tinham a impressão de que eu lhe era importuno; assim, apenas o mordomo as pronunciou, geraram em mim um ódio a que preferi dar por objeto, em vez de Gilberte, o próprio mordomo; concentrou ele em si todos os sentimentos de cólera que eu poderia alimentar por minha amiga; desembaraçado deles graças àquelas palavras, só o meu amor subsistiu; mas também me haviam mostrado que durante certo tempo eu não deveria tentar avistar-me com Gilberte. Ela decerto ia escrever-me para desculpar-se. Apesar disso, eu não iria imediatamente visitá-la, a fim de lhe provar que podia viver sem ela. Aliás, uma vez recebida a sua carta, frequentar Gilberte seria uma coisa de que eu facilmente me poderia privar durante algum tempo, pois estaria certo de a rever logo que quisesse. O que eu necessitava para suportar menos tristemente a ausência voluntária era sentir o coração liberto da terrível dúvida de que estivéssemos brigados para sempre, e ela noiva, ou em viagem, ou raptada. Os dias seguintes se assemelharam aos da antiga semana do Ano-Bom, que eu tivera de passar sem Gilberte. Mas, uma vez acabada essa semana, por um lado a minha amiga voltaria aos Campos Elísios e eu tornaria a vê-la como dantes, disso eu tinha certeza; e, por outro lado, sabia com não menos certeza que, enquanto durassem as férias de Ano-Bom, não valia a pena ir aos Campos Elísios. De maneira que, durante aquela triste semana já remota, havia suportado com calma a minha tristeza porque não estava mesclada nem de temor nem de esperança. Agora, pelo contrário, era este último sentimento que, quase tanto como o temor, tornava intolerável a minha pena.

Não tendo recebido carta de Gilberte na mesma tarde, considerava eu a sua negligência, as suas ocupações, e não duvidava encontrar uma no correio da manhã. Esperei-o, cada dia, com palpitações a que se sucedia o abatimento quando só encontrava cartas de pessoas que não eram Gilberte, ou então nada, o que não era pior, pois as provas de amizade de outra me tornavam mais cruéis as da sua indiferença. Ficava à espera do correio da tarde. Nem entre as horas das coletas das cartas eu me animava a sair, pois ela poderia mandar trazer a sua. Depois, chegava afinal o momento em que, não podendo mais vir nem carteiro, nem criado dos Swann, era preciso deixar para a manhã seguinte a esperança de ser tranquilizado, e desse modo, como não acreditava que meu sofrimento durasse, era obrigado, por assim dizer, a renová-lo incessantemente. O pesar era talvez o mesmo, mas em lugar de apenas prolongar uniformemente, como outrora, uma emoção inicial, recomeçava diversas vezes por dia, iniciando-se com uma emoção tão frequentemente renovada — estado puramente físico, tão momentâneo — que acabava por estabilizar-se, tanto assim que, como as perturbações causadas pela espera mal tinham tempo de acalmar-se antes que sobreviesse outra razão para esperar, não havia mais um único minuto no dia em que eu não estivesse nessa angústia que é no entanto tão difícil de suportar durante uma hora. Assim, meu sofrimento era infinitamente mais cruel do que no tempo daquele antigo 1º de janeiro, porque desta vez havia em mim, em lugar da aceitação pura e simples do sofrimento, a esperança de vê-lo cessar a cada instante.

Acabei todavia por chegar a essa aceitação; compreendi então que deveria ser definitiva e renunciei para sempre a Gilberte, no próprio interesse de meu amor, e porque desejava antes de tudo que ela não conservasse de mim uma recordação depreciativa. Até, a partir desse momento, e para que ela não pudesse formular a hipótese de uma espécie de despeito amoroso da minha parte, quando posteriormente me marcava encontros, eu os aceitava amiúde e, no último instante, escrevia-lhe que não podia comparecer, mas protestando que me sentia consternado com isso, como o faria com qualquer pessoa a quem não desejasse ver. Essas expressões de pesar, que em geral se reservam para os indiferentes, melhor persuadiriam Gilberte da minha indiferença, parecia-me, do que o tom de indiferença que afetamos unicamente para com a criatura amada. Quando, melhor que com palavras, com atos indefinidamente repetidos, eu lhe houvesse provado que não sentia gosto em vê-la, talvez tornasse ela a senti-lo em relação a mim. Mas ai!, seria em vão: procurar, não a vendo mais, renovar nela esse gosto em ver-me, era perdê-la para sempre; primeiro porque, quando ele começasse a renascer, se eu queria que durasse, não deveria ceder-lhe de imediato; aliás, as horas mais cruéis já teriam passado; aí é que ela me era indispensável, e eu desejaria advertir-lhe que em breve ela só acalmaria, ao me rever, uma dor de tal modo diminuída que não mais seria, como ainda teria sido naquele próprio momento, e para dar-lhe fim, um motivo de capitulação, de pazes, de reencontro. E afinal mais tarde, quando pudesse enfim confessar sem perigo a Gilberte, de tal forma se havendo reanimado o seu gosto por mim, o meu por ela, não poderia este haver resistido a tão longa ausência e não mais existiria; Gilberte me seria então indiferente. Eu o sabia, mas não lho poderia dizer; julgaria ela que, se eu alegava que deixaria de amá-la se ficasse muito tempo sem a ver, era com o único fim de que me mandasse voltar logo para junto de si. Enquanto isso, o que me tornava mais fácil condenar-me a essa separação era que (a fim de que ela reconhecesse que, apesar de minhas afirmações contrárias, era a minha vontade, e não um impedimento, não o meu estado de saúde que me impediam de vê-la) todas as vezes em que eu sabia de antemão que Gilberte não estaria em casa, que devia sair com uma amiga e não voltaria para jantar, eu ia visitar a sra. Swann (a qual voltara a ser para mim o que era na época em que eu via tão dificilmente a sua filha e quando, no dia em que esta não vinha aos Campos Elísios, eu ia passear pela avenida das Acácias). Dessa maneira, ouviria falar em Gilberte e estava certo de que ela depois ouviria falar em mim e de um modo que lhe mostraria que eu não fazia questão dela. E achava, como todos os que sofrem, que minha triste situação poderia ser pior. Pois, tendo entrada livre na casa em que morava Gilberte, dizia sempre comigo, embora resolvido a não usar dessa faculdade, que, se minha dor fosse algum dia demasiado forte, eu poderia fazê-la cessar. Eu só era infeliz com o correr dos dias. E ainda é dizer muito. Quantas vezes por hora (mas presentemente sem a ansiosa espera das primeiras semanas após a nossa briga, antes de haver voltado à casa dos Swann) não recitava para mim mesmo a carta que Gilberte um dia haveria de remeter-me, e que talvez me trouxesse pessoalmente? A constante visão dessa imaginária ventura ajudava-me a suportar a destruição da ventura real. No tocante às mulheres que não nos amam, como no caso dos "desaparecidos", saber que nada mais se tem a esperar não impede que continuemos a esperar. Vive-se à espreita, à escuta; mães cujo filho embarcou em perigosa expedição imaginam a cada instante, e quando desde muito está adquirida a certeza da sua morte, que ele vai chegar miraculosamente salvo e de boa saúde. E essa espera, segundo a força da lembrança ou a resistência dos órgãos, ou as ajuda a atravessar os anos ao fim dos quais suportarão que o filho não mais exista, a esquecer pouco a pouco e sobreviver — ou então as mata. Por outro lado, era um tanto consoladora para a minha aflição a ideia de que aproveitava a meu amor. Cada visita que eu fazia à sra. Swann sem ver Gilberte me era muito cruel, mas sentia que tanto mais melhorava a ideia que Gilberte fazia de mim.

Aliás, se antes de ir à casa da sra. Swann, eu sempre o fazia na certeza da ausência de Gilberte, vinha isso talvez tanto da minha resolução de manter o nosso rompimento como da esperança de reconciliação que se superpunha a meu desígnio de renúncia (bem poucas são absolutas, pelo menos de modo contínuo, nesta alma humana, uma de cujas leis é a intermitência, fortalecida pelo inopinado afluxo de lembranças diferentes) e me dissimulava o que tinha ela de demasiado cruel. Bem sabia o que havia de quimérico em tal esperança. Era como um pobre-diabo que mistura menos lágrimas a seu pão duro se pensa consigo que dentro em pouco talvez um estranho lhe vá deixar toda a sua fortuna. Somos todos obrigados, para tornar a realidade suportável, a alimentar dentro em nós algumas pequenas loucuras. Ora, minha esperança permanecia mais intata — ao mesmo tempo que a separação se efetuava melhor — se eu não encontrava Gilberte. Se me tivesse visto face a face com ela em casa de sua mãe, talvez tivéssemos trocado palavras irreparáveis que tornariam definitivo o rompimento, matariam a minha esperança e, criando por outro lado uma angústia nova, despertariam o meu amor e me torna-riam mais difícil a resignação.

Desde longa data e muito antes de minha desavença com sua filha, a sra. Swann me havia dito: "Está muito bem que venha ver Gilberte, mas também gostaria que viesse algumas vezes por *mim*, não em meu *Choufleury*,[88] onde se aborreceria porque há muita gente, mas nos outros dias, em que me encontrará sempre um pouco tarde". Indo visitá-la, eu parecia apenas obedecer muito tempo depois a um desejo antigamente expresso por ela. E muito tarde, já de noite, quase no momento em que meus pais se sentavam à mesa, eu ia fazer à sra. Swann uma visita durante a qual sabia não encontrar Gilberte, mas em que pensaria unicamente nela. Naquele bairro, então considerado distante, de uma

---

88 Alusão de Odette ao título da uma opereta composta em 1861 por Offenbach (*Monsieur Choufleury restera chez lui le 24 janvier*), em que Choufleury encarna o tipo esnobe que não pensa em nada além do que receber pessoas elegantes. (N. E.)

Paris mais sombria que hoje, e que, mesmo no centro, não tinha eletricidade na via pública e muito pouca nas residências, as lâmpadas de uma sala situada no rés do chão ou num entressolho muito baixo (tal como era o dos salões onde habitualmente recebia a sra. Swann) bastavam para alumiar a rua e fazer com que erguesse os olhos o transeunte, que ligava à sua claridade, como à sua causa aparente e velada, a presença de alguns carros bem atrelados à frente da porta. O transeunte acreditava, e não sem certa emoção, nalguma modificação sobrevinda a essa causa misteriosa, quando via um daqueles cupês se pôr em movimento; mas era apenas um cocheiro que, receando que os animais se resfriassem, os obrigava a fazer de tempos em tempos idas e vindas tanto mais impressionantes quanto as rodas forradas de borracha davam ao trote dos cavalos um fundo de silêncio sobre o qual ele se destacava mais distinto e mais explícito.

O "jardim de inverno", que naqueles anos o transeunte habitualmente avistava, qualquer que fosse a rua, se o apartamento não estivesse em nível muito acima da calçada, só se vê hoje nas heliogravuras dos livros de prêmios de P. J. Stahl,[89] onde, em contraste com os ornamentos florais dos salões Luís XVI dos nossos dias — uma rosa ou um íris do Japão num vaso de longo colo que não poderia conter uma flor a mais —, parece, devido à profusão das plantas de interior que então havia e da absoluta falta de estilização no seu arranjo, ter correspondido, entre as donas de casa, mais a alguma viva e deliciosa paixão pela botânica do que a um frio cuidado de sombria decoração. Fazia pensar, em ponto maior, nos palacetes de então, nessas estufas minúsculas e portáteis colocadas na manhã do primeiro dia do ano sob a lâmpada acesa — não tendo as crianças paciência de esperar que amanhecesse —,

---

89 Pseudônimo de Pierre-Jules Hetzel (1814-1886), editor e escritor francês que publicaria os álbuns de *Lili*, ilustrados por Lorenz Froelich. Ele se tornara célebre por ter publicado textos de Balzac, Musset, Victor Hugo e Baudelaire, entre outros. (N. E.)

entre os outros presentes do dia, mas o mais belo dentre todos, consolando-nos da nudez do inverno com as plantas que poderemos cultivar; mais ainda que a essas estufas, assemelhavam-se aqueles jardins de inverno à que se via bem perto delas, figurada num lindo livro, outro presente de Ano-Bom, e que, embora não fosse dada às crianças, mas à srta. Lili, heroína do livro,[90] a tal ponto as encantava que, quase velhas agora, indagam consigo se naqueles venturosos anos não seria o inverno a mais bela das estações. Enfim, ao fundo daquele jardim de inverno, através das arborescências de espécies variadas, que, da rua, faziam a janela iluminada assemelhar-se àquelas estufas de crianças, desenhadas ou reais, o viandante, erguendo-se na ponta dos pés, percebia em geral um homem de sobrecasaca, com uma gardênia ou um cravo na botoeira, de pé diante de uma mulher sentada, vagos ambos, como dois entalhes num topázio, ao fundo da atmosfera do salão, ambarizada pelo samovar — importação recente na época — com vapores que dele ainda hoje talvez se evolem, mas que ninguém mais nota por causa do hábito. A sra. Swann dava grande importância a esse "chá"; julgava mostrar originalidade e encanto dizendo a um homem: "O senhor me encontrará todos os dias um pouco tarde, venha tomar chá", de sorte que acompanhava com um sorriso fino e suave essa palavras pronunciadas com um momentâneo sotaque inglês e de que o interlocutor tomava nota, saudando com um ar grave, como se tivessem elas alguma coisa de importante e singular que obrigasse à deferência e exigisse atenção. Havia outro motivo, além dos mencionados acima, pelo qual as flores não tinham um caráter puramente ornamental no salão da sra. Swann e esse motivo não provinha da época, mas em parte da existência que levara outrora Odette. Uma grande cocote, como o fora ela, vive muito para os seus amantes, isto é, em casa,

---

90 Personagem de uma série de livros infantis publicados entre os anos de 1865 e 1911 pela editora de "Stahl". (N. E.)

o que pode levá-la a viver para si. As coisas que se veem em casa de uma mulher honesta, e que decerto também podem parecer--lhe de importância, são em todo caso as que têm mais importância para a cocote. O ponto culminante do seu dia não é aquele em que se veste para a sociedade, mas em que se despe para um homem. Tem de ser tão elegante em robe, em camisa de dormir, como em traje de passeio. Outras mulheres mostram as suas joias, ela vive na intimidade de suas pérolas. Esse gênero de existência impõe a obrigação, e acaba por dar o gosto, de um luxo secreto, isto é, muito próximo de ser desinteressado. A sra. Swann estendia-o às flores. Havia sempre perto de sua poltrona uma enorme taça de cristal inteiramente cheia de violetas-de-parma ou de margaridas desfolhadas na água, e que parecia testemunhar aos olhos de quem chegava alguma ocupação dileta e interrompida, como se fosse a taça de chá que a sra. Swann estivesse a beber sozinha, por puro gosto; uma ocupação mais íntima até, e mais misteriosa, tanto assim que tinha a gente vontade de desculpar-se ao ver as flores ali espalhadas, como o faria por olhar o título do volume ainda aberto que revelasse a leitura recente e portanto o pensamento atual de Odette. E mais do que o livro, as flores viviam; quando se entrava, para fazer uma visita à sra. Swann, ficava-se constrangido ao notar que ela não estava sozinha, ou, quando se encontrava com ela, por não achar o salão vazio, tal a posição enigmática que ali tinham, relativa a horas da vida da dona da casa para nós desconhecidas, aquelas flores que não haviam sido dispostas para os visitantes de Odette, mas como esquecidas ali por ela e com ela haviam tido, e ainda teriam conversações particulares que a gente receava interromper e de que em vão tentava ler o segredo, fixando com os olhos a cor desmaiada, líquida, malva e dissoluta das violetas-de-parma. Desde fins de outubro Odette voltava o mais regularmente que podia para o chá, que ainda chamavam naquele tempo de *five o'clock tea*, pois ouvira dizer (e gostava de repetir) que, se a sra. Verdurin constituíra um salão, era porque a gente sempre tinha certeza de encontrá-la em casa à mesma hora. E imaginava ter ela própria um salão, do mesmo gênero, porém mais livre, *senza rigore*, gostava de dizer. Via-se destarte como uma espécie de Lespinasse e julgava ter fundado um salão rival, arrebatando à Du Deffant do pequeno grupo os seus homens mais agradáveis, em particular Swann, que a seguira na secessão e no retiro, segundo uma versão que se compreende tenha conseguido fazer passar perante os novos amigos, ignorantes do passado, mas não perante si mesma. Todavia, certos papéis favoritos, tantas vezes os desempenhamos diante da sociedade, e os repetimos a sós, que mais facilmente nos reportamos ao seu testemunho fictício que ao de uma realidade quase completamente esquecida. Quando a sra. Swann não saía de casa todo o dia, encontravam-na com um penhoar de crepe da china, alvo como a primeira nevada, e às vezes também num desses longos encanudados de musselina de seda, que não parecem mais que um estendal de pétalas róseas ou brancas e que a gente hoje acharia, sem razão, pouco adequados ao inverno. Pois esses tecidos leves e essas cores pálidas davam à mulher — no abafamento dos salões de então, fechados com reposteiros, e dos quais o que os romancistas mundanos da época achavam de mais elegante para dizer é que eram "delicadamente acolchoados" — o mesmo ar friorento das rosas que ali podiam ficar a seu lado, apesar do inverno, no encarnado da sua nudez, como na primavera. Devido ao amortecimento dos sons pelos tapetes e ao isolamento da dona da casa em recantos do salão, não era esta avisada como hoje da nossa presença e continuava a ler enquanto já estávamos quase a sua frente, o que vinha aumentar essa impressão de romanesco, esse encanto de uma espécie de segredo surpreendido, que encontramos hoje na lembrança daquelas vestes já então fora da moda, que a sra. Swann era talvez a única que ainda não havia abandonado e que nos dão a ideia de que a mulher que as usava devia ser uma heroína de romance, porque nós, na maioria, só as vimos em certos romances de Henry Gréville.[91] Tinha Odette agora, em seu salão, no começo do inverno, crisântemos enormes e de uma variedade de cores como Swann não poderia ver outrora em casa dela. Minha admiração por eles — quando eu ia fazer à sra. Swann uma dessas tristes visitas, em que, mercê da minha mágoa, reencontrara toda a sua misteriosa poesia de mãe daquela Gilberte a quem ela diria no dia seguinte: "Teu amigo me fez uma visita" — provinha sem dúvida de que, de um rosa-pálido como a seda Luís xv de suas poltronas, brancos de neve como o seu penhoar de crepe da china, ou de um vermelho metálico como o seu samovar, superpunham à do salão uma decoração suplementar, de um colorido igualmente rico, igualmente refinado, mas que só havia de durar alguns dias. Mas sentia-me comovido porque aqueles crisântemos tinham menos de efêmero que de relativamente duradouro em relação aos tons igualmente róseos ou acobreados que o sol tão suntuosamente exalça na bruma dos poentes de novembro e que, depois de os ter avistado a extinguir-se, antes de entrar em casa da sra. Swann, eu encontrava prolongados, transpostos, na palheta inflamada das flores. Como fulgores arrancados por um grande colorista à instabilidade da atmosfera e do sol, a fim de que viessem ornar uma moradia humana, convidavam-me aqueles crisântemos, apesar de toda a minha tristeza, a gozar avidamente durante a hora do chá os prazeres tão breves de novembro de que faziam cintilar junto a mim o esplendor misterioso e íntimo. Ai, não era nas conversas ouvidas que eu podia atingi-lo; tampouco se lhe assemelhavam... Até com a sra. Cottard, e embora já fosse tarde, a sra. Swann se tornava meiga para dizer: "Não, não é tarde, não olhe para o relógio, que está parado; que pode ter de tão urgente para fazer?", e oferecia mais um pastelzinho à senhora do professor, que conservava na mão o seu porta-cartões.

---

91 Pseudônimo de Alice Fleury (1842-1902), autora de numerosos romances de inspiração popular, cuja maior parte tem por cenário a Rússia. (N. E.)

"Não se pode sair desta casa", dizia a sra. Bontemps à sra. Swann, enquanto a sra. Cottard, na surpresa de ouvir darem forma à sua própria impressão, exclamava: "É o que eu sempre digo, cá na minha cachola, em meu foro íntimo!", aprovada nisto por senhores do Jockey que se haviam confundido em saudações, e como que cumulados de tanta honra, quando a sra. Swann os apresentara àquela pequeno-burguesa pouco amável, que permanecia em reserva perante os brilhantes amigos de Odette, ou no que denominava "defensiva", pois empregava sempre uma linguagem nobre para as coisas mais simples. "Quem diria? Há três quartas-feiras que a senhora me rói a corda", dizia a sra. Swann à sra. Cottard. "É verdade, Odette, faz *séculos*, *eternidades* que não a visito. Bem vê que me confesso culpada, mas cumpre dizer-lhe", acrescentava com um ar pudibundo e vago, pois, embora mulher de médico, não se atreveria a falar sem perífrases em reumatismo ou cólicas nefríticas, "que tenho tido muitas pequenas *misérias*. Cada qual tem as suas. E depois sofri uma crise em minha domesticidade masculina. Sem ser mais cônscia de minha autoridade do que qualquer outra, vi-me obrigada, para dar exemplo, a despachar o meu Vatel,[92] que, suponho, procurava alhures um lugar mais lucrativo. Mas sua partida quase arrastou a demissão de todo o ministério. Minha criada de quarto também não queria ficar, houve cenas homéricas. Apesar de tudo, conservei firme o leme, e foi uma verdadeira lição de coisas que não ficará perdida para mim. Aborreço-a com essas histórias de serviçais, mas sabe tão bem quanto eu o que é isto de ver-se a gente obrigada a efetuar remodelações no pessoal".

— E não veremos a sua encantadora filha? — indagava ela.

— Não, a minha encantadora filha está jantando em casa de uma amiga — respondia a sra. Swann, e acrescentava, voltando-

---

92 François Vatel, o "chef" responsável pelos banquetes e pelo entretenimento no fim de semana em que o príncipe de Condé recebeu o rei Luís XIV e sua corte em seu palácio. (N. E.)

-se para mim: — Creio que ela lhe escreveu para que viesse vê-la amanhã. E seus *babies*? — perguntava ela à mulher do professor. Eu respirava largamente. Aquelas palavras da sra. Swann, que me provavam que eu poderia ver Gilberte quando quisesse, faziam-me justamente o bem que eu tinha ido procurar e que me tornava tão necessárias naquela época as visitas à sra. Swann.

— Não, aliás vou escrever-lhe esta noite. Além disso, Gilberte e eu não podemos mais nos visitar — acrescentava eu, com o ar de quem atribuía nossa separação a uma causa misteriosa, o que me dava ainda uma ilusão de amor, também mantida pela maneira terna com que eu falava de Gilberte e Gilberte de mim.

— Bem sabe que ela o estima infinitamente — dizia-me a sra. Swann. — Não quer mesmo aparecer amanhã? — De súbito, animava-me um grande entusiasmo, eu terminava dizendo a mim mesmo: "Mas afinal de contas, por que não, visto que é a sua própria mãe quem me faz a proposta?". Logo, porém, recaía na tristeza. Receava que, ao rever-me, Gilberte pensasse que a minha indiferença dos últimos tempos era simulada, e preferia prolongar a separação. Durante esses apartes, a sra. Bontemps queixava-se do aborrecimento que lhe causavam as mulheres dos políticos, pois afetava achar todo mundo maçante e ridículo, e sentir-se desolada com a posição do marido.

— Então pode a senhora receber sem mais nem menos cinquenta mulheres de médicos em fieira? — dizia ela à sra. Cottard, que era, pelo contrário, cheia de benevolência para com todos e de respeito a todas as obrigações. — Ah, a senhora tem fibra! Eu, no Ministério, sou obrigada, naturalmente, não é mesmo? Pois bem, é mais forte do que eu, essas mulheres de funcionários, sabe a senhora, não posso deixar de pôr a língua para elas. E a minha sobrinha Albertine é como eu. Não sabe como é atrevida essa pequena. Na semana passada tinha eu no meu dia a esposa do subsecretário das Finanças, que dizia não entender nada de cozinha. "Mas, minha senhora", retrucou-lhe minha sobrinha com o seu mais gracioso sorriso, "devia entender, visto que o seu pai era ajudante de cozinheiro".

— Oh!, gosto muito dessa história, acho isso um encanto — dizia a sra. Swann. — Mas, ao menos nos dias de consulta do doutor, devia a senhora ter o seu pequeno *home*, com as suas flores, os seus livros, as coisas de que gosta — aconselhava ela à sra. Cottard.

— Pois é como lhe digo: pan!, na cara. Ela não anda com meias medidas. E aquela mascarada não me prevenira de coisa alguma, é esperta como um macaco. A senhora tem sorte em saber conter-se; invejo as pessoas que sabem disfarçar o pensamento.

— Mas eu não tenho necessidade disso, minha senhora: não sou tão difícil — respondia com doçura a sra. Cottard. — Antes de tudo, não tenho os mesmos direitos que a senhora — acrescentava, com a voz um pouco mais forte que assumia, a fim de as sublinhar, cada vez que insinuava na conversação alguma dessas amabilidades delicadas, dessas hábeis lisonjas que causavam admiração e auxiliavam a carreira do marido. — E depois faço com prazer tudo o que pode ser útil ao professor.

— Mas isso é para quem pode. Provavelmente a senhora não é nervosa. Eu, quando vejo a esposa do ministro da Guerra fazer caretas, começo imediatamente a imitá-la. É horrível ter um temperamento assim.

— Ah, sim, ouvi falar que essa senhora sofria de tiques. Meu marido conhece também uma pessoa de elevada posição, e naturalmente, quando esses cavalheiros conversam entre si...

— Pois olhe, há ainda o chefe do protocolo, que é corcunda... É fatal! Não faz cinco minutos que ele está em minha casa e eu já vou tocar-lhe na bossa. Meu marido diz que ainda vou fazer com que o despeçam. Pois bem! Abaixo o Ministério! Sim, abaixo o Ministério! Eu desejava mandar botar isso como divisa em meu papel de cartas. Estou certa de que a escandalizo porque a senhora é boa, mas confesso que nada me diverte tanto como as pequenas maldades. Sem isso a vida seria muito monótona.

E continuava a falar todo o tempo do Ministério como se fosse o Olimpo. Para mudar de conversação, a sra. Swann voltava-se para a sra. Cottard:

— Sabe que está muito elegante? *Redfern fecit?*[93]

— Não, bem sabe que sou uma fervorosa de Raudnitz.[94] Aliás, é uma reforma.

— Pois bem! É de um chique!...

— Quanto julga que foi?... Não, mude o primeiro algarismo.

— Como! Mas foi por uma ninharia... é dado. Tinham-me dito três vezes mais.

— Eis como se escreve a História — concluía a mulher do doutor. E mostrando à sra. Swann uma echarpe com que esta a presenteara: — Olhe, Odette. Não reconhece?

Pela abertura de uma cortina, mostrava-se uma cabeça com cerimoniosa deferência, aparentando por gracejo o medo de importunar: era Swann.

— Odette, o príncipe de Agrigento, que está comigo em meu gabinete, pergunta se poderia vir apresentar seus cumprimentos. Que devo responder-lhe?

— Que ficarei encantada — dizia Odette com satisfação, sem abandonar uma calma que ainda lhe era mais fácil porque sempre, mesmo como cocote, havia recebido homens elegantes. Swann partia a transmitir a autorização e, acompanhado pelo príncipe, voltava para junto da mulher, a menos que no intervalo houvesse entrado a sra. Verdurin. Ao desposar Odette havia-lhe pedido que não mais frequentasse o pequeno clã (tinha para isso muitos motivos, e, ainda que os não tivesse, fá-lo-ia da mesma forma, em obe-

---

93 Alusão da anglófila Odette à casa Redfern, que, por volta de 1890, introduzia na França a moda inglesa do chamado "costume-tailleur", constituído de casaco e saia do mesmo tecido. (N. E.)

94 Loja de roupas fundada em 1883, no número 8 da rua Royale e no número 21 da praça Vendôme, em Paris. (N. E.)

diência a uma lei de ingratidão que não sofre exceções e que ressalta a imprevidência ou desinteresse de todos os medianeiros). Tinha apenas permitido que Odette trocasse com a sra. Verdurin duas visitas por ano, o que ainda parecia excessivo a certos fiéis indignados com a injúria feita à patroa, que durante tantos anos havia tratado Odette e até a Swann como os filhos queridos da casa. Pois se continha traidores que largavam certas noites para atender, sem dizer palavra, a um convite de Odette, prontos, no caso de serem descobertos, a desculpar-se com a curiosidade de encontrar Bergotte (embora a patroa pretendesse que ele não frequentava os Swann, que era desprovido de talento e, apesar disso, procurasse atraí-lo, segundo uma expressão que lhe era cara), o pequeno grupo também tinha os seus "ultras". E estes, ignorantes das conveniências particulares que muita vez afastam as pessoas da atitude extrema que a gente gostaria de vê-las tomar para aborrecer a alguém, desejariam, e não tinham conseguido, que a sra. Verdurin cortasse todas e quaisquer relações com Odette e lhe tirasse desse modo a satisfação de dizer, entre risos: "Vamos muito raramente à casa da Patroa depois do Cisma. Era ainda possível quando meu marido era solteiro, mas para um casal nem sempre é muito fácil... Para dizer a verdade, Swann não topa a velha Verdurin e não apreciaria muito que eu a frequentasse habitualmente. E eu, fiel esposa...". Swann acompanhava a mulher nas recepções em casa da sra. Verdurin, mas evitava estar presente quando a sra. Verdurin vinha visitar Odette. Assim, se a patroa se achava no salão, o princípe de Agrigento entrava sozinho. Sozinho também, era ele apresentado por Odette, que preferia que a sra. Verdurin não ouvisse nomes obscuros e, vendo mais de uma cara desconhecida para ela, pudesse julgar-se no meio de notabilidades aristocráticas, cálculo tão bem arquitetado que de noite a sra. Verdurin dizia com desgosto ao marido:

— Belo meio aquele! Estava lá a fina flor da Reação!

Relativamente à sra. Verdurin, vivia Odette numa ilusão inversa. Não que aquele salão ao menos tivesse começado a tornar-

-se o que nós o veremos um dia. A sra. Verdurin nem sequer estava ainda no período de incubação, quando se suspendem as grandes festas nas quais os raros elementos brilhantes recentemente adquiridos seriam afogados em multidão demasiada, e prefere-se esperar que o poder gerador dos dez justos que se conseguiu atrair haja produzido setenta vezes dez. Como Odette não ia tardar a fazê-lo, a sra. Verdurin se propunha a "alta sociedade" como objetivo, mas as suas zonas de ataque estavam ainda tão limitadas e aliás tão afastadas daquelas por onde possuía Odette alguma probabilidade de chegar a um resultado idêntico, a penetrar, que vivia esta na mais completa ignorância dos planos estratégicos que a patroa elaborava. E era com a maior boa-fé do mundo que, quando falavam a Odette da sra. Verdurin como de uma esnobe, Odette punha-se a rir e dizia:

— É exatamente o contrário. Primeiro, ela não dispõe de elementos para isso, não conhece ninguém. Depois, é preciso fazer-lhe a justiça de que assim mesmo é que lhe agrada. Ela gosta é das suas quartas-feiras, dos seus bons conservadores. — E secretamente invejava à sra. Verdurin (embora não duvidasse muito de ter ela própria, em tão grande escola, acabado por aprendê-las) aquelas artes a que a patroa ligava tamanha importância, ainda que não façam mais que nuançar o inexistente, esculpir o vazio e sejam, propriamente falando, as Artes do Nada: a arte (para uma dona de casa) de saber "reunir", "agrupar", "pôr em evidência", "apagar-se", servir de "traço de união".

De qualquer maneira, as amigas da sra. Swann ficavam impressionadas ao ver em casa dela uma mulher a quem habitualmente só se imaginava no seu próprio salão, cercada de um quadro inseparável de convidados, de todo um pequeno grupo que a gente se maravilhava de ver assim evocado, resumido, contido numa única poltrona, sob a forma da patroa transformada em visitante no agasalho de sua capa guarnecida de plumas, tão macia como as brancas peles que tapizavam aquele salão, no seio do qual a sra. Verdurin era ela própria um salão. As mulheres mais tímidas queriam retirar-se por discrição e, empregando o plural, como quando se quer dar a entender aos outros que é melhor não fatigar muito uma convalescente que se levanta pela primeira vez, diziam:

— Odette, vamos deixá-la. — Invejavam a sra. Cottard, a quem a Patroa chamava pelo prenome.

— Será que posso levá-la? — dizia-lhe a sra. Verdurin, que não podia suportar a ideia de que uma fiel fosse ficar ali em vez de acompanhá-la.

— Mas a senhora vai ter a amabilidade de levar-me — respondia a sra. Cottard, não querendo parecer que havia esquecido, em favor de uma pessoa mais famosa, o convite da sra. Bontemps para levá-la no seu carro armoriado. — Confesso que sou particularmente grata às amigas que querem tomar-me consigo no seu veículo. É uma verdadeira vantagem para mim, que não tenho automedonte.[95]

— Tanto mais — retrucava a patroa (não ousando falar demasiado, pois conhecia um pouco a sra. Bontemps e acabava de convidá-la para as suas quartas-feiras) — que, em casa da senhora de Crécy, não está muito perto de sua casa. Oh!, meu Deus!, jamais conseguirei dizer senhora Swann...

Era um gracejo no pequeno clã, para as pessoas que não tinham muito espírito, fingir que não podiam acostumar-se a dizer "senhora Swann": "Tal o meu hábito de dizer senhora de Crécy que estive a ponto de enganar-me". Só a sra. Verdurin, quando falava a Odette, não ficava a pique de enganar-se, mas enganava-se de propósito:

— Não lhe dá medo, Odette, morar neste bairro perdido? Quanto a mim, parece-me que não ficaria muito tranquila ao voltar de noite. E depois é tão úmido... Não deve fazer nada bem para o eczema de seu marido. Ao menos não há ratos?

— Não! Que horror!

---

95 Aquele que dirige o carro, cocheiro, uma referência a Automedonte, o condutor do carro de Aquiles. (N. E.)

— Tanto melhor; é que me haviam dito. Fico muito contente por saber que não é verdade, pois tenho tamanho medo a ratos que seria capaz de não voltar à sua casa. Até a vista, querida, até breve, bem sabe da minha satisfação em vê-la. Você não sabe arranjar os crisântemos — dizia ela, retirando-se, enquanto a sra. Swann se erguia para acompanhá-la. — São flores japonesas, é preciso dispô-las como fazem os japoneses.

— Não sou da opinião da senhora Verdurin, embora em todas as coisas ela seja para mim a Lei e os Profetas. Não há como você, Odette, para achar crisântemos tão lindas, ou tão lindos,[96] pois parece que é assim que se diz agora — declarava a sra. Cottard, depois que a Patroa havia fechado a porta.

— A querida senhora Verdurin nem sempre é muito benévola com as flores dos outros — respondia suavemente a sra. Swann.

— A quem está cultivando, Odette? — perguntava a sra. Cottard, para não deixar prolongarem-se as críticas à patroa. — Lemaître? Confesso que na frente da casa Lemaître havia no outro dia um grande arbusto cor-de-rosa que me fez cometer uma loucura. — Mas recusou-se, por pudor, a dar informes mais precisos quanto ao preço do arbusto e disse apenas que o professor, "que não se alterava facilmente", havia estrilado e dissera-lhe que ela não conhecia o valor do dinheiro.

— Não, o meu único florista oficial é Debac.

— É o meu também — dizia a sra. Cottard —, mas confesso que lhe faço infidelidades com Lachaume.

— Ah!, anda a enganá-lo com Lachaume? Pois eu vou contar a ele — respondia Odette, que se esforçava por ter espírito e conduzir a conversação em sua casa, onde se sentia mais à vontade que no pequeno clã. — Aliás Lachaume está se tornando demasiado careiro: seus preços são excessivos, sabe? Eu acho os seus preços inconvenientes! — acrescentava ela a rir.

---

96 Naturalmente, só em francês é que "crisântemo" já foi algum dia feminino... (N. T.)

Entretanto, a sra. Bontemps, que dissera mil vezes que não queria ir à casa dos Verdurin, encantada de que a tivessem convidado para as quartas, estava calculando como se arranjaria para ir o maior número de vezes possível. Ignorava que a sra. Verdurin fazia questão de que não se faltasse nenhuma semana; de resto, era dessas pessoas pouco solicitadas que, quando se veem convidadas por uma dona de casa para reuniões em série, não comparecem, ao contrário das que sabem que sempre causarão prazer quando têm um momento livre e vontade de sair; mas que, ao contrário, se privam de assistir à primeira reunião e à terceira, imaginando que será notada a sua ausência, e reservam-se para a segunda e a quarta, a menos que sigam uma ordem inversa, ao saber que a terceira será particularmente brilhante, alegando que "infelizmente da última vez não estavam livres". Assim a sra. Bontemps calculava as quarta-feiras que pudesse haver até a Páscoa e como faria para ir a mais uma quarta, sem parecer que se estava impondo. Contava com a sra. Cottard, com quem ia voltar para casa, para que lhe desse algumas indicações.

— Oh!, senhora Bontemps, já se vai? Não fica bem isso de dar o sinal de debandada. A senhora ainda me deve uma compensação por não ter vindo na última quinta-feira. Vamos, sente-se um pouquinho mais. Já não lhe sobra tempo para fazer nenhuma visita antes do jantar. E então, não se deixa tentar? — acrescentava a sra. Swann, estendendo-lhe um prato de doces. — Sabe que não são de todo más essas porcariazinhas? O aspecto não ajuda, mas prove que há de ver...

— Pelo contrário, têm um aspecto delicioso — respondia a sra. Cottard. — Em sua casa, Odette, nunca falta nada. Não preciso perguntar-lhe a marca da fábrica, sei que encomenda tudo do Rebattet. Devo dizer-lhe que sou mais eclética. Para os *petits fours*, para gulodices em geral, dirijo-me muitas vezes ao Bourbonneux. Mas reconheço que eles não sabem o que é um sorvete. Para tudo quanto é sorvete, *bavaroise* ou refresco, Rebattet é o grande artista. E, como diria o meu marido, o *nec plus ultra*.

— Mas isto foi simplesmente feito aqui. Não quer mesmo?

— Não, não poderia jantar — respondia a sra. Bontemps. — Mas eu fico mais um pouco, você compreende, adoro conversar com uma mulher inteligente como você. Vai chamar-me de indiscreta, Odette, mas eu gostaria de saber que acha você do chapéu que tinha a senhora Trombert. Bem sei que estão em moda os chapéus grandes; mas, de qualquer jeito, aquele me parece um pouco exagerado. E ao lado do chapéu com que ela foi o outro dia à minha casa, esse que ela usava há pouco era microscópico.

— Mas não, eu não sou inteligente — dizia Odette, pensando que isso ficava bem. — Sou no fundo uma simplória que acredita em tudo quanto lhe dizem, que se aborrece por um nadinha. — E insinuava que no princípio muito sofrera por haver casado com um homem como Swann, que levava uma vida à parte e a enganava. Tendo ouvido as palavras: "Não sou inteligente", o príncipe de Agrigento achou-se no dever de protestar, mas não sabia aproveitar as deixas.

— Qual! Então você não é inteligente?! — exclamava a sra. Bontemps.

— Com efeito, eu estava pensando: "Que ouço, meu Deus?" — dizia o príncipe, apanhando a deixa. — De certo os meus ouvidos me enganaram.

— Mas garanto — dizia Odette — que sou no fundo uma burguesinha que se escandaliza com tudo, cheia de preconceitos, que vive metida no seu buraco, e principalmente muito ignorante. — E acrescentava, para pedir notícias do barão de Charlus: — Não tem visto o caro *baronet*?

— Você, ignorante! — exclamava a sra. Bontemps. — E então que me diz do mundo oficial, de todas essas mulheres de Excelências, que só sabem falar de futilidades? Olhe, não faz uma semana, falei no *Lohengrin* à ministra da Instrução Pública.[97] Ela responde:

---

97 Essa obra de Wagner havia sido representada pela primeira vez no ano de 1891, na Ópera de Paris. (N. E.)

"*Lohengrin*? Ah!, sim, a última revista das Folies Bergère, dizem que é engraçadíssima".[98] Que quer? Quando se ouve uma coisa dessas, chega a ferver o sangue. Tinha gana de esbofeteá-la. Pois cá tenho o meu geniozinho, você bem sabe. Não é verdade que tenho razão, cavalheiro? — dizia ela, voltando-se para mim.

— Olhe — dizia a sra. Cottard —, é desculpável responder um pouco atravessado quando se é interrogada assim à queima-roupa. Eu sei disso, porque a senhora Verdurin também tem o costume de nos pôr entre a faca e a parede.

— E a propósito da senhora Verdurin — perguntava a sra. Bontemps à sra. Cottard —, sabe quem vai lá quarta-feira?... Ah!, lembra-me agora que aceitamos um convite para a próxima quarta. Não quer jantar conosco nesse dia? Depois poderíamos ir juntas à casa da senhora Verdurin. Intimida-me entrar sozinha. Não sei por que aquela mulherona sempre me causou medo.

— Eu vou dizer-lhe — respondia a sra. Cottard —, o que a assusta na senhora Verdurin é a voz. Que quer? Nem todo mundo pode ter voz tão bonita como a senhora Swann. Mas é só ter tempo de tomar fôlego, como diz a Patroa, e logo o gelo se derrete. Pois no fundo é muito afável. Mas compreendo muito bem a sua sensação, nunca é agradável a gente se ver em terra estranha.

— Você também poderia jantar conosco — dizia a sra. Bontemps à sra. Swann. — Depois do jantar, iríamos todas juntas aos Verdurin, *verdurinizar*; e mesmo que isso zangasse a patroa e ela não me convidasse mais, uma vez em casa dela, ficaríamos as três a conversar entre nós, e isso é o que mais me divertirá. — Mas essa asserçao nao devia ser muito verídica, pois a sra. Bontemps indagava: — Quem pensa você que irá aos Verdurin na próxima quarta-feira? Que se passará? Não haverá muita gente?

---

98 O teatro das Folies Bergère apresentava os espetáculos mais variados, de balés a exibições de acrobatas. Apenas durante alguns meses de 1881 houve ali alguns concertos musicais. (N. E.)

— Eu com certeza não vou — dizia Odette. — Faremos uma pequena aparição na quarta-feira final. Se não lhe faz diferença esperar até lá... — Mas a sra. Bontemps não parecia muito seduzida com essa proposta de adiamento.

Embora os méritos espirituais de um salão e sua elegância geralmente estejam em razão antes inversa que direta, é de acreditar, visto que Swann achava a sra. Bontemps agradável, que toda decadência aceita tem como resultado tornar as pessoas menos exigentes no tocante àqueles com quem se resignaram a conviver, menos exigentes quanto ao seu espírito como quanto ao resto. E se isso é verdade, devem os homens, como os povos, ver a própria cultura, e até mesmo a própria língua, desaparecer com a independência. Tal negligência produz, entre outros resultados, o de agravar essa tendência, tão comum quando se atinge certa idade, a considerar agradáveis as palavras que lisonjeiem o nosso modo de pensar e as nossas inclinações e nos animem a segui-las; essa é a idade em que um grande artista prefere, ao convívio de espíritos originais, o de seus discípulos, que só têm de comum com ela a letra da sua doutrina, mas que o escutam e o incensam; em que um homem ou uma mulher notáveis que vivem para um amor consideram a pessoa mais inteligente de uma reunião aquela que talvez seja inferior, mas que lhes terá mostrado, com uma frase, que sabe compreender e aprovar uma existência votada à galanteria, lisonjeando assim os pendores voluptuosos do amante ou da amante; essa era também a idade em que Swann, como se tornara marido de Odette, gostava de ouvir a sra. Bontemps dizer que era ridículo não receber em casa senão duquesas (de onde inferia, ao contrário do que teria feito outrora em casa dos Verdurin, que se tratava de uma mulher despretensiosa, inteligente, e nada esnobe), como gostava de lhe contar histórias que a faziam "rebentar" porque não as conhecia e, ademais, porque "pegava" logo o espírito, e gostava de agradar e divertir-se.

— Então o doutor não é louco por flores como você? — perguntava a sra. Swann à sra. Cottard.

— Oh!, bem sabe que o meu marido é um sábio; é moderado em todas as coisas. Tem, no entanto, uma paixão.

— Que paixão? — indagava a sra. Bontemps, com os olhos brilhantes de malícia, alegria e curiosidade.

E a sra. Cottard respondia com toda a singeleza:

— A leitura.

— Oh!, é uma paixão muito tranquilizadora num marido! — exclamava a sra. Bontemps, abafando um riso satânico.

— Quando o doutor está com um livro... Ah!

— Mas isso não é coisa para assustar.

— Como não! É por causa da vista! Eu vou ter com ele, Odette, e tornarei a bater à sua porta na próxima semana. E por falar em vista, não lhe disseram que a casa que a senhora Verdurin acaba de comprar vai ser iluminada a eletricidade? Não sei disso por investigação particular, mas de outra fonte: foi o próprio eletricista, Mildé, quem mo disse.[99] Bem vê que eu cito os meus autores! Até os quartos terão lâmpadas elétricas, com um abajur para abrandar a luz. É na verdade um luxo delicioso. Aliás, as mulheres de hoje só querem novidades, como se já não as houvesse bastante neste mundo. Há uma cunhada de uma amiga minha que tem telefone em casa! Pode fazer uma encomenda ao seu fornecedor sem sair do seu apartamento! Confesso que fiz as mais baixas intrigas para conseguir falar um dia nesse aparelho. Aquilo me tenta muito, mas agrada-me mais em casa de uma amiga do que na minha. Acho que não gostaria de ter telefone em casa. Passado o primeiro instante de divertimento, deve ser uma verdadeira amolação. Bem, Odette, já vou indo; não retenha a senhora Bontemps, que ela está me acompanhando. Tenho de ir, você me obriga a fazer um bonito: vou chegar em casa depois de meu marido!

---

99 Alusão à companhia de eletricidade que, dado o número bastante restrito de clientes na virada do século (apenas 2 mil em Paris), não deixa de realçar o luxo da residência que já a possui. (N. E.)

E eu também tinha de voltar para casa, antes de haver experimentado aqueles prazeres de inverno, de que os crisântemos me pareciam a esplêndida moldura. Esses prazeres ainda não haviam chegado, e no entanto a sra. Swann não parecia esperar mais nada. E, como que anunciando: "Vai fechar!", deixava que os criados levassem o chá. E acabava por me dizer: "E então, já vai mesmo? Bem, *good bye*!". Eu sentia que poderia ter ficado, sem que encontrasse aqueles prazeres desconhecidos, a que não era só a minha tristeza que deles me privava. Não se encontravam então situados naquele caminho batido das horas que levam sempre tão depressa ao instante da partida, mas antes nalgum atalho desconhecido para mim e por onde seria preciso bifurcar? Pelo menos estava alcançado o objetivo da minha visita: Gilberte ficaria sabendo que, enquanto ela se achava ausente, eu estivera em casa de seus pais e, como disse repetidamente a sra. Cottard, "conquistara de assalto a senhora Verdurin, a quem", acrescentava, "jamais vira desmanchar-se em tantas amabilidades". "Vocês dois parece que têm átomos ganchosos", dizia ela. Assim Gilberte saberia que eu falara dela como devia fazê-lo, com carinho, mas que já não sentia essa incapacidade de viver sem nos vermos, que eu julgava como origem do aborrecimento que minha presença lhe causava nos últimos tempos. Dissera à sra. Swann que não podia mais encontrar-me com Gilberte. E dissera-o como se tivesse resolvido para sempre não tornar a vê-la. E a carta que ia mandar a Gilberte seria concebida no mesmo sentido. Mas na verdade, para comigo mesmo, e a fim de criar coragem, não me propunha mais que um curto e supremo esforço de alguns dias. E dizia comigo: "Este é o último encontro que não aceito, ao próximo comparecerei". Para que a separação fosse menos penosa de realizar, imaginava-a como não definitiva. Mas bem sabia eu que ia sê-lo.

O dia 1º de janeiro me foi particularmente doloroso naquele ano. Aliás, quando se é infeliz, dolorosos são todos os dias de festa e de aniversário. Se o que o dia nos recorda é a morte de um ente querido, então o sofrimento somente consiste em uma comparação mais viva com o passado. No meu caso havia mais a esperança não formulada de que Gilberte tivesse querido deixar-me a iniciativa dos primeiros passos e, ao ver que eu nada fazia, aproveitaria o Ano-Bom para escrever-me: "Afinal, o que há? Estou louca por você. Venha que falaremos francamente, pois não posso viver sem vê-lo". Desde os últimos dias do ano, essa carta parecia-me bastante provável. Talvez não o fosse, mas, para acreditar nessas coisas, basta-nos o desejo e a necessidade de que sejam possíveis. O soldado está convencido de que tem diante de si um espaço de tempo infinitamente adiável antes que o matem; o ladrão, antes que o prendam; o homem, em geral, antes que o arrebate a morte. Esse é o amuleto que preserva os indivíduos — e às vezes os povos — não do perigo, mas do medo ao perigo; na verdade, da crença no perigo, motivo pelo qual o desafiam em certos casos, sem que sejam necessariamente bravos. Confiança de tal gênero, e tão mal fundada quanto ela, é a que sustenta o enamorado que conta com uma reconciliação, com uma carta. Para que eu deixasse de esperar a de Gilberte, bastaria que não mais a desejasse. Embora sabendo que somos indiferentes à mulher amada, continuamos ainda a atribuir-lhe uma série de pensamentos — não importa que sejam de indiferença —, uma intenção de manifestá-los, uma complicação de vida interior onde somos alvo da sua antipatia, mas, também, da sua atenção permanente. Mas para imaginar o que se passava no espírito de Gilberte, precisaria eu nada menos que prever nesse dia do Ano-Novo o que iria sentir em datas análogas de anos vindouros, quando a atenção, ou o silêncio, ou a ternura, ou a frieza de Gilberte passassem quase despercebidos a meus olhos; quando já não pensasse nem pudesse pensar em buscar a solução de problemas que haviam deixado de armar-se para mim. Quando se ama, tamanho é o amor, que não cabe em nós: irradia para a pessoa amada, onde topa com uma superfície que lhe corta a passagem e o faz voltar para o ponto de partida; e essa ternura que nos devolve o choque, ternura que é nossa, é o que chamamos o sentimento do outro, e mais nos agrada o nosso amor quando vem do que quando vai, porque não notamos que procede de nós mesmos.

O primeiro dia do ano vibrou todas as suas horas sem que chegasse a carta de Gilberte. Como recebi outras felicitações tardias, ou que se atrasaram pelo acúmulo de serviço no correio, nos dias 3 e 4 de janeiro ainda continuei com esperanças, mas cada vez menos. Chorei muito nos dias seguintes. E isso porque, renunciando a Gilberte, fora menos sincero do que imaginava, e ficara com a esperança de uma carta sua no dia do Ano-Novo. E ao ver que me fugia essa ilusão sem que eu tivesse tido tempo de prover-me de outra, sofria como o enfermo que esvaziou sua ampola de morfina sem ter outra à mão. E talvez o que me sucedeu — e as duas explicações não se excluem, pois às vezes o mesmo sentimento é constituído de coisas contrárias — foi que a esperança de receber uma carta de Gilberte me trouxe a sua imagem mais para perto da alma e tornou a criar as emoções que antes me provocavam a espera de estar a seu lado, de vê-la, e o seu comportamento comigo. A possibilidade imediata de uma reconciliação suprimira essa coisa cuja enormidade não sentimos: a resignação. Não podem os neurastênicos dar crédito às pessoas que lhes garantem que recobrarão pouco a pouco a tranquilidade, desde que fiquem na cama sem cartas e sem jornais. Imaginam que tal regime só servirá para lhes exasperar os nervos. Assim os enamorados, como o veem do fundo de um estado oposto e ainda não começaram a experimentá-lo, não podem crer no poder benéfico da renúncia.

Como tinha palpitações cardíacas cada vez mais violentas, diminuíram-me a dose de cafeína e cessou a anormalidade. E então indaguei comigo se de certo modo não teria origem na cafeína aquela minha angústia de quando quase briguei com Gilberte, e que eu atribuía, cada vez que se renovava, à dor de não mais ver a minha amiga ou de correr o risco de tornar a vê-la ainda dominada pelo mesmo mau humor. Mas se aquele medicamento participou de algum modo na origem da minha dor, que então teria sido mal interpretada por minha imaginação (coisa que nada teria de extraordinário, pois muitas vezes as mais terríveis penas morais dos enamorados se baseiam em que estavam fisicamente acostumados à mulher com quem viviam), foi à maneira do filtro, que continuou unindo Tristão e Isolda ainda muito depois de o haverem tomado. Porque a melhora física que a diminuição da cafeína quase imediatamente me proporcionara não sustou a evolução do mal que a absorção do tóxico agravara, se é que não o havia criado.

Apenas quando janeiro chegou a meados, perdidas já as esperanças da carta de Ano-Novo e uma vez acalmada a dor suplementar que veio com a decepção, reavivou-se o mal de antes das "Festas". E o mal cruel de tudo é que era eu mesmo o artesão consciente, voluntário, implacável e paciente do meu mal. E a única coisa que me interessava, minhas relações com Gilberte, eu a ia tornando impossível, criando pouco a pouco, pela separação prolongada de minha amiga, não a sua indiferença, mas a minha, o que vinha a dar no mesmo. Encarniçava-me continuamente no longo e cruel suicídio dessa parte do meu eu que amava mais Gilberte, e isso com clarividência do que estava fazendo no presente e de suas consequências no futuro; sabia não só que ao fim de certo tempo não amaria Gilberte, mas que ela haveria de lamentá-lo e que as tentativas que então fizesse para ver-me seriam tão vãs como as de hoje; e seriam vãs, não pelo mesmo motivo de hoje, isto é, por amá-la demasiado, mas sim porque já estaria enamorado de outra mulher e passaria as horas a desejá-la, a esperá-la, sem atrever-me a desviar a menor partícula desse tempo para Gilberte, que já não representaria nada. E no preciso instante em que havia perdido Gilberte (pois estava resolvido a não vê-la a não ser por um formal pedido de explicações e por uma declaração de amor da sua parte, que por certo não haveriam de vir) e em que lhe tinha mais ternura, sentia tudo o que Gilberte significava para mim muito melhor do que no ano anterior, quando, já que podia vê-la todas as tardes, sempre que quisesse, supunha que nada ameaçava a nossa amizade; e, nesse preciso instante, a ideia de que algum dia havia de sentir por outra o mesmo que sentia agora por Gilberte era-me odiosa, porque me roubava, além de Gilberte, meu amor e minha pena. Esse amor e essa pena em que eu submergia, a ver se averiguava o que era Gilberte, sem outro remédio senão reconhecer como esse amor e essa pena não eram sua especial propriedade, e como, mais cedo ou mais tarde, iriam parar noutra mulher. De modo que pelo menos assim pensava eu então — sempre se está separado dos outros seres: quando amamos, temos consciência de que o nosso amor não traz o nome do ente querido, de que poderá renascer no futuro, e poderia ter nascido no passado, por outra mulher, e não por aquela. E nas épocas em que não se está amando, se nos conformamos filosoficamente com o contraditório do amor, é que esse amor é coisa de que se fala com toda a tranquilidade, mas que não se sente, e portanto uma coisa desconhecida, visto que o conhecimento em tal matéria é intermitente e não sobrevive à presença efetiva do sentimento. Minhas penas me ajudavam a adivinhar esse futuro em que já nada sentiria por Gilberte, embora não o representasse claramente na imaginação; e ainda estava em tempo de avisar a Gilberte de que ele havia de formar-se pouco a pouco, que chegaria fatalmente, embora não já, a não ser que viesse ela própria em meu auxílio para aniquilar no germe a minha futura indiferença. Muitas vezes estive prestes a escrever para Gilberte: "Cuidado. Estou resolvido, e este passo que dou é um passo supremo. É a última vez que a vejo. Em breve não a amarei". Mas para quê? Com que direito iria eu censurar a Gilberte uma indiferença que, sem sentir-me culpado por isso, eu mesmo manifestava a todo mundo, menos a ela? Pela última vez! A mim isso me parecia uma coisa imensa, porque amava Gilberte. Mas a ela causaria a mesma impressão que essas cartas que um amigo que vai expatriar-se nos escreve, pedindo-nos dia e hora para despedir-se de nós, e lhe negamos essa visita, como a essas mulheres desagradáveis que nos perseguem com o seu afeto, porque temos outros prazeres à vista. Elástico é o tempo de que dispomos cada dia; as paixões que sentimos o dilatam, as que inspiramos o encurtam e o hábito o enche.

Além do mais, seria inútil falar a Gilberte, pois não me entenderia. Ao falar, imaginamos sempre que nos escutam com os nossos ouvidos, com a nossa alma. Mas as minhas palavras chegariam desviadas a Gilberte, como se tivessem antes de atravessar a móvel cortina de uma catarata, impossíveis de reconhecer, num tom ridículo e sem significação alguma. A verdade que depositamos nas palavras não abre caminho diretamente, não tem irresistível evidência. Cumpre que decorra o tempo necessário para que se possa formar no interlocutor uma verdade da mesma espécie. E então o adversário político, que, apesar de raciocínios e provas, considerava traidor ao sectário da doutrina oposta, chega a compartilhar das detestadas convicções quando já não interessam àquele que antes tentava inutilmente difundi-las. E assim, a obra que para os admiradores que a liam em voz alta mostrava claramente as suas excelências, ao passo que só chegava aos que ouviam uma imagem de mediocridade ou insensatez, será por estes proclamada obra-prima demasiado tarde para que o autor o possa saber. O mesmo sucede com o amor: as muralhas que, apesar de tanto esforço, não as pôde romper de fora o desesperado, caem de súbito por si mesmas, já sem utilidade alguma; elas, que foram antes atacadas sem nenhum resultado, cairão, quando não mais nos preocupam, graças a um trabalho que veio do outro lado, que se realizou no íntimo da mulher que não nos queria. Se eu tivesse ido expor a Gilberte a minha indiferença futura e os meios de obstá-la, deduziria ela desse gesto que o meu amor e a minha necessidade de a ver eram ainda maiores do que imaginava, com o que ainda mais incômoda se lhe tornaria a minha presença. É bem verdade que os incongruentes estados de alma que me provocava esse amor me serviam para prever, muito melhor do que Gilberte, que acabaria por extinguir-se. No entanto, talvez eu tivesse dado esse aviso a Gilberte, por carta ou de viva voz, quando, transcorrido bastante tempo, não mais me fosse tão indispensável vê-la, é certo, mas já estivesse em disposição de poder provar-lhe que podia passar sem ela. Infelizmente, pessoas bem ou mal-intencionadas lhe falaram de mim de tal maneira que deviam levá-la a acreditar que o faziam a pedido meu. E cada vez que me certificava de que Cottard, de que a minha própria mãe, e até o sr. de Norpois haviam inutilizado, com as suas infelizes palavras, os meus recentes sacrifícios, deitando a perder os resultados da minha discrição, pois assim parecia que eu já havia abandonado a minha atitude reservada, aborrecia-me com dobrados motivos. Primeiro, porque já não podia dar por encetada a minha cruel e proveitosa abstenção senão a partir daquele dia, pois aquela gente, com as suas palavras, a havia interrompido e portanto aniquilado. E depois, porque agora ia ter menos gosto em ver Gilberte, pois ela não me julgaria mais dignamente resignado, e suporia que eu estivesse manobrando na sombra para conseguir uma entrevista que não se dignara conceder-me. Maldizia aquelas vãs bisbilhotices de pessoas que muitas vezes, sem intenção de fazer-nos favor ou dano, sem motivo, apenas por falar, talvez porque não pôde a gente calar-se diante delas e se mostram tão indiscretas como nós próprios o fomos, vêm a causar-nos tamanho prejuízo em dado momento. Está visto que nesse funesto trabalho de destruir o nosso amor estão elas muito longe de desempenhar um papel tão importante como o de duas pessoas que, uma por excesso de bondade, e outra por excesso de maldade, costumam desfazer tudo no instante em que tudo ia arranjar-se. Mas a essas duas pessoas não guardamos rancor, como aos inoportunos Cottard, pela razão de que uma delas, a última, é a mulher amada, e a outra nós mesmos.

Contudo, como a sra. Swann, sempre que eu ia visitá-la, me convidava para merendar com a filha, dizendo-me que desse a resposta diretamente a esta, acontecia-me escrever a Gilberte com frequência; mas nesse epistolário não escolhia eu as frases que a meu ver pudessem convencê-la, apenas me limitava a abrir o leito mais suave possível para o correr de minhas lágrimas. Pois tanto a pena como o desejo, o que querem não é analisar-se, mas satisfazer-se; quando a gente começa a amar, passa o tempo a preparar as possibilidades de um encontro para o dia seguinte, mas não em averiguar no que consiste o amor. E quando renunciamos a uma pessoa, não nos esforçamos por distinguir bem a nossa pena, senão por expressá-la do modo mais terno possível àquela mulher que a motiva. Sempre se diz aquilo que se necessita dizer e que o outro não entenderá; o falar é coisa destinada a nós mesmos. Escrevia eu: "Julguei que não seria possível. Mas infelizmente vejo que não é tão difícil". E dizia também: "Provavelmente nunca mais a verei". E dizia-o para eximir-me a uma frieza que ela poderia julgar afetação, e essas palavras, quando as escrevia, faziam-me chorar, pois reconhecia que expressavam não aquilo de que queria persuadir-me, mas o que ia ser realidade. Porque quando me escrevesse de novo para convidar-me a ir à sua casa, eu teria, como agora, coragem bastante para não ceder, e assim, de negativa em negativa, chegaria pouco a pouco o momento de não desejar vê-la à força de não tê-la visto. Chorava, mas tinha coragem para aquela doçura de sacrificar a satisfação de estar a seu lado à possibilidade de lhe agradar algum dia... algum dia em que já não me importasse agradar-lhe. Por pouco verossímil que fosse, consolava-me na minha resolução a hipótese de que, quando da nossa última entrevista, Gilberte amava-me e que, como sustentou, o que eu tomei como indiferença para com uma pessoa que nos aborrece não era mais do que zelosa suscetibilidade, fingida frieza semelhante à minha. Afigurava-se-me que anos mais tarde, quando já nos houvéssemos mutuamente esquecido, poderia dizer-lhe, de um modo retrospectivo, que aquela carta que estava agora escrevendo nada tinha de sincero, e que então ela me responderia: "Ah!, quer dizer que você me amava? Se soubesse como eu aguardava essa carta, na esperança de que aceitasse o meu convite, e o que me fez chorar!". E quando voltava da casa de sua mãe e me punha a escrever a Gilberte, só de pensar que talvez estivesse eu consumando precisamente esse engano, só esse pensamento, de triste que era e pelo prazer de imaginar que Gilberte me amava, impelia-me a continuar a carta.

Se ao sair do salão da sra. Swann, depois de terminado o chá, ia eu pensando no que escreveria à sua filha, a sra. Cottard pensava em coisas muito diferentes. Fazia a sua "inspeçãozinha" e não se esquecia de felicitar a sra. Swann pelos móveis novos, pelas "aquisições" recentes que via no salão. Ainda podia recordar naquela nova casa alguns, embora poucos, dos objetos que tinha Odette na sua casa da rua Lapérouse, especialmente seus fetiches, seus animais talhados em matérias preciosas.

Mas a sra. Swann aprendeu de um amigo, a quem respeitava, a palavra *tocard*,[100] que lhe abriu novos horizontes, pois o referido amigo designava com esse qualificativo precisamente a todos os objetos que anos antes Odette considerava chiques, e todas essas coisas foram pouco a pouco seguindo, na sua retirada, às grades douradas que serviam de apoio aos crisântemos, a muita *bonbonnière* da casa Giroux e ao papel de cartas com coroa (isso para não falar daquelas moedas de ouro feitas de cartolina, espalhadas por cima das lareiras, e que sacrificara antes de conhecer Swann, a conselho de uma pessoa de gosto). Quanto ao mais, na estudada desordem, na confusão de ateliê artístico daquelas salas, cujas paredes ainda pintadas de cores escuras as diferenciavam tanto dos salões brancos que pouco mais tarde ela teria, ia o Extremo Oriente visivelmente retrocedendo ante a invasão do século XVIII; e os almofadões que a sra. Swann colocava e apertava às minhas costas para que eu ficasse mais "confortável" eram semeados de ramalhetes Luís XV e não de dragões chineses, como antes. Havia uma sala onde costumava receber quase sempre, e da qual dizia: "Sim, agrada-me bas-

---

100 Ridículo, feio. (N. E.)

tante, passo ali muitos momentos; eu não poderia viver em meio de coisas hostis e empoladas; é nessa sala que eu trabalho" (sem especificar que gênero de trabalho, se um quadro ou um livro, pois então começava a pegar o vezo de escrever nas mulheres que queriam fazer alguma coisa e não ser inúteis); estava ali rodeada de porcelanas de Saxe (porque lhe agradava tal cerâmica, cujo nome pronunciava com acento inglês, até o ponto de dizer, por qualquer motivo: "Bonito! Lembra-me flores de Saxe"), e temia para aqueles objetos, ainda mais do que antes para os seus vasos e estatuetas da China, a mão ignorante dos criados, a quem castigava, pelos maus bocados que lhe faziam passar, com acessos de cólera que Swann, patrão cortês e benévolo, presenciava sem mostrar-se melindrado. A clara visão de certas inferioridades em nada atenua o afeto, mas justamente por esse afeto é que as julgamos inferioridades encantadoras. Agora já não costumava Odette receber aos íntimos com aqueles quimonos japoneses; preferia as sedas claras e espumantes dos penhoares Watteau; e fazia como se acariciasse sobre o peito aquela florida espuma e como se se banhasse naquelas sedas, embalando-se e pavoneando-se nelas com tal aspecto de bem-estar, de frescor de pele, com respirar tão fundo, como se lhes atribuísse um valor não decorativo, mas de necessidade, igual ao *tub* e ao *footing*, para satisfazer as exigências de sua fisionomia e os refinamentos de sua higiene. Tinha o costume de dizer que melhor passaria sem pão que sem arte e sem limpeza, que lhe causaria mais pena ver arder a *Gioconda* que *foultitudes*[101] de conhecidos seus. Essas teorias afiguravam-se paradoxais a suas amigas, mas lhe valiam entre elas a reputação de mulher refinada e conquistaram-lhe a visita semanal do ministro da Bélgica; de modo que os indivíduos daquele pequeno sistema onde ela fazia o papel de Sol ficariam surpresos ao ver que em qualquer outra parte, em casa dos

---

101 Palavra formada por *foule* e *multitude*, significando grande quantidade, multidão. (N. E.)

Verdurin, por exemplo, ela passava por tola. Justamente por essa vivacidade de espírito, preferia a sra. Swann o convívio dos homens. Mas quando criticava as mulheres, fazia-o com alma de cocote, e nelas assinalava os defeitos que mais podiam prejudicá-las na opinião dos homens: tornozelos grossos, pele ruim, má ortografia, mau cheiro, pelos nas pernas, sobrancelhas postiças. Em compensação, com as que outrora foram com ela indulgentes e amáveis, mostrava-se mais carinhosa, principalmente se se achavam em momentos de desdita. Defendia-as habilmente, dizendo: "Isso é injusto; é uma mulher muito boa, não tenha dúvidas".

Mas não era só o mobiliário do salão de Odette, era a própria Odette que a sra. Cottard e todos aqueles que haviam frequentado a sra. de Crécy teriam dificuldade em reconhecer, se fazia muito tempo que não a viam. Agora parecia que tinha muito menos anos que antes. Devia isso em parte provir de que, por haver engordado e ter melhor saúde, mostrava-se com exterior mais tranquilo, mais fresco e mais repousado; e de que os penteados novos, que alisavam o cabelo, davam mais extensão a seu rosto, sob a animação do pó de arroz cor-de-rosa, e os olhos e o perfil, tão evidentes, se haviam como que reabsorvido no resto da face. Mas havia ainda outro motivo dessa mudança: Odette, ao chegar à meia-idade, afinal descobrira, ou inventara, uma fisionomia pessoal, um "caráter" imutável, um "gênero de beleza", e aplicara esse tipo fixo, como uma imortal juventude, àqueles descosidos traços de seu rosto que por tanto tempo haviam estado sujeitos aos caprichos ocasionais e impotentes da carne e que, à menor fadiga, em um momento se carregavam de anos, de passageira velhice; aqueles traços que compunham para Odette, bem ou mal, conforme o seu humor ou o seu gesto, um rosto disperso, diário, informe e delicioso.

Swann tinha no quarto não as belas fotografias que agora tiravam de sua esposa, em que se reconheciam sempre, quaisquer que fossem o vestido ou o chapéu, seu rosto e sua silhueta de triunfo, graças à constante expressão enigmática e vitoriosa, mas um pequeno daguerreótipo antigo, anterior ao tipo atual, muito singelo, e de onde parecia que estavam ausentes a juventude e beleza de Odette, porque ela ainda não as havia descoberto. Mas sem dúvida Swann, já por fidelidade, já por haver retornado a uma concepção diversa da nova, saboreava naquela jovem esbelta de olhar pensativo e feições cansadas, de atitude entre a marcha e a imobilidade, uma graça mais botticelliana. Com efeito, ainda lhe agradava ver na esposa um Botticelli. Odette que, muito pelo contrário, procurava não realçar, mas esconder e compensar aquilo que não lhe agradava em sua pessoa, que talvez para um artista fosse o seu "caráter", mas que ela, como mulher, julgava defeituoso, não queria que lhe falassem daquele pintor. Tinha Swann uma esplêndida echarpe oriental, azul e rosa, que comprara por ser exatamente igual à da Virgem do *Magnificat*.[102] Mas Odette não queria usá-la, e só uma vez deixou que o marido lhe encomendasse um vestido semeado de margaridas, de campânulas e de miosótis, como o da *Primavera*. Às vezes, de noite, quando Odette já estava cansada, Swann observava-me em voz baixa que ela ia dando inconscientemente às mãos, pensativa, o movimento fino e um pouco atormentado da Virgem que molha a pena no tinteiro oferecido pelo anjo para escrever no livro santo, onde já está traçada a palavra *Magnificat*. Mas acrescentava: "Principalmente, não diga nada a ela: basta que o note, para não fazê-lo".

Exceto nesses momentos de involuntário abandono, quando Swann tentava encontrar de novo o melancólico ritmo botticelliano, o corpo de Odette recortava-se agora numa única silhueta, rodeada toda ela por uma linha que, para seguir o contorno da mulher, abandonara os caminhos acidentados, as fictícias reen

---

102 Mais um exemplo do comportamento de Swann, tentando sempre aproximar suas obras de arte preferidas à sua relação com Odette. Nesse caso, ele se baseia no quadro *Virgem com a criança e cinco anjos*, ou *Magnificat*, atribuído a Botticelli, em que a Virgem traz uma echarpe azul, cor-de-rosa e dourada. (N. E.)

trâncias e saliências, as ondulações e a falsa profusão das modas de antanho, mas que assim mesmo sabia, onde era a anatomia que se enganava em voltas inúteis fora do traçado ideal, corrigir audazmente os desvios da natureza, suprindo em grande parte do caminho as debilidades da carne e do tecido. Haviam desaparecido as almofadas, a "armadura" das terríveis anquinhas e aqueles corpinhos com aletas sustidas em barbatanas que sobressaíam por cima da saia, todos aqueles atavios que adicionaram à pessoa de Odette, durante tanto tempo, um ventre postiço, dando-lhe a aparência de uma coisa composta por díspares e diferentes peças sem individualidade alguma que as unisse. As linhas verticais das franjas e as curvas das rendas volantes cederam lugar às inflexões de um corpo que fazia palpitar a seda como a sereia faz palpitar as ondas e infundia à percalina uma expressão humana, agora que já se havia liberado, como uma forma organizada e viva, do vasto caos e do nebuloso cerco das modas destronadas. Mas a sra. Swann quis e soube guardar vestígios de algumas dessas modas entre as novas que vieram substituí-las. Naquelas tardes em que eu, ao ver que não podia trabalhar, e certo de que Gilberte estava no teatro com algumas amigas, ia de repente visitar seus pais, costumava encontrar a sra. Swann em elegante traje caseiro: a saia, de belo tom sombrio, vermelho-escuro ou alaranjado, essas cores que pareciam ter particular significado, porque já não estavam em moda, era obliquamente atravessada por uma ampla faixa com calados de renda negra, que trazia à memória os volantes de antigamente. Naquela fria tarde de primavera em que fomos ao Jardim da Aclimação, antes de minha rusga com sua filha, a sra. Swann ia mais ou menos entreabrindo, quando o passeio lhe dava calor, a gola de sua jaqueta, de modo que assomava a gola denteada da blusa como a entrevista lapela de um colete que não existia, igual àqueles que usara anos antes e que lhe agradava que tivessem as bordas picotadas; e a gravata escocesa — pois continuara fiel ao escocês, mas suavizando tanto os tons (o vermelho convertido em rosa

e o azul em lilás), que quase se confundiam com os tafetás furta-
-cor que eram a última novidade — ela a trazia atada de tal
maneira por debaixo do queixo, sem que se pudesse ver de onde
saía, que a gente logo recordava uma daquelas fitas de chapéu já
desusadas. Por pouco que soubesse arranjar-se para "durar" assim
algum tempo mais, os jovens diriam, procurando explicar suas
toaletes: "A senhora Swann é toda uma época, não é verdade?".
Do mesmo modo que num bom estilo onde se superpõem formas
distintas e que se enraíza numa oculta tradição, no modo de vestir
da sra. Swann, essas incertas recordações de coletes ou de laços, e
às vezes uma tendência, logo refreada, para o casaco de marinheiro, e até uma alusão vaga e remota ao pega-rapaz, faziam
palpitar sob as formas concretas a vaga parecença com outras formas mais antigas, que não se podia dizer estivessem verdadeiramente realizadas pela modista ou a chapeleira, mas que se apoderavam da memória e rodeavam a sra. Swann de certa nobreza, ou
porque aqueles atavios, por sua própria inutilidade, parecessem
atender a finalidades superiores ao utilitário, ou pelo vestígio
conservado dos anos transatos, ou ainda por uma espécie de individualidade indumentária característica daquela mulher e que
emprestava a seus mais diferentes vestidos um ar de família.
Via-se perfeitamente que não se vestia tão só para comodidade
ou adorno do corpo; ia envolta nos seus atavios como no aparato
fino e espiritual de uma civilização.

Gilberte costumava fazer convites para a merenda nos mesmos dias de recepção de sua mãe; mas quando assim não se dava,
e por Gilberte não se achar presente, podia eu ir ao *Choufleury* da
sra. Swann, encontrava-a com um belo vestido de tafetá, *defaille*,
de veludo, de crepe da china, de cetim ou de seda; não vestidos soltos, como os que costumava usar em casa, mas combinados como se
fossem de passeio, de modo que imprimiam à sua doméstica ocio-
sidade daquela tarde um tom ativo e alegre. E indubitavelmente
a atrevida singeleza de corte daqueles trajes muito bem se casava

com a sua estatura e os seus gestos, que pareciam mudar de cor de um dia para outro, conforme a cor das mangas; dir-se-ia que no veludo azul se pintava a decisão, e no tafetá branco um ânimo bem-humorado; e certa reserva suprema e cheia de distinção na maneira de estender o braço revestia-se, para se tornar visível, da aparência do crepe da china, que fulgurava com o sorriso dos grandes sacrifícios. Mas ao mesmo tempo a complicação de adornos sem utilidade prática e sem aparente razão de ser acrescentava àqueles trajes tão vivos um matiz desinteressado, pensativo, secreto, muito de acordo com a melancolia que ainda conservava a sra. Swann, pelo menos nas olheiras e nas mãos. Sob a profusão de mascotes de safira, de trevos-de-quatro-folhas de esmalte, de medalhas e medalhões de ouro e prata, de amuletos de turquesa, de cadeias de rubis e contas de topázio, no próprio traje havia certo desenho de cores que ainda continuava numa aplicação a sua existência anterior, certa fila de botõezinhos de cetim que não abotoavam nada e não se podiam desabotoar, uma trancinha que pretendia agradar com a minúcia e a discrição de uma delicada lembrança; e joias e adornos pareciam revelar — pois de outro modo não tinham significação possível — alguma intenção: ser um penhor de afeto, conservar uma confidência, satisfazer a alguma superstição, guardar a lembrança de uma doença, de uma promessa, de um amor ou de um jogo de sociedade. Muitas vezes, no veludo azul de um corpinho, havia um assomo de prega Henrique II;[103] ou o vestido de cetim negro se afofava ligeiramente nas mangas ou nos ombros, e então recordava os *gigots*[104] de 1830, ou na saia, e nesse caso trazia à memória as crinolinas Luís XV; e com isso o traje tornava um vaguíssimo aspecto de disfarce e, insinuando na vida presente uma reminiscência apenas discernível do passado, dava à sra. Swann o encanto de uma heroína de história ou de

103 Abertura praticada na manga que deixava ver a dobra. (N. E.)
104 Mangas bufantes nos ombros, estreitando-se nos cotovelos. (N. E.)

romance. Quando eu lho dizia, retrucava ela: "Eu não jogo *golf* como algumas amigas minhas. Por conseguinte, seria imperdoável andar de *sweaters* como elas".

Em meio ao burburinho do salão, a sra. Swann, aproveitando o momento em que acabava de acompanhar alguma visita até a porta, ou em que ia oferecer doces, ao passar por mim chamava-me à parte por um segundo: "Estou especialmente encarregada por Gilberte de convidá-lo para almoçar depois de amanhã. Como não tinha certeza de vê-lo, ia escrever-lhe se você não viesse". E eu continuava resistindo. E essa resistência me custava cada vez menos esforço, porque, por muito apego que se tenha ao veneno que nos está fazendo mal, quando por uma necessidade se passa algum tempo sem ingeri-lo, não é possível deixar de apreciar o descanso, que antes era coisa desconhecida, e a ausência de emoções e sofrimentos. Talvez não sejamos inteiramente sinceros ao dizer que nunca mais queremos ver a mulher que se ama; mas não seríamos mais sinceros se afirmássemos que desejamos vê-la. Porque só se pode suportar a ausência considerando que há de ser curta, pensando no dia do próximo encontro; mas também é certo que reconhecemos que essas ilusões diárias de uma entrevista próxima e constantemente adiada nos são menos dolorosas do que o poderia ser essa entrevista, com os ciúmes que acaso trouxesse, de modo que a notícia de que vamos ver de novo a amada nos causaria uma comoção não muito agradável. O que se vai retardando dia a dia não é o final da intolerável ansiedade provocada pela separação, mas a temida volta de emoções inúteis. Como seria preferível a essa entrevista a recordação dócil, que completamos a nosso gosto com sonhos onde nos aparece essa mulher que na realidade não nos ama, e nos faz declarações de amor agora que estamos sozinhos! A essa recordação podemos dar toda a desejada doçura, amalgamando-a pouco a pouco com muitos de nossos desejos. E preferimo-la àquela entrevista adiada, em que teríamos de nos ver diante de uma criatura a quem já não se poderiam ditar as palavras desejadas, conforme o nosso gosto, mas que nos faria sofrer com novas friezas e violências inesperadas. Todos sabemos, depois que já deixamos de amar, que nem o esquecimento nem sequer a vaga recordação fazem sofrer tanto como um amor desventurado. E eu, sem o confessar, preferia a repousante doçura desse olvido antecipado.

De resto, as penas que possa causar esse regime de desprendimento psíquico e de isolamento vão progressivamente minguando pelo motivo de que o referido regime logo debilita a ideia fixa em que consiste o amor, enquanto não a cura por completo. Meu amor ainda era bastante vigoroso para que eu continuasse com o desejo de reconquistar meu pleno prestígio perante Gilberte, prestígio que no meu conceito, e devido à minha voluntária separação, devia ir em progressivo aumento, de modo que cada um daqueles dias tristes e tranquilos que se passavam sem que eu visse Gilberte, sem interrupção, sem prescrição (a não ser que algum impertinente se intrometesse em meus assuntos) era um dia ganho e não perdido. Talvez inutilmente ganho, pois logo poderiam dar-me por curado. Há forças suscetíveis de crescer indefinidamente, graças a essa modalidade do hábito que é a resignação. Aquelas forças ínfimas que me foram dadas para suportar a minha dor na noite seguinte ao rompimento com Gilberte chegaram mais adiante a incalculável potência. Mas acontece que a tendência a prolongar-se, de tudo quanto existe, às vezes se vê cortada por impulsos bruscos, aos quais cedemos quase sem escrúpulos, justamente porque sabemos quantos dias e meses poderíamos continuar resistindo. E seguidamente acontece que esvaziamos de uma vez a bolsa das economias quando ia ficar cheia, e abandonamos o tratamento sem esperar por seus resultados quando já estávamos afeitos a segui-lo. E um dia em que me dizia a sra. Swann as suas costumeiras frases sobre o prazer que teria Gilberte em ver-me, pondo-me por assim dizer ao alcance da mão aquela felicidade de que eu me vinha privando havia tanto tempo, transtornou-me a ideia de que ainda era possível gozar essa ventura; muito me custou esperar pelo dia seguinte; resolvera ir surpreender Gilberte antes do jantar.

O que me ajudou a suportar com paciência todo o espaço de um dia foi um projeto que arquitetei. Desde o momento em que tudo estava esquecido e eu reconciliado com Gilberte, só queria vê-la como enamorado. Mandar-lhe-ia diariamente as flores mais lindas que houvesse. E se a sra. Swann, embora não tivesse direito de se mostrar mãe muito rigorosa, não me permitisse esses obséquios cotidianos, eu saberia encontrar presentes mais valiosos e menos frequentes. Meus pais não me davam bastante dinheiro para comprar coisas caras. Pensei num vaso chinês antigo que me dera a tia Léonie; mamãe pressagiava todos os dias que Françoise ia dizer-lhe: "Caiu...", e que o vaso deixaria de existir. De modo que o mais prudente era vendê-lo, vendê-lo para poder obsequiar a Gilberte como eu quisera. Imaginava que arranjaria no mínimo uns mil francos. Mandei que embrulhassem o vaso, em que na verdade, por força do hábito, nunca havia reparado; de modo que o separar-me dele teve pelo menos uma vantagem, a de me dar a conhecê-lo. Eu mesmo o carreguei antes de ir à casa de Gilberte, e dei ao cocheiro a direção dos Swann, mas recomendando-lhe que fosse pelos Campos Elísios; ali estava a loja de um comerciante de antiguidades chinesas conhecido de meu pai. Com grande surpresa minha ofereceu-me imediatamente dez mil francos, e não mil como eu esperava. Apanhei as notas arrebatado de prazer; durante um ano poderia cumular Gilberte de rosas e lilases. Saí da loja e entrei no carro; e como os Swann moravam junto aos Bois, o cocheiro, muito logicamente, em vez de seguir o caminho de costume, desceu pela avenida dos Campos Elísios. Havíamos passado a esquina da rua de Berri quando me pareceu reconhecer, na luz crepuscular, muito perto da casa dos Swann, mas afastando-se em direção oposta, Gilberte, que ia andando muito devagar, embora com passo firme, junto de um jovem que conversava com ela e a quem não pude ver o rosto. Levantei-me do assento, quis mandar parar, mas hesitei. O par estava um tanto longe, e as duas linhas suaves e paralelas que traçava o seu vagaroso passeio se esfumavam na elísia penumbra. Em seguida me vi em frente à casa de Gilberte. Recebeu-me a sra. Swann.

— Oh!, como Gilberte vai ficar sentida! Não sei como não está em casa! Saiu com muito calor de uma de suas aulas, e disse-me que queria ir tomar um pouco de ar com uma amiga.

— Pareceu-me vê-la na avenida dos Campos Elísios.

— Não creio que fosse ela. Mas, de qualquer modo, não diga nada a seu pai, pois não lhe agrada que ela saia a estas horas. *Good evening.*

Despedi-me, disse ao cocheiro que voltasse pelo mesmo caminho, mas não dei com os passeantes. Aonde teriam ido? Que iriam a dizer-se, na sombra noturna, com aquela aparência confidencial?

Voltei a casa desesperado, com os dez mil francos destinados a fazer tantas pequenas amabilidades àquela Gilberte que agora me resolvia a não ver nunca mais. Sem dúvida, aquela parada na loja alegrou-me, pois me inspirou a ilusão de que sempre que tornasse a ver minha amiga, a encontraria contente comigo e reconhecida. Mas, em compensação, se não houvesse parado na loja, se não houvesse tomado a avenida dos Campos Elísios, não teria visto Gilberte com aquele rapaz. Existem assim, num mesmo fato, ramais contrários, e a desgraça que traz anula a felicidade que ele mesmo causou. Havia-me sucedido o contrário do que costuma acontecer. Deseja alguém determinada alegria, e faltam-lhe os meios materiais de lográ-la. "Triste coisa", disse La Bruyère, "amar sem ser muito rico."[105] E não há outro remédio senão ir acabando pouco a pouco com o desejo dessa alegria. No meu caso, pelo contrário, obtive os meios materiais, mas no mesmo instante, se não por um efeito lógico, pelo menos por uma consequência fortuita desse pri-

---

105 Item 20 do capítulo "Do coração", em *Les caractères*. (N. E.)

meiro êxito, escapou-se-me a alegria. Embora pareça que sempre deve escapar-nos. Mas não costuma acontecer que nos vá embora na mesma noite em que conseguimos o meio de conquistá-la. Em geral, continuamos a esforçar-nos, esperançados, durante algum tempo. Mas a felicidade é coisa irrealizável. Se conseguimos dominar as circunstâncias, a natureza transporta a luta de fora para dentro, e pouco a pouco vai fazendo mudar o nosso coração até que deseje outra coisa diversa da que vai possuir. Se foi tão rápida a peripécia que nosso coração não teve tempo de mudar, nem por isso perde a natureza a esperança de vencer-nos, mais longamente, na verdade, mas de maneira mais sutil e eficaz. Então, no derradeiro momento, a posse da felicidade nos escapa, ou melhor, a essa mesma posse encarrega a natureza, com argúcia diabólica, de destruir a nossa felicidade. Pois, vendo-se vencida no campo dos fatos e da vida, cria agora a natureza uma impossibilidade final, a impossibilidade psicológica da felicidade. O fenômeno da ventura ou não se produz, ou dá lugar a amarguíssimas reações.

Tinha os dez mil francos na mão. Mas não me serviam para nada. E por certo que os gastei com maior rapidez do que se tivesse enviado todos os dias flores a Gilberte, pois a cada pôr do sol me vinha dor tamanha que não podia ficar em casa e ia chorar nos braços de umas mulheres a quem não amava. Pois agora já não desejava esforçar-me por agradar de nenhum modo a Gilberte; e voltar à sua casa só me servia de sofrimento. Um dia antes, rever Gilberte me afigurava coisa deliciosa; hoje não mais me bastaria isso. Porque todas as horas em que estivesse longe dela, eu as passaria preocupado. Esse é o motivo de que, quando uma mulher nos causa uma nova pena, muitas vezes sem sabê-lo, aumentam ao mesmo tempo o seu domínio sobre nós e as nossas exigências para com ela. Com o dano que nos causou, a mulher nos constringe mais estreitamente e aumenta as nossas cadeias, mas também aumenta aquelas que até ontem parecia que a sujeitavam com bastante força para que pudéssemos viver tranquilos.

No dia anterior, se julgasse que não incomodava a Gilberte, ter-me-ia contentado em pedir algumas entrevistas, entrevistas que agora já não me satisfariam e que era mister substituir por condições bem outras. Porque no amor, ao contrário do que sucede no combate, quanto mais vencidos nos vemos, mais duras condições impomos e ainda mais as agravamos, se, apesar de tudo, estivermos em situação de exigi-las. Mas não era esse o meu caso em relação a Gilberte. Assim, em primeiro lugar, me pareceu melhor não voltar à casa de sua mãe. Eu continuava a dizer-me que Gilberte não me amava, que isso era coisa sabida havia muito; que, se quisesse, poderia vê-la e, se não sentisse esse desejo, poderia esquecê-la com o tempo. Mas tais ideias, tal qual um remédio que não serve para determinados males, careciam de todo poder eficaz contra aquelas duas linhas paralelas que me apareciam de vez em quando: Gilberte e o jovem desaparecendo a leves passos na avenida dos Campos Elísios. Era uma dor nova que também acabaria por desgastar-se, uma imagem que acabaria por se me apresentar ao espírito completamente depurada de tudo quanto encerrava de nocivo, como esses venenos mortais que podem manejar-se sem perigo algum ou esse pouco de dinamite onde se acende o cigarro sem temor a explosões. E entrementes possuía eu em mim uma força que lutava com todo o seu poder contra a outra força malsã que me representava invariavelmente o passeio crepuscular de Gilberte e que, para destruir os sucessivos assaltos de minha memória, trabalhava convenientemente a minha imaginação, em sentido contrário. A primeira das referidas forças continuava a mostrar-me os dois passeantes pela avenida dos Campos Elísios, e com esta, outras imagens tiradas do passado, por exemplo, a de Gilberte dando de ombros quando sua mãe lhe disse que ficasse comigo. Mas a segunda trabalhava na tela de minhas esperanças e nela desenhava um futuro de mais aprazível amplitude do que aquele pobre passado, em verdade tão estreito. Para um minuto a ver Gilberte de mau humor, havia muitos outros em que eu fantasiava os passos que daria Gilberte para conseguir a nossa reconciliação e quem sabe se o nosso noivado. É verdade que essa força que a imaginação projetava sobre o futuro, tirava-a toda do passado. E conforme se fosse apagando a minha preocupação por aquele encolher de ombros de Gilberte, igualmente diminuiria a lembrança da sua sedução, lembrança que era o que me inspirava desejos de que voltasse para mim. Mas ainda me encontrava muito distante dessa morte do passado. E continuava amando aquela mulher, embora estivesse crente de que a detestava. Sempre que me via com boa fisionomia e bem penteado, desejaria ter Gilberte à minha frente. Por aquele tempo, irritava-me o desejo que expressaram muitas pessoas, de que eu fosse visitá-las, ao que me negava. Recordo-me que houve uma cena em casa porque eu não quis acompanhar meu pai a um banquete oficial a que iam assistir os Bontemps, com a sua sobrinha Albertine, que era quase uma menina naquele tempo. Acontece que os diversos períodos da nossa vida vêm assim a cruzar-se uns com os outros. Por causa de uma coisa que queremos hoje e amanhã nos será indiferente, negamo-nos a ver outra coisa que agora nada nos diz, mas que haveremos de querer mais adiante, e que, se houvéssemos consentido em vê-la, talvez tivéssemos desejado antes, abreviando assim as nossas dores atuais, se bem que na verdade para substituí-las por outras. As minhas já se iam modificando. Muito assombrado, via eu no fundo de mim mesmo, hoje um sentimento, e outro muito diverso amanhã, inspirados quase todos por um temor ou uma esperança relativos a Gilberte. A Gilberte que eu trazia dentro de mim. Tive de reconhecer que a outra, a de verdade, em nada se parecia com esta, ignorava todas as nostalgias que eu lhe atribuía e provavelmente não pensava em mim, como eu pensava nela, mas nem sequer como eu a fazia pensar em mim quando estava a sós, em colóquio com a minha fictícia Gilberte, querendo saber quais seriam as suas intenções com respeito à minha pessoa, imaginando-a desse modo com a atenção sempre voltada para mim.

Durante esses períodos em que a dor, embora decaindo, ainda persiste, cumpre distinguir entre a dor que nos causa o constante pensar na própria pessoa e a que reanima determinadas recordações, uma frase infeliz que se disse, um verbo empregado numa carta que recebemos. Deixando para descrever as diferentes formas desta dor por ocasião de um amor futuro, diremos que a primeira é muito menos dolorosa que a segunda. Deve-se isto a que nossa noção da pessoa, por viver sempre em nós, está embelezada com a auréola que apesar de tudo lhe emprestamos, e reveste-se, se não das frequentes doçuras da esperança, pelo menos da calma de uma tristeza permanente. (É digno de notar-se como a imagem de uma pessoa pela qual padecemos não entra em muito nessas complicações que agravam a pena de um amor, prolongando-o e estorvando a sua cura, da mesma forma que em determinadas doenças a causa não conserva proporção com a febre consecutiva e o tardio da convalescença.) Mas embora a ideia da pessoa amada receba o reflexo de uma inteligência geralmente otimista, não acontece o mesmo com essas recordações particulares, essas palavras infelizes, essa carta hostil (ainda que só houvesse recebido de Gilberte uma que verdadeiramente o fosse): dir-se-ia que a própria pessoa vive nesses fragmentos tão insignificantes com uma força que não tem na ideia habitual que formamos da pessoa inteira. E é que a carta, não a contemplamos como a imagem do ente amado, uma saudade tranquila e melancólica: lemo-la, devoramo-la na terrível angústia com que nos colhe uma desgraça inesperada. A formação dessas penas é muito diversa; vêm de fora e chegam ao nosso coração por via de duríssimo sofrimento. A imagem de nossa amada, ainda que a julguemos antiga e autêntica, foi muitas vezes retocada por nós. E a cruel recordação não é contemporânea dessa imagem restaurada, mas pertence a outra época; é um dos poucos testemunhos de um passado monstruoso. Mas como esse passado continua a existir, exceto em nós mesmos, porque nos aprouve substituí-lo por uma maravilhosa idade de ouro, por um paraíso onde todo mundo se reconciliou, as recordações e as cartas são um aviso da realidade, e com a dor que nos causam devem fazer-nos sentir o quanto nos afastaram dela as loucas esperanças do nosso anelo cotidiano. E não é que essa realidade não mude nunca, embora assim às vezes aconteça. Há em nossa vida muitas mulheres que nada fizemos por tornar a ver e que responderam, muito naturalmente, a nosso silêncio, que não foi estudado, com outro silêncio análogo. Apenas, como não as amamos, não contamos os anos de separação, e quando cogitamos da eficácia do isolamento, desdenhamos esse exemplo, que a invalidaria, como os que acreditam em pressentimentos desdenham todos os casos em que não se confirmaram.

Mas o afastamento, afinal de contas, pode ser eficaz. O desejo e a apetência de ver-nos acabam renascendo nesse coração que atualmente nos menospreza. Só que é preciso muito tempo. E as nossas exigências com referência ao tempo são tão exorbitantes como as que reclama o coração para mudar. Em primeiro lugar, o tempo é a coisa que cedemos com mais trabalho, porque sofremos muito e desejamos que o nosso sofrimento acabe. Depois, esse tempo de que necessita o outro coração para mudar servirá ao nosso para mudar também; de modo que quando nos for acessível a finalidade que perseguimos, já não será uma finalidade para nós. Aliás, a ideia de que será acessível, que não há nenhuma felicidade que não possamos alcançar quando já nos seja uma felicidade, encerra uma parte de verdade, mas tão somente uma parte. Ela nos chega quando já nos tornamos indiferentes. Essa indiferença é que nos faz menos exigentes e inspira a crença retrospectiva de que a felicidade nos teria enfeitiçado numa época em que acaso nos parecesse muito incompleta. Não somos muito exigentes com coisas que não nos interessam, nem sabemos julgá-las bem. Uma pessoa a quem já não queremos mostra-se amabilíssima conosco, e essa amabilidade, que não teria bastado para contentar o nosso amor de antes, parece exagerada à nossa indiferença de agora. Essas palavras carinhosas, essa proposta de encontro, pensamos no prazer que antes nos teriam causado e não em todas aquelas de que desejaríamos vê-las seguidas imediatamente e cuja realização talvez tivéssemos impedido com essa avidez. De modo que não é certo que a felicidade tardia, a que chega quando já não a podemos desfrutar, quando já não resta amor, seja exatamente a mesma felicidade cuja falta tanto nos fez sofrer outrora. Só há uma pessoa capaz de resolver essa questão: o nosso eu daquele tempo; mas esse já não existe, e bastaria, sem dúvida, que voltasse, para que a felicidade, idêntica ou não, se desvanecesse.

E enquanto esperava que se realizassem, já sem propósito, aquelas ilusões que não mais me enganariam, à força de inventar, como naquela época em que mal conhecia Gilberte, frases e cartas em que me pedia perdão, confessando que nunca amara a ninguém senão a mim, e expressava o desejo de casar-se comigo, aconteceu que uma série de gratas imagens incessantemente concebidas foi ocupando no meu espírito maior espaço do que a visão de Gilberte e do rapaz, visão que já não tinha de que alimentar-se. E talvez desde então houvesse voltado à casa da sra. Swann, se não fora um sonho que tive, no qual sucedeu que um amigo meu, para mim desconhecido no entanto, era muito falso no seu procedimento comigo e imaginava que eu fazia o mesmo com ele. Despertou-me de súbito a dor que me causou o sonho e, ao ver que continuava, refleti sobre o que havia sonhado, tentei recordar qual era aquele amigo e cujo nome, espanhol, me era agora indiscernível. Fazendo ao mesmo tempo os papéis do Faraó e de José, pus-me a interpretar meu sonho.[106] Não ignorava eu que em muitos sonhos não se deve fazer caso da aparência das pessoas, que podem estar disfarçadas e haver mudado de rosto, como esses santos mutilados das catedrais, que arqueólogos ignorantes recompuseram, colocando

---

106 Alusão ao capítulo 41 do Gênese, em que o faraó sonha duas vezes e somente José consegue interpretar tais sonhos. (N. E.)

nos ombros de um a cabeça de outro e confundindo atributos e nomes. Os nomes que adotam as pessoas em sonhos podem induzir-nos a erros. Deve reconhecer-se a criatura amada tão só pela intensidade da dor que sentimos. E a minha dor me disse que, embora convertida durante o sonho em rapaz, a pessoa cuja recente falsidade me fazia penar era Gilberte. Recordei então que no último dia em que nos vimos, quando sua mãe não a deixou que fosse à aula de dança, Gilberte, sincera ou fingidamente, negou-se a crer na retidão de minhas intenções, rindo de um modo muito esquisito. E, por associação de ideias, atrás dessa recordação, veio-me outra à memória. Muito tempo antes, foi Swann quem não quis acreditar na minha sinceridade, nem me considerou um bom amigo de Gilberte. Escrevi-lhe, mas inutilmente; Gilberte trouxe a carta e me devolveu com o mesmo inexplicável risinho. Isto é, não a devolveu logo; recordava toda a cena ocorrida atrás do bosque de loureiros. Tornamo-nos morais quando somos infelizes. E a antipatia atual de Gilberte apresentou-se-me como um castigo que me infligia a vida pelo meu procedimento daquela tarde. Julga-se poder evitar os castigos, porque se evitam os perigos tendo muito cuidado com os carros ao atravessar a rua. Mas há castigos internos. O acidente chega sempre do lado que menos esperávamos, de dentro, do coração. Pensei com horror nas palavras de Gilberte: "Se quiser, podemos lutar mais um pouco". E imaginava-a em situação análoga, talvez na sua própria casa, na rouparia, com o rapaz que a acompanhava nos Campos Elísios. Assim, tão insensato era há tempos, ao imaginar que estava tranquilamente instalado no domínio da felicidade, como agora, quando já havia renunciado a ser feliz, ao dar como certo que me achava tranquilo e assim continuaria. Pois enquanto nosso coração continua encerrando permanentemente a imagem de outra criatura, não é apenas a nossa felicidade que se acha em constante perigo de destruição: se a felicidade se desvanece e, depois de tanto sofrer, conseguimos adormecer o nosso sofrimento, essa calma é tão precária e enganosa como o foi a felicidade. Minha tranquilidade afinal voltou, pois tudo quanto nos penetra no espírito por intermédio de um sonho pouco a pouco se dissipa; e a coisa nenhuma é dado permanecer e durar, nem sequer à dor. Aliás, os que padecem penas de amor são, como se costuma dizer de alguns enfermos, os seus melhores médicos. Como não podem achar consolo fora do que provenha da pessoa que é como do sofrimento, sofrimento que é emanação dessa pessoa, nela mesma acabam por encontrar remédio. Essa mesma criatura amada lhes revela o medicamento, porque à força de dar voltas à dor dentro do espírito, mostra-lhes essa dor um diferente aspecto da pessoa perdida: ou tão odioso que já se não tem desejo de vê-la, pois antes de gozar da sua presença seria preciso muito sofrimento, ou tão doce que se considera essa doçura com um mérito da amada, de que se tira um motivo de esperança. Mas embora se houvesse apaziguado aquela pena que de novo despertara em mim, não quis voltar à casa da sra. Swann senão muito espaçadamente. Primeiro, porque nas pessoas que amam e não são correspondidas o sentimento de espera — ainda que de espera não confessada — se transforma por si mesmo e, embora idêntico na aparência, ocasiona, depois do primeiro estado, outro exatamente contrário. O primeiro era consequência e reflexo dos dolorosos incidentes que nos transtornaram. A expectativa do que possa acontecer vem misturada com o medo, pois nesse momento desejamos, se a amada não dá nenhum passo, dá-lo nós mesmos, e não sabemos qual será o êxito desse ato que, uma vez realizado, não mais deixa lugar para nenhum outro. Mas em breve, e inconscientemente, essa nossa expectativa, que ainda continua, já não está determinada, como vimos, pela recordação do passado doloroso, e sim pela esperança de um futuro imaginário. E desde esse momento é quase agradável. E como aquela primeira durou um pouco, já nos acostumamos a viver na expectativa. Persiste a dor que sentimos em nossas últimas conversações, mas já muito amortecida. Não temos pressa em renovar essa pena, pois agora não sabemos o que pedir.

Possuir um pouco mais da mulher amada não nos serviria senão para nos tornar muito mais necessário o que não possuímos, o que apesar de tudo continuaria irredutível, já que os nossos desejos nascem de nossas satisfações.

E por fim houve outra última razão, além da exposta, para que deixasse de visitar a sra. Swann. Essa razão, mais tardia, não era eu já haver esquecido Gilberte, mas o meu desejo de esquecê-la o mais cedo possível. Está visto que, finda a minha grande dor, aquelas visitas à sra. Swann teriam voltado a ser para mim, como no princípio, precioso calmante e distração. Mas justamente a eficácia do calmante constituía a inconveniência da distração, isto é: a recordação de Gilberte estava intimamente ligada a essas visitas. Só me seria útil a distração no caso de haver posto em liça um sentimento, para o qual não contribuísse a presença de Gilberte, com pensamentos, interesses e paixões com que Gilberte nada tivesse a ver. Esses estados de consciência onde não penetra a criatura amada ocupam no espírito, a princípio, o menor lugar que se queira, mas que já é um espaço vedado para aquele amor que enchia toda a alma. É preciso nutrir, desenvolver esses pensamentos, enquanto vai declinando o sentimento, que já não é mais que uma recordação, de modo que os novos elementos introduzidos no espírito lhe disputem, lhe arranquem uma parte cada vez maior da alma, e finalmente roubem-lha toda. Reconhecia eu que essa era a única maneira de matar um amor, e era bastante jovem e animoso para intentar a empresa, para arcar com a dor mais terrível de todas: a que vem da certeza de que, embora levemos muito tempo, dia virá em que conseguiremos o nosso desígnio. O motivo que alegava agora em minhas cartas, para me negar a visitar Gilberte, era a alusão a uma misteriosa desinteligência havida entre nós, completamente fictícia, está claro; no princípio supus que Gilberte me pedisse explicações. Mas na verdade, nunca, nem sequer nas mais insignificantes relações da vida, são solicitados esclarecimentos da parte de um correspondente que sabe que uma frase obscura, mentirosa, incriminatória, ali está exatamente para que ele proteste e que se dá por muito feliz em ver que assim possui e mantém a iniciativa das operações. Não tendo Gilberte posto em dúvida nem procurado esclarecer o mal--entendido, tornou-se ele para mim algo de real a que me referia em cada carta. E há nessas situações falseadas, na afetação de frieza, um sortilégio que nos faz insistir. À força de escrever: "Desde que os nossos corações se desuniram", para que Gilberte me respondesse: "Mas, não estão desunidos, expliquemo-nos", eu acabara por me persuadir de que o estavam. Repetindo sempre: "Pode a vida ter mudado para nós, mas não apagará o sentimento que tivemos", no desejo de ouvi-la afinal dizer: "Mas, nada mudou, esse sentimento é mais forte do que nunca", eu vivia com a ideia de que a vida tinha efetivamente mudado, que conservaríamos a lembrança do sentimento que não mais existia, como certos nervosos que, por terem simulado uma doença, acabam ficando enfermos para sempre. Agora, cada vez que eu ia escrever a Gilberte, meu pensamento voltava-se para essa mudança imaginária, cuja existência, uma vez tacitamente reconhecida pelo silêncio que ela guardava a esse respeito em suas respostas, subsistiria entre nós. Depois Gilberte não mais pensou em preterições. Ela própria adotou o meu ponto de vista; e, como nos brindes oficiais, em que o chefe de Estado que é recebido retoma pouco a pouco as mesmas expressões que acaba de empregar o chefe de Estado que o recebe, de cada vez que eu escrevia a Gilberte: "Pôde a vida ter-nos separado, mas sempre há de durar a lembrança dos tempos em que nos conhecemos", ela não deixava de responder: "Pôde a vida separar-nos, mas não poderá fazer--nos esquecer as boas horas que nos serão sempre caras" (muito embaraçados ficaríamos em explicar por que "a vida" nos separa e que mudança se havia operado). Eu já não sofria tanto. Porém, num dia em que lhe contava numa carta haver sabido da morte da nossa velha baleira dos Campos Elísios, e quando acabava de escrever estas palavras: "Creio que isso lhe causou pesar. Em mim, veio agitar muitas recordações", não pude deixar de romper em pranto, ao ver que tinha falado no passado, e como se se tratasse de um morto já quase esquecido, daquele amor em que, malagrado meu, eu jamais cessara de pensar como se fora vivo, ou pelo menos capaz de renascer. Nada mais terno do que essa correspondência entre amigos que não mais se queriam ver. As cartas de Gilberte possuíam a delicadeza das que eu escrevia às pessoas indiferentes e me davam os mesmos sinais exteriores de afeto que me era tão grato receber da parte dela.

Aliás, pouco a pouco, menos penosa se ia tornando cada esquivança minha a encontrar-me com Gilberte. E como ela se me tornava menos cara, as minhas lembranças dolorosas não tinham força suficiente para destruir, no seu incessante retorno, a elaboração do prazer que eu sentia em pensar em Florença, em Veneza. Nesses momentos, lamentava não ter querido entrar para a diplomacia e ter adotado uma vida sedentária, a fim de não me afastar de uma menina que eu não mais veria e que já tinha quase esquecido. Construímos a nossa própria vida para uma pessoa determinada e, quando, afinal, podemos recebê-la em nossa vida, essa pessoa não vem, depois morre para nós, e passamos a viver prisioneiros na moradia que só a ela era destinada. Se Veneza parecia a meus pais muito distante e insalubre para mim, era pelo menos fácil ir-me instalar sem fadiga em Balbec. Mas para isso seria preciso deixar Paris e renunciar àquelas visitas, graças às quais, por mais raras que fossem, eu ouvia às vezes a sra. Swann me falar de sua filha. Nisso, de resto, começava a descobrir um que outro prazer em que Gilberte não entrava de modo algum.

Quando se aproximou a primavera, trazendo de volta o frio, no tempo dos santos de gelo[107] e dos aguaceiros da Semana Santa, como a sra. Swann achasse que a sua casa era de enregelar, às vezes sucedia-me vê-la receber os visitantes envolta em peles, com as mãos e as espáduas friorentas a desaparecerem sob o branco e brilhante tapiz de um imenso regalo e de uma capa, ambos de armi-

---

107 Os santos de gelo têm suas festas nos dias 11, 12 e 13 de maio, período em que muitas vezes se observa uma queda da temperatura. (N. E.)

nho, que ela não retirara ao entrar e que tinham o aspecto dos últimos blocos da neve hibernal mais resistentes que os outros e que nem o calor do fogo nem os progressos da estação tinham conseguido fundir. E a realidade total daquelas semanas glaciais mas já florescentes me era sugerida naquele salão, a que eu em breve não mais iria, por outras brancuras mais inebriantes, a das "bolas de neve", por exemplo, que reuniam, no cimo de seus altos caules desnudos como os arbustos lineares dos pré-rafaelitas, os seus globos parcelados mas lisos, brancos como anjos anunciadores, e que um cheiro de limão rodeava. Pois a castelã de Tansonville sabia que abril, embora gélido, não é desprovido de flores, que o inverno, a primavera, o verão, não são separados por divisões tão herméticas como é levado a crer o habitante dos bulevares, o qual, até os primeiros calores, imagina o mundo apenas composto de casas desabrigadas sob a chuva. Que a sra. Swann se contentasse com as remessas que lhe fazia o seu jardineiro de Combray e que, por intermédio da sua florista "oficial", não preenchesse as lacunas de uma insuficiente evocação com os empréstimos tomados à precocidade mediterrânea, longe estou de o pretender, e isso então não me preocupava. Bastava-me, para ter a nostalgia do campo, que, junto com as nevadas do regalo que a sra. Swann segurava, as bolas de neve (que no pensamento da dona da casa não tinham talvez outra finalidade senão compor, a conselho de Bergotte, uma "sinfonia em branco maior" com seu mobiliário e a sua toalete[108]) me lembrassem que o "Encantamento da Sexta-Feira Santa"[109] representa um milagre natural a que se poderia assistir todos os anos se fôssemos mais sensatos, e, auxiliadas pelo perfume ácido e capito-

---

108 A metáfora "sinfonia em branco maior" havia se tornado lugar-comum no final do século XIX, após ter aparecido como título de um poema do escritor Théophile Gautier, em 1852. É importante notar que a decoração, com o predomínio do branco, assinala uma nova fase do salão de Odette, até então bastante sombrio. (N. E.)

109 Título da primeira parte do terceiro ato do *Parsifal* (1882), de Wagner, em que a personagem fica maravilhada com as belezas da natureza. (N. E.)

so de corolas de outras espécies cujo nome eu ignorava e que tantas vezes me tinham feito parar em meus passeios de Combray, tornassem o salão da sra. Swann tão virginal, tão candidamente florido sem nenhuma folha, tão sobrecarregado de odores autênticos como a pequena ladeira de Tansonville.

Mas já era demais que isso me fosse lembrado. Sua recordação ameaçava alimentar o pouco que subsistia de meu amor por Gilberte. Assim, embora não mais sofresse absolutamente durante aquelas visitas à sra. Swann, espacei-as ainda mais e procurei vê-la o menos possível. Quando muito, como eu continuasse a demorar-me em Paris, concedia-me alguns passeios com ela. Os belos dias tinham afinal voltado, e o calor. Sabendo que a sra. Swann saía durante uma hora antes do almoço e ia dar alguns passos pela avenida do Bois, perto da Étoile e do lugar então chamado, por causa das pessoas que vinham olhar os ricos a quem só conheciam de nome, o "Clube dos Prontos",[110] consegui de meus pais que aos domingos — pois não estava livre a essa hora durante a semana — pudesse almoçar muito depois deles, à uma e um quarto, e dar uma volta antes. Não faltei uma só vez naquele mês de maio, visto que Gilberte fora para o campo, a convite de amigas. Chegava ao Arco do Triunfo pelo meio-dia. Punha-me à espreita na entrada da avenida, sem perder de vista a esquina da ruazinha por onde a sra. Swann, não tendo mais de atravessar alguns metros, costumava vir da sua casa. Como já estava na hora em que muitos dos passeantes iam almoçar, os que ficavam eram pouco numerosos e, na maioria, gente elegante. De súbito, pela areia da alameda, tardia, vagarosa e luxuriante como a flor mais bela e que só se abrisse ao meio-dia, aparecia a sra. Swann, desabrochando em redor de si uma toalete sempre diferente, mas que eu me recordo que era, antes de tudo, malva; depois içava e desenrolava sobre um longo

---

110 "Clube dos Prontos" traduz "Club des Pannés", título irônico do clube daqueles que se encontram "*en panne*", ou seja, em situação financeira bastante difícil. (N. E.)

pedúnculo, no momento da sua mais completa irradiação, o pavilhão de seda de uma larga sombrinha da mesma nuança que o esfolhar das pétalas de seu vestido. Todo um cortejo a rodeava: Swann, quatro ou cinco homens de clube que tinham ido visitá-la de manhã ou que ela havia encontrado no caminho; e a sua negra ou cinzenta aglomeração obediente, executando os movimentos quase mecânicos de um quadro inerte em torno de Odette, davam àquela mulher, que só tinha intensidade nos olhos, o ar de estar olhando adiante de si, dentre todos aqueles homens, como de uma janela de que se tivesse aproximado, e fazia-a surgir, frágil, sem temor, na nudez das suas cores tenras, como a aparição de alguma criatura de uma espécie diferente, de uma raça desconhecida, e de uma potência quase guerreira, graças ao que, ela, sozinha, compensava a sua múltipla escolta. Sorridente, feliz com o bom tempo, com o sol que ainda não incomodava, tendo o ar de segurança e calma do criador que rematou a sua obra e não mais se preocupa com o resto, certa de que a sua toalete — ainda que transeuntes vulgares pudessem não apreciá-la — era a mais elegante de todas, ela a vestia para si mesma e para os seus amigos, naturalmente, sem atenção exagerada, mas também sem completo desprendimento; sem impedir que as pequenas fitas da sua blusa e da sua saia flutuassem levemente adiante de si como criaturas cuja presença não ignorava e a quem permitia com indulgência entregarem-se a seus jogos, segundo o seu ritmo próprio, contando que lhes seguissem a marcha, e até sobre a sombrinha malva, que muitas vezes trazia ainda fechada ao chegar, ela deixava cair por um momento, como sobre um buquê de violetas-de-parma, o seu olhar contente e tão suave que, mesmo quando não mais se prendia a seus amigos, mas a um objeto inanimado, parecia ainda estar sorrindo. Reservava assim, e fazia a sua toalete ocupar aquele intervalo de elegância de que os homens a quem a sra. Swann tratava com mais familiaridade respeitavam o espaço e a necessidade, não sem uma certa deferência de profanos, uma confissão da sua própria ignorância e sobre o qual reconheciam à sua amiga competência e jurisdição, como a um doente sobre os cuidados especiais que deve tomar, ou a uma mãe sobre a educação dos filhos. Não menos do que pela corte que a cercava e que parecia não ver os passantes, a sra. Swann, devido à hora tardia de seu aparecimento, evocava aquele apartamento onde passara uma manhã tão longa e a que teria de voltar em breve para o almoço; parecia indicar-lhe a proximidade com a tranquilidade displicente de seu passeio, semelhante ao que a gente faz pelo próprio jardim; daquele apartamento, poder-se-ia dizer que ela trazia ainda em torno de si a sombra interior e fresca. Mas exatamente por tudo isso a sua vista ainda mais me dava a sensação do ar livre e do calor. Tanto mais que na persuasão de que, em virtude da liturgia e dos ritos nos quais a sra. Swann era profundamente versada, estava a sua toalete unida à estação e à hora por um elo necessário, único, as flores de seu flexível chapéu de palha, as pequenas fitas de seu vestido me pareciam nascer do mês de maio mais naturalmente ainda que as flores dos jardins e dos bosques; e, para conhecer o frêmito novo da estação, eu não erguia os olhos além da sua sombrinha, aberta e estendida como um outro céu mais próximo, redondo, clemente, móvel e azul. Pois esses ritos, se eram soberanos, timbravam, e portanto assim o fazia a sra. Swann, em obedecer condescendentemente à manhã, à primavera, ao sol, os quais não me pareciam bastante lisonjeados de que uma mulher tão elegante se dignasse não ignorá-los e tivesse escolhido, por causa deles, um traje de tecido mais claro, mais leve, que ela tivesse, enfim, para com eles, as atenções de uma grande dama que, tendo-se alegremente rebaixado a ir visitar no campo pessoas comuns e que toda gente, até o vulgo, conhece, nem por isso deixa de vestir, especialmente para esse dia, uma toalete campesina. Logo à sua chegada, eu cumprimentava a sra. Swann; ela me detinha e dizia-me, a sorrir: "*Good morning*". Dávamos alguns passos. E eu compreendia que era por si mesma que obedecia ela àqueles cânones segundo os quais se vestia, como a uma entidade superior de que fosse a grã-sacerdotisa: pois se lhe acontecia, devido ao calor, entreabrir ou mesmo despir e dar-me para carregar a jaqueta que ela tencionara conservar fechada, descobria eu na blusinha mil pormenores de execução que tinham toda a probabilidade de passar despercebidos como essas partes de orquestra a que o compositor emprestou todos os seus cuidados, embora jamais devam chegar aos ouvidos do público; ou nas mangas da jaqueta dobrada sobre o meu braço, eu via, olhava longamente por prazer ou por amabilidade, algum detalhe bizarro, uma faixa de matiz delicioso, uma cetineta malva habi-tualmente oculta aos olhos de todos, mas tão delicadamente trabalhadas como as partes externas, como essas esculturas góticas de uma catedral dissimuladas no reverso de uma balaustrada, a oitenta pés de altura, tão perfeitas como os baixos-relevos do grande pórtico, mas que ninguém tinha percebido antes de que, ao acaso de uma viagem, algum artista, para dominar toda a cidade, obtivesse permissão de ir passear em pleno céu, entre as duas torres.

O que aumentava essa impressão de que a sra. Swann passeava pela avenida do Bois como pela alameda de um jardim da sua propriedade era — para os que ignoravam seus hábitos de *footing* — ter vindo a pé, sem carro que a seguisse, ela que desde o mês de maio estávamos acostumados a ver passar, com a atrelagem mais cuidada e a libré mais elegante de Paris, lânguida e majestosamente sentada como uma deusa, no morno ar livre de uma imensa vitória de oito molas. A pé, a sra. Swann, principalmente com aquele andar que o calor tornava mais moroso, tinha o ar de haver cedido a uma curiosidade, de cometer uma elegante infração às regras do protocolo, como esses soberanos que, sem consultar ninguém, acompanhados pela admiração um tanto escandalizada de um séquito que não ousa formular uma crítica, saem do camarote durante um espetáculo de gala e visitam o saguão, misturando-se por alguns instantes aos outros espectadores. Assim, entre a sra. Swann e a multidão, sentia estas barreiras de certa espécie de riqueza e que lhe parecem mais intransponíveis que as outras. O Faubourg Saint-Germain tem igualmente as suas, mas falam menos aos olhos e à imaginação dos pobretões. Estes, junto de uma grande dama, mais simples, mais fácil de confundir com uma pequeno-burguesa, menos afastada do povo, não experimentarão esse sentimento da sua desigualdade, quase da sua indignidade, que têm diante de uma sra. Swann. Por certo, as mulheres dessa espécie não ficam como eles impressionadas com o brilhante aparato que as rodeia, não lhe prestam mais atenção, mas é à força de estarem habituadas àquilo, isto é, por terem acabado por achá-lo tanto mais natural e necessário e por julgar as outras criaturas conforme estão mais ou menos iniciadas nesses hábitos de luxo: de sorte que (sendo a grandeza que deixam brilhar em si, e que descobrem nos outros, inteiramente material, fácil de verificar, longa de adquirir, difícil de compensar), se essas mulheres colocam um passante no degrau mais baixo, isso acontece da mesma maneira como lhe apareceram elas no mais alto, a saber, imediatamente, à primeira vista, sem apelação possível. Talvez essa classe social particular que contava então mulheres como Lady Israel em meio às da aristocracia e a sra. Swann, que deveria um dia frequentá-las, essa classe intermediária, inferior ao Faubourg Saint-Germain, visto que o cortejava, mas superior ao que não é do Faubourg Saint-Germain, e que tinha a particularidade de, já afastada do mundo dos ricos, ser ainda riqueza, mas uma riqueza agora dúctil, obediente a uma destinação, a um pensamento artístico, ouro maleável, poeticamente cinzelado e que sabe sorrir, talvez essa classe, pelo menos com o mesmo caráter e o mesmo encanto, não mais exista. Aliás, as mulheres que a ela pertenciam já não teriam hoje o que era a condição primeira do seu reinado, pois, com a idade, perderam quase todas a beleza. Ora, tanto como do alto da sua nobre riqueza era do auge do seu estio maduro e ainda tão saboroso que a sra. Swann, majestosa, sorridente e boa, avançando pela avenida do Bois, via rolarem os mundos, como Hipátia, sob a lenta marcha de seus pés.[111] Jovens transeuntes olhavam-na ansiosamente, na dúvida de que as suas vagas relações com ela (tanto mais que, tendo sido apenas apresentados uma vez a Swann, receavam que ele não os conhecesse) fossem suficientes para que se permitissem saudá-la. E era a tremer perante as consequências que afinal se decidiam, indagando se o seu gesto audaciosamente provocador e sacrílego, atentatório à inviolável supremacia de uma casta, não iria desencadear catástrofes ou fazer baixar o castigo de um deus. Esse gesto acionava apenas, como um movimento de relojoaria, a gesticulação de pequenas personagens cumprimentadoras que não eram outras senão as da companhia de Odette, a começar por Swann, o qual soerguia a sua cartola forrada de couro verde, com uma graça sorridente, aprendida no Faubourg Saint-Germain, mas a que já não se aliava a indiferença que ele teria outrora. Era substituída (como se ele estivesse em certa medida penetrado dos preconceitos de Odette) ao mesmo tempo pelo aborrecimento de ter de responder a alguém tão malvestido, e pela satisfação de que sua mulher conhecesse tanta gente, sentimento misto que ele traduzia, dizendo aos amigos elegantes que o acompanhavam: "Mais um! Palavra que não sei onde Odette vai arranjar todos esses tipos!". Entretanto, tendo respondido com um aceno de cabeça ao passante alarmado e já fora de vista, a sra. Swann voltava-se para mim: "Então", dizia, "tudo acabado? Você não irá nunca mais visitar Gilberte? Estou contente de ter formado exceção e de que você não me tenha 'plantado'[112] sem mais cerimônias. Gosto de vê-lo, mas apreciava também a sua influência sobre minha filha. Creio que ela o lamenta muito também. Enfim, não quero torturá-lo, pois aí então é que você se afastaria até mesmo de mim!".

---

111 Alusão à figura da filósofa e matemática grega (370-415), celebrada pelo poeta Leconte de Liste em 1852, cujos versos Proust cita aqui quase literalmente. (N. E.)
112 No original, a anglófila Odette utiliza um subjuntivo, "dropiez", na verdade uma adaptação do verbo inglês "to drop". (N. E.)

— Odette, olhe Sagan que lhe dá bom-dia![113] — observava Swann à esposa. E, com efeito, o príncipe, fazendo, como numa apoteose de teatro, de circo, ou num quadro antigo, o cavalo voltear a cabeça em magnífica homenagem, dirigia a Odette uma grande saudação teatral e como alegórica onde se amplificava toda a cortesia cavalheiresca do grão-senhor curvando o seu respeito ante a Mulher, estivesse ela encarnada numa mulher que a sua mãe ou sua irmã não poderiam frequentar. Aliás, a todo instante, reconhecida ao fundo da transparência líquida e do verniz luminoso que sobre ela vertia a sua sombrinha, era a sra. Swann saudada pelos últimos cavaleiros retardados, como que cinematografados a galope sobre o ensolaramento branco da avenida, homens de clube cujos nomes, célebres para o público — Antoine de Castellane, Adalbert de Montmorency e tantos outros[114] —, eram para a sra. Swann nomes familiares de amigos. E como a duração média da vida — a longevidade relativa — é muito maior para as lembranças das sensações poéticas que para as dos sofrimentos do coração, tanto tempo depois de se haverem desvanecido as penas que eu tinha então por causa de Gilberte, sobreviveu-lhes o prazer que sinto toda vez que busco ler, numa espécie de quadrante solar, os minutos que há entre meio-dia e um quarto e uma hora, no mês de maio, ao rever-me conversando assim com a sra. Swann, sob a sua sombrinha, como sob o reflexo de uma latada de glicínias.

113 Nova referência à amizade de Swann com o príncipe de Sagan, considerado na época um dos homens mais elegantes de Paris. (N. E.)

114 Nova intromissão de personalidades da época na narrativa. Antoine de Castellane era pai de Boniface de Castellane, o célebre "Boni", amigo pessoal de Proust. "Boni" era primo de HélieTalleyrand-Périgord, que herdaria o título mencionado de "príncipe de Sagan", e se casaria justamente com a ex-mulher de "Boni". Adalbert de Talleyrand-Périgord, irmão mais novo de Hélie, passaria a utilizar o título de "duque de Montmorency" após a morte de sua mãe, a princesa de Montmorency. (N. E.)

nomes de terras: a terra

Tinha eu chegado a uma quase completa indiferença para com Gilberte quando, dois anos mais tarde, parti com minha avó para Balbec. Quando eu experimentava o encantamento de um rosto novo, quando era com o auxílio de outra moça que esperava conhecer as catedrais góticas, os palácios e os jardins da Itália, dizia tristemente comigo que o nosso amor, enquanto significa amor a certa criatura, não é talvez alguma coisa muito real, pois se associações de devaneios agradáveis ou dolorosos o podem ligar por algum tempo a uma mulher até fazer-nos pensar que foi por ela inspirado de maneira necessária, por outro lado, se nos libertamos voluntariamente ou sem querer dessas associações, esse amor, como se fosse, ao contrário, espontâneo e proviesse apenas de nós, renasce para se entregar a outra mulher. No entanto, no momento da partida e nos primeiros tempos da minha estada em Balbec, a minha indiferença era ainda intermitente. Muitas vezes (como a nossa vida é tão pouco cronológica e interferem tantos anacronismos na sequência dos dias), eu vivia naqueles dias mais antigos que os da véspera ou antevéspera, em que amava Gilberte. Então, não mais vê-la me era doloroso, como se fosse naqueles tempos. O eu que a tinha amado, já quase inteiramente substituído por um outro, ressurgia então, e muito mais frequentemente me era restituído por uma coisa fútil do que por uma coisa importante. Por exemplo, para antecipar a minha estada na Normandia, ouvi em Balbec, a um desconhecido com quem cruzei no dique: "A família do diretor do Ministério dos Correios...". Ora (como eu não sabia então a influência que essa família ia ter em minha vida[1]), tais palavras deveriam parecer-me ociosas, mas causaram-me vivo sofrimento, o sofrimento que sentia, por estar separado de Gilberte, um eu em grande parte abolido desde muito tempo. É que eu jamais tornara a pensar numa conversa que Gilberte tivera com o pai, diante de mim, relativamente

---

1 Alusão à família Bontemps. Antecipação da influência que Albertine, uma das "raparigas em flor", teria na vida do herói. (N. E.)

à "família do diretor do Ministério dos Correios". Ora, as lembranças de amor não abrem exceção às leis gerais da memória, regidas também estas pelas leis mais gerais do hábito. Como o hábito enfraquece tudo, o que melhor nos recorda uma criatura é justamente o que havíamos esquecido (porque era insignificante e assim lhe havíamos deixado toda a sua força). Eis por que a maior parte da nossa memória está fora de nós, numa viração de chuva, num cheiro de quarto fechado ou no cheiro de uma primeira labareda, em toda parte onde encontramos de nós mesmos o que a nossa inteligência desdenhara, por não lhe achar utilidade, a última reserva do passado, a melhor, aquela que, quando todas as nossas lágrimas parecem estancadas, ainda sabe fazer-nos chorar. Fora de nós? Em nós, para melhor dizer, mas oculta a nossos próprios olhares, num esquecimento mais ou menos prolongado. Graças tão somente a esse olvido é que podemos de tempos a tempos reen-contrar o ser que fomos, colocarmo-nos perante as coisas como o estava aquele ser, sofrer de novo porque não mais somos nós, mas ele, e porque ele amava o que nos é agora indiferente. Na plena luz da memória habitual, as imagens do passado pouco a pouco empalidecem, apagam-se, nada mais resta delas, não mais a tornaremos a encontrar. Ou antes, nunca voltaríamos a encontrá-las se algumas palavras (como "diretor do Ministério dos Correios") não tivessem sido cuidadosamente encerradas no esquecimento, da mesma forma que se depositara na Biblioteca Nacional o exemplar de um livro que, sem isso, correria o risco de tornar-se inencontrável.

Mas esse sofrimento e esse reflorir de amor por Gilberte não foram mais longos que os que se têm em sonhos, e desta vez ao contrário porque, em Balbec, o hábito antigo já ali não estava para os fazer durar. E se parecem contraditórios esses efeitos do hábito, é que ele obedece a leis múltiplas. Em Paris, eu me tornara cada vez mais indiferente a Gilberte, graças ao hábito. A mudança de hábito, isto é, a cessação momentânea do hábito, terminou a obra do hábito quando parti para Balbec. Ele enfraquece mas estabiliza, traz a desagregação, mas fá-la durar indefinidamente. Cada dia, desde muitos anos vinha eu mais ou menos decalcando o meu estado de alma sobre o da véspera. Em Balbec, um leito novo a cuja cabeceira me traziam pela manhã um desjejum muito diferente do de Paris, não mais deveria sustentar os pensamentos de que se alimentara o meu amor por Gilberte: há casos (na verdade bastante raros) em que, como o sedentarismo imobiliza os dias, o melhor meio de ganhar tempo é mudar de local. Minha viagem a Balbec foi como a primeira saída de um convalescente que não esperava mais do que ela para se aperceber de que está curado.

Essa viagem, hoje a fariam certamente de automóvel, julgando assim torná-la mais agradável. Ver-se-á que, efetuada dessa maneira, seria mais verdadeira em certo sentido, pois iria a gente seguindo de mais perto, em mais estreita intimidade, as diversas gradações com que se transforma a superfície da terra. Mas afinal o prazer específico das viagens não consiste em poder descer no caminho e parar quando se está cansado, e sim em tornar a diferença entre a partida e a chegada não tão insensível, mas tão profunda quanto possível, em senti-la na sua totalidade, intata, tal como nos estava no pensamento quando a nossa imaginação nos transportava do lugar onde vivíamos até o coração do lugar desejado, num salto que não nos parecia tão miraculoso pelo fato de franquear uma distância, senão porque unia duas individualidades distintas da terra e nos levava de um nome para outro nome; prazer que esquematiza (melhor do que um passeio em que, como a gente desembarca onde quer, não existe mais chegada) a operação misteriosa que se efetuava nesses lugares especiais, as estações, as quais, a bem dizer, não fazem parte da cidade, mas contêm a essência da sua personalidade, da mesma forma que lhes trazem o nome numa tabuleta indicadora.

Mas a nossa época, em tudo, tem a mania de só querer mostrar as coisas com o que as cerca na realidade, e assim suprimir o essencial, o ato do espírito, que dessa realidade as isolou. "Apresenta-se" um quadro no meio de móveis, de bibelôs, de cortinas da mesma época, insípido cenário que a dona de casa mais ignorante até a véspera excele em armar nos palacetes de hoje, depois de passar os dias nos arquivos e bibliotecas, cenário onde a obra-prima que olhamos durante o jantar não nos provoca a mesma inebriante alegria que só se lhe deve exigir numa sala de museu, a qual muito melhor simboliza, com a sua nudez e despojamento de todas as particularidades, os espaços interiores onde o artista se abstraiu para criar.

Infelizmente esses maravilhosos lugares que são as estações, de onde se parte para um destino afastado, são também lugares trágicos, pois se ali se cumpre o milagre de que as terras que ainda não tinham existência senão em nosso pensamento vão ser aquelas em que viveremos, por essa mesma razão, ao sair da sala de espera, cumpre deixar toda a esperança de voltar a dormir em casa, uma vez que resolvemos penetrar no antro empestado por onde se tem acesso ao mistério, numa dessas grandes oficinas envidraçadas como a estação de Saint-Lazaire, onde fui procurar o trem para Balbec, e que estendia acima da cidade desventrada um desses imensos céus crus e prenhes de amontoadas ameaças de drama, semelhantes a certos céus de Mantegna ou Veronese, de uma modernidade quase parisiense, e sob o qual só se podia cumprir algum ato terrível e solene, como uma partida em trem de ferro ou o levantamento da Cruz.

Enquanto me contentara em avistar, do fundo de minha cama em Paris, a igreja persa de Balbec em meio aos flocos de neve da tempestade, meu corpo não opôs objeção alguma à viagem. Estas só começaram quando o meu corpo compreendeu que a viagem tinha ligação com ele e que, na noite de nossa chegada a Balbec, me levariam a um quarto *meu* que ele não conhecia. Ainda maior foi o seu protesto quando, na véspera de nossa partida, soube eu que mamãe não nos acompanharia, pois meu pai, que tinha de ficar em Paris por causa de assuntos do Ministério, até que fosse à Espanha com o sr. de Norpois, preferiu alugar uma casa nos arredores de Paris. Quanto ao resto, a contemplação de Balbec não se me antolhava menos desejável por ter de comprá-la à custa de uma dor: ao contrário, essa dor para mim representava e garantia a realidade da impressão que eu ia buscar, impressão impossível de substituir por nenhum espetáculo dito equivalente, por nenhum *panorama* que eu pudesse ir ver sem ser por isso impedido de voltar à minha cama. Não era a primeira vez que eu reconhecia que as criaturas que amam não são as mesmas criaturas que gozam. Eu julgava desejar Balbec tão profundamente como o médico que me tratava, que me disse na manhã da partida, espantado com meu aspecto de desânimo: "Garanto-lhe que se eu tivesse oito dias para ir tomar a fresca num porto de mar, não me faria de rogado. Lá você terá corridas, regatas: será delicioso". Mas eu já sabia, mesmo antes de vir ver a Berma, que o objeto do meu amoroso anelo, fosse qual fosse, sempre teria de achar-se ao fim de uma penosa busca, e, em tal busca, teria de sacrificar o meu prazer a esse bem supremo, em vez de encontrar nesse bem o meu prazer.

Minha avó é claro que considerava a nossa viagem de um modo um pouco diferente, e desejosa, como sempre, de emprestar a todos os presentes que me davam um caráter artístico, quis, a fim de oferecer-me uma "sensação" meio antiga do nosso caminho, que seguíssemos metade de trem e metade de carro o itinerário de madame de Sévigné, quando foi de Paris a "L'Orient", passando por Chaulnes e por "le Pont-Audemer".[2] Mas teve de renunciar a esse projeto, por expressa proibição de meu pai, o qual sabia que quando minha avó organizava uma viagem com o fim de tirar dela todo o proveito intelectual possível, era incrível o que se podia prognosticar de trens perdidos, malas extraviadas, dores de garganta e infrações do regulamento. Mas pelo menos tinha ela o prazer de pensar que em Balbec não corríamos o perigo de ser surpreendidos no momento de partir para a praia por

---

2 Alusão a cartas do ano de 1689. (N. E.)

nenhuma dessas a que sua querida Sévigné denominava "cadela de carrada", pois não conheceríamos ninguém em Balbec, visto que Legrandin não quisera oferecer-nos uma carta de apresentação para a sua irmã.[3] (Essa abstenção não a encararam do mesmo modo as minhas tias Céline e Victoire, que conheceram quando moça Renée de Cambremer, como a chamavam até então, para significar a sua intimidade de outrora, e ainda conservavam muitos presentes seus, desses que adornam uma sala ou uma conversação, mas já não correspondem à realidade presente; e minhas tias supunham vingar-se da afronta que nos fizeram, abstendo-se de pronunciar em casa da sra. Legrandin mãe o nome da filha, e, à saída, congratulavam-se com frases como: "Não fiz alusão ao que tu sabes, creio que *alguém* notou").

De modo que sairíamos mesmo de Paris no trem da uma e vinte e dois, esse trem que já me parecia conhecido, de tanto havê-lo procurado no guia ferroviário, onde sempre me inspirava a emoção e quase a bem-aventurada ilusão da partida. Como a determinação dos aspectos da felicidade em nossa fantasia consiste antes na sua identidade com os desejos que nos inspira do que na precisão dos dados que sobre ela tenhamos, afigurava-se-me conhecer em todos os pormenores aquele prazer da viagem, e não duvidava que iria sentir no vagão um especial prazer quando a tarde começasse a cair, ou ao contemplar um efeito de luz nas proximidades de determinada estação; assim, aquele trem, por despertar sempre em meu espírito as imagens das mesmas cidades, envoltas na luz da tarde por onde vai correndo, me parecia diferente de todos os demais; e como acontece nas vezes em que, sem conhecer uma pessoa, nos comprazemos em imaginar que conquistamos a sua amizade e lhe atribuímos determinadas feições, aca-

---

3 O narrador alude a uma expressão empregada na carta do dia 26 de junho de 1671. O substantivo "carrada" ("carossée") referia-se à tripulação de uma "carroça", carro de luxo, coberto, com quatro rodas. (N. E.)

bei inventando uma fisionomia particular e imutável para aquele viajante artista e ruivo que haveria de levar-me pelo seu caminho e de quem me despediria junto à catedral de Saint-Lô, antes que se perdesse na direção do poente.

Como não pudesse minha avó resolver-se a ir assim "idiotamente" a Balbec, pararíamos no caminho em casa de uma amiga sua, com quem ela ficaria vinte e quatro horas; mas eu partiria na mesma tarde, para não causar incômodos na casa e também para que pudesse no dia seguinte ver a igreja de Balbec, pois soubéramos que ficava muito distante de Balbec-Plage, e talvez não fosse possível ir lá depois de encetado o meu tratamento de banhos. E a mim me animava um pouco saber que o objeto admirável da minha viagem estava situado antes daquela dolorosa primeira noite em que teria de entrar numa casa nova e resignar-me a morar ali. Mas antes tinha de sair da casa velha; minha mãe resolveu instalar-se naquele mesmo dia em Saint-Cloud e tomou, ou fingiu que tomava, todas as disposições necessárias para ir diretamente a Saint-Cloud, depois de deixar-nos na estação, sem precisar passar por sua casa, pois receava que eu, em vez de partir para Balbec, quisesse voltar com ela. E sob o pretexto de ter muito que fazer na casa nova e de que lhe faltava tempo, embora fosse na verdade para evitar-me o penoso da despedida, decidiu não ficar conosco até o momento em que o trem se pusesse em marcha, pois é então que aparece de súbito, impossível de suportar, quando já é inevitável e concentrada inteira em um instante imenso de lucidez e impotência suprema, essa separação que se dissimulava nos vaivéns e nos preparativos, que a nada obrigam definitivamente.

Pela vez primeira tive a sensação de que minha mãe podia viver sem mim, dedicada a outra coisa, com outra vida diferente. Ia ficar com meu pai, a quem talvez ela achasse que eu complicava e entristecia a vida, com a minha doença e os meus nervos. E ainda mais me desesperava a separação porque eu pensava que isso talvez significasse para minha mãe o termo das sucessivas decepções que eu lhe causara e que ela soubera calar, decepções que lhe fizeram compreender a impossibilidade de passarmos juntos o verão; e talvez também fosse essa separação a primeira tentativa de uma existência a que minha mãe já começava a resignar-se para o futuro, conforme fossem chegando para ela e para meu pai os anos de uma vida em que eu havia de vê-la muito menos, vida em que mamãe seria para mim, coisa que nem em meus pensamentos me havia ocorrido, uma pessoa um pouco estranha, essa senhora que entra sozinha numa casa onde eu não moro e pergunta ao porteiro se não terá chegado alguma carta minha.

Mal pude responder ao empregado que quis segurar a minha maleta. Minha mãe, para consolar-me, ia experimentando os meios que lhe pareciam mais eficazes. Achava que de nada serviria fingir que não estava notando a minha pena, e dela troçava carinhosamente.

— Que diria a igreja de Balbec, se soubesse que te preparas para ir vê-la com essa cara tão triste? É assim que és o viajante extasiado de que fala Ruskin? E logo saberei se estiveste à altura das circunstâncias; pois embora longe, não me separarei de meu filhinho. Amanhã terás carta de mamãe.

— Minha filha — disse minha avó —, estou a ver-te que nem madame de Sévigné, com um mapa sempre diante dos olhos e sem deixar um instante de pensar em nós.[4]

E mamãe intentava distrair-me: perguntava-me o que iria eu jantar naquela noite, admirava e cumprimentava Françoise por aquele chapéu e aquela capa, que não reconhecia, apesar de lhe haverem causado horror quando os vira novos, anos atrás, usados por minha tia-avó, encimado o chapéu por um grande pássaro e adornada a capa de medonhos bordados e azeviches.

---

4 Grande leitora das cartas de sua "querida" madame de Sévigné, a avó do herói menciona aqui uma carta que, no dia 9 de fevereiro de 1671, madame de Sévigné escreveu a sua filha. (N. E.)

Mas como a capa estava muito gasta, Françoise mandara-a virar pelo avesso, e agora mostrava um tecido liso de bela cor. E o pássaro, roto há muito tempo, fora parar a um canto. E como esses refinamentos a que aspiram os mais conscientes artistas, muitas vezes nos desconcerta encontrá-los em alguma canção popular ou na fachada de alguma casa de camponês, que ostenta acima da porta, no lugar exato em que devia estar uma rosa branca ou cor de enxofre, assim Françoise soubera colocar, com gosto infalível e ingênuo, naquele chapéu, agora delicioso, a laçada de veludo e a fita que nos teriam seduzido num retrato de Chardin ou de Whistler.

E para remontar a época mais antiga, poder-se-ia dizer que a modéstia e a honradez, que tantas vezes emprestavam nobreza ao rosto de nossa velha criada, haviam também alcançado aquela capa e aquele chapéu, que ela, na sua qualidade de mulher reservada mas sem baixeza, que "sabe guardar seu lugar e estar onde deve", pusera com o fim de apresentar-se dignamente em nossa companhia, e não para chamar a atenção. Assim, com o pano cereja-fanado da sua capa e os pelos sem rudeza da sua gola de pele, Françoise fazia pensar em algumas dessas imagens de Ana da Bretanha pintadas nos livros de horas por um velho mestre, e onde tudo está tão em seu lugar e o sentimento do conjunto tão bem distribuído pelas partes que a rica e desusada singularidade do costume exprime a mesma gravidade piedosa que os olhos, os lábios e as mãos.[5]

Não seria cabível falar em pensamento, a propósito de Françoise. Não sabia nada, nesse sentido integral em que nada saber equivale a não compreender nada, exceto as poucas verdades que o coração pode alcançar diretamente. Para ela não existia o mundo imenso das ideias. Mas ante a claridade de seu olhar, ante os delicados traços do nariz e dos lábios, ante todos esses testemunhos que muitas pessoas cultas não possuíam e em cujo rosto indi-

---

5 Alusão ao livro de horas publicado em 1508 pelo pintor e miniaturista francês Jean Bourdichon. (N. E.)

cariam suprema distinção ou o nobre desinteresse de uma alma de escol, sentia-se a gente desconcertada, como quando vê o olhar inteligente e bom de um cachorro, o qual entretanto nos consta que nada sabe dos conceitos humanos, e poder-se-ia perguntar se não há entre nossos irmãos humildes, os campônios, criaturas que são como que os homens superiores do mundo dos simples de espírito, ou antes, condenadas, por um destino injusto, a viver entre os simples de espírito, privadas de luz, e no entanto mais naturalmente, mais essencialmente aparentadas com as naturezas de escol do que a maioria das pessoas instruídas — criaturas que são como que membros dispersos, extraviados, privados de razão, da família sagrada, parentes, que não saíram da infância, das mais altas inteligências, e a quem faltou, para terem talento, nada mais que saber, como se nota inequivocamente nessa claridade de seu olhar que no entanto não se aplica a coisa alguma.

Minha mãe, vendo quanto me custava conter as lágrimas, dizia-me: "Régulo costumava, nas grandes ocasiões...".[6] E depois, não está bem fazer isso para a mamãe. Vamos citar madame de Sévigné, como a tua vovó: "Serei obrigada a servir-me de toda a coragem que não tens".[7] E, lembrando-se de que a afeição a outrem desvia as dores egoístas, tentava animar-me dizendo que a sua viagem a Saint-Cloud seria muito aprazível, estava satisfeita com o fiacre que encomendara, que o cocheiro era atencioso e a condução confortável. Ao ouvir esses pormenores, esforçava-me por sorrir e sacudia a cabeça em sinal de aquiescência e alegria. Mas só serviam para representar-me ainda com mais realidade a separação e, com o coração apertado, eu olhava para mamae, com o seu chapéu redondo de palha, comprado para o campo, e com o traje

6 Em outro de seus textos, o *Contre Sainte-Beuve*, a mãe do herói citava integralmente: *"Régulo surpreendia por sua firmeza nas ocasiões dolorosas"*. Tal citação parece ter sido forjada por Proust e atribuída a Plutarco. (N. E.)

7 Citação aproximada de outra carta de madame de Sévigné a sua filha, do dia 9 de fevereiro de 1671. (N. E.)

leve que pusera para aquela viagem de carro por um tempo tão quente, e que, assim vestida, parecia outra pessoa, pertencente já àquela vila de Montretout, onde eu não havia de vê-la.

Para evitar as sufocações que me provocasse a viagem, recomendou o médico que eu tomasse no momento da partida uma boa quantidade de cerveja ou conhaque, a fim de me pôr nesse estado que ele chamava de "euforia", em que o sistema nervoso se torna momentaneamente menos vulnerável. Ainda não sabia se devia fazê-lo ou não; mas ao menos desejava que, caso me resolvesse, reconhecesse minha avó que eu procedia com sensatez e justo motivo. E falei nisso como se apenas estivesse incerto quanto ao local onde deveria ingerir o álcool, se no vagão-restaurante ou no bar da estação. Mas no rosto de minha avó pintou-se a censura e o desejo de nem sequer ouvir falar em tal coisa.

— Como! — exclamei, tomando logo a resolução de beber, coisa agora requerida para provar a minha liberdade, visto que o seu mero anúncio verbal havia provocado um protesto. — Como! Sabes o estado em que estou e o que me disse o médico, e me dás esse conselho!

Expliquei à minha avó meu mal-estar, e ela me disse: "Vai então tomar logo a cerveja ou o conhaque, se é que isso te deve sentar bem" com tal gesto de desespero e de bondade que me lancei em seus braços e cobri-a de beijos. E se afinal fui beber no bar do trem, era por estar certo de que, caso não o fizesse, me viria uma sufocação muito forte, e isso penalizaria muito mais a minha avó. Quando na primeira estação voltei para o nosso compartimento, disse-lhe que muito me alegrava ir a Balbec, que tudo se arranjaria muito bem, que me acostumaria a estar separado de mamãe, que o trem era muito agradável e muito simpáticos o encarregado do bar e os empregados, tanto assim que gostaria de viajar seguidamente para vê-los. Contudo, parecia que essas boas notícias não lhe inspiravam o mesmo regozijo que a mim. E respondeu, olhando para o outro lado:

— Trata de ver se dormes um pouco — e afastou a vista para a janela; tínhamos baixado a cortina, mas não tapava todo o vidro, de modo que o sol insinuava na madeira brilhante da portinhola e no forro dos assentos a mesma luz morna e sonolenta que dormia a sesta lá fora nas clareiras, claridade que era como que um anúncio da vida no seio da natureza, muito mais persuasiva que as paisagens anunciadoras colocadas no alto do compartimento, e cujos nomes eu não podia ler porque os cartazes se achavam muito elevados.

Quando minha avó supôs que eu estava de olhos fechados, vi que, de quando em quando, detrás de seu véu com grandes pintas negras, vinha um olhar que pousava em mim, que se retirava e voltava de novo, como alguém que se esforça em fazer um exercício penoso, a fim de se ir acostumando.

Então, falei-lhe, mas parece que não lhe agradou muito. E a mim, no entanto, causava um grande prazer a minha própria voz, assim como os movimentos mais insensíveis e recônditos de meu corpo. De maneira que fazia o possível para prolongar esse prazer, deixava a todas as minhas inflexões de voz que se entretivessem muito tempo nas palavras, e sentia que meus olhares se achavam muito bem onde quer que pousassem e ali permaneciam mais tempo que de costume. "Vamos, descansa", disse minha avó, "se não podes dormir, lê alguma coisa." Deu-me um livro de madame de Sévigné, e eu o abri, enquanto ela se absorvia na leitura das *Memórias de Madame de Beausergent*.[8] Nunca viajava sem um livro de cada uma dessas autoras. Eram as suas prediletas. Como eu naquele momento não queria voltar a cabeça e muito me agradava continuar na mesma postura que havia tomado, fiquei

8 Livro de mémórias imaginário, baseado, entretanto, nas memórias da condessa de Boigne, resenhado por Proust no jornal *Le Figaro*, em março de 1907. O livro da condessa servirá de modelo também para as memórias da senhora de Villeparisis, personagem que encontraremos durante essa viagem do herói à praia. (N. E.)

com o livro de madame de Sévigné na mão, sem abri-lo e sem pousar nele o meu olhar, que não tinha diante de si mais que a cortina azul da janelinha. O contemplar essa cortina me parecia algo de admirável, e nem sequer me dignaria a responder a quem intentasse arrancar-me de minha contemplação. Parecia-me que a cor azul da cortina, e quiçá não pela beleza, mas pela viveza dela, apagava tão completamente todas as cores que tivera diante dos olhos desde o dia em que nasci até o presente momento em que acabara de beber e começava a bebida a surtir efeito, e, junto daquele azul, todos os outros coloridos se me afiguravam tão vagos, tão frios, como deve sê-lo retrospectivamente a escuridão para os cegos de nascença operados tardiamente e que veem afinal as cores. Entrou um velho empregado a pedir-nos as passagens. Encanta-ram-me os prateados reflexos que irradiavam os botões da sua túni-ca. Quis pedir-lhe que se sentasse conosco. Mas foi para outro vagão, e eu pus-me a pensar com nostalgia nos empregados ferroviários que, como passavam a vida no trem, sem dúvida não deixariam de ver um só dia aquele velho fiscal. Por fim começou a diminuir aquele prazer que eu sentia em olhar para a cortina e manter a boca entreaberta. Senti mais desejos de mover-me, e agitei-me um pouco; abri o livro que me dera a minha avó e já pude prestar aten-ção aos trechos que ia escolhendo aqui e ali. Conforme lia, vi como aumentava a minha admiração por madame de Sévigné.

Cumpre não nos deixarmos enganar por particularidades de pura forma, oriundas da época e da vida social de então, particu-laridades que levam muita gente a supor que já fizeram o seu pouco de Sévigné com o dizer: "Manda-me suas ordens, queri-da", ou "Esse conde me pareceu que tinha não pouco engenho", ou "A coisa mais bonita deste mundo é pôr feno a secar". Já a sra. Simiane imaginava que se parecia com a avó, madame de Sévig-né, por escrever: "O sr. de la Boulie vai às mil maravilhas e acha--se em bom estado para ouvir a notícia da própria morte", ou "Quanto me agrada a sua carta, estimado marquês! Como me arranjarei para não lhe responder?", ou "Parece-me que o senhor me deve uma carta e que eu lhe devo caixas de bergamotas. Mando oito, logo irão mais... a terra nunca deu tanta bergamota. Indubitável, assim o faz para lhe ser agradável".[9] E no mesmo estilo escreve suas cartas sobre a sangria, os limões etc., e imagina que são cartas de madame de Sévigné. Minha avó, porém, havia chegado a madame de Sévigné por dentro, pelo amor que tinha aos seus e à natureza, e ensinou-me a apreciar suas belezas, que são muito diversas das mencionadas. Iam impressionar-me muito, e com tanto mais razão porque madame de Sévigné é uma artista da mesma família que um pintor que eu havia de encontrar em Balbec e que teve grande influência em meu modo de ver as coisas, Elstir. Em Balbec, dei-me conta de que a Sévigné nos apresenta as coisas da mesma forma que o pintor, isto é, relacionadas com a ordem de nossas percepções e não explicando-as primeiro pela sua causa. Mas já naquela tarde, no vagão, ao reler a carta em que aparece o luar: "Não pude resistir à tentação, ponho todas as minhas coifas e toucas que não eram necessárias, vou para aquele passeio onde o ar é bom como o de meu quarto: encontro mil quimeras, *monges brancos e negros, várias religiosas cinzentas e brancas, roupa branca atirada aqui e acolá, homens amortalhados de pé contra árvores* etc.",[10] fiquei encantado com o que eu teria chamado um pouco mais tarde (pois não pinta ela as paisagens da mesma forma que ele os caracteres?) o lado Dostoievski das *Cartas de madame de Sévigné*.

À tardinha, depois de ter levado minha avó e ficado algumas horas em casa da sua amiga, quando tornei a embarcar no trem, e já então sozinho, pelo menos não achei penosa a noite que se

---

9 Citação de trechos da correspondência da marquesa de Simiane (1674-1737), neta de madame de Sévigné que dirigiu a publicação da correspondência da avó, chegando a eliminar a maior parte das cartas de sua mãe. (N. E.)

10 Citação de trecho de uma carta do dia 12 de junho de 1680. (N. E.)

seguiu; é que não tinha de passá-la na prisão de um quarto cuja própria sonolência me conservaria desperto; estava cercado pela calmante atividade de todos aqueles movimentos do trem, que me faziam companhia, ofereciam-se para conversar comigo se não me viesse sono, me embalariam com os seus rumores que eu harmonizava como o som dos sinos de Combray, ora a um ritmo, ora a outro (e, conforme o meu capricho, ouvia quatro duplas colcheias iguais e logo uma dupla colcheia que se precipitava furiosamente contra uma semínima); neutralizavam a força centrífuga de minha insônia, exercendo sobre ela pressões contrárias que me mantinham em equilíbrio, e minha imobilidade e meu sono se sentiram sustidos nessas pressões com a mesma impressão de frescura que me teria dado o repouso devido à vigilância de forças poderosas no seio da natureza e da vida, se eu pudesse um momento encarnar-me nalgum peixe que dorme no mar, passeado em seu entorpecimento pelas correntes e a vaga, ou nalguma águia apoiada unicamente sobre a tempestade.

As alvoradas são um acompanhamento das longas viagens de trem, como os ovos cozidos, os jornais ilustrados, os jogos de cartas, os rios onde barcos se esforçam sem avançar. Num momento em que eu passava em revista os pensamentos que me haviam enchido o espírito durante os minutos precedentes, para ver se tinha dormido ou não (e quando a mesma incerteza que me inspirava a pergunta me dava a resposta afirmativa), vi no quadro da janela, acima de um bosquezinho negro, nuvens recurvadas cuja suave penugem era de um róseo estabilizado, morto, imutável, como o que tinge as penas da asa que o assimilou ou o pastel sobre o qual o depôs a fantasia do pintor. Mas sentia pelo contrário que aquela cor não era nem inércia, nem capricho, mas necessidade e vida. Por detrás dela em breve se amontoaram reservas de luz. Ela avivou-se, o céu se tornou de um encarnado que eu, colando os olhos à vidraça, procurava distinguir melhor, pois o sentia em relação com a existência profunda da natureza, mas, tendo a linha férrea mudado de direção, o trem fez uma volta, o cenário matinal foi substituído no quadro da janela por uma aldeia noturna de telhados azuis de luar, com um lavadouro cheio do nácar opalino da noite, sob um céu ainda semeado de todas as suas estrelas, e eu me desolava por haver perdido a minha faixa de céu rósea, quando a avistei de novo, mas vermelha desta vez, na janela fronteira, que ela abandonou, a um segundo cotovelo da linha férrea; de modo que eu passava o tempo a correr de uma janela a outra, para aproximar, para enquadrar os fragmentos intermitentes e opostos de minha bela madrugada escarlate e fugidia e ter dela uma vista total e um quadro contínuo.

A paisagem tornou-se acidentada, abrupta, o trem parou numa estaçãozinha entre duas montanhas. Ao fundo da garganta, à margem da correnteza, não se via mais que uma casa de guarda metida na água que corria abaixo das janelas. E se é possível que determinada terra produza um ser em que se possa gozar o particular encanto dela, essa criatura devia ser, mais ainda do que a camponesa cujo aparecimento eu tanto desejara quando vagava sozinho para as bandas de Méséglise, nos bosques de Roussainville, aquela rapariga alta que vi sair da casa e encaminhar-se para a estação com o seu cântaro de leite, no caminho iluminado obliquamente pelo sol levante. No seio daquele vale, entre aquelas alturas que lhe ocultavam o resto do mundo, a rapariga não devia ver outras pessoas senão as que iam nos trens que ali paravam um momento. Andou ao longo do trem, oferecendo café com leite aos poucos viajantes acordados. Seu rosto, colorido pelos reflexos matinais, era mais rosado que o céu. Senti ao vê-la esse desejo de viver que em nós renasce cada vez que recuperamos a consciência da felicidade e da beleza. Esquecemo-nos continuamente de que felicidade e beleza são individuais, e em seu lugar colocamos no espírito um tipo convencional formado por uma espécie de média dos diferentes rostos que nos agradaram e dos prazeres que desfrutamos, com o que não possuímos outra coisa senão imagens abstratas, evanescentes e insípidas, pois precisamente lhes falta esse caráter de coisa nova, diferente do que já conhecemos, esse caráter que é peculiar à beleza e à felicidade. E baixamos sobre a vida um juízo pessimista e que supomos justo, pois julgamos ter levado em conta a felicidade e a beleza, quando as omitimos, substituindo-as por sínteses onde não existe um só átomo delas. É assim que boceja previamente de tédio o letrado a quem falam de um novo "belo livro", pois imagina uma espécie de composto de todos os belos livros que já leu, ao passo que um belo livro é particular, imprevisível e não é feito da soma de todas as obras-primas precedentes, mas de alguma coisa que não se alcança com o haver assimilado perfeitamente essa soma, porque está precisamente fora dela. Logo que toma conhecimento dessa nova obra, esse homem, até então enfastiado, sente interesse pela realidade que ela descreve. Assim, estranha aos modelos de beleza que esboçava o meu pensamento quando me achava a sós, a bela rapariga deu-me em seguida o gosto de certa felicidade (única forma, sempre particular, sob a qual possamos conhecer o gosto da felicidade), de uma felicidade que se realizaria vivendo eu junto dela. Mas ainda aqui agia em grande parte a cessação momentânea do hábito. Eu favorecia a vendedora de leite com o que era o meu ser completo, ali à sua frente, apto a gozar dos mais fortes prazeres. É em geral com o nosso ser reduzido ao mínino que nós vivemos, a maioria de nossas faculdades permanece adormecida, porque repousa no hábito, que sabe o que cumpre fazer e não necessita delas. Mas naquela manhã de viagem, a interrupção da rotina de minha existência, a mudança de lugar e de hora tornaram indispensável a presença de minhas faculdades. Meu hábito, que era sedentário e nada madrugador, estava ausente, e todas as minhas faculdades haviam acorrido para substituí-lo, rivalizando entre si em zelo — elevando-se todas, como vagas, a um mesmo nível inacostumado — da mais baixa à mais nobre, da respiração, da fome e da circulação sanguínea à sensibilidade e à imaginação. Não sei se o encanto selvagem daquele lugar aumentava o daquela rapariga, fazendo-me crer que não era igual às outras, mas o fato é que ela o devolvia ao ambiente. Deliciosa me pareceria a vida se ao menos eu pudesse, hora por hora, passá-la com ela, acompanhá-la até o rio, até a vaca, até o trem, estar sempre ao seu lado, sentir-me conhecido dela, tendo o meu lugar no seu pensamento. Ela me iniciaria nos encantos da vida rústica e das primeiras horas do dia. Fiz-lhe um sinal para que me servisse café com leite. Tinha necessidade de ser notado por ela. Não me viu, chamei-a. Acima de seu corpo muito grande, a pele do rosto era tão dourada e rósea que parecia vista através de um vitral iluminado. Deu volta, eu não podia desviar os olhos da sua face cada vez maior, semelhante a um sol que se pudesse fixar e que se fosse aproximando até bem perto da gente, deixando-se olhar bem de perto, ofuscando-nos de ouro e de vermelho. Ela pousou em mim o olhar penetrante, mas, tendo os empregados fechado as portinholas, o trem se pôs em marcha; vi-a deixar a estação e retomar o caminho, já havia completa claridade; eu afastava-me da aurora. Não sei se minha exaltação foi provocada por aquela rapariga ou se foi a causa principal do prazer que senti ao vê-la; mas tão unidas estavam ambas as coisas que o meu desejo de tornar a vê-la era antes de tudo o desejo moral de não deixar que esse estado de excitação perecesse por completo e de não separar-me para sempre da criatura que tomou parte nela, ainda sem o saber. E não era tão somente porque tal estado fosse agradável, senão que (assim como a tensão maior de uma corda ou a vibração mais rápida de um nervo produz uma sonoridade ou uma cor diferente) esse estado dava outra tonalidade ao que eu via e me introduzia como ator num universo desconhecido e infinitamente mais interessante; aquela bela rapariga que eu ainda vislumbrava enquanto o trem acelerava a marcha era como parte de uma vida diversa da que eu conhecia, dela separada por uma orla e onde as sensações que despertavam os objetos já não eram as mesmas; e de onde sair agora seria como morrer para mim mesmo.

Para ter a doçura de sentir-me ao menos ligado a essa vida, bastaria que eu morasse bastante próximo da estaçãozinha para vir todas as manhãs pedir café com leite àquela camponesa. Mas ai!, ela ficaria para sempre ausente da outra vida para a qual eu me dirigia cada vez mais depressa e que não me resignava a aceitar senão arquitetando planos que me permitissem um dia retomar aquele mesmo trem e parar naquela mesma estação, projeto que tinha também a vantagem de fornecer um alimento à disposição interessada, ativa, prática, maquinal, preguiçosa, centrífuga que é a de nosso espírito, pois ele de bom grado se desvia do esforço que é necessário para aprofundar em si mesmo, de maneira geral e desinteressada, uma impressão agradável que tivemos. E como por outro lado queremos continuar a pensar nessa impressão, prefere o espírito imaginá-la no futuro, preparar habilmente as circunstâncias que poderão fazê-la renascer, o que não nos ensina coisa alguma sobre a sua essência, mas nos evita a fadiga de recriá-la em nós mesmos e permite-nos esperar recebê-la novamente do exterior.

Há nomes de cidades que servem para designar, em abreviatura, sua igreja principal, Vézelay, Chartres, Bourges ou Beauvais. Essa designação parcial em que o tomamos tantas vezes acaba — quando se trata de lugares que ainda não conhecemos — por esculpir o nome inteiro, que desde então, quando queremos inserir-lhe a ideia da cidade — a cidade que nunca vimos —, lhe há de impor — como um molde — as mesmas cinzeladuras, o mesmo estilo, transformando-a como numa grande catedral. Foi no entanto numa estação de estrada de ferro, acima de um bufê em letras brancas sobre um cartaz azul, que eu li o nome, quase de estilo persa, de Balbec. Atravessei rapidamente a estação e o bulevar que nela termina, e perguntei pela praia, pois não queria ver senão a igreja e o mar; não pareciam haver compreendido a minha pergunta. "Balbec-le--Vieux", "Balbec-en-Terre", aquele onde eu me achava, não era praia nem porto. Por certo, fora mesmo no mar que os pescadores haviam achado, segundo a lenda, o Cristo milagroso de que um vitral daquela igreja que se achava a alguns metros de mim narrava a descoberta, fora mesmo de falésias batidas pelas ondas que haviam tirado a pedra da nave e das torres. Mas aquele mar, que por isso mesmo eu imaginava viesse morrer ao pé do vitral, estava a mais de cinco léguas de distância, no Balbec-Plage, e, ao lado da sua cúpula, aquele campanário que, por haver lido que fora ele próprio um áspero alcantil normando onde cresciam as ervas e revoluteavam os pássaros, eu sempre o imaginara a receber no sopé a derradeira espuma das vagas alvorotadas, ei-lo que se erguia numa praça onde se dava o cruzamento de duas linhas de bondes, defronte a um Café que ostentava, escrita em letras de ouro, a palavra: "Bilhares"; destacava-se sobre um fundo de casas a cujos telhados não se misturava nenhum mastro. E a igreja — entrando na minha mente com o Café, com o transeunte a quem tivera de perguntar o caminho, com a estação para onde ia voltar — formava um todo com o resto, parecia um acidente, um produto daquele fim de tarde, na qual a cúpula macia e arredondada contra o céu era como um fruto a que a mesma luz que banhava as chaminés das casas amadurecia a pele rósea, dourada e tenra. Mas já não quis pensar noutra coisa a não ser no significado eterno das esculturas quando reconheci os Apóstolos cujas estátuas moldadas vira no museu do Trocadero e que, a cada lado da Virgem, no vão profundo do pórtico, me esperavam como para receber-me. O rosto suave e benévolo, o nariz rombo, o dorso arqueado, pareciam avançar com um ar de boas-vindas, cantando a *Alleluia* de um belo dia. Mas percebia-se que a sua expressão era imutável como a de um morto e só se modificava quando a gente volteava em torno deles. Eu dizia comigo: "E aqui, é esta a igreja de Balbec. Esta praça que parece conhecer a sua glória é o único lugar no mundo que possui a igreja de Balbec. O que eu vi até agora eram fotografias dessa igreja, e destes Apóstolos, desta Virgem do Pórtico, tão famosos, tão somente as moldagens. Agora é a própria igreja, a própria estátua, são elas; elas, as únicas, e isto é ver muito mais".

E talvez fosse ver menos. Como um jovem, num dia de exame ou de duelo, acha o fato sobre o qual o interrogaram, a bala que ele atirou, bem pouca coisa quando pensa nas reservas de ciências e de coragem que possui e de que desejaria dar provas, assim o meu espírito, que erguera a Virgem do Pórtico fora das reproduções que eu tivera ante os olhos, inacessível às vicissitudes que pudessem ameaçar àquelas, intata se as destruíssem, ideal, com um valor universal, espantava-se de ver a estátua que mil vezes esculpira, reduzida agora à sua própria aparência de pedra, ocupando em relação ao alcance de meu braço um lugar em que tinha como rivais um cartaz eleitoral e a ponta da minha bengala, e encadeada à praça, inseparável do desemboque da rua principal, sem poder fugir aos olhares do Café e do escritório de ônibus, recebendo na face a metade do raio de sol poente — e em breve, por algumas horas, da claridade do lampião — de que o escritório do Banco de Redesconto recebia a outra metade, alcançada, ao mesmo tempo que essa sucursal de um estabelecimento de crédito, pelo bafio das cozinhas do pasteleiro, submetida a tal ponto à tirania do particular, que se eu quisesse traçar a minha assinatura sobre aquela pedra, seria ela, a Virgem ilustre que até então eu dotara de uma existência geral e de intangível beleza, a Virgem de Balbec, a única (o que, infelizmente, queria dizer ela só), seria ela mesma quem, sobre o seu corpo, manchado da mesma fuligem que as casas vizinhas, mostraria a todos os admiradores ali chegados para contemplá-la o traço de minha ponta de giz e as letras de meu nome, e era ela enfim, a obra d'arte imortal e por tanto tempo desejada, que eu vinha encontrar metamorfoseada, assim como a própria igreja, em uma velhinha de pedra, a quem eu podia medir a altura e contar as rugas. O tempo ia passando, era preciso voltar à estação, onde devia esperar por minha avó e Françoise, para chegarmos juntos à praia de Balbec. Recordava o que lera sobre Balbec, e as palavras de Swann. "Delicioso! É tão lindo como Sienna." E só acusando de minha decepção às contingências, a má disposição em que me achava, minha fadiga, minha incapacidade de saber olhar as coisas, tentava consolar--me pensando que havia outras cidades ainda intatas para mim, e que eu talvez pudesse em breve penetrar, como no meio de uma chuva de pérolas, no fresco reboliço das gotas d'água de Quimperlé, atravessar o reflexo esverdeado e róseo que banhava Pont-Aven; mas quanto a Balbec, logo que ali entrara, fora como se tivesse entreaberto um nome que deveria conservar hermeticamente fechado, e, onde, aproveitando a entrada que eu imprudente-mente lhes oferecera e escorraçando todas as imagens que ali viviam até então, irresistivelmente impulsionados por uma pressão externa e uma força pneumática, um bonde, um Café, as pessoas que passavam na praça, a sucursal do Banco de Redesconto se haviam engolfado até o interior das sílabas que, tornando a fechar--se sobre eles, os deixavam agora enquadrar o pórtico da igreja persa e jamais cessariam de os conter.

No trenzinho local que nos devia levar à praia de Balbec, encontrei minha avó, mas desacompanhada; ela quisera mandar Françoise adiante, para que tudo estivesse preparado à nossa chegada, mas deu-lhe mal as indicações e Françoise tomou uma direção errada, e àquelas horas devia correr a toda a velocidade para Nantes, e talvez despertasse em Bordéus. Apenas me sentei naquele compartimento, cheio da fugitiva luz crepuscular e do persistente calor da tarde (graças a essa luz, revelou-se-me no rosto de minha avó o quanto a havia cansado aquele calor), quando me perguntou: "E Balbec?", e o seu sorriso estava tão ardentemente iluminado pela esperança daquele prazer que, na sua opinião, devia eu ter sentido, que não me animei a confessar-lhe imediatamente a minha decepção. De resto, preocupava-me cada vez menos aquela impressão que tanto havia buscado minha alma, à medida que se iam aproximando os novos lugares a que meu corpo deveria acostu-mar-se. E no final do trajeto, que duraria ainda uma hora, procu-rava imaginar o aspecto do gerente do hotel de Balbec, para o qual eu não existia ainda, e desejaria apresentar-me a essa personagem em companhia mais prestigiosa que a de minha avó, que por certo lhe ia pedir um abatimento. Afigurava-se-me cheio de importância, embora muito vago em seus contornos.

A cada momento o nosso trem parava numa das estações que precediam a Balbec-Plage, e até seus nomes (Incarville, Marcouville, Doville, Pont-à-Couleuvre, Arambouville, Saint-Mars-le-
-Vieux, Hermonville, Maineville) me pareciam agora coisa estranha, ao passo que lidos em algum livro não me teria escapado que possuíam certa relação com lugares próximos a Balbec. Mas pode acontecer que, para o ouvido de um músico, dois motivos compostos materialmente de várias notas comuns não ofereçam talvez nenhuma semelhança se diferirem pela cor da harmonia e da orquestração. E assim, aqueles nomes tão tristes, feitos de areia, de espaços ventilados e abertos, de sal, nomes de que se escapava seu último elemento, *ville*, como se escapa o *vole* quando se joga o *pigeon vole*,[11] em nada me lembravam os outros nomes parecidos de Roussainville ou Martinville; porque esses eu os ouvira minha tia-avó pronunciar tão seguidamente quando estávamos na "sala", sentados à mesa, que chegaram a adquirir certo sombrio encanto, em que talvez se confundissem sabores de doces, cheiro de fogo de lenha e de papel de um livro de Bergotte e o tom cinzento da casa fronteira; tanto que hoje, quando sobem como uma bolha do fundo da minha memória, ainda conservam a sua virtude específica, através das superpostas camadas de ambientes diversos que tiverem de varar para chegar até a superfície.

Eram lugarejos que, do arenoso montículo em que se achavam encravados, dominavam o mar longínquo, bem recolhidos já para passar a noite ao pé de uma das colinas de um verde cru e de estranha forma, como o sofá de um quarto de hotel onde acabamos de chegar; compunham-se de alguns hoteizinhos, com seus

---

11 Jogo de cartas infantil para o desenvolvimento do raciocínio e do vocabulário. (N. E.)

campos de tênis e às vezes de um cassino, cuja bandeira se agitava ao impulso do vento fresco, ansioso e vazio, e me mostravam pela vez primeira os seus hóspedes, mas só na sua aparência exterior habitual: jogadores de tênis com bonés brancos, o chefe da estação, que vivia junto de suas rosas e tamarindos, uma senhora de chapéu de palha, que, seguindo o cotidiano traçado de uma vida que eu jamais conheceria, chamava o cachorro lebréu, que havia ficado para trás, e voltava ao chalé, onde já estava aceso o lampião; e essas imagens, tão estranhamente comuns e tão desdenhosamente familiares, feriam-me nos olhos surpresos e no coração nostálgico. Mas ainda mais sofri quando descemos no *hall* do Grande Hotel de Balbec, defronte à escadaria monumental, em imitação de mármore, enquanto minha avó, sem receio de provocar a hostilidade e o desprezo das pessoas estranhas a cujo lado íamos viver, discutia as "condições" com o gerente, sujeitinho rechonchudo, com o rosto e a voz cheios de cicatrizes (na cara, pela sucessiva extirpação de numerosas verrugas, e na fala, pelos diversos acentos que devia à sua remota pátria e à sua infância cosmopolita), com o seu *smoking* de homem de sociedade e o seu olhar de psicólogo, que em geral tomava, à chegada do ônibus, os grão-senhores por miseráveis e os aventureiros por grão-senhores. Esquecendo sem dúvida que ele próprio não ganhava quinhentos francos mensais, desprezava profundamente as pessoas para quem quinhentos francos ou antes, "vinte e cinco luíses", como ele dizia, é "uma soma", e considerava-os como pertencentes a uma raça de párias a quem não era destinado o Grande Hotel. É verdade que naquele mesmo "palácio" havia pessoas que não pagavam muito caro, sem deixar de ser estimadas pelo gerente, contanto que este tivesse a certeza de que, se cortavam os gastos, não o faziam por falta de recursos, mas por simples avareza. Porque a avareza, com efeito, em nada diminui o prestígio de um indivíduo, pois é um vício e como tal pode se manifestar em todas as classes sociais. A posição social era a única coisa em que atentava o gerente, ou, antes, os sinais que lhe pareciam denotar que ela fosse elevada, como o não tirar o chapéu ao penetrar no *hall*, usar *knickerbockers*, paletó sob medida, e tirar um charuto enfaixado em púrpura e ouro de um estojo de marroquim liso (vantagens que, ai de mim, me faltavam todas). Ele esmaltava suas palestras comerciais com expressões escolhidas, mas fora de propósito.

Enquanto eu ouvia minha avó, sem se melindrar de que ele a escutasse de chapéu na cabeça e assobiando, perguntar-lhe numa entonação artificial: "E quais são... os seus preços?... Oh!, muito elevados para o meu pequeno orçamento", eu, esperando numa banqueta, refugiava-me no mais profundo de mim mesmo, esforçava-me por emigrar para pensamentos eternos, e não deixar nada de mim, nada de vivo, à superfície de meu corpo — insensibilizada como a dos animais que por inibição fingem de mortos quando os ferem — a fim de não sofrer demasiado naquele lugar onde a minha falta total de hábito me era ainda mais sensível ante a vista do hábito local que naquele momento pareciam ter uma dama elegante a quem o gerente testemunhava o seu respeito, tomando familiaridades com o cãozinho que a acompanhava, e o jovem bonifrate de pena no chapéu que entrava perguntando "se não havia cartas", toda aquela gente para quem subir os degraus de mármore falso era o mesmo que voltar para o seu *home*. E, ao mesmo tempo, o olhar de Minos, Eaco e Radamanto[12] (olhar onde mergulhei minha alma despojada, como num ignoto em que nada mais a protegia) foi-me lançado severamente por senhores que, pouco versados talvez na arte de "receber", tinham o título de "chefes de recepção"; mais além, por detrás de uma vidraça fechada, havia gente sentada num salão de leitura, para cuja descrição eu teria de escolher alternadamente no Dante as cores que ele empresta ao Paraíso

---

12 Três filhos de Zeus que, após sua morte, são convocados ao inferno para julgar os mortos. (N. E.)

e ao Inferno, segundo pensava na ventura dos eleitos que ali tinham o direito de ler com toda a tranquilidade, ou no terror que me teria causado minha avó se, na sua despreocupação por esse gênero de impressões, me tivesse mandado penetrar naquele recinto.

Um momento depois, mais ainda cresceu a minha impressão de solidão. Como houvesse confessado a minha avó que não me sentia bem e que julgava seríamos obrigados a regressar a Paris, ela, sem protestar, disse que ia sair para algumas compras, tão necessárias se tivéssemos de partir como de ficar (e que eu soube em seguida me serem todas destinadas, pois Françoise levara consigo coisas que me faziam falta); enquanto esperava, eu fora dar uma volta pelas ruas atulhadas de uma multidão que ali mantinha um calor de apartamento e nas quais ainda estavam abertos um salão de barbeiro e uma confeitaria, onde fregueses tomavam gelados diante da estátua de Danguay-Trouin.[13] Ela me causou quase o mesmo prazer que sua imagem no meio de uma revista pode trazer para o doente que a folheia na sala de espera de um cirurgião. Espantava-me que houvesse pessoas bastante diferentes de mim para que o gerente me pudesse ter recomendado aquele passeio pela cidade e também para que o lugar de suplício que é uma nova morada pudesse parecer a alguns "uma estação de delícias", como dizia o prospecto do hotel, que bem podia exagerar, mas no entanto se dirigia a toda uma clientela cujos gostos lisonjeava. É verdade que invocava, para fazê-la vir ao Grande Hotel de Balbec, não somente "o refinado passadio" e a "vista feérica dos jardins de Cassino", mas ainda "os decretos de Sua Majestade a Moda, que não se pode violar impunemente sem passar por um bcócio, coisa a que nenhum homem bem-educado desejaria expor-se".

A necessidade que eu sentia de minha avó era acrescida pelo receio de lhe haver causado uma desilusão. Ela devia estar desani-

---

13 O busto deste corsário aventureiro se encontra, na verdade, em sua cidade natal, Saint-Malo. (N. E.)

mada, sentir que, se eu não suportava aquela fadiga, era de desesperar que alguma viagem me pudesse fazer bem. Resolvi entrar para esperá-la; o gerente veio em pessoa apertar um botão, e uma personagem ainda desconhecida para mim, a quem chamavam o *lift* (e que, naquele ponto mais elevado do hotel, onde estaria o lanternim de uma igreja normanda, se achava instalado como um fotógrafo por detrás da sua vidraça ou como um organista na sua câmara), pôs-se a descer para mim com a agilidade de um esquilo doméstico, industrioso e cativo. Depois, deslizando de novo ao longo de um pilar, arrastou-me consigo para o domo da nave comercial. A cada andar, dos dois lados de pequenas escadas de comunicação, desdobravam-se em leque escuras galerias, pelas quais, carregando um travesseiro, passava uma camareira. Eu aplicava ao seu rosto, que o crepúsculo tornava indeciso, a máscara de meus sonhos mais apaixonados, mas lia em seu olhar voltado para mim o horror de meu nada. No entanto, para dissipar, ao longo da interminável ascensão, a angústia mortal que experimentava em atravessar em silêncio o mistério daquele claro-escuro sem poesia, iluminado apenas por uma fileira vertical de vidraças, formada pela superposição dos *water-closets*, dirigi a palavra ao jovem organista, artesão de minha viagem e companheiro de prisão, o qual continuava a manejar os registros e tubos do seu instrumento. Desculpei-me de ocupar tanto lugar, de lhe dar tamanho trabalho, e perguntei-lhe se não o incomodava no exercício de uma arte a cujo respeito para lisonjear o virtuose, eu fiz mais do que manifestar curiosidade: confessei a minha predileção. Mas ele não me respondeu, fosse por espanto ante as minhas palavras, atenção ao trabalho, cuidado da etiqueta, dureza de ouvido, respeito ao local, temor do perigo, preguiça de inteligência ou ordens do gerente.

Não há nada talvez que nos dê mais impressão da realidade do que nos é exterior, como a mudança da posição, em relação a nós, de uma pessoa, embora insignificante, antes e depois de a termos conhecido. Eu era o mesmo homem que tomara ao fim da tarde o trenzinho de Balbec, levava em mim a mesma alma. Mas nessa alma, no lugar onde às seis horas havia, com a impossibilidade de imaginar o gerente, o palácio, o seu pessoal, uma espera vaga e temerosa do momento da chegada, encontravam-se agora as verrugas extirpadas ao rosto do gerente cosmopolita (na realidade naturalizado monegasco, embora fosse — como dizia, porque empregava sempre expressões que julgava distintas, sem notar que eram viciosas — "de originalidade romena") — o seu gesto para chamar o *lift*, o próprio *lift*, toda uma frisa de personagens de teatro de fantoches saída daquela caixa de Pandora que era o Grande Hotel, inegável, irremovível e, como tudo o que é realizado, esterilizante. Mas pelo menos essa mudança em que eu não interviera provava-me que se havia passado alguma coisa de exterior a mim — por mais destituída de interesse que essa coisa fosse em si mesma — e eu estava como o viajante que, tendo o sol pela frente ao começar uma caminhada, verifica que as horas passaram quando o vê atrás de si. Eu estava alquebrado de fadiga, tinha febre; bem que me teria deitado, mas não tinha nada do que seria necessário para isso. Desejaria ao menos estender-me um instante no leito, mas para quê, se não poderia conseguir repouso para esse conjunto de sensações que é para cada um de nós o seu corpo consciente, se não o seu corpo material, e se os objetos desconhecidos que o cercavam, obrigando-o a pôr suas percepções em permanente estado de defensiva vigilante, teriam conservado o meu olhar, o meu ouvido, todos os meus sentidos, numa posição tão reduzida e incômoda (mesmo que eu esticasse as pernas) como a do cardeal La Balue na gaiola onde não podia nem estar de pé nem sentado.[14] É a nossa atenção que coloca os objetos num quarto, e o hábito que os retira, abrindo espaço para nós. Espaço era o que não havia para mim em meu quarto de Balbec (meu de nome,

---

14 Seguindo ordens do rei Luís XI, o cardeal La Balue, seu primeiro-ministro que o traíra, permaneceria onze anos enjaulado. (N. E.)

apenas); estava cheio de coisas que não me conheciam, que me devolveram o olhar desconfiado que lhes lancei e que, sem levar na mínima conta a minha existência, manifestaram que eu desarranjava o ramerrão da sua. A pêndula — ao passo que em casa eu não ouvia a minha senão alguns segundos por semana, somente quando saía de uma profunda meditação — continuou, sem interromper-se um instante, a fazer numa língua desconhecida considerações que deviam ser pouco lisonjeiras para mim, pois as grandes cortinas roxas a escutavam sem responder, mas na atitude análoga à das pessoas que erguem os ombros para mostrar que as irrita a vista de um terceiro. Emprestavam elas àquele quarto tão alto um caráter quase histórico que poderia torná-lo apropriado para o assassinato do duque de Guise,[15] e mais tarde para uma visita de turistas, conduzidos por um guia da Agência Cook, mas de nenhum modo apropriado para o meu sono. Era atormentado pela presença de pequenas estantes envidraçadas que corriam ao longo das paredes, mas principalmente por um grande espelho de pés, atravessado no meio do quarto e antes de cuja partida sentia eu que não haveria para mim descanso possível. Erguia a todo instante o olhar — a que os objetos do meu quarto de Paris não incomodavam mais que as minhas próprias pupilas, pois não passavam de anexos dos meus órgãos, uma ampliação de mim mesmo — para o teto soerguido daquele belvedere situado no alto do hotel e que minha avó escolhera para mim; e até nessa região, mais íntima do que aquela em que vemos e ouvimos, nessa região onde experimentamos a qualidade dos odores, era quase no interior de mim mesmo que o cheiro do vetiver vinha trazer sua ofensiva até meus últimos redutos, ataque esse a que eu opunha, não sem fadiga, o

15 O duque de Guise foi assassinado no dia 28 de dezembro de 1588 pelo rei Henri III, cujo trono ele almejava. O narrador alude aqui ao quadro de Paul Delaroche, *Assassinat du duc de Guise* (1835), em que o isolamento do cadáver, à direita, com relação aos conjurados é expresso pela imensa dimensão do cômodo em que eles se encontram. (N. E.)

contra-ataque inútil e interessante de um fungar alarmado. Não tendo mais universo nem mais quarto, nem corpo senão ameaçado pelos inimigos que me cercavam e invadido até os ossos pela febre, eu estava sozinho e tinha vontade de morrer. Então minha avó entrou; e, para a expansão de meu coração confrangido, abriram-se logo espaços infinitos.

Trazia um chambre de percal que vestia em casa cada vez que algum de nós se achava doente (porque se sentia mais à vontade, costumava dizer, atribuindo sempre móveis egoístas ao que fazia) e que era para nos cuidar, para velar por nós, era a sua veste de criada e de enfermeira, seu hábito de religiosa. Mas enquanto os cuidados destas, a bondade que elas têm, o mérito que se lhes atribui e o reconhecimento que se lhes deve aumenta ainda a impressão que tem a gente de ser, para elas, outra pessoa, de sentir-se só, de guardar para si o fardo de seus pensamentos, de seu próprio desejo de viver, eu sabia, quando estava com minha avó, que o meu penar, por maior que fosse, seria acolhido numa piedade ainda mais vasta; que tudo o que era meu, meus cuidados, meu querer, seria, em minha avó, absorvido num desejo de conservação e acréscimo de minha própria vida muito mais forte do que aquele que eu mesmo tinha; meus pensamentos se prolongavam nela sem sofrer desvio porque passavam do meu espírito para o seu sem mudar de meio, de pessoa. E — como alguém que dá o laço à gravata diante de um espelho sem compreender que a extremidade que vê não está colocada em relação a ele no lado para onde dirige a mão, ou como um cão que persegue na terra a sombra dançante de um inseto — enganado pela aparência do corpo, como se é neste mundo onde não percebemos diretamente as almas, lancei-me nos braços de minha avó e suspendi meus lábios à sua face, como se assim cedesse àquele imenso amor que ela me abria. Quando tinha a boca assim colada às suas faces, à sua fronte, hauria ali qualquer coisa tão benéfica, de tão nutriz, que conservava a imobilidade, o sério, a tranquila avidez de uma criança que mama.

Contemplava em seguida, sem cansar-me, o seu grande rosto delineado como uma bela nuvem ardente e calma, por detrás da qual se sentia irradiar a ternura. E tudo o que recebia ainda, por mais levemente que fosse, um pouco das suas sensações, tudo o que podia assim ser dito ainda a ela, ficava logo tão espiritualizado, tão santificado, que com as minhas palmas eu alisava os seus lindos cabelos que mal começavam a branquear, e com tanto respeito, precaução e doçura, como se neles estivesse acariciando a sua própria bondade. Ela achava tamanho prazer em toda a pena que me poupasse igual pena a mim, e, num momento de imobilidade e de calma para os meus membros fatigados, alguma coisa de tão delicioso que, tendo visto que ela queria ajudar-me a deitar e a descalçar-me, quando fiz o gesto de a impedir e de começar a despir-me sozinho, ela deteve com um olhar suplicante as minhas mãos que tocavam os primeiros botões do casaco e das botinas.

— Oh, eu te peço — disse-me ela. — É uma alegria tão grande para a tua avó! E antes de tudo não deixes de bater na parede se tiveres necessidade de alguma coisa esta noite, minha cama está pegada à tua, a divisão é muito fina. Daqui a um momento, quando estiveres deitado, experimenta para ver se nos compreendemos bem.

E, com efeito, naquela noite bati três pancadas — que uma semana mais tarde, quando estive doente, renovei durante alguns dias todas as manhãs, porque minha avó me queria servir leite cedo. Então quando julgava ouvir que ela estava acordada — para que ela não esperasse e pudesse logo em seguida adormecer de novo —, eu arriscava três pequenas pancadas, timidamente, debilmente, distintamente, apesar de tudo, pois se temia interromper-lhe o sono no caso de me haver enganado e de ela já ter adormecido, não desejaria que ela continuasse a aguardar um chamado que não teria distinguido a princípio que eu não ousaria renovar. E mal dera as minhas batidas, ouvia eu três outras, de uma entonação diferente daquela, cheias de uma calma autoridade, repetidas duas vezes para maior clareza, e que diziam: "Não te inquietes, já ouvi, daqui a instantes estarei contigo"; e logo depois minha avó entrava. Dizia-lhe que tivera receio de que ela não ouvisse ou acreditasse que fora um vizinho que tinha batido; ela ria:

— Confundir as batidas de meu querido com outras!, mas entre mil a sua vovó as reconheceria... Acreditas então que haja outras no mundo que sejam tão bobas, tão nervosas, tão divididas entre o receio de me despertar e de não ter sido compreendido? Mas ainda mesmo que o meu ratinho se contentasse com uma arranhadura na parede, eu logo o reconheceria, principalmente sendo ele tão querido e coitadinho como é. Já fazia um momento que eu te ouvia hesitar, moveres-te no leito, fazeres todos os teus manejos.

Ela entreabria as persianas; o sol estava já instalado na parte do hotel que formava saliência, como um consertador de telhados que madruga e começa logo cedo o seu trabalho, feito em silêncio para não despertar a cidade que ainda dorme, e que com a sua imobilidade ainda mais ressalta a agilidade do obreiro. Dizia-me as horas, que tempo ia fazer, que não me incomodasse em ir até a janela, porque o mar estava muito nevoento, se já haviam aberto a padaria e qual era aquele carro de que se ouvia o rodar: insignificante prólogo, pobre introito do dia, a que ninguém assiste; miúdo setor da vida que era só para nós dois e que logo havia eu de evocar durante o dia, diante de Françoise ou de pessoas estranhas, falando da espessa névoa das seis da manhã, não com a ostentação de quem viu uma coisa com os seus próprios olhos, mas com a de quem recebeu uma prova de carinho; suave momento matinal que começava com uma sinfonia pelo diálogo ritmado de minhas três pancadinhas, a que respondia o tabique, tabique todo penetrado de carinho e alegria, harmonioso, imaterial, canoro como os anjos com outras três pancadas, esperadas com ânsia, repetidas por duas vezes, nas quais sabia a parede traduzir a alma inteira de minha avó e a promessa de que viria, num alvoroço de anunciação e musical fidelidade. Mas na primeira noite em que minha avó me deixou sozinho, comecei de novo a sofrer como em Paris quando saí de casa. Talvez essa estranheza que eu sentia — e muitos outros sentem — de dormir num quarto desconhecido não seja senão a forma humílima, obscura, orgânica, quase inconsciente, dessa decidida negativa oposta pelas coisas que constituem o melhor de nossa vida presente à possibilidade de revestirmos mentalmente com a nossa aceitação a fórmula de um futuro onde elas não mais figurem; negativa que era também a base daquele horror que tantas vezes me inspirara a ideia de que meus pais haviam de morrer algum dia, de que as necessidades da vida me obrigariam a viver longe de Gilberte, ou a ter, em suma, de instalar-me definitivamente numa terra onde nunca mais reveria meus amigos; negativa que era igualmente motivo para que me custasse tanto trabalho pensar na minha própria morte ou em uma sobrevivência, como a que Bergotte prometia aos homens em seus livros, na qual não me fosse possível levar comigo minhas recordações, meus defeitos e meu caráter, que não se resignavam com a ideia de não ser e não aceitavam para mim o nada, nem uma eternidade onde eles não existem.

Em Paris, num dia em que me achava muito mal, Swann me dissera: "Você deveria ir a essas maravilhosas ilhas da Oceania. Veria como não voltava". A mim me deu vontade de responder: "Mas então já não verei a sua filha e viverei rodeado de coisas e gentes que ela nunca viu!". E contudo a razão me dizia: "E que te importa, se por isso não padecerás? Quando Swann diz que não voltarás, quer dizer que não hás de querer voltar, e, se não queres voltar, é porque lá te sentes feliz". Pois a razão sabia que o hábito — esse hábito que ia agora se entregar à tarefa de me inspirar apego àquela casa desconhecida, de mudar de lugar o espelho, de mudar o colorido das cortinas e de parar o relógio — se encarrega igualmente de nos tornar amáveis os companheiros que a princípio nos desagradavam, de dar outra forma aos rostos, de que nos seja simpático um timbre de voz, de modificar os pendores do coração. Está visto que a tessitura dessas novas amizades com pessoas e lugares diversos consiste no esquecimento de outros sítios e gentes; mas precisamente me dizia o raciocínio que poderia considerar sem terror a perspectiva de uma vida em que não existissem umas tantas criaturas de quem já não me lembraria; e essa promessa de esquecimento que oferecia a meu coração à guisa de consolo servia, pelo contrário, para desesperar-me loucamente. E não é que o nosso coração não caia também, uma vez consumada a separação, sob os analgésicos efeitos do hábito; mas, até que assim aconteça, continua sofrendo. E esse medo a um futuro em que já não nos seja dado ver e falar aos entes queridos, cujo convívio constitui hoje a nossa mais íntima alegria, ainda aumenta em vez de dissipar-se quando pensamos que, à dor de tal separação, virá juntar-se outra coisa que atualmente nos parece mais terrível ainda: é que não a sentiremos como uma dor, e nos deixará indiferentes; pois então o nosso eu terá mudado e esqueceremos não só o encanto de nossos pais, de nossa amada, de nossos amigos, mas também o afeto que lhes tínhamos; e esse afeto, que hoje constitui parte importantíssima de nosso coração, se desenraizará tão perfeitamente que poderemos folgar com uma vida que agora, só de a imaginar, nos horroriza; será, pois, uma verdadeira morte de nós mesmos, morte após a qual virá uma ressurreição, mas já de um ser diferente e que não pode inspirar afeto a essas partes do antigo eu condenadas à morte. E elas — até as piores, como o nosso apego às dimensões e à atmosfera de um quarto — são as que se assustam e sobressaltam, com rebeldia que deve interpretar-se como um modo secreto, parcial, tangível e seguro da resistência à morte, da longa resistência desesperada e cotidiana à morte fragmentária e sucessiva, tal como se insinua em toda a duração de nossa vida, arrancando pedaços de nós mesmos a cada momento e fazendo com que na carne morta se multipliquem as células novas. E no caso de um temperamento nervoso como era o meu, isto é, de uma natureza onde os nervos, ou seja, os intermediários, não cumprem bem as suas funções — não embargam o passo, no seu caminho até a consciência, às queixas dos mais humildes elementos do eu que vai desaparecer, mas deixam-nas chegar, claras, exaustivas, inumeráveis e dolorosas —, o ansioso alarma que me dominava ao ver-me debaixo daquele teto tão alto e desconhecido não era outra coisa senão o protesto de uma afeição, que em mim perdurava, a um teto baixo e familiar. Por certo essa afeição desapareceria, em seu lugar se colocaria outra (e a morte, e depois dela uma nova vida que se chama hábito, cumpririam a sua dúplice obra): mas até que chegasse ao aniquilamento, aquela afeição não passaria uma noite sem padecer; e principalmente naquela primeira noite, quando se viu em presença de um futuro já realizado onde não mais se lhe reservava lugar, rebelou-se, me torturou com gritos de lamentação, cada vez que meu olhar, sem poder afastar-se daquilo que o fazia sofrer, tentava pousar no inacessível teto.

Mas em compensação, na manhã seguinte!... Um criado me despertou e trouxe-me água quente; e enquanto me vestia e tentava embalde encontrar na mala a roupa de que precisava, sem tirar outra coisa que um remoinho de peças que não eram as procuradas, sentia enorme gozo ao pensar no prazer do almoço e do passeio, ao ver na janela e nos vidros das estantes, como pelas vigias de um camarote, um mar límpido, sem mancha, embora a metade de sua superfície, delimitada por uma barra movediça e sutil, se achasse em sombra, e ao seguir com a vista as ondas que se lançavam umas atrás das outras como saltadores num trampolim. A cada momento, na mão a toalha tesa e engomada, que trazia escrito o nome do hotel e, apesar de meus inúteis esforços, não servia para enxugar-me, chegava até a janela para lançar outro olhar àquele vasto circo resplandecente e montanhoso, àquelas nevadas cimas de suas ondas de esmeralda polida e translúcida a trechos, ondas que com plácida violência e leonino cenho deixavam os seus líquidos lombos erguer-se e abater-se enquanto o sol os adornava com um sorriso sem rosto. A essa janela deveria eu acercar-me todas as manhãs como à portinhola de uma diligência onde houvesse dormido um viajante para ver se a noite o aproximara ou afastara de uma desejada cordilheira; aqui, era essa cordilheira formada pelas colinas do mar, que às vezes, antes de voltar para nós a passo de dança, retrocedem tanto que só se veem suas primeiras ondulações ao fim de uma vasta planura de areia, numa lontania vaporosa, azulada e transparente, como essas geleiras que há no fundo dos quadros dos primitivos toscanos. Em compensação, outras vezes, o sol vinha rir muito perto de mim, acima daquelas ondas de verdor tão tenro como o que mantém nos prados alpinos (nessas montanhas onde o sol se mostra aqui e ali como gigante que fosse baixando alegremente por suas ladeiras a saltos desiguais) antes a líquida mobilidade da luz que a umidade do solo. Está visto que essa brecha que abrem praias e ondas no meio do mundo, para que ali penetre e ali se acumule a luz, a própria luz, conforme de onde provenha e de onde a olhemos, é quem faz e desfaz as montanhas e vales do mar. A diversidade de luz modifica a orientação de um lugar e nos oferece novas metas, inspiradoras de novos desejos, em grau não menor que um trajeto longo e efetivamente realizado numa viagem. Pela manhã o sol chegava da parte de trás do hotel, descobria-me as iluminadas praias até chegar aos primeiros contrafortes do mar e era como se me mostrasse uma vertente nova da cordilheira, convidando-me a empreender pelo caminho volteante de seus raios uma viagem variada e imóvel através dos belos sítios da acidentada paisagem das horas. E desde a primeira manhã, o sol, com alegre dedo, me mostrava ao longe aqueles cimos azulados do mar, que não têm nome em nenhum mapa, até que, inebriado com aquele sublime passeio pela caótica e ruidosa superfície de suas cristas e avalanches, vinha pôr-se ao abrigo do vento ali no meu quarto, pavoneando-se na cama desfeita, esparramando sua riqueza pela pia cheia d'água, pela mala entreaberta, e aumentando ainda mais a impressão de desordem com o seu próprio esplendor e extemporâneo luxo. Uma hora depois estávamos almoçando no grande salão do hotel e, com a metade de um limão, lançávamos umas gotinhas de ouro naqueles dois linguados que logo deixavam em nossos pratos a armação de suas espinhas, frisada como uma pena e sonora como uma cítara; e minha avó lamentava que não pudéssemos receber o vivificante sopro do vento marítimo, por causa da vidraça, transparente, mas fechada, que nos separava da praia como uma vitrina, mas que enquadrava tão perfeitamente o céu que o seu azul parecia ser a cor da janela e as suas nuvens, manchas brancas no vidro. Persuadido de que estava "sentado no molhe" ou no fundo do *"boudoir"* de que nos fala Baudelaire, perguntando-me se o "sol radiante sobre o mar", do poeta, não seria aquele[16] — muito diferente dos raios da tarde, singelos e superficiais como douradas frechas trêmulas — que naquele momento queimava o mar como um topázio, fazia-o fermentar, punha-o loiro e leitoso como espumante cerveja ou fervente leite, enquanto por momentos passeavam por sua superfície grandes sombras azuis, sem dúvida por obra de algum deus ocioso que se entretinha em fazer reflexos, do céu, com um espelho. Infelizmente, não só por seu aspecto diferia da sala de jantar de Combray, sem outra vista que as casas fronteiras, aquele grande refeitório de Balbec, sem adornos, cheio de verde--sol como a água de uma piscina, e que tinha ali a uns metros de distância a preamar e a claridade meridiana, as quais alçavam, como ante uma cidade celestial, uma indestrutível e móvel muralha de esmeralda de ouro. Em Combray, como toda gente nos conhecia, não me preocupava com ninguém. Mas na vida de praia a gente não conhece os vizinhos. Eu era muito jovem e por demais

---

16 Num único trecho, Proust alude a três poemas de Baudelaire. O primeiro, um poema em prosa denominado "Le Port"; o segundo, o poema "Spleen et Idéal", e por último, o "Chant d'Automne". (N. E.)

sensível para já haver renunciado ao desejo de agradar as pessoas e possuí-las. E não sentia essa nobre indiferença que sentiria um mundano ante a gente que estava almoçando ali, ante os rapazes e moças que passeavam pelo dique; e sofria com a ideia de que não poderia fazer excursões com eles, menos, entretanto, do que se minha avó, desprezando as conveniências e só preocupada com a minha saúde, fosse pedir àqueles jovens que me aceitassem como companheiro de passeios, coisa humilhante para mim. Uns se encaminhavam para um desconhecido chalé; alguns saíam de suas casas de raqueta em punho, a caminho do tênis; alguns montavam cavalos cujos cascos me pisavam o coração; e eu olhava todos com uma curiosidade apaixonada, envoltos naquela ofuscante luminosidade da praia, onde se transformam todas as proporções sociais; seguia com a vista as suas idas e vindas, através daquela grande vidraça que deixava penetrar tanta luz mas que interceptava o vento, grande defeito na opinião de minha avó, que, não mais podendo resistir à ideia de que eu perdesse os benefícios de uma hora de ar, abriu sub-repticiamente uma das vidraças, com o que se puseram a voar ao mesmo tempo os cardápios, os jornais e os véus e barretes das pessoas que estavam almoçando; mas minha avó, alentada com aquele sopro celeste, continuava, como santa Blandina, tranquila e sorridente em meio às invectivas que congregavam contra nós todos os turistas, furiosos e despenteados, e que aumentavam a minha impressão de isolamento e tristeza.[17]

Muitos dos hóspedes do hotel eram personalidades eminentes das províncias vizinhas, circunstância que, em Balbec, dava à população, que nessa classe de hotéis costuma ser um público cosmopolita de frívolos ricos, um caráter regional bastante acentuado: eram o primeiro presidente da Auditoria de Caen, o decano do Colégio de Advogados de Cherburgo, um reputado notário do Mans,

---

17 Alusão à calma lendária de santa Blandina que, torturada em 177 para renunciar à fé cristã, respondia: "Sou cristã, não se comete crime algum entre nós". (N. E.)

os quais na época do verão abandonavam seus respectivos pontos de residência habitual, onde haviam estado dispersos durante todo o inverno como atiradores em guerrilha ou peões de damas, para ir concentrar-se naquele hotel de Balbec. Mandavam reservar sempre os mesmos quartos, e eles e suas esposas, que tinham pretensões aristocráticas, formavam um pequeno grupo a que se haviam juntado um advogado e um médico famoso de Paris, que no dia da partida diziam a seus amigos provincianos:

— Ah, é verdade! Vocês não tomam o mesmo trem que nós; vocês são mais privilegiados e estarão em casa na hora do almoço!

— Nós, privilegiados? Vocês, sim, que vieram da capital, na grande cidade de Paris, enquanto eu moro numa pobre cidade da província que tem cem mil almas de população, isto é, cento e duas mil, segundo o último recenseamento; mas, de qualquer modo, não é nada em comparação com os dois milhões e meio de Paris. Felizes de vocês, que logo verão o asfalto de Paris e o esplendor da sua vida!

E diziam-no com um rolar de *rr* muito provinciano, sem acritude alguma, porque eram todos eles notabilidades da província que poderiam ter ido a Paris como tantos outros — ao magistrado haviam oferecido um cargo no Supremo Tribunal —, mas que preferiram ficar onde estavam, por amor à sua cidade, ou à sua glória, ou à vida obscura, ou por serem reacionários ou não quererem renunciar a suas amizades de vizinhança nos castelos da região. Alguns deles não iam diretamente para a sua terra quando partiam de Balbec.

Pois — como a baía de Balbec era um pequeno universo à parte no meio do grande, uma *corbeille* das estações onde estavam reunidos em círculo os dias variados e os meses sucessivos, tanto assim que às vezes se avistava Rivebelle, o que era sinal de tempestade, com as suas casas banhadas de sol, enquanto em Balbec estava muito escuro, e ainda mais, quando já o frio havia chegado a Balbec, podia-se ter certeza de encontrar ainda na margem oposta dois ou três meses suplementares de calor — os hóspedes habituais do Grande Hotel, cujas férias começavam tarde ou duravam muito tempo, quando chegavam as chuvas e as brumas, à aproximação do outono, mandavam pôr suas malas num barco e partiam ao encontro do verão em Rivebelle ou Costedor. Aquele pequeno grupo do hotel de Balbec olhava desconfiadamente cada recém--chegado e, embora aparentassem não lhe dar nenhuma importância, iam todos pedir informações sobre o novo hóspede ao seu amigo mordomo. Pois era o mesmo — Aimé — que voltava todos os anos e lhes reservava as mesas; e as senhoras suas esposas, sabendo que a mulher de Aimé estava esperando uma criança, trabalhavam após a refeição cada uma numa peça do enxoval, e de vez em quando nos mediam com as suas lunetas, a minha avó e a mim, porque comíamos ovos cozidos na salada, o que era considerado vulgar e não se fazia na boa sociedade de Alençon. Afetavam uma atitude de desdenhosa ironia para com um francês a quem chamavam Majestade, porque de fato se havia proclamado rei de uma ilhota da Oceania povoada por alguns selvagens. Morava no hotel com a sua linda amante, a cuja passagem gritavam os garotos, quando ela ia banhar-se: "Viva a rainha!", porque ela fazia chover sobre eles moedas de cinquenta cêntimos.[18] O advogado e o magistrado não queriam nem mesmo parecer que a tinham visto e, se alguns de seus amigos a olhavam, julgavam-se no dever de prevenir que era uma simples operária.

— Mas haviam-me assegurado que em Ostende eles usavam a cabina real.

— Naturalmente. Alugam-na por vinte francos. Você pode utilizá-la, se quiser. Consta-me que ele pediu uma audiência ao rei, que lhe fez saber que não tencionava relacionar-se com soberanos de opereta.

---

18 Alusão ao caso de Jacques Lebaudy, jovem milionário, que se proclamava rei do Sahara e distribuía títulos de nobreza, fazendo da cantora Marguerite Dellier sua imperatriz. (N. E.)

— Ah, tem graça!... A verdade é que há cada gente!...

E sem dúvida tudo aquilo era verdade; mas era também pelo aborrecimento de sentir que, para boa parte da multidão, não passavam eles de bons burgueses que não conheciam aquele rei e aquela rainha tão pródigos de seu dinheiro, que o notário, o presidente, o decano, à passagem do que chamavam um carnaval, sentiam tal mau humor e manifestavam em voz alta uma indignação de que estava a par o seu amigo mordomo, o qual, obrigado a fazer boa cara aos soberanos mais generosos que autênticos, no entanto, enquanto lhes ouvia as ordens, dirigia de longe a seus velhos fregueses uma piscadela significativa. Talvez também pela mesma causa, por medo de, erroneamente, serem considerados menos chiques, sem poder explicar que o eram ainda mais, qualificavam de "moço bonito!" a um jovem peralvilho, tuberculoso e boêmio, filho de um grande industrial, e que, todos os dias, com um traje novo, uma orquídea na botoeira, almoçava com champanhe e ia, pálido, impassível, um sorriso de indiferença nos lábios, lançar no Cassino, sobre a mesa do bacará, somas enormes "que ele não dispõe de meios para perder", dizia com um ar bem informado o notário ao primeiro presidente, cuja mulher "sabia de fonte segura" que aquele jovem *fin de siècle* fazia morrer de desgosto seus pais.

Por outro lado, o decano e seus amigos eram inesgotáveis de sarcasmos a propósito de uma velha dama rica e nobre, porque ela não se movia sem levar toda a sua criadagem. Cada vez que a mulher do notário e a mulher do primeiro presidente a viam na sala de jantar, à hora das refeições, inspecionavam-na insolentemente com a sua luneta, com ar minucioso e desconfiado, como se ela fosse algum prato de nome pomposo mas de aparência suspeita que, depois do resultado desfavorável de uma observação metódica, a gente manda embora com um gesto distante e uma careta de desgosto.

Decerto apenas queriam mostrar com isso que, se havia certas coisas que lhes faltavam — no caso certas prerrogativas da velha dama, e terem relações com ela —, não era porque não pudessem, mas porque não queriam possuí-las. Mas tinham acabado por se convencer a si mesmas; e por isso, por afogarem todo desejo, toda curiosidade pelas formas da vida que desconheciam, toda esperança de agradar a novas criaturas, por haverem substituído tudo isso por um simulado desdém e uma fingida alegria, que tinha o inconveniente de pôr o desprazer sob o rótulo do contentamento e mentir perpetuamente a si mesmas, duas condições para que fossem infelizes. Mas todo mundo naquele hotel agia sem dúvida da mesma maneira que elas, embora sob outras formas, e sacrificava, se não ao amor-próprio, pelo menos a certos princípios de educação ou a hábitos intelectuais, a turbação deliciosa de mesclar-se a uma vida desconhecida. Sem dúvida que o microcosmo onde se isolava a velha dama não era envenenado de virulentos azedumes como o grupo em que riam de raiva a mulher do notário e a do primeiro presidente. Era, pelo contrário, impregnado de um perfume sutil e antigo, mas nem por isso menos fictício. Pois no fundo a velha dama teria encontrado em seduzir, em atrair a simpatia misteriosa dos seres novos, ao mesmo tempo em que se renovava a si mesma, um encanto de que está destituído o prazer que há em só frequentar as pessoas da mesma classe e em relembrar que, sendo essa a melhor sociedade que existe, é coisa sem a mínima importância o desdém mal informado dos outros. Talvez sentisse que, chegando desconhecida ao Grande Hotel de Balbec, com o seu vestido de lã negra e a sua touca antiquada, faria sorrir a algum bom vivedor, que, do seu *rocking,* murmuraria "Que múmia!", ou principalmente a algum homem de valor que, tendo guardado, como o primeiro presidente, entre as suas suíças grisalhas, um rosto fresco e olhos espirituosos como ela os amava, e que talvez tivesse indicado ao vidro aproximante da luneta conjugal a aparição daquele fenômeno insólito; e talvez fosse por inconsciente apreensão desse primeiro minuto, que se sabe breve, mas que nem por isso é menos temido — como da primeira vez em que se mergulha — que aquela velha dama enviava adiante um criado para colocar o hotel a par da sua personalidade e dos seus hábitos e, cortando as saudações do gerente, alcançava com uma brevidade em que havia mais timidez que orgulho o seu quarto, onde cortinas pessoais substituindo as que pendiam antes das janelas, e biombos e fotografias, colocavam de tal modo entre ela e o mundo exterior, a que deveria adaptar-se, a divisão de seus hábitos, que era mais na casa dela que viajava e dentro da qual permanecera...

Desde então, tendo colocado entre a sua pessoa de um lado, e o pessoal do hotel e os fornecedores do outro, os seus criados que recebiam em seu lugar o contato daquela humanidade nova e mantinham em torno da sua patroa a atmosfera costumeira, tendo posto os seus preconceitos entre ela e os banhistas, despreocupada de desagradar a pessoas que suas amigas não teriam recebido, era no seu mundo que ela continuava a viver, pela correspondência com as amigas, pela consciência íntima que tinha da sua posição, da qualidade de suas maneiras, de sua polidez. E todos os dias, quando descia para dar um passeio na sua caleça, a sua criada de quarto que carregava os seus pertences atrás dela, o seu lacaio, que a precedia, eram como essas sentinelas, que às portas de uma embaixada empavesada com a bandeira do país de que depende, garante para ela, no meio de um solo estrangeiro, o privilégio da extraterritorialidade. Ela não deixou o quarto até o meio da tarde, no dia da nossa chegada, e não a avistamos na sala de jantar, onde o gerente, como fôssemos recém-chegados, nos levou à hora do almoço, sob a sua proteção, como o graduado que conduz recrutas ao cabo alfaiate para fardá-los; mas vimos, em compensação, instantes depois, um fidalgote e sua filha, de uma obscura mas antiquíssima família da Bretanha, o sr. e a srta. de Stermaria, cuja mesa nos haviam dado, julgando que eles só voltariam à noite. Tendo vindo a Balbec apenas para se encontrarem com castelãos que conheciam na vizinhança, não passavam no refeitório do hotel, entre os convites aceitos fora e o pagamento de visitas, senão o tempo estritamente necessário. Era a sua arrogância que os preservava de toda simpatia humana, de todo interesse pelos desconhecidos sentados em torno deles, e no meio dos quais o sr. de Stermaria conservava o ar glacial, apressado, distante, rude, pontilhoso e mal-intencionado que se tem num carro-restaurante em meio a viajantes a quem nunca se viu, a quem jamais se tornará a ver, e com quem a gente não concebe outras relações senão defendermos contra eles o nosso frango frio e o nosso cantinho no vagão. Apenas começávamos a almoçar, quando vieram fazer-nos levantar da mesa por ordem do sr. de Stermaria, o qual acabava de chegar e, sem o menor gesto de desculpa endereçada a nós, pediu em voz alta ao mordomo que velasse para que semelhante erro nunca mais se repetisse, pois lhe era desagradável que "gente que ele não conhecia" tomasse conta da sua mesa.

E, sem dúvida, no sentimento que induzia certa atriz (mais conhecida aliás pela sua elegância, seu espírito, suas belas coleções de porcelana alemã do que por alguns papéis desempenhados no Odeon), mais o seu amante, jovem muito rico, em honra de quem ela se cultivara, bem como dois aristocratas muito em evidência, a levarem vida à parte, a só viajarem juntos, a almoçar muito tarde em Balbec, quando toda a gente já havia terminado, a passar o dia no seu salão a jogar cartas, não entrava má vontade alguma e sim apenas as exigências do gosto que tinham a certas formas engenhosas de conversação, a certos refinamentos de mesa, o que só lhes fazia sentir prazer em viverem e comerem juntos, e lhes tornaria insuportável o convívio com pessoas que não fossem iniciadas naquilo tudo. Mesmo diante de uma mesa posta ou de uma mesa de jogo, cada um deles tinha necessidade de saber que no conviva ou parceiro sentado à sua frente repousavam, em suspensão e por utilizar, certos conhecimentos que permitiam reconhecer a "carregação" de que muitas casas parisienses se adornam como se se tratasse de uma "Idade Média" ou uma "Renascença" autênticas, e, em todas as coisas, critérios que lhes eram comuns, para distinguir o bom do mau. Sem dúvida, naqueles momentos, não era mais do que por uma rara e engraçada interjeição, lançada em meio do silêncio da refeição ou da partida, ou pelo vestido encantador e novo que a jovem atriz pusera para almoçar ou jogar pôquer, que se manifestava a existência especial em que aqueles amigos queriam permanecer mergulhados em toda parte. Mas envolvendo-os assim em hábitos que conheciam a fundo, ela bastava para protegê-los contra o mistério da vida ambiente. Durante longas tardes, o mar só estava suspenso em face deles como uma tela de cor agradável pendurada no quarto de um rico celibatário, e só nos intervalos das cartadas é que um dos jogadores, não tendo nada de melhor que fazer, pousava a vista no mar para tirar uma indicação sobre o tempo ou a hora, e lembrar aos outros que o chá estava esperando. E à noite não jantavam no hotel, onde os focos elétricos, jorrando luz no grande refeitório, transformavam-no em um imenso e maravilhoso aquário, diante de cuja parede de vidro a população operária de Balbec, os pescadores e também as famílias de pequeno-burgueses, invisíveis na sombra, se comprimiam contra o vidro para olhar, lentamente embalada em remoinhos de ouro, a vida luxuosa daquela gente, tão extraordinária para os pobres como a de peixes e moluscos estranhos (uma grande questão social, saber se a parede de vidro protegerá sempre o festim dos animais maravilhosos e se a gente obscura que olha avidamente de dentro da noite não virá colhê-los em seu aquário e devorá-los). No entanto, em meio àquela multidão suspensa e atônita no negror da noite, talvez houvesse algum escritor ou estudioso da ictiologia humana, que ao ver como se fechavam as mandíbulas dos velhos monstros femininos para engolir algum pedaço de alimento, talvez se entretivesse em classificar tais monstros pelas suas raças, pelos caracteres inatos e também por esses caracteres adquiridos, graças aos quais uma velha dama sérvia, cujo apêndice bucal é o de um grande peixe marinho, come salada como uma La Rochefoucauld, porque desde a infância vive na água doce do Faubourg Saint-Germain.

Àquela hora, viam-se os três amigos de *smoking* à espera da dama em atraso que, depois de chamar o *lift*, saía do ascensor como de uma caixa de brinquedos, com vestidos quase sempre novos e echarpes escolhidas conforme o gosto particular do amante. E os quatro amigos, que opinavam que o fenômeno internacional do Palace implantado em Balbec havia contribuído para fomentar o luxo mas não a boa cozinha, metiam-se num carro e iam jantar a meia légua dali, num pequeno e reputado restaurante, onde mantinham com o cozinheiro intermináveis conferências relativas à organização do cardápio e à confecção dos pratos. Durante aquele trajeto, a estrada ladeada de macieiras que os levava de Balbec não era para eles senão a distância — muito pouco diversa, naquele negror na noite, da que separava as suas residências parisienses do Café Anglais ou da Tour d'Argent — que era preciso vencer para chegar até o fino restaurante; e ali, enquanto os amigos do jovem rico lhe invejavam uma amante tão bem-vestida, ela, adejando as suas echarpes, desdobrava ante o grupo como que um véu aromado e leve, mas que bastava para separá-los do mundo.

Infelizmente, para a minha tranquilidade, estava eu muito longe de ser como toda aquela gente. Havia alguns que me preocupavam; teria gostado que atentasse em mim um homem de fronte fugidia, olhar esquivo, que deslizava naquele meio entre os antolhos dos seus preconceitos e da sua boa educação, e que não era nem mais nem menos que o grão-senhor da região, o cunhado de Legrandin, que costumava ir a Balbec em visita, e que aos domingos, com o *garden party* que ele e a mulher ofereciam, despovoava o hotel de bom número de seus hóspedes, porque dois ou três eram realmente convidados para a festa, e outros, para que não parecesse que não o tinham sido, iam naquele dia fazer uma excursão distante. Contudo, da primeira vez em que entrou no hotel foi muito mal recebido, pois o pessoal que acabava de chegar da Côte d'Azur ignorava quem fosse aquele senhor. E não só não viera de flanela branca, mas também, fiel aos velhos usos franceses e ignorante da vida dos Palaces, tirara o chapéu ao entrar no *hall* porque havia senhoras; de modo que o gerente nem sequer levou a mão ao boné para saudá-lo e julgou que aquele senhor devia ser de origem humilde, o que ele chamava de homem "saliente do comum". A mulher do notário, única pessoa a quem chamou a atenção o recém-chegado, que denotava essa afetada vulgaridade da gente elegante, declarou, baseada no infalível discernimento e indiscutível autoridade de uma pessoa para quem não tem segredos a alta sociedade do departamento do Mans, que logo se via perfeitamente tratar-se de um homem de grande distinção, muito bem-educado e em notável contraste com toda aquela gente que havia em Balbec, e que ela julgava indignos de convívio enquanto não os visitasse. Esse juízo favorável que pronunciou a respeito do cunhado de Legrandin devia ter fundamento no seu apagado aspecto, que absolutamente não se impunha; ou talvez houvesse reconhecido naquele fidalgo rural com ares de sacristão os sinais maçônicos do seu próprio clericalismo.

De nada adiantou certificar-me de que aqueles rapazes que todos os dias cavalgavam à frente do hotel eram filhos do não muito considerado proprietário de um magazine de novidades e que meu pai jamais consentiria em conhecer; a vida de praia os realçava a meus olhos, convertia-os em estátuas equestres de semideuses, e o mais que podia esperar era que nunca dirigissem o olhar sobre o pobre rapaz que eu era, que só deixava a sala de jantar do hotel para ir sentar-se na areia. Desejaria tornar-me simpático até ao aventureiro que fora rei da ilha deserta da Oceania, até ao jovem tísico, e aprazia-me imaginar que sob aquele seu exterior tão insolente se ocultava uma alma tímida e meiga que poderia prodigalizar-me tesouros de afeto. Aliás, ao contrário do que se costuma dizer das amizades de viagem, como o fato de sermos vistos em companhia de determinada pessoa nos pode dar, para a praia aonde voltaremos, uma posição sem equivalência na verdadeira vida mundana, não só a gente não foge a essas amizades balneárias como as cultiva zelosamente na vida de Paris. Preocupava-me muito a opinião que pudessem formar a meu respeito todas aquelas notabilidades momentâneas ou locais, devido à minha tendência a colocar-me no lugar de cada um e imaginar o seu estado de espírito, não na verdadeira posição que teriam em Paris, por exemplo, e sem dúvida bastante baixa, mas a que imaginavam ter e efetivamente tinham em Balbec, pois a falta de uma medida comum lhes dava ali uma superioridade relativa e singular interesse. E entre todas aquelas pessoas, nenhuma havia cujo desprezo mais me doesse que o do sr. de Stermaria.

Pois notara a sua filha logo à entrada, o seu lindo rosto pálido e quase azulado, o que havia de particular no porte de sua elevada estatura, no seu andar, o que naturalmente me evocava a sua linhagem, a sua educação aristocrática, e tanto mais claramente porque conhecia o seu nome — tal como os ouvintes de um concerto, depois de folhear o programa e quando já se lhes avivou a imaginação no sentido ali indicado, reconhecem esses temas expressivos inventados pelos músicos de gênio que pintam esplendidamente o fulgurar das chamas, o murmurar do rio ou a paz do campo. Acrescentando aos encantos da srta. de Stermaria a ideia da sua causa, a "raça" tornava-os assim mais inteligíveis e completos. E também mais cobiçáveis, pois anunciava que eram pouco acessíveis, como um objeto que nos agrada aumenta de estima quando sabemos que custa muito. E o ramo originário emprestava àquela tez composta de escolhidos sumos todo o sabor de um fruto exótico ou de um molho famoso.

Ora, o acaso pôs de súbito em nossas mãos o meio de gran-jearmos, minha avó e eu, um prestígio imediato em face de todos os moradores do hotel. Com efeito, logo no primeiro dia, quando a velha fidalga descia de seu quarto, graças ao lacaio que a precedia e a criada que lhe ocorria empós com um livro e uma manta esquecidos, produzindo uma viva impressão em todos os espíritos e despertando respeito e curiosidade, aos quais visivelmente nem o sr. de Stermaria escapava, o diretor do hotel inclinou-se para a minha avó e, por amabilidade (da mesma forma que se mostra o xá da Pérsia ou a rainha Ranavalo a uma pessoa humilde, que indubitavelmente não pode ter quaisquer relações com a poderosa Majestade, mas talvez tenha gosto em vê-la de tão perto),[19] segredou-lhe estas palavras: "A marquesa de Villeparisis"; e ao mesmo tempo a fidalga, ao ver minha avó, não pôde conter um olhar de alegre surpresa.

É fácil imaginar que a súbita aparição da fada mais poderosa sob a aparência daquela velhinha não me poderia causar maior júbilo naquela terra onde não conhecia ninguém, onde não tinha um único recurso para aproximar-me da srta. de Stermaria. Quero dizer que não conhecia ninguém, praticamente falando. Porque, do ponto de vista estético, o número de tipos humanos é bastante limitado para que a gente não goze, onde quer que se vá, do prazer de se encontrar com gente conhecida, sem necessidade de ir procurá-la em quadros antigos, como fazia Swann. E assim, nos primeiros dias que passamos em Balbec, tive ocasião de encontrar-me com Legrandin, com o porteiro dos Swann e com a própria sra. Swann, convertidos, respectivamente, num garçom de café, num estrangeiro de passagem, que não tornei a ver, e num guarda da praia. E há uma espécie de imantação que atrai e retém, tão inseparável e intimamente, certas características fisionômicas e mentais que, quando a natureza assim introduz uma pessoa em um corpo novo, não a mutila muito. O Legrandin garçom conservava intatos a sua estatura, a linha do nariz e parte do queixo; a sra. Swann, na sua nova condição masculina de guarda da praia, conservava não só a sua fisionomia habitual, mas certo modo de falar. Somente que agora, com o seu cinturão vermelho e içando, ao menor encrespamento, a

---

19 A rainha Ranavalo governou a ilha de Madagascar de 1883 até 1897, quando foi deposta pela França. (N. E.)

bandeirola que proíbe os banhos (pois os guardas de praia, como não sabem nadar, são muito prudentes), não me podia ser mais útil do que no seu antigo estado feminino, no afresco da *Vida de Moisés*, onde outrora a reconhecera Swann sob as feições da filha de Jetro.[20] Mas essa sra. de Villeparisis era mesmo a verdadeira e não vítima de um encantamento que a privasse de seu poder; pelo contrário, mostrava-se capaz de colocar à disposição de meu próprio poder um outro que o centuplicasse; e graças a ela, como arrebatado nas asas de um pássaro fabuloso, ser-me-ia possível franquear nalguns instantes as distâncias sociais infinitas — pelo menos para Balbec — que me separavam da srta. de Stermaria.

Infelizmente, se alguém havia que viesse mais encerrado do que ninguém em seu universo particular, essa pessoa era minha avó. E ela nem sequer me teria desprezado: simplesmente não me teria compreendido, se soubesse do interesse que me inspiravam as pessoas do hotel e da importância que eu atribuía à sua opinião, pois nem tomara conhecimento da sua existência e partiria de Balbec sem se lembrar do nome de nenhuma delas; não me animei, pois, a confessar-lhe que grande alegria não seria para mim se toda aquela gente a visse falando com a marquesa, pois essa dama gozava de grande prestígio no hotel e a sua amizade havia de colocar-nos em excelente lugar perante o sr. de Stermaria. E isso não que eu imaginasse a amiga de minha avó como um protótipo da aristocracia, pois estava muito acostumado a seu nome, familiar a meus ouvidos antes que meu espírito atentasse nele, quando desde menino o ouvia pronunciar em casa e seu título não sobrepunha ao nome nada mais que uma particularidade estranha, o mesmo efeito que poderia causar um nome de batismo pouco usado, coisa parecida com o que acontece com esses nomes de ruas, rua Lord Byron, rua Rochechouart, tão vulgar e populosa,

---

20 Alusão ao início do amor de Swann por Odette, quando ele passa a identificar traços comuns entre a beleza dela e a de Zéfora, nos afrescos de Botticelli. (N. E.)

rua de Gramont, que absolutamente não nos parecem mais nobres que a rua Léonce-Reynaud, ou a rua Hyppolite-Lebas. A sra. de Villeparisis não me trazia ao espírito a visão de um mundo especial, como tampouco o seu primo Mac-Mahon, que eu não diferenciava de Carnot, também presidente da República, nem de Raspail, cujo retrato Françoise havia comprado junto com o de Pio IX.[21] Minha avó era de opinião que nas viagens não se devem travar amizades, que não se vai à praia para ver gente (há tempo de sobra para isso em Paris), que os amigos nos fazem perder em atenções e frivolidades um tempo precioso que deve ser todo passado ao ar livre, diante das ondas; e como lhe parecia mais cômodo supor que todo mundo participava da sua opinião, que autorizava, entre velhos amigos que se encontrassem por casualidade no mesmo hotel, a ficção, de um recíproco incógnito, ao ouvir o nome que lhe disse o gerente, voltou a vista para o outro lado e fez que não via a sra. de Villeparisis, que, da sua parte, notou que minha avó não tinha interesse em reconhecê-la e olhou de um modo vago para a frente. Afastou-se, e eu continuei no meu isolamento como um náufrago que por um instante julga aproximar-se o navio que desaparece no horizonte sem deter-se.

A sra. de Villeparisis também fazia as refeições no salão do hotel, mas na extremidade oposta. Não conhecia nenhuma das pessoas que moravam no hotel ou que ali iam em visita, nem ao sr. de Cambremer, pois vi que este não a cumprimentara no dia em que fora jantar com sua esposa no hotel, a convite do advogado de Cherburgo, o qual, arrebatado com a honra de ter o nobre à mesa, evitava os seus amigos de todos os dias e limitava-se a

---

21 Nova alusão ao presidente Mac-Mahon que, apoiado inicialmente pela nobreza, se aproximaria dos republicanos e seria levado a renunciar. Sadi-Carnot, presidente da República Francesa, seria assassinado em 1894 pelo anarquista Caserio, em Lyon. Françoise comprava fotos do médico, político e jornalista Raspail e do papa Pio IX logo no início do presente volume (cf. nota). (N. E.)

piscar-lhes o olho de longe, maneira bastante discreta de aludir àquele acontecimento histórico que não implicava um convite para sentar à sua mesa.

— Bem vejo que o senhor não se coloca mal, que é um homem chique — disse-lhe naquela noite a senhora do magistrado.

— Eu? Por quê? — perguntou o advogado, dissimulando a alegria com exagerada surpresa. — Ah, por causa de meus convidados? — acrescentou, não mais podendo fingir. — Mas isso de convidar alguns amigos para almoçar, que é que tem de chique? Nalguma parte têm eles de almoçar.

— Ora se é chique! Pois não eram os *de* Cambremer? Reconheci-os. É marquesa, e autêntica. Pela linha masculina.

— É uma senhora muito simples, encantadora, sem nada de cerimônia. Eu julgava que os senhores se aproximariam; fiz-lhes sinais... Tê-los-ia apresentado — disse, corrigindo com certo tom de ironia a enormidade desta proposição, como Assuero quando diz a Ester: "Devo eu vos dar metade do meu reino?".[22]

— Não, não, não; nós ficamos escondidinhos, como a humilde violeta.

— Pois eu lhes repito que fizeram mal — retrucou o advogado, animando-se agora que não havia mais perigo. — Eles não iriam devorá-los... Mas, e a nossa partidinha de *bésigue*?

— Com muito gosto; não nos atrevíamos a propô-la ao senhor, agora que anda com marquesas...

— Bem, bem, não tem nada de particular. Olhem, amanhã tenho de jantar na casa dela. Se quiserem, cedo-lhes o lugar. Palavra, tanto me faz ficar por aqui mesmo...

— Não, não, eu seria destituído como reacionário! — exclamou o presidente, quase a chorar de riso com a sua piada. — E o senhor, também é recebido em Féterne? — acrescentou, voltando-se para o notário.

---

22 Referência ao segundo ato, cena 7 da peça *Esther*, de Racine. (N. E.)

— Sim, costumo ir aos domingos: questão de entrar e sair... Mas não tenho mesa, como o decano.

Naquele dia não estava em Balbec o sr. de Stermaria, com grande pesar do advogado. Mas achou ensejo para dizer insidiosamente ao mordomo:

— Aimé, pode contar ao senhor de Stermaria que ele não é o único aristocrata que há no salão. Viu o senhor que almoçou comigo esta manhã, um de bigodinho, com aspecto militar? Pois é o marquês de Cambremer.

— Ah, sim? Não me espanta.

— Para que ele veja que não é o único homem que tem título. Que fique sabendo! Não é mau baixar um pouco a crista a esses aristocratas. Bem, Aimé, não lhe diga nada, se não quiser; não estou falando por mim; mas ele conhece muito bem o marquês.

No dia seguinte, o sr. de Stermaria, que sabia que o advogado defendera a causa de um amigo seu, foi apresentar-se em pessoa.

— Nossos amigos comuns, os *de* Cambremer, tinham até intenção de reunir-nos um dia, mas houve desencontro — disse o advogado, que imaginava, como tantos mentirosos, que ninguém fará nada por elucidar um detalhe insignificante, mas que basta (se o acaso nos descobre a humilde realidade que está em contradição com ele) para que julguemos do caráter de uma pessoa e esta nos inspire sempre desconfiança.

Eu estava olhando, como sempre, e com mais liberdade agora que o seu pai se afastara para conversar com o decano, a srta. de Stermaria. Gestos sempre atraentes, de audaz singularidade, como quando punha os cotovelos na mesa e erguia o copo, segurando-o com ambas as mãos; olhar seco e vivo, que se esgotava logo; dureza básica e familiar, mal encoberta pelas inflexões pessoais, no fundo da voz, e que chocara minha avó, certo cânone atávico de rigidez, a que voltava quando acabava de expressar seu pensamento com um olhar ou uma entonação de voz; tudo isso fazia pensar, a quem a contemplava, nessa linhagem que lhe havia legado certa insuficiência de simpatia humana, certas lacunas de sensibilidade, certa falta de amplitude de caráter, constantemente perceptível. Mas uns olhares que cruzavam um instante pelo árido fundo de suas pupilas, para apagar-se em seguida, e em que se delatava essa quase humilde doçura que inspira o gosto predominante dos prazeres sensuais à mulher mais orgulhosa (que algum dia acabará dando valor apenas a quem lhe proporcione tais prazeres, seja um cômico ou um saltimbanco, e pelo qual talvez abandone o marido), e um cor-de-rosa sensual e vivo que se espalhe por suas pálidas faces, tal o que coloria o coração dos brancos nenúfares do Vivonne, fizeram-me pensar na possibilidade de que me permitisse facilmente ir procurar nela o sabor daquela vida tão poética que levava na Bretanha, vida que seu corpo continha e modelava, embora ela parecesse não lhe dar muito valor, fosse por costume, por distinção inata ou por asco à pobreza ou à avareza de sua família. Naquela pobre reserva de vontade que lhe haviam legado, e que lhe dava ao rosto certa expressão como de covardia, talvez não achasse a srta. de Stermaria bastante apoio para resistir. Aquele chapéu de feltro cinza com uma pena, um tanto presunçosa e fora de moda, que usava invariavelmente à mesa, ainda ma tornava muito mais simpática, e não porque harmonizasse com a sua pele de prata ou rosa, mas sim porque, por ele, supunha eu que não era rica, e isso a aproximava um tanto de mim. A presença do pai a obrigava a atitudes convencionais, mas já devia guiar-se por princípios diversos dos de seu progenitor para olhar e classificar a gente que tinha diante de si, e talvez houvesse atentado em mim, não por minha insignificante posição social, mas pelo sexo e pela idade; se algum dia o pai a tivesse deixado no hotel, e, sobretudo, se a sra. de Villeparisis houvesse sentado à nossa mesa, com o que formaria a nosso respeito um juízo favorável que me daria coragem para aproximar-me dela, talvez pudéssemos conversar um pouco, combinar novo encontro e travar amizade. E mais tarde, quando estivesse ela só, sem os pais, no seu castelo romanesco, passearíamos ambos à hora crepuscular, quando fulgissem suavemente as róseas flores das sarças por sobre a água sombria, ao abrigo dos carvalhos, a cujos pés vinham quebrar-se as ondas. Pois imaginava que não a possuiria realmente senão depois de haver atravessado aqueles lugares que a cercavam de recordações — véu que o meu desejo ansiava por arrancar, desses que a natureza coloca entre a mulher e algumas criaturas (com o mesmo intento com que coloca o ato da reprodução entre os humanos e o seu mais vivo prazer, e entre os insetos e o néctar o pólen) a fim de que, enganados pela ilusão de possuí-la assim de modo mais completo, tenham necessidade de apoderar-se primeiro das paisagens que a rodeiam, paisagens que serão mais úteis à sua imaginação que o prazer sensual, mas que sem ele não teriam força bastante para atrair o homem.

Mas tive de deixar de olhar para a srta. de Stermaria porque seu pai, considerando sem dúvida que entrar em relações com uma pessoa era um ato curioso e breve que bastava por si mesmo e não exigia outra coisa para alcançar sua plenitude de interesse a não ser um aperto de mão e um olhar penetrante, sem mais conversação imediata nem relações ulteriores, já se despedira do advogado e viera sentar-se de novo defronte à filha, esfregando as mãos como quem acaba de fazer uma preciosa aquisição. Quanto ao advogado, passada a primeira emoção daquela entrevista, ouviam-no dizer de vez em quando ao mordomo, como todos os dias:

— Mas eu não sou rei, Aimé; vá você ver Sua Majestade. Não é verdade, meu caro presidente, que essas trutas têm muito bom aspecto? Vamos pedi-las a Aimé. Aimé traga-nos desse peixe que há por aí, parece bom, traga-nos quanto quiser.

Estava sempre a repetir o nome de Aimé; de modo que quando tinha algum convidado, este dizia: "Vejo que conhece muito bem a casa"; e o convidado começava a dizer também a todo instante "Aimé", por essa predisposição que têm certas pessoas, e em que entram a timidez, a vulgaridade e a tolice, a considerar que é um dever de engenho e elegância imitar ao pé da letra as pessoas com quem se está. Repetia o nome sem cessar, mas com um sorrisinho, pois o que desejava era fazer ostentação das suas boas relações com o mordomo e da sua superioridade sobre ele. E o empregado, da sua parte, cada vez que era pronunciado o seu nome, sorria também com carinho e orgulho, denotando que reconhecia a honra que lhe faziam e que compreendia a brincadeira.

Para mim eram sempre intimidantes aqueles momentos no enorme refeitório do Grande Hotel, mas ainda mais o eram quando vinha passar alguns dias no hotel o patrão (ou gerente geral, eleito pela sociedade de acionistas, não sei exatamente) daquele Palace e de outros seis ou sete espalhados pela França, e que costumava estar sempre dançando de hotel em hotel para passar uma semana em cada um deles. Então, mal principiava o jantar, aparecia na porta do refeitório aquele homenzinho de cabelos brancos e nariz vermelho, de impassibilidade e correção extraordinárias e que, segundo parece, era considerado um dos primeiros hoteleiros da Europa, tanto em Londres como em Monte Carlo. Certa vez que tive de sair no início da refeição, passei, na volta, por diante dele; saudou-me, mas com extrema frieza, não sei se devido à reserva de quem não se esquece de quem é ou ao desdém que merece um cliente sem importância. Em compensação, diante das pessoas importantes, o gerente geral se inclinava com a mesma frieza, porém com mais gravidade, descidas as pálpebras com ar de pudico respeito, como se estivesse num enterro diante do pai da morta ou na presença do Santíssimo. Exceto nessas poucas e frias saudações, o gerente não fazia um único movimento, como para indicar que seus olhos, brilhantes e saltados, viam tudo, ordenavam tudo e garantiam naquela "Ceia do Grande Hotel" tanto a bizarria dos pormenores como a harmonia do conjunto. Evidentemente, sentia-se alguma coisa mais que diretor de cena ou de orquestra: sentia-se verdadeiro generalíssimo. Como estimava que a mera contemplação levada ao máximo de intensidade lhe bastava para certificar-se de que tudo estava bem, de que não se cometera nenhuma falta que pudesse acarretar a derrota e de que podia arcar com as responsabilidades, abstinha-se do menor gesto e nem sequer movia os olhos, petrificados pela atenção, que abrangiam e dirigiam o conjunto das operações. Eu tinha a sensação de que nem ao menos lhe escapavam os movimentos da minha colher, e, embora se eclipsasse enquanto terminava a sopa, a revista que acabava de passar me tirava o apetite para o resto da refeição. Em compensação, ele comia muito bem, conforme se podia observar ao meio-dia, pois almoçava como um simples particular, na mesma mesa que todo mundo, no grande refeitório, sem outra particularidade que ter ao lado, durante a refeição, o outro gerente, o de Balbec, que se mantinha de pé, a conversar com ele. Porque, como era subordinado do gerente geral, tinha-lhe muito medo e fazia o possível para lhe ser agradável. E no almoço eu me sentia menos atemorizado porque então o gerente, sentado entre as demais pessoas, tinha a discrição de um general que se acha num restaurante onde comem também muitos soldados e finge que não lhes presta atenção. Contudo, quando o porteiro, com a sua corte de *grooms*, me anunciava: "Amanhã ele parte para Dinard, e depois para Biarritz e Cannes", eu respirava muito mais folgadamente.

Minha vida no hotel era muito triste porque não havia travado amizades, e incômoda porque, em compensação, Françoise travara muitas. E embora à primeira vista pareça que isso devia facilitar as coisas, sucedia exatamente o contrário. Os proletários, embora lhes fosse muito difícil que Françoise chegasse a tratá-los como conhecidos e só o conseguissem à custa de muitas atenções para com ela, quando afinal lhe alcançavam as graças, eram as únicas pessoas que lhe mereciam consideração. Seu velho código lhe ensinava que não devia nada aos amigos dos patrões e, se estava com pressa, podia mandar passear uma senhora que ia visitar minha avó. E por outro lado, com os seus conhecidos, isto é, com as poucas pessoas do povo admitidas em sua difícil amizade, tinha vigente o mais sutil e imperioso dos protocolos. Por exemplo, Françoise travara amizade com o preparador de café do hotel e com uma moça que fazia vestidos para uma senhora belga; pois já não podia arranjar as coisas de minha avó imediatamente depois do almoço, mas ao fim de uma hora, tudo porque o cafeteiro queria preparar-lhe café ou chá na sua cozinha, ou porque a modista lhe pedia que fosse vê-la costurar, e isso é coisa que não se pode negar, que não fica bem negar. De resto, merecia-lhe especiais atenções a moça da costura porque era órfã e fora criada por uma família estranha, com quem costumava de vez em quando ir passar alguns dias. Essa circunstância provocava compaixão em Françoise e um quê de benévolo desdém. Porque ela, que tinha família e uma casinha herdada dos pais, onde o irmão criava umas vacas, não podia considerar como sua igual uma rapariga sem parentes nem lar. E como a camareira estava esperando o 15 de agosto para ir visitar seus protetores, Françoise não podia deixar de repetir: "Até acho graça! Diz ela que vai à sua casa em 15 de agosto. E diz: 'minha casa'! Nem ao menos é a terra dela: é uma gente que a recolheu e a isso chama a sua casa, como se fosse de verdade a sua casa! Coitadinha! Ela deve ser bastante miserável por não se dar conta do que é ter uma casa!". Mas se Françoise não tivesse travado amizade senão com as empregadas dos hóspedes que jantavam com ela no "refeitório dos serviçais", e que a tomavam, ao ver sua bela touca de rendas e o seu fino perfil, por uma nobre talvez, que pelas circunstâncias da vida ou por afeição servia de dama de companhia a minha avó, isto é, se Françoise não houvesse lidado senão com pessoal que não pertencesse ao hotel, o mal não teria sido muito grande, porque como essa gente não nos poderia ser útil, que Françoise os conhecesse ou não, pouco nos importava. Mas acontecia que também se dava com um dos encarregados da adega, com outro da cozinha e com uma primeira camareira. E o resultado, no tocante à nossa vida diária, foi que Françoise, que no dia da chegada, quando ainda não conhecia ninguém, chamava por qualquer coisa a horas intempestivas em que nem minha avó e eu nos atreveríamos a fazê-lo, e retrucava, se lhe fazíamos alguma observação, que para isso se pagava muito caro, como se ela pagasse do seu bolso, agora que era amiga de uma personagem da cozinha, coisa que a princípio nos pareceu de bom agouro para a nossa comodidade, se minha avó ou eu tínhamos os pés frios, não se animava a chamar, embora fosse numa hora muito normal, e afirmava que não ficaria bem porque teriam de acender de novo o fogo, ou porque interromperia a refeição dos criados, que talvez se agastassem. E terminava com uma frase que, apesar do modo incerto como a pronunciava, era claríssima e nos fazia perder a paciênda: "A verdade é que...". Mas não insistíamos, por temor de que nos castigasse com outra mais grave: "Parece-me que há toda a razão". De modo que não podíamos pedir água quente porque Françoise se tornara amiga de quem tinha de aquecer a água.

Afinal também nós travamos uma amizade, por intermédio de minha avó, mas sem que ela o quisesse, pois certa manhã, ao passar por uma porta se encontrou frente a frente com a sra. de Villeparisis, e não tiveram outro remédio senão falar-se, mas depois de muitos gestos de surpresa e de hesitação, de ademanes de retrocesso e de dúvida, e por último, de protestos de cortesia e regozijo, como nalgumas obras de Molière, em que há dois atores que estão desde muito a monologar cada um para o seu lado e a dois passos de distância, fingindo que não se veem, e que afinal se reconhecem, não querem acreditar nos próprios olhos, cortam a palavra um ao outro e afinal falam os dois ao mesmo tempo (depois do monólogo, o coro), e caem nos braços um do outro. A sra. de Villeparisis quis, por discrição, despedir-se em seguida de minha avó, mas esta não o consentiu; reteve-a até que serviram o almoço, pois queria saber como se arranjava a marquesa para que lhe chegasse o correio antes que a nós e para que lhe servissem carne benfeita (pois a sra. de Villeparisis era bom garfo, e pouco lhe agradava a cozinha do hotel, onde costumavam servir-nos coisas que, segundo minha avó, sempre com a sua mania de citar madame de Sévigné, "eram tão magníficas que nos matavam de fome"[23]). E a marquesa tomou o costume de vir todos os dias à nossa mesa, para passar um momento conosco, mas sem consentir que nos levantássemos ou tivéssemos o mínimo incômodo por sua causa. Só o que fazíamos era continuar sentados à mesa, conversando com ela embora já tivéssemos terminado de almoçar, nesse sórdido momento em que as facas andam espalhadas pela toalha junto com os guardanapos enrugados. Eu, para não abandonar a ideia, que me afeiçoava a Balbec, de que estava num extremo da Terra, esforçava-me por olhar ao longe, por não ver mais que o mar, procurando nele os efeitos descritos por Baudelaire, de modo que minha vista não pousava na mesa senão nos dias em que haviam servido algum enorme peixe, monstro marinho que, ao contrário de garfos ou facas, era contemporâneo das épocas primitivas em que a vida começara a germinar no oceano, no tempo dos cimerianos, monstro marinho cujo corpo, de inumeráveis vértebras, de nervos azuis e róseos, era obra da natureza, mas construído de acordo com um plano arquitetônico, como uma policroma catedral dos mares.

Da mesma forma que um barbeiro que, ao ver que um militar a quem está atendendo com particular consideração reconhece um cidadão que acaba de entrar e põe-se a conversar com ele, se rejubila ao descobrir que pertencem à mesma classe social e vai todo risonho em busca da saboeira, pois sabe que no seu salao se superpõem às vulgares tarefas do ofício os prazeres sociais, aristocráticos quase, assim Aimé, ao ver que a sra. de Villeparisis nos tratava como a amigos velhos novamente encontrados, partia

---

23 Citação de uma carta que madame de Sévigné escreveu para sua filha no dia 30 de julho de 1689. (N. E.)

em busca da lavanda com o mesmo sorriso orgulhosamente modesto e sabiamente discreto da dona de casa que sabe retirar-se a tempo. Ou dir-se-ia então um pai ditoso e enternecido que vigia, sem perturbá-los, uns amores venturosos que se iniciaram em sua mesa. De resto, bastava que se pronunciasse diante de Aimé o nome correspondente a algum título, para que no seu rosto se desenhasse uma expressão de felicidade, ao passo que, quando alguém dizia na presença de Françoise: "O conde Tal...", ela fazia uma cara muito sombria e falava pouco e secamente, o que não significava que estimasse a nobreza em menor grau que Aimé, senão que ainda a venerava mais. Ademais, possuía Françoise uma qualidade que nos outros lhe parecia um defeito capital: era orgulhosa. Não pertencia à casta agradável e bonachona de Aimé. Essa classe de pessoas sente um grande prazer, e manifestam-no, ao ouvir um caso mais ou menos chistoso, mas inédito, que não saiu nos jornais. Françoise jamais queria mostrar cara de espanto. E se lhe houvessem dito que o arquiduque Rodolphe, cuja existência ignorava completamente, não morrera, como supunham, mas que ainda vivia, teria respondido: "Hum!, hum!", como quem está há muito tempo inteirado da coisa.[24] E decerto, se não podia ouvir, nem sequer de nossos lábios, de lábios dos que ela chamava humildemente de seus patrões, de nós, que a tínhamos domesticado, o nome de um nobre sem ter de reprimir um gesto de cólera, devia ser porque sua família gozara lá no seu povoado uma posição folgada e independente, uma consideração geral só conturbada pelos nobres; ao passo que um Aimé servira desde pequeno em casa daqueles nobres, ou ali se criara por caridade. De modo que para Françoise a sra. de Villeparisis tinha de fazer-se perdoar a sua qualidade de nobre. Mas na França, pelo menos, o

---

24 Alusão à morte misteriosa do filho único do imperador da Áustria, o arquiduque Rodolphe, junto com sua amante, em 1889, no pavilhão de caça de Mayerling. Não se sabe se os amantes mataram-se ou se foram assassinados. (N. E.)

talento é a única ocupação dos grão-senhores e das grandes damas. Françoise, seguindo a tendência dos criados a andar sempre recolhendo observações fragmentárias com respeito às relações de seus patrões com outras pessoas, observações de que costumam tirar induções errôneas, como acontece ao homem com a vida dos animais, imaginava a cada momento que haviam "faltado" conosco, conclusão a que a levava facilmente o exagerado amor que nos tinha e o muito que lhe agradava dizer-nos coisas pouco amáveis. Mas como notou, sem possibilidade de erro, as mil atenções que tinha conosco, e até com ela, a sra. de Villeparisis, perdoou-lhe o ser marquesa, e como ao mesmo tempo nunca havia deixado de respeitá-la por ser marquesa, veio a suceder que a preferia a todos os nossos conhecidos. A verdade é que nenhum nos demonstrava tão solícita amabilidade. Quando à minha avó lhe chamava a atenção algum livro que a marquesa estava lendo, ou algumas frutas que lhe mandara uma amiga, não tardava termos em nosso quarto o camareiro com o livro ou a fruta. E quando a víamos, para responder aos nossos agradecimentos, limitava-se a dizer, como quem quer dar ao seu presente a escusa de uma utilidade especial: "Não é grande coisa, mas como os jornais chegam com tanto atraso, é preciso ter alguma coisa para ler". Ou: "É sempre uma boa precaução contar com fruta segura quando se está em porto de mar".

— Parece-me que vocês não comem ostras — disse-nos a sra. de Villeparisis (e eu que naquela tarde me sentia com o estômago pouco firme, ainda pior fiquei, pois aquela carne viva das ostras me repugnava muito mais ainda que a viscosidade das medusas que me incomodavam na praia de Balbec) —; aqui são muito boas. Ah, direi à minha criada que recolha a sua correspondência quando for buscar a minha. Como, então a sua filha lhe escreve *todos os dias*? E vocês têm sempre coisas que se dizer?

Minha avó calou-se, creio que por desdém, pois costumava repetir, referindo-se a mamãe, as palavras de madame de Sévigné:

"Recebo uma carta e em seguida queria ter outra, não desejo outra coisa.[25] Há pouca gente digna de compreender o que sente minha alma". E tive medo de que fosse aplicar à sra. de Villeparisis a frase que segue: "Esta minoria que me compreende, eu a busco, e fujo dos restantes". Mas mudou de assunto, para elogiar as frutas que nos mandara a marquesa no dia anterior. Tão boas eram que o gerente, apesar de ver as suas compoteiras desprezadas, calou a inveja e disse-me: "Eu sou como o senhor, mais guloso de frutas que de qualquer outra sobremesa". Minha avó disse à sua amiga que ainda mais lhas agradecia porque as que serviam no hotel costumavam ser detestáveis. E acrescentou:

— Não posso dizer, como madame de Sévigné, que, se nos der o capricho de querer frutas más, é preciso mandar buscá-las em Paris.[26]

— Ah, sim, a senhora lê madame de Sévigné! Eu a vi logo no primeiro dia com as suas *Cartas* (e esquecia-se de que não tinha *visto* minha avó no hotel senão naquele dia em que se encontraram frente a frente). Não acha um pouco exagerada essa preocupação constante com a filha? Parece-me excessiva, para ser sincera. Falta-lhe naturalidade.

Minha avó considerou que toda discussão seria inútil, e para evitar que diante de pessoas incapazes de compreendê-las se falasse em coisas que a ela agradavam, tapou com a bolsa as *Memórias de madame de Beausergent*, que levava consigo.

Quando a sra. de Villeparisis se encontrava com Françoise, nessa hora que esta chamava o meio-dia, ao descer para almoçar no refeitório dos criados, com a sua bela touca branca e afagada pela consideração geral, a marquesa a detinha para lhe perguntar por nós. Logo Françoise nos transmitia os recados da senhora:

---

25 Passagem de uma carta do dia 18 de fevereiro de 1671. Apenas a primeira frase se encontra na carta. (N. E.)

26 Frase extraída de uma carta do dia 9 de setembro de 1694. (N. E.)

"Disse: 'Dê-lhes bom-dia da minha parte'"; e imitava a voz da sra. de Villeparisis, cujas palavras imaginava citar textualmente e sem deformá-las, como Platão as de Sócrates e são João as de Jesus. A Françoise essas atenções muito sensibilizavam. Mas quando minha avó afirmava que na mocidade a sra. de Villeparisis havia sido uma mulher encantadora, não o acreditava, e imaginava que minha avó estava mentindo por interesse de classe, pelo fato de os ricos se defenderem uns aos outros. É verdade que daquela formosura de antanho não subsistiam senão débeis vestígios, e para reconstituir com eles a beleza perdida era preciso ser mais artista do que Françoise. Pois se desejamos compreender como foi bela uma mulher, não basta somente olhá-la, mas é preciso traduzir feição por feição.

— Quero ver se algum dia me lembro de lhe perguntar se não é uma ideia falsa minha isso do seu parentesco com os Guermantes — disse minha avó, provocando assim a minha indignação. Pois como era possível que eu acreditasse numa comunidade de origem entre dois nomes que entraram em mim por meio de portas tão diversas, um pela baixa e vergonhosa porta da expe-riência, e o outro pela áurea porta da imaginação?

Fazia alguns dias que por ali costumava passar, em magnífico aparato, a princesa de Luxemburgo, beleza alta e ruiva, de nariz um tanto pronunciado; estava passando umas semanas na região. Um dia a sua carruagem parou diante do hotel; um lacaio entrou para falar com o gerente e voltou ao carro para recolher um cesto com maravilhosas frutas (cesto que reunia em seu regaço úmido, tal como a baía, diferentes estações do ano), e que deixou com um cartão em que havia algumas palavras escritas a lápis. Perguntei-me a que viajante principesco, que parasse incógnito no hotel, podiam estar dedicadas aquelas ameixas glaucas, luminosas e esféricas, como a redondeza do mar naquele momento; aquelas uvas transparentes que pendiam do galho seco como um dia claro de outono; aquelas peras de azul-celeste. Pois decerto a pessoa a quem a princesa vinha visitar não havia de ser a amiga de minha avó. Contudo, no dia seguinte, à tarde, a sra. de Villeparisis nos mandou aquele racemo de uvas fresco e dourado e umas peras e ameixas que em seguida reconhecemos, embora as ameixas já tivessem passado, da mesma forma que o mar na hora do nosso jantar, para um tom malva, e embora no profundo azul das peras se vissem flutuar vagas formas de nuvens rosadas. Uns dias depois nos encontramos com a marquesa de Villeparisis, ao sair do concerto sinfônico que se efetuava pelas manhãs na praia. Convencido de que as obras que ali ouvia (o prelúdio de *Lohengrin*, a abertura de *Tannhauser* etc.) eram expressão de excelsas verdades, fazia o possível para me pôr à sua altura, para chegar até elas, e no meu desejo de compreendê-las, tirava de mim mesmo o que no meu espírito houvesse de melhor e mais profundo e o entregava a elas.

Pois bem, saímos minha avó e eu do concerto, a caminho do hotel, e paramos um instante no passeio do dique, a falar com a sra. de Villeparisis, que nos anunciou que havia encomendado no hotel, para nós, uns *croque-monsieur* e ovos com creme; nisto, vi aproximar-se de longe, em nossa direção, a princesa de Luxemburgo, meio apoiada à sombrinha, para imprimir a seu esbelto e bem formado corpo uma leve inclinação de modo que desenhasse esse arabesco tão caro às mulheres cuja beleza culminou nos dias do Império, e que sabiam muito bem, com os seus ombros pendidos, a espádua inclinada, as cadeiras reentrantes e a perna bem estendida, fazer flutuar o corpo molemente como um lenço de seda que ondulasse ao redor da armadura de um eixo invisível, reto e oblíquo. Saía todas as manhãs para dar uma volta pela praia, quase na mesma hora em que todos iam almoçar, depois do banho, e, como só almoçava à uma e meia, voltava para casa quando já fazia muito que os banhistas haviam abandonado o passeio do dique, deserto e ardente. A sra. de Villeparisis apresentou minha avó e quis apresentar-me também; mas teve de perguntar meu sobrenome, porque não se lembrava. Ou nunca o soubera, ou havia-o esquecido, pelos muitos anos que se passaram desde que minha avó casara a filha. Pelo visto, o meu nome causou viva impressão à sra. de Villeparisis. A princesa de Luxemburgo nos estendeu a mão, e depois, de vez em quando enquanto falava com a marquesa, voltava a vista para nós e pousava em minha avó e em mim olhares carinhosos, com esse embrião de beijo que a gente acrescenta ao sorriso quando olha para um bebê com a sua ama. E no seu desejo de que não parecesse que se colocava numa esfera superior à nossa, chegou a um erro de cálculo, pois deve ter medido mal a distância e seu olhar impregnou-se de tal bondade que vi aproximar-se o momento em que nos faria festinhas com a mão, como a dois animaizinhos simpáticos que assomam a cabeça entre as grades da gaiola, no Jardim da Aclimação. E essa ideia de animais e de Bois de Boulogne tomou em seguida grande consistência no meu espírito. Àquela hora, percorria, gritando, o passeio do dique, uma multidão de vendedores ambulantes, que carregavam pastéis, bombons e bolos. A princesa, não sabendo o que fazer para nos dar provas da sua benevolência, chamou o primeiro deles que por ali passava; não tinha mais que um pão de centeio, desses que se atiram aos patos. A princesa tomou-o e disse-me: "Para a sua avó". Mas entregou-o a mim e acrescentou, com fino sorriso: "Dê-lhe você mesmo", imaginando sem dúvida que a minha alegria seria mais completa se não houvesse intermediários entre os animaizinhos e eu. Aproximaram-se outros vendedores e a princesa me encheu os bolsos de todas as coisas que carregavam: caixinhas atadas com uma fita, gulodices, babás e barrinhas de caramelo. Disse-me: "Coma-os você e dê também alguma coisa para a sua avó"; e ordenou àquele negrinho vestido de cetim vermelho que a seguia por toda parte e era o pasmo da praia que pagasse aos vendedores. Depois se despediu da sra. de Villeparisis e estendeu-nos a mão com intenção de tratar-nos da mesma forma que à sua amiga, como íntimos, e de colocar-se à nossa altura. Mas dessa vez deve ter colocado o nosso nível na escala dos seres um pouco menos abaixo, pois a princesa significou à minha avó a sua igualdade conosco por meio desse sorriso maternal e terno que usamos para despedirmo-nos de uma criança como se fosse gente grande. De modo que, por um maravilhoso progresso da evolução, a minha avó já não era pato ou antílope, mas um *baby*, como teria dito a sra. Swann. E afinal separou-se de nós três e seguiu seu passeio pelo ensolarado cais, curvando o magnífico corpo, que se enlaçava, como serpente numa vara, à sombrinha branca com desenhos azuis, que a princesa carregava fechada. Era a primeira Alteza com quem falava; e digo a primeira porque a princesa Mathilde não tinha nada de Alteza nas suas maneiras. Mais adiante se verá como esta Alteza haveria de sur-preender-me também com a sua amabilidade. No dia seguinte a sra. de Villeparisis me deu a conhecer uma das formas que adota a amabilidade dos grão-senhores, como benévolos inter-mediários entre os soberanos e os burgueses, dizendo-me: "Cau-saram excelente impressão em Sua Alteza. É mulher de muito discernimento e grande coração. Não, não é como tantos reis e príncipes; tem um valor positivo". E a sra. de Villeparisis acres-centou, muito convicta e contente por poder dizer-nos estas pala-vras: "Creio que se alegrará muito em tornar a vê-los".

Mas naquela mesma manhã em que nos encontramos com a princesa de Luxemburgo, a sra. de Villeparisis me disse uma coi-sa que me supreendeu muito mais porque já saía dos puros domí-nios da amabilidade.

— Com que então o seu pai é o chefe de gabinete do Minis-tério das Relações Exteriores? Ouvi dizer que é um homem mui-to simpático. Está fazendo agora uma bela viagem.

Pouco antes soubéramos, por uma carta de mamãe, que meu pai e seu companheiro de viagem, o sr. de Norpois, haviam extra-viado as malas.

— Já as encontraram, ou antes, não chegaram a perder-se; realmente, o que aconteceu foi isso — disse a sra. de Villeparisis, que, sem que soubéssemos como, parecia muito mais bem informada que nós de todos os detalhes da viagem. — Parece-me que seu pai adiantará o regresso e voltará na semana que vem; creio que desistiu de ir a Algeciras. Mas tem vontade de consagrar um dia mais a Toledo, pois é grande admirador de um discípulo de Ticiano, não me lembro como se chama, que só se pode apreciar bem em Toledo.[27]

E eu indagava comigo por que acaso, na luneta indiferente através da qual a sra. de Villeparisis considerava de tão longe a agitação sumária, minúscula e vaga da multidão de pessoas que conhecia, se achava intercalado, no lugar de onde focava meu pai, um pedaço de vidro prodigiosamente aumentativo que lhe fazia ver com tanto relevo e em todos os pormenores tudo quanto ele tinha de agradável, as contingências que o forçavam a voltar, seus incômodos aduaneiros, seu gosto pelo Greco, e, mudando para ela a escala de visão, mostrava-lhe apenas aquele homem tão grande no meio dos outros tão pequenos, como o Júpiter a quem Gustave Moreau deu uma estatura mais que humana quando o pintou ao lado de uma frágil mortal.[28]

Minha avó despediu-se da sra. de Villeparisis para que pudéssemos ficar um momento mais ao ar livre diante do hotel, até que nos fizessem sinais, por detrás da vidraça, de que nos tinham servido o almoço. Nisto se ouviu um rebuliço. Era a jovem amante do rei dos selvagens, que acabava de tomar banho e voltava para o almoço.

— É mesmo um flagelo, é caso de a gente sair da França! — exclamou raivosamente o decano, que passava naquele momento.

---

27 Tal discípulo é Greco, que trabalhou até por volta dos trinta anos junto de Ticiano. A partir de 1576, ele se instala em Toledo. (N. E.)

28 Provável alusão ao quadro *Jupiter et Sémélé* (1895). (N. E.)

Entrementes, a mulher do notário arregalava os olhos para a falsa soberana.

— Nem sei dizer como me irrita a senhora Blandais, olhando desse jeito para tal gente — disse o decano ao presidente. — Eu desejaria dar-lhe um tapa. É assim que se dá importância a essa gentalha que naturalmente não quer outra coisa. Diga ao seu marido que a avise de que isso é ridículo; eu não saio mais com eles se continuam a dar atenção aos mascarados.

Quanto à visita da princesa de Luxemburgo, no dia em que parou o carro diante do hotel e deixou o cesto de frutas, não havia escapado ao grupo da mulher do notário, do decano e do primeiro presidente, já de há muito bastante ansiosas por saber se era uma marquesa autêntica e não uma aventureira aquela sra. de Villeparisis a quem tratavam com tanta consideração; e todas aquelas senhoras ardiam por descobrir se a marquesa era indigna de tal respeito. Quando a sra. de Villeparisis atravessava o *hall*, a mulher do primeiro presidente, que por toda parte farejava irregularidades, erguia o nariz do trabalho e olhava-a de um modo que fazia morrer de riso as amigas.

— Oh!, bem sabem que eu — dizia ela com orgulho — começo sempre por pensar mal. Não admito que uma mulher seja verdadeiramente casada senão depois de ver as certidões de nascimento e de casamento. Aliás, não se aflijam, que eu vou fazer o meu inqueritozinho.

E cada dia aquelas senhoras acorriam a rir.

— Que há de novo?

Mas no dia da visita da princesa de Luxemburgo, a mulher do presidente levou o dedo ao lábio.

— Há novidades.

— Oh! É extraordinária essa senhora Poncin! Nunca vi coisa igual... Mas diga logo o que é que há...

— Pois bem, é que uma mulher de cabelos amarelos, dois dedos de pintura, um carro que cheirava à prostituta a uma légua de distância e como só essas damas possuem, veio há pouco visitar a pretensa marquesa.

— Olaré! Não diga! Se é essa senhora que vimos, não se lembra, e que não nos causou muito boa impressão, não sabíamos que tinha vindo procurar a marquesa. Uma mulher com um negro, não é?

— Isso mesmo.

— Ora vejam só! E não sabe o nome dela?

— Sim, fingi enganar-me e peguei o cartão. Princesa de Luxemburgo é o seu nome de guerra! Não tinha eu razão de desconfiar? Muito agradável estar aqui em promiscuidade com essa espécie de baronesa d'Ange![29]

O decano citou Mathurin Régnier e Macette para o primeiro presidente.[30]

Não se vá imaginar que esse mal-entendido fosse momentâneo como os que se formam no primeiro ato de um *vaudeville* para dissipar-se no último. A sra. de Luxemburgo, sobrinha do rei da Inglaterra e do imperador da Áustria, e a sra. de Villeparisis sempre pareceram, quando a primeira vinha buscar a segunda para passearem de carro, duas tunantes dessas que é tão difícil evitar nas estações balneárias. Três quartas partes dos homens do Faubourg Saint-Germain passam aos olhos da burguesia por crápulas arruinados (o que às vezes são individualmente) e que por conseguinte ninguém recebe. A burguesia é demasiado honesta nesse ponto, pois as taras deles absolutamente não os impediram de ser recebidos com o maior favor onde ela jamais o será. E de tal modo imaginam eles que a burguesia o sabe que afetam uma simplicidade no que lhes concerne, num menosprezo por seus amigos particularmente sem recursos, que agrava ainda mais o mal-entendido. Se

---

29 Alusão ao pseudônimo utilizado pela cortesã Suzanne, heroína da comédia *Demi-Monde*, de Alexandre Dumas Filho. (N. E.)

30 Alusão à sátira número XIII de Mathurin Régnier, em que Macette é a personagem da caftina. (N. E.)

acontece por acaso que um aristocrata mantém relações com a pequena burguesia, por ser muito rico e presidir importantes sociedades financeiras, a burguesia, que vê enfim um nobre digno de ser grande burguês, juraria que ele não convive com o marquês jogador e arruinado, a quem julga tanto mais destituído de relações quanto mais amável. E qual não é o seu espanto quando o duque presidente do conselho administrativo da colossal empresa dá a seu filho por esposa a filha do marquês jogador, mas cujo nome é o mais antigo da França, da mesma forma que um soberano antes fará seu filho desposar a filha de um rei destronado que a de um presidente da República em funções. Quer dizer que os dois mundos têm um do outro uma visão tão quimérica como os habitantes de uma praia situada numa das extremidades da baía de Balbec têm da praia situada na outra extremidade: de Rivebelle avista-se um pouco Marcouville, a Orgulhosa; mas isso mesmo engana, pois julgamos ser avistados de Marcouville, onde pelo contrário os esplendores de Rivebelle são em grande parte invisíveis.

Como o médico de Balbec, chamado para atender a um acesso de febre que eu tivera, opinasse que eu não devia ficar o dia inteiro à beira-mar, em pleno sol, na canícula, e me prescrevesse algumas receitas, minha avó tomou-as com um respeito aparente em que logo reconheci seu firme propósito de não mandar aviá--las, mas levou em conta o conselho higiênico e aceitou o convite que nos fizera a sra. de Villeparisis para alguns passeios de carro. Eu ia e vinha, até a hora do almoço, de meu quarto ao de minha avó. Este não dava diretamente para o mar, como o meu, mas recebia luz de três lados diferentes: de uma extremidade do dique, de um pátio e do campo, e era mobiliado diversamente, com poltronas bordadas de filigranas metálicas e de flores róseas, de onde parecia emanar o agradável e fresco odor que a gente encontrava ao entrar na peça. E naquela hora em que raios vindos de exposições e como que de horas diferentes quebravam os ângulos do muro, ao lado de um reflexo da praia, punham na cômoda uma toalha matizada como as flores do caminho, suspendiam à parede as asas dobradas, trêmulas e mornas de uma claridade prestes a retomar o voo, aqueciam como um banho um retângulo de tapete provinciano diante da janela do pequeno pátio que o sol afestoava como uma vinha, aumentavam o encanto e a complexidade da decoração mobiliária, parecendo esfoliar a seda florida das poltronas e destacar os seus passamanes, aquele quarto que eu atravessava um momento antes de vestir-me para o passeio afigurava-se um prisma em que se decompunham as cores da luz exterior, ou uma colmeia em que os sumos do dia que eu ia provar se achavam dissociados, esparsos, embriagadores e visíveis, ou um jardim da esperança que se dissolvia numa palpitação de raios de prata e de pétalas de rosa. Mas, primeiro que tudo, abrira eu as minhas cortinas, na impaciência de saber qual era o mar que brincava aquela manhã na praia, como uma nereida. Pois nunca um daqueles mares se demorava mais de um dia. Na manhã seguinte havia outro que raro se lhe assemelhava. Mas nunca vi duas vezes o mesmo.

Havia-os de beleza tamanha que, ao vê-los, era o meu prazer duplicado pela surpresa. Que privilégio gozava determinada manhã sobre as restantes, para que a janela, ao entreabrir-se, revelasse a meus olhos maravilhados a ninfa Glauconômena, cuja preguiçosa formosura e brando respirar tinham a vaporosa transparência de uma esmeralda, através da qual eu via afluírem os elementos ponderáveis que lhe davam colorido? Fazia brincar o sol, com sorriso velado por invisível bruma, que não era outra coisa senão um espaço vazio reservado em torno de sua superfície translúcida, a qual ficava assim mais breve e sedutora, como essas deusas que o escultor destaca em meio de um bloco, sem ao menos desbastar o resto da pedra. E assim, com a sua cor única, nos convidava a passear pelos grosseiros caminhos terrenos, de onde, bem instalados na carruagem da sra. de Villeparisis, a víamos toda a tarde, sem nunca chegar à frescura da sua branda palpitação.

A sra. de Villeparisis mandava atrelar cedo para que tivéssemos tempo de ir até Saint-Mars-le-Vêtu, até os penhascos de Quetteholme, ou a outro ponto de excursão, que para um carro não muito rápido era distante e demandava o dia inteiro. Eu, muito contente com o passeio em perspectiva, cantarolava algumas das últimas canções que ouvira, e andava de um lado para outro, esperando que a sra. de Villeparisis acabasse de se preparar. Aos domingos, além do seu carro, havia outros parados à frente do hotel; eram carros de aluguel, que estavam esperando não só as pessoas convidadas a ir ao castelo de Féterne pela sra. de Cambremer, mas também a outras que, para não ficar no hotel como crianças de castigo, declaravam que o domingo era um dia muito aborrecido em Balbec e iam esconder-se nalguma praia próxima ou visitar algum lugar dos arredores. E muitas vezes a mulher do notário, quando lhe perguntavam se estivera em casa dos Cambremer, respondia terminantemente: "Não, estávamos na cascata do Bec", como se fora esse o único motivo que tivera para não passar o dia no castelo dos Cambremer. E o advogado dizia caridosamente:

— Invejo-os. De boa vontade teria trocado com vocês; é mais divertido.

Perto dos carros, diante do pórtico onde eu esperava, estava plantado como um arbusto de rara espécie um jovem *groom* que chamava a atenção visual, tanto pela singular harmonia de seu aceso cabelo como pela sua epiderme de planta. Dentro, no *hall*, que correspondia ao nártex ou igreja dos catecúmenos dos templos romanos, lugar onde tinham direito a entrar as pessoas que não moravam no hotel, havia outros companheiros do *groom* "externo", que não trabalhavam muito mais do que ele, mas que pelo menos executavam alguns movimentos. É muito provável que pela manhã ajudassem na limpeza; mas à tarde estavam ali apenas como esses coristas que, mesmo quando já não servem para nada, ficam em cena para aumentar o número dos figurantes. O gerente supremo, aquele que me causava tanto medo, tinha pensado em aumentar o número de *grooms* no ano seguinte, pois via as coisas em grande escala. E sua decisão mortificou muito o gerente local, que achava aqueles meninos muito impertinentes, com o que queria dizer que estorvavam a passagem e não serviam para nada. Mas, pelo menos no espaço que mediava entre o almoço e o jantar, entre as entradas e saídas dos hóspedes, serviam para encher os vazios da ação, como essas alunas de madame de Maintenon que, vestidas de jovens israelitas, dançam um *intermezzo* cada vez que saem Ester ou Joad. Mas o *groom* de fora, tão rico de matizes, de tão bom talhe e estatura, esse *groom* por perto de quem eu passeava, esperando que descesse a marquesa, mantinha-se imóvel, imobilidade que se tingia de certa melancolia porque seus irmãos mais velhos haviam abandonado o hotel para mais brilhantes destinos e ele sentia-se isolado naquela terra estranha. Afinal chegava a sra. de Villeparisis. Talvez competisse ao *groom* mandar aproximar o carro e ajudar a senhora a subir, mas sabia que quando alguém traz consigo a sua criadagem é para que lhe sirvam e costuma distribuir poucas gorjetas no hotel, e que este último costume é em geral compartido pelos nobres do velho Faubourg Saint-Germain. E como a sra. de Villeparisis pertencia ao mesmo tempo a essas duas classes de gente, o arbóreo *groom* deduzia que não tinha nada a esperar da marquesa, e deixava ao seu lacaio e à sua criada que a instalassem no carro, sem sair da sua vegetal imobilidade, sonhando tristemente com a invejável sorte de seus irmãos.

Partíamos; pouco depois de haver rodeado a estação ferroviária, tomávamos por uma estrada que logo se me tornou tão familiar como as de Combray, desde o cotovelo em que começava a aventurar-se por entre deliciosos cercados até a outra volta em que a abandonávamos, quando já corria por entre terras cultivadas. De onde em onde, via-se no meio dessas terras uma macieira, sem flores, sim, apenas com um ramalhete de pistilos, mas que era o suficiente para encantar-me porque ali reconhecia essas folhas inimitáveis por cuja ampla superfície, como pelo tapete de uma festa nupcial já terminada, havia passado muito recentemente a cauda de cetim branco das flores avermelhadas.

No ano seguinte, em Paris, quando chegou o mês de maio, mais de uma vez comprei um ramo de macieira numa florista e passei a noite diante daquelas flores, em que triunfava aquela mesma essência alvacenta que ainda empoaria com a sua espuma o broto das folhas; parecia que entre as corolas brancas pusera de prêmio a florista, para ter uma generosidade comigo e por gosto de inventiva e engenhoso contraste, uns capulhos róseos, que ficavam muito bem: olhava-as, punha-as à luz da lâmpada — e tanto que muita vez ainda assim estava quando a alva lhe trazia o mesmo reflexo avermelhado que devia estar nascendo em Balbec — e minha imaginação procurava colocá-las outra vez naquela estrada, multiplicá-las e estendê-las no marco já preparado, na tela já pronta, formado por aquelas cercas cujo desenho eu sabia de cor, cercas que eu desejava ver — algum dia haveria de consegui-lo — no momento em que a primavera cobre a sua tela de cores com a deliciosa fantasia do gênio.

Antes de subir para o carro, já levava eu composto o quadro marinho que ia atravessar, na esperança de vê-lo sob um "sol radiante", pois esse quadro se me oferecia em Balbec bastante desnaturado por muitas coisas vulgares, banhistas, guaritas, iates, que a minha ilusão se negava a admitir. Mas quando o carro da sra. de Villeparisis chegava ao alto de uma colina e eu avistava o mar entre a folhagem das árvores, desapareciam então com a lontania os detalhes contemporâneos que, por assim dizer, o colocavam fora da Natureza e da História, e, ao olhar as ondas, não podia deixar de pensar que eram as mesmas que nos pinta Leconte de Lisle na *Orestiada* quando os peludos guerreiros da heroica Hélade, "como bandos de aves de rapina pela madrugada, fazem palpitar com mil remos o mar sonoro".[31] Mas em compensação estava agora muito longe da margem, e o mar não se me apresentava com vida, mas imóvel, de modo que já não sentia força oculta por detrás daquelas cores, estendidas, como as de uma pintura, entre as folhas das árvores, e a água parecia tão inconsistente quanto o céu, apenas um pouco mais escura no seu azul.

Ao ver que me agradavam as igrejas, a sra. de Villeparisis prometia-me que haveríamos de visitá-las pouco a pouco; principalmente era preciso ver a de Carqueville, "toda envolta em hera antiga", dizia a marquesa; e fazia com a mão um movimento como se lhe aprouvesse cobrir a ausente fachada de invisível e delicada folhagem. Eram muito frequentes na sra. de Villeparisis esses miúdos gestos descritivos, ou uma palavra exata para definir o encanto e a singularidade de um monumento, evitando sempre os termos técnicos, mas sem poder dissimular que conhecia perfeitamente as coisas de que falava. E à guisa de desculpa, alegava que um dos castelos de seu pai, aquele em que se criara, ficava num distrito em que havia uma igreja do mesmo estilo que as dos arredores de Balbec, e teria sido uma vergonha que se não afeiçoasse à arquitetura, tanto mais que era aquele o mais formoso exemplar dos castelos da Renascença. Mas como acontecia que o castelo era também um verdadeiro museu, que ali haviam tocado Chopin e Liszt e recitado Lamartine e todos os artistas célebres do século haviam deixado pensamentos, melodias ou desenhos no álbum de família, a sra. de Villeparisis, por graça, por educação, por modéstia real ou por falta de espírito filosófico, atribuía a essa causa, puramente material,

---

31 O título da tragédia citada por Proust é, na verdade, o da trilogia escrita por Ésquilo, que serviu de modelo para a criação da tragédia à moda antiga de Leconte de Lisle, intitulada *Erínias* (1873), de onde foi extraído o verso citado acima. (N. E.)

seu conhecimento de todas as belas-artes e acabava considerando pintura e música, literatura e filosofia como particulares prendas de uma moça educada do modo mais aristocrático em um monumento ilustre e catalogado. Parecia que para ela não havia outros quadros senão os que se herdam. Alegrou-se muito de que agradasse a minha avó um colar que ela usava e que lhe passava da cintura. Esse colar figurava no retrato de uma sua bisavó pintado por Ticiano e que nunca saiu da família, de modo que se podia assegurar que era um Ticiano autêntico. Pois a marquesa não queria ouvir falar em quadros comprados Deus sabe onde por algum Creso, e, convencida de antemão que eram falsos, não sentia desejos de conhecê-los; sabíamos que ela pintava aquarelas de flores, e minha avó que as ouvira elogiar, falou-lhe de seu passatempo. A sra. de Villeparisis, por modéstia, mudou de assunto, mas sem dar maiores mostras de surpresa ou satisfação do que esses conhecidos artistas a quem os elogios não sabem a nada de novo. Contentou-se em dizer que era um entretenimento delicioso, porque, embora não fossem grande coisa as flores saídas de seu pincel, pelo menos o ter de pintá-las obriga a gente a viver entre flores naturais, e estas são tão lindas, sobretudo quando é preciso olhá-las de perto para copiá-las, que jamais cansam. Mas em Balbec a sra. de Villeparisis tomava férias para descansar a vista.

A minha avó e a mim espantou-nos ver que a marquesa era muito mais "liberal" que a maior parte da gente da burguesia. Admirava-se a sra. de Villeparisis de que causasse escândalo a expulsão dos jesuítas e disse que isso sempre se fizera, até numa monarquia, até na Espanha. Defendia a República, e a única censura que fazia ao anticlericalismo se resumia nestes medidos termos: "Eu acharia tão mau que não me deixassem ir à missa se quero ir, como se me obrigassem a ir sem ter vontade", e de quando em quando lançava frases como: "Ah, a nobreza hoje em dia não vale quase nada!", ou: "Para mim, um homem que não trabalha não é coisa alguma", talvez porque tivesse consciência de quão graciosas, significativas e memoráveis eram essas palavras na sua boca.

À força de ouvir expressar seguidamente ideias avançadas — mas sem chegar nunca ao socialismo, que era o pesadelo da sra. de Villeparisis — especialmente da parte de uma dessas pessoas que, por nos inspirarem consideração graças ao seu talento, levam a nossa escrupulosa e tímida imparcialidade a não condenar as ideias dos conservadores, minha avó e eu quase chegamos a acreditar que a nossa amável companheira possuía em tudo a medida e o toque da verdade. Acreditávamos como artigo de fé em tudo quanto nos dizia de seus Ticianos, da galeria de seu castelo, do talento de conversação de Louis-Philippe. Mas a sra. de Villeparisis — tal como esses eruditos que nos assombram no terreno da pintura egípcia ou das inscrições etruscas, mas que falam das obras modernas de modo tão superficial que nos fazem desconfiar se não teremos exagerado o interesse das ciências a que dominam, pois ao tratar delas não deixaram apontar essa mediocridade que era de esperar e que transparece em seus tolos estudos sobre Baudelaire — quando lhe perguntava por Chateaubriand, Balzac ou Victor Hugo, que conhecera porque frequentavam a casa de seus pais, achava graça na minha admiração e contava deles coisas de rir, do mesmo modo como fizera um momento antes com os fidalgos e os políticos; e julgava com severidade aqueles escritores exatamente porque não tinham essa modéstia, esse esquecimento do próprio valor, essa arte sóbria que se satisfaz com um único traço e não insiste e refoge antes de tudo ao ridículo da grandiloquência, essa oportunidade e essas qualidades de moderação, de julgamento e singeleza, que são patrimônio exclusivo do verdadeiro mérito, conforme lhe haviam ensinado; e via-se que a marquesa preferia homens que, talvez por possuírem tais qualidades, levavam vantagem sobre um Balzac, um Hugo ou um Vigny, num salão, numa academia ou num conselho de ministros, homens como Molé, Fontanes, Vitrolles, Bersot, Pasquier, Lebrun, Salvandy ou Daru.[32]

— É tal qual esses romances de Stendhal que parecem agradar-lhe tanto. Você o teria assombrado se falasse a ele nesse tom. Meu pai, que costumava vê-lo em casa do senhor Mérimée — este sim, tinha talento —, me disse muitas vezes que Beyle, pois assim se cha-

32 A frase menciona toda uma série de escritores e/ou políticos "bem pensantes", que, no estilo do sr. de Norpois, sabem se adaptar rapidamente às reviravoltas políticas e são "homens de boa companhia", na expressão da marquesa. Tendo participado do primeiro Império, o conde Molé (1781-1855) ligou-se depois à Monarquia de Julho e chegou a ministro durante três anos do governo de Louis-Philippe, de 1836 a 1839. No ano seguinte foi eleito para a Academia Francesa. Apesar de ter apoiado a candidatura de Vigny para a Academia, foi rigoroso com o poeta no seu discurso de recepção. Louis de Fontanes (1757-1821), poeta e homem de Estado em quem Proust, em seus textos contra Sainte-Beuve, acreditava flagrar essa "espécie de preguiça ou frivolidade" que "impedem de descer espontaneamente às regiões profundas de si mesmo em que começa a verdade espiritual". Inicialmente partidário da Revolução Francesa, voltou-se contra ela e ficou exilado entre 1797 e 1800. Com seu retorno à França, participou do restabelecimento do Segundo Império, caiu nas graças de Luís XVIII e chegou a ministro de Estado. O barão de Vitrolles (1774-1854) lutou no exército contrarrevolucionário de Condé, conseguiu aliar-se depois ao Império, mas seria acusado de preparar o retorno dos Bourbon ao poder. Pierre Ernest-Bersot (1816-1880), filósofo que não aceitou a instauração do Segundo Império, mas que, depois de 1871, acabou sendo nomeado diretor da prestigiosa École Normale Supérieure. O barão, depois duque Pasquier (1767-1862), ficou preso durante o período do "Terror" da Revolução Francesa, mas mostrou-se hábil o suficiente para se aliar ao Primeiro Império, tornar-se ministro no período da Restauração e chanceler durante o governo de Louis-Philippe. Publicou suas memórias em 1893. Pierre-Antoine-Lebrun (1785-1873), poeta e dramaturgo, foi conselheiro de Estado e "pair de France" durante a Monarquia de Julho; suas *Odes* em louvor das campanhas do império napoleônico lhe valeram uma pensão e, por intermédio de Napoleão III, chegou ao Senado. O conde de Salvandy (1795-1856) ligou-se, inicialmente, ao regime napoleônico, o que não o impediu de se ligar depois a Luís XVIII, a Carlos X e a Louis-Philippe; foi ministro da Instrução Pública de 1837 a 1839, e, depois, de 1845 a 1849, autor de obras histórico-literárias que ele próprio comparava às de Chateaubriand. O conde Daru (1767-1829), primo de Stendhal, autor de uma *História da República de Veneza*, apoiou moderadamente a Revolução Francesa, mas, em seguida, aliou-se a Napoleão e lutou bravamente em seus exércitos. Tratado com desconfiança durante o período da Restauração, foi condecorado com o título de "pair de France". (N. E.)

mava, era terrivelmente vulgar, mas muito espirituoso à mesa, e não alimentava ilusões quanto aos seus livros. Você mesmo sabe como respondeu, encolhendo os ombros, aos desmedidos elogios do senhor Balzac. Nisto, pelo menos, era homem de bom-tom.[33]

Possuía autógrafos de todos esses escritores e parecia muito convencida de que, graças às relações particulares que tivera sua família com tais artistas, ela os julgava com maior justeza que os rapazinhos como eu, que não puderam tratar com eles.

— Parece-me que posso falar neles porque frequentavam a casa de meu pai; e, como dizia o senhor Sainte-Beuve, que tinha muito espírito no tocante a esses escritores, cumpre acreditar nos que os viram de perto e puderam julgar exatamente o que valiam.

Às vezes, quando o carro ia subindo uma encosta por entre terras de lavradio, seguiam a nossa carruagem algumas tímidas centáureas, parecidas com as de Combray, que davam maior realidade ao campo e eram como que uma marca de autenticidade, como essa preciosa florzinha com que assinavam seus quadros alguns pintores antigos. O andar de nossos cavalos logo nos separava delas, mas dentro em pouco já víamos outra que nos esperava e havia plantado na relva a sua estrela azul, algumas se atreviam a chegar à beira da estrada, e, com aquelas florezinhas domésticas e com as minhas remotas recordações, se ia formando uma nebulosa.

Descíamos a encosta e eis que, subindo-a a pé, de bicicleta, numa carriola ou num carro, passávamos por alguma dessas criaturas — flores do dia claro, mas que não são como as dos campos, pois cada qual encerra em si uma coisa que não existe nas outras, motivo pelo qual não podemos satisfazer com as suas semelhantes o desejo que nos inspira —: rapariga de granja que tocava a sua vaca, ou meio recostada numa charrete, filha de lojista em folga,

---

33 Balzac elogiara bastante o romance de Stendhal *A cartuxa de Parma*. A reação de Stendhal aos elogios não parece ter sido esnobe como quer a sra. de Villeparisis. (N. E.)

ou elegante senhorita sentada na banqueta do landô, em frente de seus pais. Por certo que Bloch me abriu uma era nova e mudou para mim o valor da vida no dia em que me ensinou que os meus solitários sonhos nos passeios para as bandas de Méséglise, quando desejava que passasse uma rapariga do campo para tomá-la em meus braços, não eram pura quimera sem correspondência alguma fora de mim, mas que toda moça que se encontrasse, campônia ou citadina, estava em disposição de satisfazer semelhantes desejos. E embora atualmente, por estar enfermo e nunca sair sozinho, não pudesse desfrutar desses prazeres, sentia-me contudo alegre como um menino nascido num cárcere ou num hospital que, depois de ter imaginado por muito tempo que o organismo humano não digere mais que pão seco ou remédio, certifica-se um dia de que ameixas, pêssegos e uvas não são mero ornamento dos campos, mas deliciosos elementos assimiláveis. E embora o carcereiro ou o enfermeiro não o deixe apanhar essas frutas tão lindas, o mundo já lhe parece melhor e mais clemente à vida. Pois um desejo se aformoseia a nossos olhos e apoiamo-nos nele com maior confiança quando a realidade externa lhe corresponde, mesmo quando não seja viável para nós. E pensamos com mais alegria numa vida em que possamos imaginar a possibilidade de chegar a satisfazê-lo, uma vez que afastemos um instante de nossa mente o pequeno obstáculo acidental e particular que nos impede realizá-lo na verdade. Quanto às belas raparigas que eu via passar, desde o dia em que soube que aquelas faces podiam ser beijadas, veio-me curiosidade por suas almas. E o universo me pareceu de mais interesse.

O carro da sra. de Villeparisis ia depressa. Mal me dava tempo para ver a menina que vinha em nossa direção; e, contudo, como a beleza das criaturas humanas não é igual à das coisas, e sentimos muito bem que pertence a uma criatura única, consciente e de livre vontade, enquanto a sua individualidade, alma vaga, vontade desconhecida, se pintava em imagem prodigiosamente reduzida, mas completa, no fundo de seu distraído olhar, imediatamente — misteriosa réplica do pólen preparado para o pistilo — sentia em mim o embrião vago, minúsculo também, do desejo de não deixar passar aquela menina sem que seu pensamento tivesse consciência da minha pessoa, sem impedir que seus desejos se dirigissem a outro homem, sem que eu entrasse nessas ilusões e me assenhoreasse de seu coração. Enquanto isso, o carro afastava-se, a rapariga ficava para trás, e como carecia a meu respeito de quaisquer das noções que constituem uma pessoa, os seus olhos, que mal me tinham visto, já me haviam esquecido. Parecera-me acaso tão linda por tê-la visto assim tão fugazmente? Em primeiro lugar, a impossibilidade de nos determos junto de uma mulher, o risco que corremos de nunca mais tornar a encontrá-la, dão-lhe repentinamente o mesmo encanto que a determinado país a doença ou falta de recursos que nos impede visitá-lo, ou aos dias que nos restam por viver a ideia da batalha em que certamente pereceremos. De modo que, se não fora o hábito, deveria a vida parecer deliciosa aos seres que estivessem ameaçados de morrer a todo instante, isto é, todos os seres humanos. De resto, se a imaginação se sente arrastada pelo desejo do que não podemos possuir, o seu impulso não é limitado por uma realidade perfeitamente percebida nesses encontros em que os atrativos de uma mulher que vemos passar costumam estar em relação direta com a rapidez da sua passagem. Por pouco que escureça, e contanto que o carro vá depressa, no campo ou na cidade, não há torso feminino, mutilado como um mármore antigo, pela velocidade que nos arrasta e pelo crepúsculo que o afoga, que não nos arremesse, de uma volta da estrada ou do fundo de uma loja, as frechas da beleza, essa beleza que seria de perguntar se neste mundo consiste em algo mais que na parte de complemento que a nossa imaginação, superexcitada pela angústia, acrescenta a uma mulher que passa fragmentária e fugitiva.

Se eu pudesse descer do carro e falar com a moça que passava, talvez me houvesse desiludido qualquer imperfeição de sua pele, que não se poderia ver do carro. (E então, de súbito, todo o esforço para penetrar na sua vida me pareceria impossível. Pois a beleza não é senão uma série de hipóteses, e a fealdade a reduz, postando-se naquele caminho que já vimos entreabrir-se para o desconhecido.) Talvez uma só palavra sua, um sorriso, me tivessem dado uma chave ou código inesperado para compreender a expressão de seu rosto ou de seu porte, que imediatamente já me pareceriam banais. É muito possível, porque nunca na minha vida encontrei moças tão deliciosas como naqueles dias em que estava com uma pessoa muito grave, de quem não podia separar-me apesar dos mil pretextos que inventava; em Paris, alguns anos depois da minha primeira viagem a Balbec, ia eu de carro com um amigo de meu pai quando vi uma mulher andando muito depressa na escuridão da noite; ocorreu-me que seria tolice perder por uma questão de cortesia a minha parte de felicidade na única vida que sem dúvida existe; desci sem desculpa alguma e lancei-me em busca da desconhecida; perdi-a num cruzamento de ruas, dei com ela no seguinte, e afinal, sem fôlego, me vi cara a cara com a velha sra. Verdurin, da qual eu sempre fugia, e que me disse, muito contente e admirada: "Que amabilidade a sua, correr para vir cumprimentar-me!".

Naquele ano em Balbec, no momento de algum desses encontros, assegurava à minha avó e à sua amiga que me seria melhor, por causa de uma grande dor de cabeça, voltar sozinho a pé. Mas não me deixavam descer. E então acrescentava a linda jovem (muito mais difícil de tornar a encontrar que um monumento, porque era móvel e anônima) à coleção de todas aquelas outras que me propusera ver um dia de perto. Contudo, houve uma que passou várias vezes diante de mim, e em circunstâncias tais que julguei pudesse conhecê-la como me aprouvesse. Era uma leiteira que levava ao hotel a manteiga de que necessitavam. Julguei que me havia reconhecido e, com efeito, olhava-me com uma atenção causada provavelmente pelo espanto que lhe provocava a minha atenção. No dia seguinte estive toda a manhã descansando, e quando ao meio-dia entrou Françoise para abrir as cortinas, entregou-me uma carta que haviam deixado para mim no hotel. Não conhecia ninguém em Balbec, e não duvidei um instante que aquela carta fosse da moça do leite. Mas infelizmente não era nada disso: Bergotte, de passagem por Balbec, viera visitar-me, e, ao saber que estava descansando, deixou-me umas linhas muito amáveis; e o ascensorista pôs no envelope o endereço que eu imaginei escrito pela leiteira. Tive uma grande decepção, e a ideia de que era muito mais difícil e lisonjeiro receber uma carta de Bergotte em nada me consolou de que não fosse da leiteira. E aconteceu que não mais tornei a ver aquela moça, como me sucedia com as outras, que via apenas quando andava no carro da sra. de Villeparisis. E ver tantas moças e perdê-las a todas aumentava o estado de agitação em que vivia; de modo que cheguei a julgar muito sábios esses filósofos que nos recomendam que limitemos os nossos desejos (sempre que nos queiram falar do desejo que nos inspiram as pessoas, pois é esse o único que, por aplicar-se ao desconhecido consciente, nos pode causar ansiedade; seria inteiramente absurdo supor que a filosofia se referisse ao desejo das riquezas). Mas não me parecia perfeito esse gênero de sabedoria, pois afinal, com aqueles encontros, se me afigurava mais belo um mundo que deixava assim crescer em todos os caminhos do campo umas flores tão vulgares e tão raras ao mesmo tempo, tesouros fugitivos do dia, dádivas do passeio, que dão novo sabor à vida e que só por circunstâncias contingentes, que talvez não tornem a se repetir, eu não podia gozar agora.

Mas ao esperar que algum dia, com mais liberdade, pudesse encontrar-me em outros caminhos com moças daquelas, talvez não fizesse eu outra coisa senão começar a falsear esse elemento exclusivamente individual do desejo de viver junto de uma mulher que nos pareceu bonita; e pelo simples fato de admitir a possibilidade de que nascesse artificialmente, reconhecia eu implicitamente a sua qualidade de ilusão.

Um dia a sra. de Villeparisis nos levou a Carqueville, onde ficava aquela igreja toda coberta de hera de que nos falara, igreja postada numa colina e que domina o povoado e o rio com a sua pontezinha medieval; minha avó, imaginando que me agradaria ficar sozinho para ver o monumento, propôs à amiga que fossem tomar chá na confeitaria, naquela pracinha que se avistava perfeitamente dali e que, com a sua pátina dourada, era como uma parte de um objeto antigo, diferente das outras. Combinamos que eu iria buscá-las. Para reconhecer uma igreja naquele bloco de verdura que tinha à minha frente, foi-me preciso um esforço que me pôs mais em contato com a ideia de igreja; com efeito, da mesma maneira que esses estudantes que aprendem melhor o sentido de uma frase quando, por meio de um exercício de versão ou de tema, são obrigados a despojá-la das formas a que estão acostumados, eu, que não precisava dessa ideia de igreja ao ver-me diante de torres que se davam a conhecer por si mesmas, tinha agora de chamá-la constantemente em meu auxílio, a fim de não me esquecer que o arco que formava aquela parte da hera vinha a ser o de uma ogiva e que aquela saliência das folhas era devida ao relevo de um capitel. Mas então vinha um pouco de vento e fazia estremecer todo aquele pórtico, que se enchia de ondulações trêmulas e sucessivas como vagas de luz; as folhas se entrebatiam e a fachada vegetal, toda trêmula, arrastava afagadoramente atrás de si os pilares ondulantes e fugidios.

Ao sair da igreja, vi, diante da ponte velha, moças do povoado, que, sem dúvida por ser domingo, estavam muito enfeitadas, dizendo coisas aos rapazes que por ali passavam. Havia uma menos bem-vestida que as outras, mas que, pelo visto, tinha alguma ascendência sobre elas, pois mal respondia ao que lhe diziam; alta, de aspecto mais sério e voluntarioso, meio sentada no rebordo da ponte, com as pernas penduradas, tinha adiante de si um cesto cheio de peixes, provavelmente acabados de pescar por ela. Era de tez amorenada e olhos suaves, mas de olhar desdenhoso para o que se passava em derredor, o nariz pequeno, muito fino e de forma encantadora. Pousei a vista em seu rosto, e a rigor poderiam crer meus lábios que tinham ido atrás de meu olhar. Mas eu não queria chegar apenas a seu corpo, e assim à pessoa que nele vivia, essa pessoa com quem parece entrarmos em contato quando chamamos a sua atenção, e em que julgamos penetrar quando lhe sugerimos uma ideia.

E embora visse que a minha própria imagem se refletia furtivamente no espelho do olhar de formosa pescadora, segundo um índice de refração para mim tão desconhecido como se me houvesse colocado no campo visual de uma corça, ainda duvidei se havia penetrado no ser interior da moça, se não me continuava tão fechado como antes. Mas a mim não bastaria que meus lábios bebessem o prazer nos seus, mas que também os meus lhes dessem esse prazer; e do mesmo modo desejava que a ideia de mim entrasse naquele ser, que se prendesse a ele, não só me atraísse a sua atenção, mas também a sua admiração e o seu desejo, que a ajudasse a conservar a minha lembrança até o dia em que pudesse tornar a encontrá-la. Enquanto isso, estava vendo a alguns passos dali a praça onde devia esperar-me o carro da sra. de Villeparisis. Não dispunha senão de um momento; e já notava que as moças começavam a rir de me ver assim parado. Tinha cinco francos no bolso. Tirei-os e, antes de explicar à bela jovem o serviço de que ia encarregá-la, para ter mais probabilidades de que atentasse em mim, mostrei-lhe a moeda.

— Quer fazer-me um favor — perguntei à pescadora —, já que parece ser daqui? É chegar numa confeitaria que dizem que há numa praça não sei onde; deve haver ali um carro à minha espera. Note bem: para evitar confusões, pergunte se é o carro da marquesa de Villeparisis. Mas não há dúvida, logo verá; é um carro de dois cavalos.

Era isso o que queria eu que ela soubesse, para que formasse de mim um elevado conceito. Mas quando pronunciei as palavras "marquesa" e "dois cavalos", logo me senti muito calmo. Vi que a pescadora se lembraria de mim e que se dissipava, com o meu temor de nunca mais tornar a encontrá-la, uma parte do meu desejo de tornar a encontrá-la. Pareceu-me que acabava de tocar a sua pessoa com lábios invisíveis e que lhe havia agradado. E essa violenta posse de seu espírito, essa posse imaterial fizeram-na perder tanto mistério como lho teria tirado a posse física.

Baixamos até Hudimesnil; de repente me invadiu essa profunda sensação de felicidade que não havia tido desde os dias de Combray, uma felicidade análoga à que me deram, entre outras coisas, os campanários de Martinville. Mas, dessa vez, essa sensação ficou incompleta. Acabava de ver a um lado da estrada, na encosta por onde íamos, três árvores que deviam servir de pórtico a uma alameda ensombrada; não era a primeira vez que via eu aquele desenho que formavam as três árvores, e ainda que não pudesse encontrar na memória o lugar de onde pareciam haver-se deslocado, notei contudo que me fora muito familiar em outros tempos; de modo que, como meu espírito vacilasse entre um ano muito remoto e o momento atual, os arredores de Balbec vacilaram também e vieram-me dúvidas se aquele passeio não seria uma ficção, Balbec um lugar onde nunca estivera a não ser em imaginação, a sra. de Villeparisis uma personagem de romance, e as três velhas árvores a realidade que encontra a gente ao erguer os olhos do livro que estava lendo e que nos descrevia um ambiente onde nos pareceu que estávamos de verdade.

Olhei para as três árvores, via-as perfeitamente, mas meu espírito tinha a sensação de que ocultavam alguma coisa que não podia apreender; assim acontece com objetos colocados a distância tal que, embora alonguemos o braço, não conseguimos mais que acariciar a sua superfície com a ponta dos dedos, sem poder apanhá-los. E descansa-se então um momento, para depois estender o braço ainda com mais força, para ver se chega mais além. Mas para que meu espírito pudesse fazer o mesmo e tomar impulso, seria preciso que eu estivesse sozinho. Quanto me teria alegrado poder isolar-me um momento, como nos passeios para o lado de Guermantes, quando me separava de meus pais! Era como se algo me mandasse fazê-lo. Reconhecia essa espécie de prazer que requer na verdade determinado trabalho do pensamento debruçado sobre si mesmo; mas um esforço muito grato em comparação com as medíocres satisfações do abandono e da renúncia. Esse prazer, de cujo objeto apenas tinha um vago pressentimento e quase que era preciso eu mesmo criá-lo, sentia-o em muito raras ocasiões; mas de cada vez que assim acontecia, imaginava que as coisas que haviam passado até então não tinham importância e que, atendo-me à sua realidade, me seria dado começar por fim a verdadeira vida. Pus a mão diante dos olhos para poder conservá-los fechados sem que a sra. de Villeparisis o notasse. Por um momento não pensei em nada e logo, com o pensamento concentrado, retomado com mais força, saltei na direção daquelas três árvores, ou antes, naquela direção interior ao fim da qual eu as via dentro de mim mesmo. Outra vez senti por detrás delas a existência de um objeto desconhecido, mas vago, que não pude atrair a mim. Entretanto, o carro seguia e eu as via aproximarem-se. Onde já as teria visto? Nos arredores de Combray não havia nenhum passeio que começasse de tal modo. Para a paisagem que me recordavam, tampouco havia lugar naquele campo alemão onde fora fazer uma estação de água com minha avó. Acaso, devia crer que vinham de uns anos já tão remotos de minha vida, apagada já inteiramemte em minha memória a paisagem que as rodeava, e que, tal como essas páginas que a gente encontra de súbito, emocionado, num livro que julgava nunca haver lido, eram a única coisa que sobrenadava do livro da minha primeira infância? Pertenceriam, pelo contrário, a essas paisagens de sonho, sempre iguais, ao menos para mim, porque no meu caso o aspecto estranho dessas paisagens não era mais que a objetivaçao em sonhos do esforço que fazia, durante a vigília, fosse para atingir o mistério num lugar atrás de cuja aparência eu o pressentia, como me acontecera tão frequentemente nos meus passeios para o lado de Guermantes, fosse para tentar reintroduzir o mistério num lugar que por muito tempo desejara conhecer e que me pareceu superficial desde quando o conheci, como me aconteceu com Balbec? Não seriam a imagem recém-desprendida de um sonho da noite anterior, mas tão vaga que me parecia vir de muito mais longe? Ou seria talvez que nunca as tinha visto, e ocultavam sob a sua realidade, como aquelas árvores, como aquele tufo de verdura que eu vira do lado de Guermantes, uma significação obscura, tão difícil de descobrir como um remoto passado, de maneira que, solicitado por elas a aprofundar um pensamento, imaginava eu que reconhecia uma lembrança? Ou acaso não continham pensamento algum, e o cansaço de minha vista era a causa de que se me representassem duplos no tempo, como às vezes a gente enxerga duplicadamente no espaço? Não o sabia. Enquanto isso, vinham elas em direção a mim, aparição mítica talvez, ronda de bruxas ou Normas que me propunham seus oráculos.[34] Julguei antes que eram fantasmas do passado, bons companheiros da minha infância, amigos desaparecidos que as nossas recordações em comum invocavam. E tal como sombras, pareciam pedir-me que as levasse comigo, que as devolvesse à vida. Em seus gestos singelos e fogosos percebia eu a impotente pena de um ser amado que perdeu o uso da palavra e vê que não poderá dizer-nos o que quer e que nós não saberemos adivinhá-lo. Logo adiante, numa encruzilhada, o carro que as deixou para trás. O carro me arrastava em direção oposta à única coisa que eu considerava verdadeira, a única coisa que me teria tornado mesmo feliz, o carro que assim se parecia com a minha vida.

Vi como se afastavam as árvores agitando desesperadamente os braços, tal qual se me dissessem: "O que não aprenderes hoje de nós, nunca o poderás saber. Se nos deixar cair outra vez neste caminho de cujo fundo queríamos içar-nos até a tua altura, toda uma parte de ti mesmo que nós te trazíamos, voltará para sempre ao nada". E, com efeito, embora tornasse a encontrar a espécie de

---

34 As Normas, parte da mitologia escandinava, são as virgens do tempo, que cuidam do passado, do presente e do futuro. Elas são apresentadas por Wagner no prólogo de *O crepúsculo dos deuses*. (N. E.)

prazer e inquietação que acabava de sentir, e uma noite me entreguei a ele — tarde, sim, mas para sempre —, a verdade é que nunca soube o que queriam trazer-me aquelas árvores, nem onde as tinha visto. E quando o carro mudou de direção, virei as costas e deixei de vê-las, enquanto a sra. de Villeparisis me perguntava por que tinha um ar tão sonhador e sentia-me tão triste como se acabasse de morrer-me um amigo, de morrer eu mesmo, de renegar um morto ou desconhecer um deus.

E eram horas de pensar na volta. A sra. de Villeparisis, que sentia a natureza com mais frieza que a minha avó, mas com senso para apreciar não só nos museus e palácios aristrocráticos a beleza majestosa e singela de certas coisas antigas, dizia ao cocheiro que tomasse pela estrada velha de Balbec, muito pouco frequentada, mas que tinha de cada lado duas filas de álamos que nos pareciam admiráveis.

Quando já conhecíamos bem esta estrada antiga, voltávamos, para variar, se é que na ida não passávamos por ali, por outro caminho que atravessava os bosques de Chanteraine e Canteloup. A invisibilidade dos inúmeros pássaros que se respondiam de árvore a árvore de todas as partes dava a mesma impressão de descanso de quando se tem os olhos fechados. Acorrentado a meu banco do carro como Prometeu à sua rocha, ia eu ouvindo as minhas oceânides.[35] E quando via casualmente algum dos pássaros passar por trás de umas folhas, havia tão pouca relação aparente entre ele e os seus trinados, que não acreditava ver naquele corpinho saltitante, assustado e cego, a causa dos cantos.

Aquele caminho era da espécie de tantos outros encontradiços na França; subia uma encosta bastante íngreme e depois ia descendo lentamente, num trecho muito longo. Naqueles momentos não me parecia muito sedutor; alegrava-me voltar para casa. Mais tarde, porém, se me converteu em fonte de ale-

35 Alusão à tragédia de Ésquilo, *Prometeu acorrentado*. (N. E.)

grias, porque me ficou na memória como recordação, a que iriam dar todos os caminhos parecidos por onde havia de passar mais adiante em passeios ou viagens, sem solução de continuidade e que, graças a ele, podiam comunicar-se com meu coração. Pois quando o carro ou o automóvel entrava numa dessas estradas que parecesse continuação da que percorríamos com a sra. de Villeparisis, minha consciência atual encontraria para apoiar-se, como em seu mais recente passado, abolidos todos os anos intermédios, as impressões que sentia naqueles fins de tarde, a passear pelos arredores de Balbec quando as folhas cheiravam tão bem e se ia erguendo a bruma, como mais além do primeiro povoado a réstia de sol entre as árvores era como um outro povoado, florestal, distante, a que não poderíamos chegar naquela mesma tarde. E essas impressões enlaçadas com as que experimentava agora em outras terras e estradas semelhantes àquelas, cercadas de todas as sensações acessórias de livre respirar, de curiosidade, de indolência, de apetite e de alegria, que lhes eram comuns, excluídas todas as outras, haviam de reforçar-se, haviam de adquirir a consistência de um tipo particular de prazer, quase de um quadro de vida com que muito raramente tornaria a encontrar-me e no qual o despertar das recordações colocava em meio de realidade materialmente percebida uma grande parte de realidade evocada, sonhada e fugidia, que me inspirava nessas regiões que atravessava alguma coisa mais que um sentimentro estético: o desejo fugaz, mas exaltado, de viver ali para sempre. E muitas vezes a fragrância de uma ramada bastava para que me parecesse que isso de ir sentado num carro em frente à sra. de Villeparisis e cruzarmos com a princesa de Luxemburgo, que lhe acenava de sua carruagem, e voltar a jantar no Grande Hotel, era como que uma felicidade inefável que nem o presente nem o futuro nos podem trazer e que não se desfruta mais que uma vez na vida.

Muitas vezes anoitecia antes que estivéssemos de volta a Balbec. Eu, com muita timidez, mostrando a lua, citava para a sra.

de Villeparisis alguma bela frase de Chateaubriand, de Vigny ou de Hugo: "Espalhava o velho segredo da sua melancolia", ou "Chorando como Diana junto de suas fontes", ou "A sombra era nupcial, augusta, solene".[36]

— E isso lhe parece bonito? — perguntava-me a marquesa. — Isto é, genial, na sua opinião? Pois lhe direi que me espanta ver como se tomam agora a sério as coisas que os amigos desses cavalheiros, ainda que fazendo inteira justiça a seus méritos, eram os primeiros a ridicularizar. Então não se desperdiçava o qualificativo de gênio como hoje, porque se agora diz você a um escritor que ele não tem mais do que talento, toma-o como uma afronta. Você me citou uma grande frase do senhor Chateaubriand sobre o luar. Pois vai ver como tenho os meus motivos para ser refratária à sua beleza. O senhor Chateaubriand ia muito à casa de meu pai. Era simpático quando não havia gente de fora, porque então se mostrava muito simples e agradável; mas quando havia público, começava a impor-se e ficava ridículo; sustentava, diante de meu pai, que havia atirado a sua demissão à cara do rei e que dirigira o conclave, sem se lembrar de que havia encarregado o meu próprio pai de suplicar ao rei que tornasse a aceitá-lo e de que fizera prognósticos disparatados quanto à eleição do papa.[37] Era de ouvir falar nesse conclave o senhor de Blacas, homem inteiramente diverso do senhor Chateaubriand![38] Quanto às frases dele sobre o luar, chegaram a ser lá em

36 O primeiro trecho foi extraído do livro *Atala*, de Chateaubriand; o segundo, do poema "La maison du berger", presente em *Les destinées*, de Vigny; o último, do poema "Booz endormi", do livro *La légende des siècles*, de Hugo. (N. E.)

37 Chateaubriand, fiel a Carlos X, recusou-se a aceitar Louis-Philippe e a Monarquia do Julho. (N. E.)

38 Referência ao conclave que, em março de 1829, conduziu à eleição do papa Pio VIII, narrado no livro XXXI das *Mémoires d'outre-tombe*, de Chateaubriand. Este se encontrava em Roma e acompanhava de perto a eleição do novo papa. O duque de Blacas, secretário da casa do rei francês, Luís XVIII, em 1814, "pair de France" e embaixador em Nápoles de 1815 a 1830, manter-se-ia fiel à família dos Bourbon, acompanhando Charles X no exílio. (N. E.)

casa uma instituição. Sempre que fazia luar pelos arredores do castelo, quando tínhamos um convidado novo, nós lhe aconselhávamos que levasse o senhor Chateaubriand a dar uma volta depois do jantar. E quando voltavam, meu pai nunca deixava de chamar à parte o convidado para lhe dizer: "E então, esteve muito eloquente o senhor Chateaubriand?". "Ah!... sim!" "Então lhe falou no luar." "E como o sabe o senhor?" "E não lhe disse...?" (E meu pai citava a frase.) "É verdade, mas como se arranja o senhor para...?" "E também não lhe falou da lua na campanha romana?" "Mas o senhor tem dom divinatório!" Não, meu pai não tinha esse dom: era que o senhor Chateaubriand gostava de servir sempre o mesmo prato, já preparado.

Ao ouvir o nome de Vigny, pôs-se a rir.

— Ah!, sim! Aquele que dizia: "Eu sou o conde Alfred de Vigny". Pode-se ser conde ou não, isso não tem a mínima importância.

No entanto, devia parecer-lhe que tinha alguma, pois acrescentava logo:

— Em primeiro lugar, não estou certa de que fosse; e em todo caso não era de grande linhagem esse senhor que falou em seus versos em sua "viseira de nobre".[39] Que interessante é isso para o leitor, e de que bom gosto! É o mesmo que Musset, um simples burguês de Paris, que dizia enfaticamente: "O falcão de ouro que adorna o meu capacete".[40] Um grão-senhor de verdade nunca diz essas coisas. Pelo menos Musset tinha talento como poeta. Quanto ao outro, o senhor Vigny, nunca pude ler nada seu além do *Cinq-Mars*; seus outros livros, de tão enjoados, caem-me das mãos. O senhor Molé, que tinha todo o espírito e tato que faltava ao senhor Vigny, serviu-lhe muito bem quando o recebeu na Academia. Como não conhece o discurso? É uma obra-prima de impertinência e malícia.

---

39 Expressão tirada da primeira estrofe do poema "L'Esprit pur", de Vigny. (N. E.)
40 Citação de versos do poema "À M. Alfred Tattet", de Musset. (N. E.)

Censurava Balzac, espantando-se de que seus sobrinhos admirassem a pretensão de pintar uma classe da sociedade "onde não o recebiam" e de que contou mil coisas inverossímeis. Quanto a Victor Hugo, dizia-nos que o pai dela, o sr. de Bouillon, que tinha muitos amigos entre os jovens românticos, comparecera, graças a eles, à estreia de *Hernani*, mas não pudera aguentar até o final, tão ridículos lhes pareciam os versos desse escritor, que tinha talento, sim, mas tão exagerado que, se recebera o título de grande poeta, fora em virtude de um contrato ajustado, como recompensa pela interessada indulgência que tivera para com as perigosas divagações dos socialistas.[41]

Já avistávamos o hotel e suas luzes, tão hostis na primeira noite, a da chegada, e agora gratas e protetoras, anunciadoras do lar. E quando o carro chegava à porta, o porteiro, os *grooms*, o *lift*, solícitos, ingênuos, um tanto inquietos com a nossa demora, ali apinhados na escadaria, esperando-nos, eram já, convertidos em coisas familiares, dessas criaturas que mudam muitas vezes no curso de nossa vida, conforme mudamos nós, mas nas quais nos encontramos com prazer, fielmente, amistosamente refletidos enquanto dure esse espaço de tempo em que são espelho de nossos costumes. E preferimo-los a amigos que ficamos muito tempo sem ver porque contêm, em maior proporção que aqueles, alguma coisa do que atualmente somos. Unicamente o *groom*, que estivera todo o dia aguentando o sol, havia entrado, por medo à friagem da noite, e, colocado ali em meio do *hall* de vidro, todo coberto de lã, com a sua cabeleira alaranjada e escorrida e a flor curiosamente rósea

---

41 A estreia da peça *Hernani*, de Victor Hugo, aconteceu no dia 25 de fevereiro de 1830 e foi motivo de batalha entre os autores classicistas e os românticos. O sr. de Bouillon tomara partido dos classicistas contra as alterações trazidas por Hugo ao verso alexandrino e a ruptura na tradição literária. A acusação de "socialista" é, no caso, anacrônica, pois Hugo só assumiria essa posição muito mais tarde, depois do golpe de Estado de Luís Bonaparte, em 1851. (N. E.)

da sua face, trazia ao espírito a recordação de uma planta de estufa protegida contra o rigor do frio. Descíamos do carro ajudados por um número de serviçais muito maior do que na verdade era preciso, mas era porque todos se davam conta da importância da cena e desejavam nela representar algum papel. Eu sentia uma fome atroz. De modo que muitas vezes, para não atrasar o jantar, não subia a meu quarto (o qual acabara por se converter em meu de verdade, e agora, ao ver os cortinados roxos e as estantes baixas, encontrava-me a sós com esse eu que se refletia afinal nas coisas como nas pessoas dali) e esperávamos os três, no *hall*, que o mordomo viesse dizer-nos que já estávamos servidos. Era para nós mais uma ocasião de ouvir a sra. de Villeparisis.

— Estamos abusando da senhora — dizia minha avó.

— Nada disso, estou encantada, agrada-me muito — respondia a sua amiga com afável sorriso, afinando a voz e em melodioso tom, que contrastava com a sua costumeira singeleza.

E de fato, naqueles instantes não era natural; lembrava-se da sua educação, do modo aristocrático como uma grande dama deve mostrar à gente da classe média que se alegra em estar um momento com eles e que não é orgulhosa. E a única falta de verdadeira cortesia que nela se podia observar era exatamente o seu excesso de cortesia; pois nisso transparecia esse vinco profissional da dama do Faubourg Saint-Germain que sabe terá de deixar descontentes alguma vez a esses seus amigos da burguesia, e aproveita avidamente todas as ocasiões em que lhe é possível escrever em seu mútuo livro de contas uma antecipação de crédito que pouco mais tarde compense no seu débito o fato de não os ter convidado para uma reunião ou uma ceia. O gênio da sua casta social havia outrora modelado a marquesa de um modo definitivo, e não sabia que as circunstâncias eram agora muito diversas e as pessoas muito outras, e que em Paris poderia permitir-se o gosto de ver-nos seguidamente em sua casa; de modo que esse gênio racial a movia com febril ardor, como se o tempo que se lhe concedia para ser amável fosse já muito pouco, a multiplicar conosco, enquanto estávamos em Balbec, os presentes de rosas e melões, os livros emprestados, os passeios de carro e as efusões verbais. E vem daí que, da mesma forma que o esplendor ofuscante da praia, o revérbero multicor e os reflexos submarinos dos quartos do hotel, e as lições de equitação com que os filhos de comerciantes eram deificados como Alexandre da Macedônia, me tenham ficado na memória, como características da vida de praia, as amabilidades diárias da sra. de Villeparisis e também a facilidade momentânea, estival, com que minha avó as aceitava.

— Deem as suas capas para que as mandem para cima.

Minha avó dava-as ao gerente, e eu, como lhe era grato por suas atenções comigo, me desesperava por essa falta de consideração de minha avó, que incomodava o gerente.

— Parece-me que esse senhor se aborreceu — dizia a marquesa. — E que provavelmente se considera demasiado aristocrata para recolher suas capas. Lembro-me ainda, era eu muito pequena, de quando o duque de Nemours entrava em casa de meu pai, que ocupava o último andar do palácio Bouillon, com um grande pacote de cartas e jornais debaixo do braço. Ainda me parece que estou vendo o príncipe com seu fraque azul ali na porta, que por sinal tinha uns adornos muito bonitos em madeira; creio que era Bagard quem fazia aquilo, aquelas moldurinhas tão finas, que o ebanista lhe dava forma de capulhos e flores como os laços que se fazem para atar um buquê.[42] "Aqui está, Cyrus", dizia a meu pai. "Foi o porteiro quem me deu isso para você. Disse-me: 'Já que vai à casa do senhor conde, não vale a pena que eu suba os andares; mas tenha o cuidado de não desatar o nó'." Bem, agora que já se

---

42 A maior parte das obras do pintor e escultor César Bagard (1639-1709) desapareceu durante a Revolução Francesa. Mais um dado importante que ajuda a sra. de Villeparisis a ressaltar o valor intrínseco de sua experiência passada, enquanto é testemunha ocular de um mundo desaparecido. (N. E.)

desembaraçou dos abrigos, sente-se aqui — dizia ela a minha avó, tomando-a pela mão.

— Não, essa cadeira não, se lhe faz o mesmo. É pequena para duas, mas só para mim é muito grande; não ficaria a gosto.

— A senhora me recorda, porque era exatamente igual a esta, uma cadeira que tive por muito tempo, mas que afinal não pude conservar, pois fora presenteada à minha mãe pela infeliz duquesa de Praslin. Minha mãe, apesar de ser a pessoa mais simples do mundo, como tinha dessas ideias de outros tempos que já então não me entravam direito na cabeça, não quis de início deixar-se apresentar à senhora Praslin, que era uma simples senhorita Sebastiani, e esta, por sua parte, como era duquesa, julgava que não devia ser ela quem solicitasse apresentação. E na realidade — acrescentava a sra. de Ville-parisis, esquecendo-se de que não distinguia esse gênero de matizes — essa pretensão era insustentável, o que não seria o caso de uma Choiseul. Os Choiseul são uma casa de primeira, procedem de uma irmã do rei Luís, o Gordo, eram soberanos de verdade em Bassigny.[43] Compreendo que nós lhes levemos vantagens por nossas alianças e pelo brilho, mas a antiguidade das famílias é pouco mais ou menos a mesma. Houve incidentes cômicos por causa dessa questão de precedência, como um almoço servido com atraso de mais de uma hora, que foi todo o tempo de que se necessitou para convencer a uma dessas senhoras que se deixasse apresentar. Apesar de tudo isso, tornaram-se muito amigas, e a duquesa presenteou minha mãe com uma cadeira como essa, em que ninguém queria sentar-se, como lhe aconteceu agora. Um dia minha mãe ouve entrar um carro no pátio de nossa casa e pergunta a um criado quem é. "É a senhora

---

43 A origem dos Choiseul em Bassigny remonta ao século X. Um de seus familiares, Hugues de Champagne, desposaria Constance, irmã do rei francês Luís VI, chamado "o Gordo". O duque de Choiseul-Praslin (1805-1847) desposou a filha do general Sebastiani, com quem teve dez filhos. Deixando-a pela governanta, ela foi encontrada apunhalada em 1847. Preso, o duque se envenenaria. (N. E.)

duquesa de La Rochefoucauld, senhora condessa." "Muito bem, que suba." Passa um quarto de hora e não aparece ninguém. "Bem, mas onde está a senhora duquesa de La Rochefoucauld, não veio?" "Está na escada, resfolegando, sem poder subir mais, senhora condessa", disse o criadinho, que havia pouco chegara do campo, onde minha mãe tinha o costume de buscar sua criadagem. Muita vez era gente que tinha visto nascer. É assim que se podem ter criados decentes. E esse é o primeiro dos luxos. Pois, com efeito, a duquesa de La Rochefoucauld ia subindo com muito trabalho, porque era enorme, e tão enorme que, quando entrou, minha mãe ficou preocupada um momento, em saber onde acomodá-la. Naquele instante caiu-lhe o olhar sobre a cadeira que lhe presenteara a senhora Praslin. "Faça o favor de sentar-se", disse minha mãe, empurrando a cadeira para a duquesa. A duquesa encheu-a até as bordas. Apesar desse aspecto imponente, era bastante agradável. Um amigo nosso dizia que ao entrar num salão sempre causava efeito. "Principalmente ao sair", retrucava minha mãe, que muitas vezes tinha umas tiradas um pouco atrevidas para a nossa época. Até na própria casa da duquesa se trocavam ditos a respeito de suas enormes proporções, e ela era a primeira a rir-se. Um dia minha mãe foi visitar a duquesa; à porta do salão recebeu-a o duque, e minha mãe não viu sua esposa, que se achava num vão de uma janela. "Está sozinho? Julguei que a duquesa estivesse em casa, mas não a vejo." "Que amável é a senhora!", respondeu o duque, um dos homens de menos discernimento que conheci, mas que às vezes tinha graça.

Depois do jantar, quando subia a meu quarto com minha avó, dizia-lhe eu que as boas qualidades com que nos seduzia a sra. de Villeparisis, tato, finura, discrição, esquecimento de si mesma, não deviam ser de grande valor, pois as pessoas que sobressaíam nessas condições não passaram de Molés e Loménies[44] e, em compensa-

---

44 Louis Léonard de Loménie era membro da Academia Francesa e autor de uma série de biografias e obras de crítica. (N. E.)

ção, o não tê-las, por desagradável que fosse no convívio diário, não impediu, para chegar ao que foram, Chateaubriand, Vigny, Hugo e Balzac, vaidosos de pouco siso, que se prestavam muito à troça, como Bloch... Mas ao ouvir o nome de Bloch, minha avó indignava-se. E fazia-me o elogio da sra. de Villeparisis. Como dizem que em matéria de amor o que determina as preferências de cada indivíduo é o interesse da espécie, e que, para que a criança tenha uma constituição perfeitamente normal, o instinto leva as magras para os gordos e vice-versa, minha avó, levada também, embora inconscientemente, pelo interesse do meu bem-estar, ameaçado pelos nervos e pela mórbida tendência para a tristeza e o isolamento, colocava em primeiro lugar essas faculdades de ponderação e de juízo, próprias não só da sra. de Villeparisis, mas de uma parte da sociedade onde me era possível achar distração e calma, sociedade semelhante àquela onde floresceu o talento de um Doudan, de um Rémusat, para não dizer de uma Beausergent, de um Joubert ou de uma Sévigné,[45] pois essa espécie de talento proporciona mais ventura e dignidade na vida do que os refinamentos opostos, que levaram um Baudelaire, um Poe, um Verlaine ou um Rimbaud a sofrer penas e desconsiderações que minha avó não queria para mim. Cortei-lhe as palavras para lhe dar um abraço e perguntei-lhe se havia atentado nalgumas frases da sra. de Villeparisis, em que transparecia a mulher que tem sua linhagem em

45 Ximènés Doudan (1800-1872) crítico literário e homem político com reputação de grande conversador em pequenos grupos. O conde Charles de Rémusat (1797- -1875) era membro do grupo doutrinário durante o período da Restauração, deputado e ministro do Interior. Exilado por Luís Napoleão em 1851, só voltaria à França em 1859. Em 1871 assumiu o Ministério de Assuntos Estrangeiros. Era conhecido nos salões por seus talentos como cantor. A sra. de Beausergent é personagem fictícia ba- -seada na duquesa de Boigne, autora de memórias. Joseph Joubert (1754-1824), moralista francês, defensor da polidez, da elegância e do bom gosto. Autor do livro *Pensées*, antes de publicá-lo tinha o hábito de ler para um pequeno grupo de amigos para experimentar seu alcance e eficácia. (N. E.)

muito mais estima do que diz. E assim, submetia a minha avó todas as impressões, pois eu nunca sabia o grau de consideração devido a uma pessoa até que ela mo indicasse. Todas as noites, levava-lhe eu as notas que durante o dia tomara dos seres inexistentes que não eram a minha própria avó. Uma vez eu lhe disse:

— Não poderia viver sem ti.

— Não, isso não — respondeu-me com voz alterada. — É preciso ter o coração mais forte. Pois então, que não seria de ti no dia em que eu viajasse? Pelo contrário, serás ajuizado e feliz.

— Sim, serei ajuizado se não fores mais que por alguns dias, mas ficaria contando as horas.

— E se eu me for por alguns meses... — só de ouvi-lo apertava-se-me o coração — ou por anos... ou por...?

Ficávamos os dois calados e não nos atrevíamos a nos olhar. Mas a mim causava maior dor a sua angústia do que a minha. Assim, aproximei-me da janela e disse à minha avó muito nitidamente, olhando para o outro lado:

— Bem sabes que sou uma criatura de hábitos. Nos primeiros dias que passo separado das pessoas a quem mais quero fico muito triste; mas logo, sem deixar de lhes querer, me vou acostumando, a vida se torna outra vez tranquila e grata e eu resistiria a uma separação de meses, de anos...

Mas não pude continuar, e pus-me a olhar para a rua sem dizer nada. Minha avó saiu do quarto por um momento. No dia seguinte comecei a falar de filosofia em tom de grande indiferença, mas fazendo com que minha avó se fixasse nas minhas palavras, e disse-lhe que era curioso verificar como, desde os últimos descobrimentos científicos, ia o materialismo desmoronando e que de novo se considerava como muito provável a imortalidade das almas e sua futura reunião.

A sra. de Villeparisis nos preveniu que agora já não poderíamos nos ver tão seguidamente, porque um sobrinho seu que se preparava para ingressar na escola de Saumur, e que estava de guarnição perto de Balbec, em Doncières, vinha passar algumas semanas de licença com ela e lhe roubaria muito tempo. Durante os passeios a marquesa nos falara de seu sobrinho, levando-nos a sua grande inteligência e principalmente o seu bom coração; eu imaginava que lhe ia inspirar simpatia, que seria seu amigo predileto, e, como antes de que ele chegasse, sua tia dera a entender à minha avó que o rapaz, infelizmente, caíra em mãos de uma mulher má que lhe havia transtornado o juízo e não o largaria nunca, eu, convencido de que essa espécie de amor acaba fatalmente em loucura, crime ou suicídio, ficava a pensar no pouco tempo que estava reservado à nossa amizade, tão grande já em meu coração, embora ainda não tivesse visto ao amigo, e sentia muita pena por ela e pelas desgraças que a aguardavam, como acontece com um ser querido de quem nos acabam de dizer que está gravemente enfermo e que tem contados os dias de vida.

Numa tarde muito quente, achava-me eu no refeitório do hotel; tinham-no deixado em penumbra, para protegê-lo do calor, baixando as cortinas que o sol amarelava, e por entre os seus interstícios deixavam passar o azulado pestanejo do mar; nisto vi, pelo passeio central, que vai da praia à estrada, um rapaz alto, magro, fino de pescoço, cabeça orgulhosamente lançada para trás, de olhar penetrante, pele dourada e cabelos tão loiros como se houvessem absorvido todo o ouro do sol. Usava um traje de tecido muito fino, esbranquiçado, como nunca imaginei que se atrevesse a vesti-lo um homem, e que evocava por sua leveza o frescor do refeitório, ao mesmo tempo que o calor e sol de fora; andava muito depressa. Tinha os olhos cor de mar, e de um deles se desprendia a cada momento o monóculo. Todo mundo ficava a olhá-lo com curiosidade, pois sabiam que aquele marquesinho de Saint-Loup-en-Bray era famoso por sua elegância. Os jornais haviam descrito o traje que usara um pouco antes, ao servir como testemunha, num duelo, ao duque de Uzés. Dir-se-ia que a qualidade tão particular de seus cabelos, de seus olhos, de sua tez e de seu porte, que o fariam distinguir-se no seio de uma multidão como precioso filão de opala translúcido e azulado embutido em matéria grosseira, tivesse de corresponder a uma vida diferente da dos outros homens. E por isso, antes daquelas relações que desgostavam a sra. de Villeparisis, quando o disputavam as mulheres mais bonitas da alta sociedade, sua presença, por exemplo, numa praia, ao lado da famosa beleza a quem fazia a corte, não só a punha no foco da atenção, mas também atraía muitos olhares para a sua pessoa. Por seu chique, sua impertinência de jovem "leão" da moda, por sua formosura física, havia quem lhe achasse um aspecto um tanto efeminado, mas sem lho lançar na cara, porque era muito conhecido seu ânimo varonil e sua apaixonada afeição às mulheres. Era aquele o sobrinho de que nos falara a sra. de Villeparisis. A mim me encantou a ideia de que iria conviver com ele durante algumas semanas, e estava muito seguro de que ganharia inteiramente o seu afeto. Atravessou todo o hotel como se fosse perseguindo o seu monóculo, que revoluteava diante dele como uma borboleta. Vinha da praia, e o mar, cuja franja subia até metade das vidraças do *hall*, lhe formava um fundo em que se destacava a sua figura, como esses retratos em que os pintores, sem trair a observação exata da vida atual, escolhem para seu modelo um quadro apronado: campo de polo, de golfe ou de corridas, ou convés de iate, para dar um equivalente moderno dessas telas em que os primitivos punham uma figura humana no primeiro plano de uma paisagem. Esperava-o à porta um carro de dois cavalos; e enquanto o monóculo retomava o seu jeito folgazão na estrada ensolarada, com a elegância e a maestria que um grande pianista consegue mostrar no trecho mais simples, no qual não parecia possível que se pudesse provar superior a um executante de segunda ordem, o sobrinho da sra. de Villeparisis, tomando as rédeas que o cocheiro lhe dera, sentou-se ao lado deste e, ao mesmo tempo em que abria uma carta que o gerente do hotel lhe entregara, fez partir os cavalos.

Nos dias seguintes tive uma grande decepção cada vez que o encontrava no hotel ou nas ruas — pescoço erguido, equilibrando constantemente os movimentos do corpo de acordo com seu monóculo bailarino e resvaladiço, que parecia o seu centro de gravidade — ao verificar que não queria aproximar-se de nós, e vi que não nos cumprimentava, embora soubesse muito bem que éramos amigos da sua tia. E lembrando-me de quão amáveis se mostraram comigo a sra. de Villeparisis e antes o sr. de Norpois, ocorreu-me que talvez não fossem mais que nobres de mentira, e que nas leis que governam a aristocracia deve haver algum artigo secreto que permita às damas e a alguns diplomatas faltarem, no seu convívio com os plebeus, e por uma razão que me escapa, a essa altivez que um marquesinho tem de praticar implacavelmente. Minha inteligência me diria exatamente o contrário. Mas a característica dessa idade ridícula que eu atravessava — idade nada ingrata e sim muito fecunda — é que não se consulta a inteligência, e os mínimos atributos dos humanos nos parece que formam parte indivisível da sua personalidade. A tranquilidade é coisa desconhecida, pois estamos sempre cercados de monstros e deuses. E quase todos os gestos que então fazemos, desejaríamos suprimi-los depois. Quando, ao contrário, o que se devia lamentar era não mais termos aquela espontaneidade que nos inspirava. Mais tarde, veem-se as coisas de modo mais prático, mais de acordo com o resto da sociedade, mas a adolescência é a única época em que se aprende alguma coisa.

Essa insolência que eu adivinhava na pessoa do sr. de Saint-Loup, com toda a natural rudeza que comportava, ficou comprovada pela atitude que assumia cada vez que passava por nós, com o corpo muito empertigado, a cabeça lançada para trás e o olhar impassível, e mais ainda que impassível, implacável, pois lhe faltava até esse vago respeito que merecem os direitos das demais criaturas, embora não conheçam a tia da gente, esse respeito em virtude do qual a minha atitude ante uma anciã diferia da minha atitude ante um bico de gás. Essas maneiras de gelo estavam a muita distância daquelas cartas encantadoras que, segundo imaginava eu alguns dias antes, o marquês me escrevia para dizer-me como lhe era simpático, a mesma distância em que estão as ovações da Câmara da posição medíocre e obscura de um homem de imaginação que supõe haver levantado o ânimo do Congresso e do povo com um discurso inesquecível e que logo, depois de haver sonhado em voz alta, quando se acalmam as falsas aclamações, se vê um joão-ninguém, como antes. Quando a sra. de Villeparisis, sem dúvida para ver se apagava a má impressão que nos causara a aparência do sobrinho, e que revelava um temperamento orgulhoso e mau, voltou a falar-nos da inesgotável bondade de seu sobrinho-neto (pois era filho de uma sobrinha sua e tinha alguns anos mais do que eu), admirei-me da facilidade com que se atribuem neste mundo condições de bom coração aos que mais seco o possuem, por mais que em outras ocasiões sejam amáveis com as pessoas brilhantes que fazem parte do seu ambiente social. E a própria sra. de Villeparisis acrescentou, embora indiretamente, uma confirmação a esses traços essenciais do caráter do sobrinho, que a mim já não despertava dúvidas, quando encontrei a ambos num caminho muito estreito e a marquesa não teve outro remédio senão apresentar-me a ele. Foi como se não ouvisse que lhe diziam o nome de alguém, pois não se lhe moveu nenhum músculo do rosto, nem o mais leve fulgor de simpatia humana lhe cruzou pelo olhar; só mostraram seus olhos um exagero na insensibilidade e inanidade do olhar, sem o que em nada se teriam diferençado dos espelhos sem vida. Depois, olhando-me fixamente e com dureza, como se quisesse certificar-se bem de quem era eu antes de devolver-me o meu cumprimento, com um movimento brusco, que mais parecia efeito de um reflexo muscular que ato de vontade, alongou o braço em toda a sua longitude e estendeu-me a mão a distância, criando entre a sua e a minha pessoa o maior intervalo possível. Quando no dia seguinte me entregaram o seu cartão, supus que fosse para um duelo. Mas não me falou senão de literatura e, depois de longo tempo de palestra, declarou que tinha muita vontade de que todos os dias passássemos juntos algumas horas. Naquela visita, não só deu provas de uma afeição veemente às coisas da inteligência, mas tornou-me patente uma simpatia que concordava muito mal com a sua saudação do dia anterior. Depois, quando vi que saudava dessa maneira sempre que o apresentavam a alguém, compreendi que era um simples costume da sociedade, próprio de um setor da sua família e a cuja mecânica corporal o havia habituado a sua mãe, que tinha interesse em que fosse admiravelmente educado; fazia aquelas saudações sem reparar que as fazia, como não reparava em seus belos trajes e em seus belos cabelos; era uma coisa isenta do significado moral que a princípio lhe atribuí e tão puramente artificial como outro costume que tinha: o de pedir que o apresentassem imediatamente aos pais de qualquer pessoa com quem travara conhecimento, e já tão instintivo nele que, no dia seguinte ao da nossa conversação, ao ver-me, lançou-se a mim e, sem ao menos dizer-me bom-dia, pediu-me que o apresentasse a minha avó, que estava a meu lado, com a mesma rapidez febril que teria se tal pedido obedecesse a algum instinto defensivo, como esse gesto inconsciente de aparar um golpe ou de fechar os olhos diante de um jorro de água fervendo, rapidez que nos preserva de um perigo que nos teria alcançado um segundo depois.

E passados que foram os primeiros ritos de exorcismo, da mesma forma que uma fada esquiva despe a sua primeira aparência e se apresenta revestida de encantadoras graças, vi como se convertia aquele ente desdenhoso no mais amável e atento rapaz que conhecera. "Bem", disse eu comigo, "já me enganei uma vez com ele, fui vítima de pura miragem, e só triunfei da primeira para cair em outra, porque este é certamente um grão-senhor enamorado da sua nobreza e que quer dissimulá-la". E com efeito, ao fim de pouco tempo, por detrás da encantadora educação de Saint-Loup e de toda a sua amabilidade, havia de transparecer para mim outra criatura, inteiramente diversa da que eu suspeitava.

Aquele jovem, com o seu aspecto de aristocrata e esportista desdenhoso, não sentia curiosidade nem estima senão pelas coisas da inteligência, especialmente por essas manifestações modernistas da literatura e da arte, que tão ridículas pareciam à sua tia; de resto, estava imbuído do que ela chamava as declamações socialistas, possuído de um grande desprezo pela sua casta, e passava horas inteiras estudando Nietzsche e Proudhon. Era um desses "intelectuais" de admiração fácil, que se encerram num livro e não se preocupam senão em pensar elevadamente. Tanto assim que a expressão, no jovem Saint-Loup, dessa tendência muito abstrata e que o afastava tanto de minhas preocupações habituais, embora me parecesse comovente, cansava-me um pouco. E confesso que quando me certifiquei bem de quem tinha sido o seu pai, nos dias seguintes à minha leitura de umas memórias cheias de acontecimentos relativos a esse famoso conde de Marsantes, resumo da elegância tão peculiar de uma época já passada, e me senti com o espírito cheio de sonhos e desejoso de saber pormenores da vida que levara o sr. de Marsantes, deu-me raiva que Robert de Saint-Loup, em vez de limitar-se a ser o filho de seu pai, em vez de guiar-me pelas páginas daquela novela antiquada que fora a sua vida, se houvesse elevado até a admiração de Nietzsche e Proudhon. Seu pai não teria compartilhado dessa minha ideia. Era também homem muito inteligente, que ultrapassava as habituais fronteiras de sua vida de homem de sociedade. Mal teve tempo de conhecer ao filho, mas seu mais vivo desejo foi de que valesse mais do que ele. E creio que, diversamente dos demais membros da família, teria admirado o filho, alegrando-se de que este abandonasse pela austera meditação aqueles motivos de leviana diversão que ele tivera; e que, sem dizer nada, com a sua modéstia de grão-senhor inteligente, teria lido às ocultas os autores prediletos do filho para bem avaliar a superioridade de Robert.

Mas, em compensação, acontecia uma coisa bastante lamentável: enquanto o sr. de Marsantes, por sua amplitude de critério, teria admirado a um filho tão diferente dele como Robert, o meu amigo, como era dessas pessoas que imaginam o mérito sempre ligado a determinadas formas de arte e de vida, conservava uma recordação afetuosa, sim, mas um pouco depreciativa, daquele pai que não cuidara em toda a sua vida senão de caçadas e corridas, que bocejava ouvindo Wagner e tinha paixão por Offenbach. Saint--Loup não era bastante inteligente para compreender que o valor intelectual nada tem a ver com a adesão a determinada fórmula estética, e o intelecto de seu pai lhe inspirava um desdém análogo ao que poderiam ter sentido por Labiche ou Boieldieu um filho de Labiche ou um filho de Boieldieu que praticassem fervorosamente uma literatura da mais simbólica ou uma música de suma complicação. "Mal conheci meu pai", confessava Robert. "Dizem que era um homem encantador. Seu mal foi a época deplorável em que viveu. Nascer no Faubourg Saint-Germain e viver na época da Bela Helena é uma catástrofe para a vida de um homem. Se fosse um burguês sem importância, fanático do 'Ring', talvez tivesse dado uma outra conta de si.[46] Disseram-me até que ele gostava da literatura, mas quem sabe lá se isso será verdade, pois o que entendia por literatura são obras já mortas." Acontecia comigo que considerava Robert um pouco sério demais, e ele, em compensação, não compreendia por que não tinha eu mais seriedade. Julgava todas as coisas pelo peso da inteligência que contêm, e como não percebia os encantos de imaginação que encerram certas coisas que julgava frívolas, estranhava que a mim — pois me julgava muito superior a ele — pudessem elas interessar.

Já desde os primeiros dias Saint-Loup conquistara minha avó, não só porque se empenhava em dar-nos incessantes provas de

---

46 A palavra "Ring" é uma abreviação de "Der Ring der Nibelungen" ("O anel dos nibelungos"), tetralogia de Wagner. (N. E.)

bondade, mas pela naturalidade com que o fazia, como aliás a todas as coisas. E a naturalidade — sem dúvida porque se sente nela a natureza sob a capa da arte humana — era a qualidade favorita de minha avó, tanto nos jardins, onde não lhe aprazia ver, como no de Combray, canteiros muito regulares, como na cozinha, em cuja arte detestava as "obras complicadas", da mesma forma que na interpretação pianística, que lhe desagradava quando muito esmerada e lambida, a tal ponto que tinha particular complacência pelas notas ligadas, pelas liberdades de Rubinstein.[47] Saboreava minha avó essa naturalidade até nos trajes de Saint-Loup, de fina elegância, sem nenhuma afetação nem artifício, sem goma nem armação. Ainda mais apreciava aquele rapaz rico pela maneira descuidada e livre que tinha de viver com luxo, sem "cheirar a dinheiro", sem se dar nenhuma importância; e parecia-lhe deliciosa essa naturalidade até quando se manifestava pela incapacidade — que Saint-Loup conservava e que em geral desaparece com a meninice, ao mesmo tempo em que certas particularidades fisiológicas dessa idade — de dominar o gesto, de modo que não se reflitam as emoções no rosto. Qualquer coisa que desejasse, qualquer coisa com que não havia contado, embora fosse apenas uma amabilidade, determinava nele um prazer tão brusco, tão fogoso, tão volátil e expansivo que lhe era impossível conter e ocultar sua impressão; imediatamente lhe dominava o rosto uma expressão de agrado; sob a fina pele de seus pômulos transparecia vivo rubor, e seus olhos refletiam confusão e alegria; e muito emocionava à minha avó aquele gracioso ar de fraqueza e inocência, que em Saint-Loup, pelo menos na época em que nos tornamos amigos, era inteiramente sincero. Mas conheci outra pessoa, e como essa há muitas, cujo passageiro rubor responde a uma necessidade fisiológica, e nem por isso exclui a duplicidade moral; é muitas vezes tão somente a amostra de como são sensíveis ao prazer, até o ponto de se verem desarmados diante

---

47 Alusão ao pianista e compositor russo Anton Rubinstein (1829-1894). (N. E.)

dele e obrigados a confessá-lo aos outros, certos caracteres capazes das piores vilanias. Mas onde mais adorava minha avó a singeleza de Saint-Loup era na sua maneira de confessar sem rodeios como eu lhe era simpático, simpatia que expressava com palavras tais que ela própria dizia consigo que não lhe teriam ocorrido outras mais justas e carinhosas, palavras dignas da firma "Sévigné e Beausergent"; não sentia constrangimento em zombar de meus defeitos — que descobrira em seguida com finura que encantou à minha avó —, mas carinhosamente, da mesma maneira como o teria feito ela, e exalçando logo as minhas boas qualidades com calor e naturalidade, isentas de todo dessa reserva e frieza com que os rapazes da sua idade costumam crer que se dão importância. E mostrava tão vigilante atenção para evitar-me qualquer incômodo, para lançar-me a manta sobre as pernas sem que eu o notasse, quando o tempo refrescava, para ficar comigo mais tarde que de costume se me via triste ou mal-humorado, que chegou a parecer excessiva à minha avó no tocante à minha saúde, pois talvez me conviesse menos mimo; mas, por outro lado, como prova de afeto a mim, lhe chegava ao coração.

Logo ficou estabelecido entre nós que éramos amigos íntimos e para sempre; Robert falava em "nossa amizade" como se se referisse a alguma coisa importante e deliciosa que tivesse existência fora de nós mesmos, e depois chegou a chamá-la a maior alegria da sua vida, a maior, está visto, depois do amor que sentia pela amante. Suas palavras me causavam um sentimento como que de tristeza e eu não sabia o que responder, pois a verdade era que quando estava falando com ele — e sem dúvida o mesmo se passava com os outros — não me era possível sentir essa felicidade que em compensação sentia quando estava só, sem companhia alguma. Porque naqueles momentos em que não havia ninguém a meu lado, sentia às vezes afluir do fundo de meu ser alguma impressão daquelas que me causavam um delicioso bem-estar. Mas quando estava com alguém, quando me punha a falar com um amigo, meu espírito dava meia-volta, de modo que meus pensamentos se dirigiam já a meu interlocutor e não a mim, e quando seguiam essa ordem inversa, deixavam de causar-me qualquer prazer. Quando me separava de Saint-Loup, ia pondo certa ordem, com auxílio das palavras, naqueles minutos confusos que passara com ele; dizia a mim mesmo que tinha um amigo de verdade, que isso era uma coisa rara; mas sentir-me cercado de coisas difíceis de adquirir causava-me uma sensação oposta ao prazer que me era natural, oposta ao prazer de haver extraído de minha alma, para levá-la à plena luz, uma coisa que ali estava encerrada na sua penumbra. Se havia passado duas ou três horas falando com Saint-Loup, ainda que ele muito admirasse o que lhe disse, sentia logo uma espécie de remorso, de cansaço e de pesar por não ter estado sozinho e em disposição de afinal escrever. Replicava então a mim mesmo que ninguém é inteligente só para si, que os mais excelsos espíritos gostaram de ser estimados, e que não podia considerar como perdidas as horas que passei a construir um elevado conceito de mim no espírito de meu amigo; convencia-me facilmente de que deveria dar-me por feliz e desejava com vivo ardor não perder nunca esse motivo de felicidade exatamente porque não a havia sentido realmente. Os bens cujo desaparecimento mais se teme são os que existem fora de nós porque o coração não chegou a apoderar-se deles. Sabia-me capaz de pôr em prática todas as virtudes da amizade melhor do que muitos (pois eu sempre colocava o bem de meus amigos à frente desses interesses pessoais de que não prescindem nunca outras pessoas, e que para mim não existiam); mas não podia alegrar-me um sentimento que, em vez de aumentar as diferenças existentes entre minha alma e as dos outros — essas que existem entre todas as almas — contribuiria para apagá-las. Em compensação, às vezes meu pensamento discernia em Saint-Loup um ser geral, o "nobre", que, à guisa de um espírito interno, regia o movimento de seus membros, ordenava as suas ações e os gestos;

e nesses momentos, embora estivesse em sua companhia, sentia-me sozinho como diante de uma paisagem cuja harmonia o meu espírito compreendesse. Já não era mais que um objeto que as minhas ideias queriam aprofundar devidamente. E experimentava grande alegria, não de amizade, e sim de inteligência, cada vez que tornava a encontrar em meu amigo esse ser anterior, secular, o aristocrata que Robert não queria ser. E na agilidade moral e física que revestia de tanta graça a sua amabilidade, no desembaraço com que oferecia o carro à minha avó e a ajudava a subir, na destreza com que saltava da boleia quando temia que eu estivesse com frio, para lançar-me nos ombros o seu próprio abrigo, via eu algo mais que a flexibilidade hereditária desses grandes caçadores que desde muitas gerações atrás eram os antepassados daquele rapaz que a outra coisa não aspirava senão à intelectualidade, algo mais que esse desdém para com as riquezas, que nele se aliava ao amor à riqueza, porque desta maneira poderia melhor obsequiar a seus amigos e capacitava-o para lhes pôr aos pés, com ar indiferente, todo o luxo de que dispunha; via eu, acima de tudo, a certeza ou a ilusão que tiveram esses grão-senhores de ser "mais que os outros", com o que não legaram a Saint-Loup o desejo de mostrar que se é "tanto como os outros", esse receio de se mostrar demasiado afetuoso, que nele não se dava nunca e que desfigura com tanta mesquinhez e falta de tato as mais sinceras amabilidades plebeias. Censurava-me eu às vezes por esse prazer de considerar meu amigo como uma obra de arte, por encarar o funcionamento de todas as partes da sua pessoa como harmoniosamente governado por uma ideia geral de que dependia, mas que lhe era desconhecida e, por consequência, nada acrescentava de novo às suas qualidades peculiares, a esse valor pessoal de inteligência e moralidade que ele tanto estimava.

E, no entanto, esse mérito pessoal estava de certo modo condicionado por tal ideia. Essa atividade mental, essas aspirações socialistas que o levavam a reunir-se com jovens estudantes presunçosos e malvestidos, pareciam nele muito mais puras e desinteresadas do que naqueles outros rapazes, exatamente porque Robert era um aristocrata. Como se considerava herdeiro de uma casta ignorante e egoísta, fazia Saint-Loup o possível para que aqueles amigos lhe perdoassem a sua origem aristocrática, quando exatamente o procuravam pela sedução que lhes oferecia a sua linhagem, embora dissimulassem, fingindo-se frios e até insolentes com ele. Resultava daí que Saint-Loup era quem tinha de dar os primeiros passos para conseguir amizades que teriam deixado meus pais estupefatos, porque, na sua opinião e segundo a sociologia de Combray, o que Robert devia fazer era fugir delas. Estávamos um dia sentados os dois na areia da praia, quando ouvimos sair de uma barraca de lona, ao nosso lado, imprecações contra o bulício dos israelitas que infestavam Balbec. "Não se pode dar dois passos sem tropeçar com um judeu. Em princípio não sou irredutivelmente hostil à raça judaica, mas assim já é demais. Só se ouve: 'Olá, Abraão, olha, sou eu, Jacó!'. Parece que se está numa rua de Abuquir." Afinal saiu da barraca o indivíduo que trovejava contra os judeus e erguemos o olhar para ver o antissemita. Era o meu camarada Bloch. Saint-Loup me pediu em seguida recordasse a Bloch que se haviam conhecido nos exames do bacharelato, em que Bloch obtivera prêmio de honra, e depois em uma universidade popular.[48]

Sorria às vezes ao observar em Robert a marca das lições dos jesuítas: por exemplo, no açodamento que lhe causava o receio de melindrar um amigo, quando alguma de suas amizades intelectuais incorria num erro mundano ou fazia alguma coisa ridícula, a que ele não atribuía a mínima importância, mas que teria ruborizado o outro, se se desse conta da cincada. E Robert era quem ficava vermelho, como se fosse o culpado; assim aconteceu, por exemplo, no

---

48 As chamadas "universidades populares", que ofereciam sobretudo cursos noturnos, foram criadas entre os anos de 1898 e 1901. (N. E.)

dia em que Bloch prometeu ir visitá-lo no hotel, dizendo-lhe:

— Mas como não me agrada ficar esperando entre o falso luxo desses caravançarás e os ciganos me deixam doente, faça-me o favor de dizer ao *laift* que os mande calar e que avise a você.

Não tinha eu nenhum interesse em que Bloch fosse ao nosso hotel. Ele estava em Balbec, não sozinho, infelizmente, mas com as suas irmãs, que tinham um séquito de parentes e amigos. E essa colônia judaica era mais pitoresca que agradável. Acontecia com Balbec o que acontece, segundo os cursos de geografia, com algumas nações como a Rússia ou a Romênia, isto é, que ali a população israelita não goza do mesmo favor nem chegou ao mesmo grau de assimilação que em Paris, por exemplo. Os parentes de Bloch andavam sempre juntos, sem mescla de nenhum outro elemento; e, quando suas primas e seus tios, ou correligionários de ambos os sexos, se dirigiam ao Cassino, umas para a dança e os outros bifurcando para o bacará, formavam uma comitiva perfeitamente homogênea e inteiramente diversa da gente que os via passar, gente que ali os encontrava todos os anos e nunca trocava um cumprimento com eles, nem o círculo dos Cambremer, nem o clã do magistrado, nem grandes ou pequeno-burgueses, nem sequer alguns comerciantes de cereais de Paris, cujas filhas, belas, altivas, zombeteiras e tão francesas como as esculturas de Reims, não queriam misturar-se com aquela horda de moçoilas mal-educadas que levavam a preocupação da moda de "praia" até o ponto de sempre parecer que acabavam de pescar moluscos e de dançar o tango. Quanto aos homens, apesar do brilho dos *smokings* e dos sapatos de verniz, o exagero do seu tipo lembrava esses chamados acertos dos pintores que, tendo de ilustrar os Evangelhos ou as mil e uma noites, pensam no país onde ocorre a cena e põem em são Pedro ou em Ali Babá exatamente a mesma cara que tinha o jogador mais gordo de Balbec. Bloch apresentou-me a suas irmãs; tratava-as muito rispidamente, cortando-lhes de súbito a palavra; e no entanto elas riam a morrer de qualquer fanfarronada do irmão, que lhes era objeto de admiração e idolatria. De modo que é possível que o ambiente dessa família tivesse, como outro qualquer, ou ainda em maior grau, os seus encantos, as suas boas qualidades, as suas virtudes. Mas para sentir tudo isso seria preciso penetrar nele. E esse ambiente não agradava aos demais, coisa que eles notavam e em que viam a prova de um antissemitismo a que faziam frente em falange compacta e cerrada, que ninguém aliás tentava romper.

O caso de *laift* não me surpreendeu, pois uns dias antes Bloch me perguntara para que tinha eu ido a Balbec (por outro lado, a sua presença ali lhe parecia naturalíssima), se era com "a esperança de travar boas relações"; e como lhe respondesse que minha viagem obedecia a um desejo muito antigo, embora não tão forte como o de ir a Veneza, retrucou-me ele: "Sim, claro, para tomar sorvetes com belas matronas e fingir que lê as *Stones of Venaice*, de Lord John Ruskin, um tagarela incômodo e um dos sujeitos mais chatos deste mundo". De maneira que Bloch acreditava evidentemente que na Inglaterra todos os indivíduos do sexo masculino eram lordes e também que a letra *i* sempre se pronunciava *ai*. Tal defeito de pronúncia não pareceu nada grave a Saint-Loup, pois o considerava antes de tudo como ausência de uma dessas noções quase de boa sociedade, que meu amigo possuía a fundo e que também desprezava a fundo. Mas o temor de que Bloch chegasse a certificar-se um dia de que se pronuncia *Venice*, e que Ruskin não era lorde e imaginasse retrospectivamente haver feito um papel ridículo perante Robert, colocou-o em situação culposa, como se não houvesse mostrado a indulgência que lhe sobrava, e o rubor que havia de subir um dia às faces de Bloch, quando notasse o seu erro, ele o sentiu no próprio rosto antecipadamente e por reversibilidade. Pois pensava, e com razão, que Bloch atribuía a essas coisas mais importância do que ele. E assim o demonstrou Bloch algum tempo depois, um dia em que me ouviu dizer *lift*, interrompendo-me:

— Ah!, com que então se diz *lift*?

E acrescentou, num tom seco e altaneiro:

— Dá no mesmo, não tem a mínima importância.

Frase que parece um movimento reflexo, frase comum a todos os homens de muito amor-próprio, tanto nas mais graves como nas mais ínfimas circunstâncias desta vida, frase que denota, como no presente caso, como parece importante, a coisa em questão, a quem a declara sem importância; frase trágica, às vezes, que é a primeira que se escapa — e que lancinante! — dos lábios de toda pessoa um tanto orgulhosa quando, ao negarem-lhe um favor, lhe acabam de arrancar a última esperança a que se aferrava: "Bem, dá no mesmo, não tem importância, darei um jeito"; esse outro jeito, a que se vê impelida por uma coisa que não tem importância, pode ser o suicídio.

Depois Bloch me disse coisas muito amáveis. Via-se que desejava mostrar-se muito atencioso comigo. Contudo, perguntou-me: "Escuta, essa tua convivência com Saint-Loup-en-Bray, é por vontade de te elevares até a nobreza, embora seja uma nobreza um tanto esquecida? Pois és muito cândido. Deves estar passando por uma boa crise de esnobismo! Já és esnobe, hem?". E não é que houvesse mudado de súbito o seu desejo de ser amável. Mas isso que se chama em francês bastante incorreto a má-educação era seu defeito capital, e, por conseguinte, defeito que não notava: de modo que não julgava pudesse chocar aos outros.

É tão maravilhosa, no gênero humano, a frequência de virtudes idênticas para todos, como a multiplicidade de defeitos que parecem peculiares a determinada criatura. Sem dúvida, "a coisa mais espalhada no mundo" não é o senso comum, mas a bondade. Assombra-se a gente não vê-la florescer solitária nos recantos mais remotos e perdidos, como papoula de um vale distante, igual a todas as outras papoulas do mundo, ela que nunca as viu, e que jamais conheceu outra coisa senão o vento, quando às vezes agita a sua rubra corola solitária. Ainda que essa bondade, paralisada pelo interesse, não se exerça, existe, e, sempre que não lhe estorve o movimento um móvel egoísta, por exemplo, durante a leitura de um romance ou de um jornal, abre as suas pétalas e inclina-se, até no coração do que, assassino na vida real, conserva a sua ternura de leitor de folhetins, pelo fraco, pelo justo ou pelo perseguido. Mas não menos admirável que a semelhança das virtudes é a variedade dos defeitos. Todo mundo tem os seus, e, para continuar querendo a uma pessoa, não temos outro remédio senão passá-los por alto e desdenhá-los em favor das outras qualidades. A pessoa mais perfeita tem sempre determinado defeito que choca ou irrita. Este é um homem inteligentíssimo, julga tudo de um ponto de vista muito elevado, nunca fala mal de ninguém, mas esquece no bolso as cartas que a gente lhe confiou porque ele próprio se ofereceu para levá-las, e faz-nos perder um encontro importante, sem ao menos uma sorridente desculpa, pois tem o vezo de não saber nunca as horas. Outro há finíssimo, atento, de tão delicadas maneiras que nunca dirá de nós senão as coisas que nos possam ser gratas; mas sente-se bem que há outras que ele cala, que lhe ficam dentro, azedando, outras coisas muito diversas, e sempre que tem tal prazer em ver-nos que preferiria matar-nos de cansaço a deixar-nos sozinhos. Um terceiro, em compensação, tem mais sinceridade; mas leva-a ao extremo, pois na ocasião em que nos desculpamos de não ter ido visitá-lo porque estivéramos doentes, insiste em que fiquemos sabendo que naquele mesmo dia nos viram a caminho do teatro e com muito boa cara; ou diz-nos que não lhe aproveitara muito uma coisa que fizemos por ele, já que outros três lhe iam prestar o mesmo favor e por isso pouco nos tem que agradecer. Nos dois últimos casos, o amigo precedente fingiria não saber que estivéramos no teatro e não diria que outras pessoas lhe podiam prestar o mesmo serviço. E aquele amigo sincero sente a imperiosa necessidade de ir contar ou repetir a alguém a coisa que mais nos contraria, fica encantado com a sua franqueza e diz firmemente: "Eu sou assim. Há os que nos aborrecem com sua curiosidade exagerada ou com sua absoluta falta de curiosidade, tão grande que se pode falar nos mais sensacionais acontecimentos, com a certeza de que não sabem de que se trata; outros levam meses para nos responder, quando nossa carta se referia a uma coisa que a nós nos importava e a eles não; alguns nos anunciam que vão perguntar-nos alguma coisa e, quando ficamos em casa sem sair, de medo que venham e não nos achem, sucede que nos fazem esperar semanas e semanas, tudo porque, não tendo recebido uma resposta, que a sua carta não exigia de modo algum, imaginam que nos tenhamos zangado. Pessoas há que consultam os seus desejos e não os alheios, de modo que falam sem nos deixar abrir a boca quando estão contentes e têm vontade de nos ver; mas quando se acham cansadas devido ao tempo, ou de mau humor, não há meio de arrancar-lhes uma palavra, opõem a todo esforço uma lânguida inércia e não se dão o trabalho de responder nem sequer por monossílabos ao que se está dizendo, como se não tivessem ouvido. Cada um de nossos amigos tem os seus defeitos e, para continuar a estimá-lo, cumpre que nos esforcemos por nos consolar desses defeitos, pensando em seu talento, em sua bondade, ou em seu afeto, ou prescindir deles, empregando nisso toda a nossa boa vontade. Por infelicidade, a nossa complacente obstinação em não ver o defeito do amigo sempre se vê superada pela obstinação sua em mostrá-lo, ou por cegueira própria, ou porque julgue que os cegos somos nós. Pois, ou ele não vê o seu defeito, ou imagina que não o veem os demais. Como o perigo de desagradar provém principalmente da dificuldade em avaliar quais as coisas que se notam e quais as que não são notadas, pelo menos por prudência nunca deveria a gente falar de si mesmo, pois é esse um tema em que seguramente a nossa visão e a alheia não coincidem nunca. Descobrir a verdadeira vida do próximo, o universo real sob o universo aparente, nos causa tanta surpresa como visitar uma casa de insignificante aparência e encontrá-la cheia de tesouros, de gazuas ou cadáveres; e não é menor a surpresa quando, em vez da imagem que havíamos formado de nós mesmos graças ao que alguém disse de nós, nos certificamos, pelo que essas mesmas pessoas dizem quando estamos ausentes, da imagem inteiramente diversa que guardam de nós e da nossa vida. De sorte que cada vez que acabamos de falar de nós, não podemos saber se nossas palavras, prudentes e inofensivas, escutadas com aparente cortesia e hipócrita aprovação, vão ser ou não motivo de comentários indignados ou divertidos, mas em todo caso desfavoráveis. O menor dos perigos que corremos é irritar aos que nos ouvem, com essa desproporção que há sempre entre a ideia que de nós temos e as nossas palavras, desproporção que converte as coisas que a gente diz de si mesmo em algo tão irrisório como esses garganteios dos falsos amadores de música que sentem necessidade de cantarolar a melodia que lhes agrada, compensando a insuficiência de seu inarticulado murmúrio com uma mímica enérgica e um gesto de admiração de nenhum modo justificado pelo que nos estão cantando. Ao mau costume de falar de si mesmo e dos próprios defeitos, cumpre acrescentar, como formando bloco com o mesmo, esse outro hábito de denunciar nos caracteres alheios defeitos análogos aos nossos. E constantemente estamos a falar nos referidos defeitos, como se fora uma espécie de rodeio para falar em nós mesmos, em que se juntam o prazer de confessar e o de absolvermo-nos. Aliás, parece que a nossa atenção, sempre atraída pelo que nos caracteriza, assinala-o nas outras pessoas mais que qualquer outra coisa. Sempre haverá míope que diga de outro: "Mal pode abrir os olhos!"; a tal doente do peito oferece dúvidas a integridade pulmonar do indivíduo mais forte; um homem pouco asseado não faz senão falar nos banhos que não tomam os outros; o que cheira mal sustenta que ali onde está há um cheiro que empesta; o marido enganado vê por toda parte maridos enganados, mulheres levianas a mulher leviana, e esnobes o esnobe. E passa-se com todo vício o mesmo que com toda profissão, e é que exigem e desenvolvem determinado saber que se ostenta com gosto. O invertido descobre em seguida os invertidos; o alfaiate convidado a uma reunião, apenas começou a falar com alguém e já lhe está calculando a espécie da fazenda de seu traje e vão-se-lhe os dedos, sem querer, a apalpar o tecido e verificar a sua qualidade; e se se está um momento em conversa com um dentista e se lhe pergunta o que é que pensa de nós, dir-nos-á quantos dentes cariados já temos. Para ele, nada mais importante; para nós, que já atentamos na sua dentadura, nada mais ridículo. E não só imaginamos que os outros são cegos quando começamos a falar de nós mesmos, mas procedemos como se na verdade o fossem. Para cada qual há um deus especial que lhe oculta ou promete a invisibilidade do defeito, e que do mesmo modo fecha os olhos e o nariz à gente que não se lava, no tocante ao sebo que levam nas orelhas ou o cheiro a suor que desprendem da axila, persuadindo-os de que podem passear impunemente ambos esses defeitos pelo mundo sem que ninguém os note. E os que usam pérolas falsas ou as presenteiam imaginam sempre que todos as tomariam como verdadeiras.

Bloch era um rapaz mal-educado, neurastênico, esnobe e de família pouco estimada; de modo que suportava, como no fundo do mar, as incalculáveis pressões com que o incomodavam não só os cristãos da superfície, mas também as camadas superpostas de castas judaicas superiores à sua, cada uma das quais oprimia com todo o seu desprezo a imediatamente inferior. Para chegar até a região do ar livre, atravessando famílias e famílias judaicas, precisaria Bloch de milhares de anos. Assim, mais valia procurar saída por outro lado.

Quando Bloch me falou da crise de esnobismo por que eu devia estar passando, e pediu-me que lhe confessasse se já era esnobe, poderia muito bem ter-lhe respondido: "Se o fosse, não teria relações contigo". Mas limitei-me a dizer-lhe que era muito pouco amável. Quis desculpar-se, mas conforme a tática do mal-educado, que se alegra muito em desdizer-se das suas palavras porque assim tem oportunidade de agravá-las.

— Perdoa-me — dizia-me agora, cada vez que me via —, eu te fiz sofrer, torturei-te, fui muito mau contigo. E contudo, como o homem, em geral, e o teu amigo em particular, é um animal muito estranho, não podes imaginar a afeição que te dedico, eu que te exaspero tão cruelmente. Tanto que às vezes chego a chorar pensando em ti. — E escapava-se-lhe um soluço.

O que em Bloch ainda me estranhava mais que os seus maus modos era o desigual da qualidade de sua conversação. Aquele rapaz tão exigente que chamava estúpidos e imbecis aos escritores de fama, punha-se às vezes a contar num tom muito divertido anedotas que não tinham a menor graça, e citava uma pessoa inteiramente medíocre como "curiosíssima". Esse duplo nível para avaliar o engenho, o mérito e o interesse das pessoas me assombrou até que conheci o sr. Bloch pai.

Pensei que nunca alcançaríamos a honra de conhecê-lo, porque Bloch filho havia falado mal de mim a Saint-Loup, e a mim me falou mal de Robert. Disse-lhe que fui sempre terrivelmente esnobe. "Sim, sim, está encantado porque conhece o senhor LLLLegrandin", disse ele. Essa maneira de acentuar uma palavra era, em Bloch, ao mesmo tempo indício de ironia e de literatura. Saint-Loup, que nunca ouvira tal nome, ficou espantado: "Mas quem é?". "Ah!, uma pessoa *muito distinta*", respondeu Bloch, rindo-se e metendo friorento as mãos nos bolsos do jaquetão, convencido de que naquele momento estava contemplando o pitoresco aspecto de um extraordinário fidalgo de província, junto ao qual não eram nada os de Barbey d'Aurevilly. Consolava-se de não saber descrever o sr. Legrandin, pronunciando-lhe o nome com muitos *eles* e saboreando-o como um vinho velho. Mas esses gozos eram puramente subjetivos e não chegavam ao conhecimento dos outros. A Saint-Loup falou mal de mim e a mim não me falou muito melhor de Saint-Loup. Cientificamo-nos pormenorizadamente desses remoques no dia seguinte, não porque Saint-Loup e eu fôssemos contar um ao outro as palavras de Bloch, coisa que não nos parecia correto, mas porque Bloch, imaginando que era natural e quase inevitável que assim o fizéssemos, inquieto e convencido de que não nos ia dizer nada que já não fosse de nosso conhecimento, preferiu tomar a dianteira e, chamando à parte Saint-Loup, confessou que havia falado mal dele de propósito, para que lho dissessem, e jurou-lhe por "Cronion Zeus, guardião dos juramentos", que lhe queria muito e daria a vida por ele, ao mesmo tempo em que enxugava uma lágrima. No mesmo dia procurou falar-me a sós, confessou-se, e disse que o fizera em defesa de meus próprios interesses, pois achava que me seriam prejudiciais certas relações mundanas, e que eu valia "mais que tudo aquilo". Depois, tomando-me a mão com sentimentalismo de ébrio, embora a sua bebedeira fosse de nervos, disse-me: "Acredita-me, e que a funesta Ker se apodere de mim neste mesmo instante e me faça entrar pelas portas de Hades, odiosas aos humanos, se não é verdade que ontem, pensando em ti, em Combray, na afeição que te dedico e nalgumas tardes de colégio que nem sequer recordarás, não passei toda a noite chorando. Sim, toda a noite, juro-te; e o pior é que não o acreditarás, pois eu conheço o coração humano". Eu, com efeito, não acreditava; e o juramento "pela Ker" não acrescentava peso algum àquelas palavras, que ia inventando à medida que falava, pois o culto helênico era em Bloch puramente literário. Aliás, quando começava a ficar sentimental e desejava enternecer os outros com algum embuste, dizia "juro-te!", antes por histérica necessidade de mentir que por ter interesse em que lhe dessem crédito. Não acreditei em nada do que me disse, mas não lhe guardei rancor, porque havia herdado de minha mãe e de minha avó incapacidade para esse sentimento, mesmo no caso de culpas muito maiores, e não sabia condenar a ninguém.

De resto, esse Bloch não era de todo um mau rapaz, e às vezes tinha rasgos de bondade. E desde que quase se extinguiu a raça de Combray, essa raça de que saíam seres absolutamente intatos, como minha mãe e minha avó, nesta vida não me tem sido dado escolher senão entre brutos honrados, insensíveis e leais, que, só pelo timbre da voz, denotam que não se preocupam absolutamente com a nossa vida, e outra espécie de homens que, enquanto estão conosco, nos compreendem, nos estimam, se enternecem com as nossas coisas quase até às lágrimas e que, mesmo que algumas horas depois se vinguem, fazendo um gracejo cruel à nossa custa, voltam outra vez sempre tão compreensivos, tão simpáticos, tão assimilados com a gente como antes; e eu creio que prefiro, se não a moralidade, pelo menos o convívio dessa segunda espécie de homens.

— Não podes imaginar o que sofro pensando em ti — prosseguiu Bloch. — No fundo, isso é algo muito judaico em mim — acrescentou ironicamente, contraindo a pupila como se procurasse dosar ao microscópio uma quantidade infinitesimal de sangue judeu, e da mesma forma que teria podido dizê-lo (embora este não dissesse) um grão-senhor francês que entre os seus ascendentes, todos de cerne cristão, tivesse no entanto contado a Samuel Bernard ou à Virgem Maria, da qual se dizem descendentes os Lévy. — Agrada-me levar em conta — continuou —, ao analisar meus sentimentos, o pouco que neles possa influir a minha origem judaica. — Pronunciou essa frase porque lhe parecia galhardo e atrevido dizer a verdade sobre a sua linhagem, verdade que ao mesmo tempo atenuou muito, como os avarentos que resolvem aliviar-se das dívidas, mas não se decidem a pagar mais do que a metade. Esta espécie de falsificação, que consiste em ter a ousadia de proclamar a verdade, mas acompanhando-a em boa proporção de algumas mentiras que a adulteram, está mais disseminada do que se crê, e verifica-se até nos que não a praticam habitualmente, quando a vida lhes proporciona ensejo de se entregarem a ela, especialmente em amores.

Todas essas diatribes confidenciais de Bloch a Saint-Loup contra mim e a mim contra Saint-Loup acabaram num convite para irmos jantar em sua casa. Não estou bem certo de que antes não tivesse feito uma tentativa para levar Saint-Loup sozinho. A verossimilhança faz que seja provável essa tentativa, mas não obteve êxito, pois um dia nos disse a ambos: "Tu, mestre, e tu, cavaleiro amado de Ares, de Saint-Loup-en-Bray, dominador de cavalos, pois cavalgando te vi hoje às margens de Anfitrite, toda ressoante de espuma, junto à tenda dos Menier, os das naves velozes, quereis vir um dia desta semana cear em casa de meu ilustre pai, o de coração irreprochável?".[49] Convidava-nos porque assim tinha esperanças de se tornar mais íntimo de Saint-Loup, que talvez o ajudasse a penetrar no mundo aristocrático. Esse desejo, no caso de havê-lo eu concebido, pareceria a Bloch de um repugnante esnobismo, muito de acordo com a opinião que tinha de um aspecto da minha personalidade que, pelo menos até então, considerava ele secundário; mas em compensação esse desejo, quando por ele sentido, se lhe afigurava uma prova de admirável curiosidade da sua inteligência, ansiosa de certas mudanças de clima social que talvez lhe fossem de utilidade literária. O sr. Bloch pai, quando o filho lhe disse que convidara para jantar um amigo, cujo nome e título pronunciou em tom de sarcástica satisfação: "O marquês de Saint-Loup-en-Bray", sentiu-se violentamente comovido, e exclamou, usando da interjeição que nele indicava a prova máxima de deferência social: "Caramba! O marquês de Saint-Loup-en-Bray!". E lançou ao filho, essa criatura capaz de arranjar tais amigos, um olhar de admiração que significava: "É verdadeiramente espantoso! Será que este prodígio é meu filho? Olhar que causou a meu companheiro de estudos tanto prazer como se o pai lhe houvesse aumentado em cinquenta francos a mesada. Pois Bloch não se sentia muito à vontade em casa e percebia que o pai o considerava um transviado, por causa de sua constante admiração por Leconte de Lisle, Heredia e outros "boêmios".[50] Mas dar-se com Saint-Loup, cujo pai fora presidente do

49 Bloch continua imitando o estilo homérico, na tradução do poeta Leconte de Lisle. Anfitrite era a deusa do mar, esposa do deus Poseidon. (N. E.)

50 Levando em conta que os episódios desse trecho do livro acontecem por volta do ano de 1898, o adjetivo empregado pelo pai de Bloch cai mal para os poetas parnasianos admirados pelo filho. Desde 1873, Leconte de Lisle era bibliotecário do Senado e, desde 1886, já era membro da Academia, que Heredia também passaria a integrar em 1894. (N. E.)

canal de Suez (caramba!), era evidentemente um êxito "indiscutível". Todos lamentaram muito haver deixado em Paris o estereoscópio, por medo de que se danificasse na viagem. O sr. Bloch era o único membro da família que tinha a arte, ou pelo menos o direito de manejar o referido aparelho, coisa que só fazia de longe em longe, depois de pensá-lo bem, nos dias de gala, em que contratavam criados extraordinários. De maneira que de tais sessões de estereoscópio emanava para os que assistiam a elas uma como distinção de privilegiados e, para o dono da casa, que as dava, prestígio análogo ao que confere o talento, e que não poderia ser maior, ainda mesmo que as vistas fossem tiradas pelo próprio sr. Bloch e o aparelho da sua invenção. "Não estiveste ontem em casa de Salomon?", dizia algum parente dos Bloch a outro. "Não, eu não era dos eleitos. Que foi que houve?" "Um grande bate-papo, o estereoscópio, toda a aparelhagem!" "Ah!, pois então sinto não haver estado lá, porque dizem que Salomon é inigualável na exibição." "Que queres?", disse o sr. Bloch ao filho, "não se lhe deve dar tudo de uma vez; assim ficará alguma coisa que ver em casa".

Havia-lhe ocorrido, inspirada pelo afeto paterno e pelo desejo de enternecer o filho, a ideia de mandar trazer o aparelho de Paris. Mas não havia "tempo material", ou melhor, achou que não haveria tempo. Mas o jantar teve de adiar-se porque Saint-Loup não tinha quase tempo disponível; estava esperando um tio que ia passar dois dias com a sra. de Villeparisis. Como este senhor era muito dado aos exercícios físicos, principalmente às excursões longas, faria a pé a maior parte do caminho entre o castelo em que estava veraneando e Balbec, dormindo à noite nas granjas, de modo que não se sabia exatamente quando chegaria. E Saint-Loup não se atrevia a mover-se, tanto que me encarregou de ir a Incarville, onde havia telégrafo, passar o telegrama que mandava diariamente para a amante. O tio a quem meu amigo esperava chamava-se Palamède, nome herdado dos príncipes da Sicília, que eram seus ascendentes. Mais adiante, quando topei em minhas leituras históricas com uma potestade ou um príncipe da Igreja que usava esse nome, bela medalha da Renascença — há quem afirme que é uma verdadeira antiguidade — que nunca saiu da família e que passou, de descendentes em descendentes, desde o gabinete do Vaticano até o tio de meu amigo, senti o mesmo prazer reservado a essas pessoas que, por não terem dinheiro suficiente para formar uma coleção de medalhas ou uma pinacoteca, buscam nomes velhos (nomes de lugar, documentais e pitorescos como um mapa antigo, uma perspectiva alta, uma insígnia ou um foro consuetudinário, nomes de batismo onde se ouve ressoar, nas formosas finais francesas, o defeito de prosódia, a entonação de uma vulgaridade étnica, a pronúncia viciosa com que nossos antepassados impuseram aos vocábulos latinos e saxões mutilações persistentes que passaram mais tarde a augustas legisladoras das gramáticas) e que graças a essas coleções de vocábulos antigos se dão concertos a si mesmas, à maneira dos que compram violas de gamba e violas de amor para tocar música antiga com instrumentos antigos. Disse-me Saint-Loup que seu tio Palamède se distinguia, até na sociedade aristocrática mais dominante, por ser dificilmente acessível e muito desdenhoso: enfatuado com a sua nobreza, formava com a cunhada e outras pessoas escolhidas o que era denominado o círculo dos Fênix. E tão temido era por sua insolência que se contava que alguns aristocratas que queriam conhecê-lo apresentaram tal pedido a seu próprio irmão, que se negara a fazê-lo. "Não, não me peçam que lhes apresente a meu irmão Palamède. Mesmo que eu, minha mulher e nós todos nos empenhássemos, nada conseguiríamos. Ou o senhor se arriscaria a não ser reconhecido amavelmente, e eu não quero dar lugar a isso." No Jockey, ele e alguns amigos tinham feito uma lista de duzentos sócios do clube a quem nunca se deixariam apresentar. E em casa do conde de Paris o conheciam pelo apelido de "Príncipe", em vista da sua elegância e do seu orgulho.

Saint-Loup falou-me da bem aproveitada mocidade já longínqua de seu tio. Todos os dias levava mulheres a um apartamento de solteiro que tinha com dois outros amigos tão bem-apessoados quanto ele, motivo pelo qual os chamavam as "Três Graças".

— Um dia, um homem que é hoje muito bem-visto no Faubourg Saint-Germain, como diria Balzac, mas que teve uma primeira época bastante atribulada por causa de suas estranhas preferências, pediu a meu tio que o deixasse visitar aquele apartamento. Mal chegou, porém, declarou-se, não a uma mulher, mas a meu tio Palamède. Este fingiu que não entendia bem, chamou à parte seus dois amigos, sob um pretexto qualquer, e em seguida os três pegaram o culpado, despiram-no, deram-lhe uma boa sova até sangrar e puseram-no porta afora a pontapés, e isto com uma temperatura de dez graus abaixo de zero; foi encontrado na rua mais morto que vivo, tanto que a polícia abriu inquérito, e custou muito ao infeliz que a coisa não seguisse avante. Hoje meu tio não seria capaz de tão cruel castigo; pelo contrário, não podes imaginar o número de homens do povo a quem protege, e, embora tão orgulhoso com os aristocratas, afeiçoa-se a eles, que se mostram logo uns ingratos. Às vezes dá uma colocação em Paris a um criado que o serviu nalgum hotel; de outras vezes custeia o aprendizado de algum ofício a um homem do campo. Esse é o lado bom de meu tio, em contraste com o aspecto de homem mundano.

Pois Saint-Loup pertencia a essa classe de rapazes aristocratas colocados numa altura onde é possível que brotem essas expressões: "É o que tem de bom, esse é o seu lado bom", sementes assaz preciosas que logo determinam uma maneira de conceber as coisas, na qual não se vale nada e o "povo" vale tudo, quer dizer, exatamente o contrário do orgulho plebeu. Pelo que me contava Robert, não era possível imaginar como o seu tio, quando jovem, dava o tom e ditava a lei a todo mundo.

— Ele, da sua parte, fazia sempre o que lhe parecia mais agradável e cômodo, mas logo o imitavam os esnobes. Se lhe acontecia ter sede quando no teatro e mandava que lhe trouxessem alguma bebida ao camarote, já se sabia que na semana seguinte haveria refrescos em todos os corredores. Num verão muito chuvoso, sentiu-se um pouco reumático, e encomendou um sobretudo de vicunha muito fina, mas bastante quente, que só se emprega para mantas de viagem e respeitou o padrão do tecido, de listras azuis e laranja. Os grandes alfaiates receberam imediatamente encomendas de casacos de listras e bastante quentes. Se por qualquer motivo queria tirar toda solenidade a uma refeição em casa de campo onde estava passando o dia, e, para indicar esse matiz, não vestia casaca e sentava-se à mesa de jaqueta, ficava em moda jantar de jaqueta nas casas de campo. Se comia um doce e, em vez de colher, usava garfo ou um talher de sua invenção que havia encomendado a um ourives, ou o pegava com os dedos, já não era lícito fazer de outra maneira. Sentiu desejos de ouvir de novo certos quartetos de Beethoven, pois, com todas as suas ideias absurdas, não é nenhum bruto e tem talento, e encarregou uns músicos que fossem à sua casa um dia por semana, para executar aquelas obras, que ouvia com alguns amigos. E naquele ano considerou-se como suprema elegância dar reuniões íntimas em que se executava música de câmara. Parece-me que não deve ter-se aborrecido neste mundo! Com o seu belo tipo, não lhe devem ter faltado mulheres! Apenas não se sabe quais, pois é muito discreto. Bem sei que enganou bastante à minha pobre tia. O que não impediu que fosse muito bom com ela, que ela o adorasse, e que ele a tenha chorado por muitos anos. Quando está em Paris, vai quase diariamente ao cemitério.

Na manhã do dia seguinte a essa conversa que tive com Robert, enquanto ele esperava inutilmente o tio, ia eu pela frente do cassino até o hotel, quando tive a sensação de que me estava olhando alguém que não se achava muito longe. Voltei a cabeça e vi um homem de uns quarenta anos, muito alto e corpulento, de bigodes muito negros; aquele senhor dava nervosas pancadinhas nas calças com uma vara e cravava em mim uns olhos dilatados pela atenção. Aqueles olhos cruzavam-nos de vez em quando olhares de extrema atividade, como somente os têm diante de uma pessoa desconhecida homens a quem, por algum motivo, ela inspira pensamentos que não ocorreriam a qualquer outro — por exemplo, loucos ou espiões. Lançou-me um derradeiro olhar, atrevido, prudente, rápido e profundo, tudo ao mesmo tempo, como a última estocada antes de empreender a fuga e, depois de olhar em derredor, adotou uma atitude de homem distraído e altaneiro, e, voltando-se bruscamente, pôs-se a ler um cartaz de teatro, absorvendo-se nessa tarefa enquanto trauteava uma canção e compunha a rosa aveludada da botoeira. Tirou do bolso uma caderneta e fez como se tomasse nota do espetáculo anunciado; olhou o relógio duas ou três vezes e baixou mais um pouco o chapéu de palha negra, prolongando-lhe a aba com a mão, à guisa de viseira, como se quisesse ver se vinha alguma pessoa a quem estava esperando; fez um gesto de enfado, como esses com que se dá a entender que já estamos cansados de esperar, mas que nunca fazemos quando esperamos realmente e, depois, puxando o chapéu para a nuca, com o que deixou a descoberto um corte à escovinha, mas com aletas onduladas de cada lado, soltou o suspiro que exalam não as pessoas que estão com muito calor, mas as que querem aparentar que estão com muito calor. Veio-me o pensamento de que talvez fosse algum ladrão de hotel que, havendo reparado em minha avó e em mim, preparava um golpe contra nós e agora havia notado que o surpreendera no momento em que me espiava e, talvez para me despistar, adotara aquela nova atitude, que expressava distração e indiferença, mas com tão agressivo exagero que o seu fim, mais que o de dissipar as suspeitas que pudesse haver-me inspirado, parecia o de vingar uma humilhação e dar-me a entender, já que não me havia visto, que eu era um objeto sem a mínima importância para atrair a sua atenção. Empertigava-se com ar de bravata, apertava os lábios, torcia o bigode e infundia a seu olhar uma nota de indiferença, de dureza quase

insultante. Tanto que aquela expressão tão singular me fez duvi-
dar se seria um ladrão ou um louco. Contudo, sua maneira de
vestir era muito correta e muito mais séria e simples que de todos
os banhistas que se viam por Balbec, de modo que quase me fazia
justificar a minha jaqueta escura, tão frequentemente humilhada
pela rutilante brancura dos frívolos trajes praieiros. Mas nisto
minha avó veio ter comigo, demos uma volta juntos, e uma hora
depois a esperava à porta do hotel, onde entrou por um momento; naquele instante vi que saía a sra. de Villeparisis com Robert
de Saint-Loup e o desconhecido que me estivera a olhar com tanta fixidez à frente do cassino. Seu olhar atravessou-me com a
rapidez do relâmpago, como quando o encontrei da primeira
vez, e depois, como se não me tivesse visto, tornou a colocar diante dos olhos aquele olhar, um pouco caído, já sem fio, como o
olhar neutro que finge nada ter visto fora e nada é capaz de dizer
para dentro, o olhar que se limita a expressar a satisfação de sentir-se envolto nas pestanas que entreabre com sua redondez bea-
tífica, o olhar devoto e derretido de certos hipócritas, o olhar estúpido de certos tolos. Vi que mudara de traje. O que trazia agora era
ainda mais escuro; é certo que a verdadeira elegância está muito
mais próxima da simplicidade do que a falsa; mas havia outro
detalhe: olhando-o de mais perto, via-se que, se a cor não apontava
por nenhum lado em sua indumentária, não era porque ele não
fizesse caso das cores e as desdenhasse, mas porque as proibira por
uma razão qualquer. E a sobriedade que denotava parecia antes
provir da obediência a um regime que da falta de apetite. Nas calças, um debrum verde-escuro harmonizava com o desenho das
meias, refinamento que revelava a vivacidade de um gosto policia-
do, mas ao qual não fizera senão aquela concessão, por pura tole-
rância; na gravata, uma pinta vermelha quase imperceptível, como
uma liberdade que a gente mal se atreve a tomar.

— Oh!, como está você? Apresento-lhe meu sobrinho, o
barão de Guermantes — disse-me a sra. de Villeparisis, enquan-

to o desconhecido, sem olhar-me, murmurou um vago "Encantado!" a que acrescentou uns grunhidos, para que a sua amabilidade parecesse forçada; e dobrando o dedo mínimo, o índice e o polegar, estendeu-me os outros dois, sem anel nenhum, que eu apertei, protegidos por sua luva acamurçada; depois, sem pousar os olhos na minha pessoa, voltou-se para a sra. de Villeparisis.

— Ah!, meu Deus, onde estou com a cabeça? — disse-lhe rindo a marquesa. — Chamei-te barão de Guermantes. É o barão de Charlus que apresento a você. Afinal de contas — acrescentou —, o equívoco não é muito grande, porque tu também és Guermantes.

Entrementes, havia saído minha avó, e começamos a andar todos juntos. O tio de Saint-Loup não me honrou com uma palavra, nem sequer com um olhar. Olhava fixamente para alguns desconhecidos — durante o nosso curto passeio, lançou duas ou três vezes o seu terrível e profundo olhar, como para sondar as pessoas insignificantes e de humilde condição que cruzavam conosco —, mas em compensação nunca pousava os olhos nos conhecidos, da mesma maneira que um polícia encarregado de missão secreta exclui a seus amigos da sua vigilância profissional. Deixei que minha avó e ele continuassem falando em companhia da sra. de Villeparisis e fiquei um pouco para trás com Robert.

— Escute, ouvi bem quando a marquesa disse que seu tio era um Guermantes?

— Naturalmente, é Palamède de Guermantes.

— Mas dos mesmos Guermantes que possuem um castelo perto de Combray e que se dizem descendentes de Genoveva de Brabante?

— Exatamente; meu tio, que é o que pode haver de mais heráldico, responderia que o nosso "grito", o nosso grito de guerra, que mais tarde foi Passavant, era no princípio Combraysis — disse, a rir, para não parecer que se envaidecia com aquela prerrogativa do brado de guerra, própria somente das casas semirreais, dos grandes senhores de mesnada. — É irmão do atual proprietário do castelo.

Assim veio logo se aparentar com os Guermantes aquela sra. de Villeparisis que por muito tempo fora para mim apenas uma senhora que me havia dado, quando pequeno, uma caixinha de chocolates com um pato, tão afastada então do lado de Guermanes como se estivesse no de Méséglise, menos considerada e menos brilhante a meus olhos do que o oculista de Combray; e agora tinha repentinamente uma dessas altas fantásticas, semelhantes à baixa, não menos imprevista, de algum objeto que possuímos, altas e baixas que introduzem em nossa adolescência, e nas partes de nossa vida em que persista alguma coisa da nossa adolescência, mudanças tão numerosas como as metamorfoses de Ovídio.

— Não estão nesse castelo os retratos de todos os antigos senhores de Guermantes?

— Sim, é um belo espetáculo — disse ironicamente Saint-Loup. — Aqui entre nós, essas coisas me parecem um tanto ridículas. Mas em Guermantes há coisas de mais interesse: um retrato muito impressionante de minha tia, pintado por Carrière. É tão belo como um Whistler ou um Velázquez — acrescentou Saint-Loup, que, no seu ardor de neófito, não guardava muito exatamente a escala das grandezas.[51] — Há também quadros muito curiosos de Gustave Moreau. Minha tia é sobrinha da senhora de Villeparisis, sua amiga, e foi educada por ela. Mais tarde casou-se com seu primo, também sobrinho de minha tia Villeparisis, o atual duque de Guermantes.

— Mas então esse seu tio que se acha aqui...?

— Esse usa o título de barão de Charlus. Na verdade, por morte de meu tio-avô, meu tio Palamède deveria ter tomado o título de príncipe des Laumes, que era o que usava seu irmão antes de se tornar duque de Guermantes, pois nessa família

---

51 O narrador do livro não pode aceitar a aproximação de Whistler e Velázquez a Carrière, que, durante algum tempo, também estudou harmonias cromáticas aplicadas à representação de interiores. (N. E.)

mudam de título como de camisa. Mas meu tio tem ideias própri-as em tal assunto. E como lhe parece que já se abusa um pouco de ducados italianos e grandezas de Espanha, embora pudesse ter escolhido entre quatro ou cinco títulos de príncipe, preferiu ficar com o de barão de Charlus, à guisa de protesto e com aparente simplicidade, que no fundo é orgulho, e muito. "Hoje", diz ele, "todo mundo é príncipe; assim, a gente precisa diferençar-se em alguma coisa; usarei meu título de príncipe quando tiver de viajar incógnito". Segundo ele, não há título mais antigo que o de barão de Charlus. Para demonstrar que é anterior ao dos Montmorency, que se diziam os primeiros barões de França, sem o ser, pois na verdade o foram apenas da Ilha de França, onde se achava o seu feudo, meu tio dará explicações durante horas e horas, e muito a gosto porque, embora seja homem agudo e de talento, parece-lhe que esse tema de conversação deve sempre interessar — disse Saint-Loup, sorrindo. — Mas, como a mim não acontece o mes-mo, não me obrigue a falar em genealogia; não conheço nada mais aborrecido nem mais morto do que isso, e dispomos de mui-to pouco tempo nesta vida para poder gastá-lo com tais coisas.

Agora reconhecia que aquele olhar duro que me fizera voltar a cabeça momentos antes, quando passava por diante do cassino, era o mesmo que pousara em mim anos antes, em Tansonville, quando a sra. Swann chamava por Gilberte.

— A senhora Swann não foi uma dessas inúmeras amantes que me disse que teve o seu tio?

— Não, nada disso. É muito amigo de Swann e sempre o defendeu. Mas nunca se falou que fosse amante da senhora Swann. Você causaria espanto se sustentasse essa opinião num salão aristocrático.

Não me atrevi a responder-lhe que maior espanto causaria ele em Combray sustentando a opinião contrária.

Muito agradou à minha avó o sr. de Charlus. É verdade que este concedia enorme importância às questões de linhagem e posição social: minha avó o tinha notado; mas sem esse rigor em que geralmente costuma haver muito de secreta inveja e irritação, por ver que outros desfrutam preeminências que a gente deseja inutilmente. Como, pelo contrário, estava minha avó muito satisfeita com a sua sorte, não lamentando de nenhum modo o não viver num meio social mais brilhante, não utilizava mais do que a inteligência para julgar os defeitos do sr. de Charlus e falava dele com a benevolência espontânea, sorridente, quase simpática, com que recompensamos o objeto de nossa observação desinteressada pelo prazer que nos causa; tanto mais que desta vez o objeto de observação era uma personagem cujas pretensões, se não legítimas, pelo menos pitorescas, faziam-no claramente destacar-se das personalidades com quem minha avó costumava tratar. Mas minha avó lhe havia perdoado em seguida o preconceito aristocrático, especialmente pela viva inteligência e sensibilidade que, ao contrário de tanta gente da aristocracia de que zombava Saint-Loup, transpareciam além das maneiras do sr. de Charlus. Mas a mania aristocrática não fora sacrificada pelo tio, como o fizera o sobrinho, a qualidades de ordem superior. O sr. de Charlus havia, por assim dizer, conciliado as duas coisas. Como descendente dos duques de Memours e dos príncipes de Lamballe, possuía arquivos, móveis e tapeçarias antigas, retratos de seus antepassados, pintados por Velázquez ou Rafael, ou Boucher; de modo que, só pelo fato de percorrer suas recordações de família, podia dizer que "visitava" um museu e uma biblioteca de incomparável valor, e colocava no lugar de onde o sobrinho a destronara toda a herança da aristocracia. De resto, como era menos ideólogo que Saint-Loup, apegava-se menos às palavras e observava os humanos com maior realismo; não queria renunciar a um elemento tão essencial de prestígio ante a generalidade das pessoas e que, além de lhe fornecer à imaginação prazeres desinteressados, podia ser muitas vezes um eficaz auxílio para as suas atividades utilitárias. Assim se trava a luta entre os nobres desta classe e os que, obedecendo a seu ideal interior, renunciam a todas essas vantagens para realizá-lo, semelhantes em tal ponto aos pintores e músicos que renunciam ao seu virtuosismo, aos povos artistas que se modernizam, aos povos guerreiros que tomam a iniciativa do desarmamento universal e aos governos absolutos que se tornam democráticos e revogam as leis severas, muitas vezes sem que a realidade lhes recompense o nobre esforço, pois aqueles perdem seu talento e estes, seu secular predomínio, e o pacifismo multiplica eventualmente as guerras, e a indulgência aumenta a criminalidade. Como coisa muito nobre deviam considerar-se os esforços de sinceridade e emancipação de Saint-Loup; mas, a julgar pelo resultado exterior, o sr. de Charlus tinha motivos de congratular-se por não participar dessas ideias, pois assim mandara transportar para a sua casa grande parte das admiráveis entalhaduras do palácio dos Guermantes, em vez de mudá-las, como fez o sobrinho, por um mobiliário *modern-style*, de Lebourg e Guillaumin.[52] Também é verdade que o ideal do sr. de Charlus era bastante factício, se é que este adjetivo se pode aplicar à palavra ideal, seja no sentido social ou artístico. Havia mulheres de grande beleza e refinada cultura, descendentes daquelas damas que dois séculos antes estiveram cercadas de todo o brilho e elegância do Antigo Regime, as quais tão distintas pareciam ao sr. de Charlus que só na sua companhia se encontrava a gosto; sem dúvida, era sincera a admiração que lhes devotava, mas contribuíam muito para esse sentimento numerosas reminiscências de arte e história evocadas por seus nomes, do mesmo modo que as recordações da antiguidade são um dos elementos do prazer com que um homem culto lê uma ode de Horácio, quiçá inferior a alguns poemas de nossos dias que o deixariam indiferente. E, ao parecer

---

52 Tanto Lebourg (1849-1928) como Guillaumin (1841-1927) foram pintores que realizavam pesquisas paralelas até que encontraram o grupo de pintores impressionistas e se ligaram a ele. (N. E.)

do sr. de Charlus, cada uma daquelas damas estava, para uma senhora da classe burguesa, como, para um quadro moderno que represente um caminho ou uma boda, está um desses quadros antigos de histórico perfeitamente conhecido, desde o rei ou o papa que o encomendaram, e que foi passando de personagem a personagem, por doação, compra, roubo ou herança, com o que nos recorda os acontecimentos, ou pelo menos alguma aliança de interesse histórico e é, por conseguinte, aquisição de novos conhecimentos e vem a ter nova utilidade, aumentando o sentimento de riqueza dos recursos de nossa memória ou de erudição. E o sr. de Charlus alegrava-se muito de que um preconceito análogo ao seu afastasse essas damas das relações com mulheres de menor pureza de sangue, pois assim se ofereciam intatas a seu culto, com inalterável nobreza, como essas fachadas do século XVIII sustentadas em lisas colunas de mármore cor-de-rosa e em que não pôde fazer mancha a época moderna.

O sr. de Charlus celebrava a verdadeira *nobreza* de espírito e sentimentos das referidas damas, trocadilhando com a palavra nobreza nessa frase equívoca, com que se deixa enganar e onde se via a falsidade desse conceito bastardo, dessa mescla ambígua de aristocracia, generosidade e arte, mas frase igualmente sedutora e perigosa para pessoas como minha avó, que teria julgado ridículo o preconceito mais grosseiro e ainda mais inocente de um nobre que só pensa em seus brasões sem preocupar-se com mais coisa alguma, mas que se via indefesa quando se lhe apresentava uma coisa com aparência de superioridade espiritual, a ponto de considerar os príncipes como as criaturas mais invejáveis do mundo porque puderam ter como preceptores um La Bruyére ou um Fénelon.

Separamo-nos, diante do Grande Hotel, dos três Guermantes, que iam almoçar em casa da princesa de Luxemburgo. Enquanto minha avó se despedia da sra. de Villeparisis e recebia a saudação de Robert, o sr. de Charlus, que até então não me dirigira a palavra, deu uns passos atrás e disse, colocando-se ao meu lado:

— Esta noite tomarei chá, depois do jantar, no apartamento de minha tia Villeparisis. Espero que tenha a bondade de acompanhar-nos com a senhora sua avó.

E partiu com a marquesa.

Embora fosse domingo, havia tantos carros de aluguel na praça como antes. A senhora do notário em particular achava que era demasiado gasto isso de alugar um carro todos os domingos sem que fosse para ir à casa dos Cambremer, e contentava-se em ficar no seu quarto.

— Está doente a sua senhora? — perguntavam ao notário. — Não a vimos hoje.

— Dói-lhe um pouco a cabeça; deve ser por causa do calor ou da trovoada. Por qualquer coisa fica assim; mas esta noite irão vê-la, pois lhe aconselhei que descesse. Há de fazer-lhe bem.

Imaginei que, ao convidar-nos a tomar chá no quarto de sua tia, a quem sem dúvida anunciara a nossa visita, queria o sr. de Charlus reparar a descortesia que me demonstrou durante o passeio da manhã. Mas quando entramos no salão da sra. de Villeparisis, o sr. de Charlus estava contando, numa voz aguda, uma história em que se saía muito mal um parente seu, e não consegui que ao menos me olhasse, apesar das voltas que dei em seu redor; resolvi então saudá-lo, e bastante alto, para que notasse a minha presença; mas compreendi que já a tinha notado, pois quando me inclinava, e antes que pronunciasse uma palavra, vi que me estendia os dois dedos para que os apertasse, sem volver o olhar e interromper a conversação. Evidentemente me vira sem dar-se por inteirado; notei que seu olhar nunca estava fïxo no interlocutor e passeava ininterruptamente em todas as direções, como o de um animal assustado ou de um charlatão de praça, que enquanto está deitando falação e mostrando sua ilícita mercadoria, perscruta, sem para isso voltar a cabeça, os diversos pontos do horizonte por onde possa surgir a polícia. Contudo, achei um tanto estranho que a sra. de Villeparisis, embora muito contente de nos ver, tivesse o ar de quem não nos esperava; e ainda mais me espantou o que disse a minha avó o sr. de Charlus: "Ah!, fizeram muito bem em vir. Foi uma ideia excelente, não é verdade, minha tia?". Sem dúvida o sr. de Charlus notara a surpresa da tia ao entrarmos e pensava como homem acostumado a dar a nota, o *lá*, que bastava para transformar essa surpresa em alegria a indicação de que também estava alegre e que era com efeito o sentimento que devia inspirar a nossa visita. E calculou bem, porque a tia, que considerava muito o sobrinho e sabia como era difícil agradar-lhe, pareceu encontrar novos encantos em minha avó e mostrou-se muito amável com ela. Mas eu não podia compreender como o sr. de Charlus pudesse ter esquecido em algumas horas o convite tão breve, mas aparentemente tão intencional, tão premeditado, que me fizera naquela mesma manhã, e que chamasse "uma boa ideia" de minha avó a uma ideia que era completamente sua. E então lhe disse com escrúpulo de precisão que me durou até a idade em que descobri que a gente não se certifica da verdadeira intenção que teve uma pessoa pelo simples fato de lho perguntar a ela, e que mais vale correr o risco de uma interpretação errônea, que passará despercebida, em vez de insistir candidamente: "Mas então não se lembra que nos disse esta manhã para virmos passar um momento aqui, não é mesmo?". Nenhum som, nenhum gesto revelou que ele tivesse ouvido a minha pergunta. Então lha repeti, como os diplomatas ou os jovens brigados, que com incansável boa vontade se empenham inutilmente em pedir explicações que o adversário está resolvido a não dar. Tampouco desta vez me respondeu o sr. de Charlus. Pareceu-me ver perpassar em seus lábios o sorriso dos que julgam de muito alto o caráter e a educação dos demais.

Já que se negava a uma explicação, procurei encontrar uma, da minha parte; mas não consegui senão ficar hesitando entre várias explicações, nenhuma das quais provavelmente boa. Talvez não se lembrasse do que havia dito, ou eu que entendera mal as suas palavras, pela manhã. Seria mais provável que, devido ao seu orgulho, não queria mostrar que havia solicitado a companhia de gente a quem desdenhava, preferindo atribuir-nos a iniciativa da visita. Mas, se nos desdenhava, por que então quis que fôssemos ao quarto de sua tia, ou melhor, que lá fosse a minha avó, pois só a ela dirigiu a palavra durante a noite e não me falou uma única vez? Falava muito animadamente com ela e com a sra. de Villeparisis e parecia que se ocultava atrás delas como no fundo de um camarote; quanto à minha pessoa, limitava-se de vez em quando a desviar para ela o olhar investigador de seus olhos penetrantes e pousá-lo em meu rosto com a mesma seriedade e preocupação de como se estivesse lendo um manuscrito difícil de decifrar.

Sem dúvida, a não ser por aqueles olhos, a cara do sr. de Charlus se pareceria com a de tantos outros belos homens que andam pelo mundo. E quando depois me disse Saint-Loup, referindo-se aos outros Guermantes: "Ora! Não têm esse ar de raça de grão-senhor até a ponta dos dedos, como o meu tio Palamède", senti que se dissipava uma das minhas ilusões, pois essas palavras me confirmaram que o ar de raça e a distinção aristocrática não são coisa misteriosa e nova, mas consistem em elementos que eu facilmente distinguia sem que me causassem maior impressão. Mas de nada servia que o sr. de Charlus fechasse hermeticamente a expressão daquele seu rosto que se parecia um pouco a uma cara de cômico pela leve camada de pó que o recobria, pois os olhos eram como uma fenda, uma seteira que não pudera tapar, e dali saíam para um e outro lado, segundo a posição que a gente ocupasse, reflexos de algum engenho bélico interior, de uma máquina alarmante até para aquele que a carregava dentro de si sem a dominar, em estado de equilíbrio instável e sempre prestes a explodir; e a expressão circunspecta e constantemente inquieta daqueles olhos, de que provinha um grande cansaço, manifesto nas olheiras muito dilatadas, para todo o rosto, por muito composto e arranjado que estivesse, trazia à mente ideias de incógnito, de um homem poderoso que estivesse em perigo e que se disfarçasse, ou pelo menos um indivíduo perigoso, porém trágico. Gostaria de adivinhar que segredo era aquele que não tinham os demais homens e pelo qual se me apresentara com caráter tão enigmático o olhar do sr. de Charlus, quando o encontrei pela manhã junto ao cassino. Mas agora que já sabia de que família era, não mais podia continuar imaginando que fosse um ladrão, nem, já que o ouvira falar, um louco. Se se mostrava tão frio comigo e em compensação tão amável com minha avó, talvez não fosse por mera antipatia pessoal, porque em geral era muito benévolo com as mulheres e falava de seus defeitos com grande indulgência, mas quanto aos homens, principalmente aos jovens, dava mostras de tão violento ódio como o dos misóginos às mulheres. Disse de dois ou três gigolôs, parentes ou amigos de Saint-Loup, que Robert citara casualmente: "São uns canalhinhas", num tom de ferocidade que contrastava com a sua costumeira frieza. Compreendi que o que mais censurava nos rapazes de hoje era o seu efeminamento. "São verdadeiras mulheres", dizia desdenhosamente. Mas em comparação com a vida que ele considerava adequada a um homem, e que ainda lhe parecia pouco enérgica e viril (nas suas caminhadas, depois de horas e horas de marcha, todo afogueado, banhava-se em rios gelados), qualquer outra vida pareceria efeminada. Nem sequer admitia que um homem usasse anel.

Mas esse preconceito da energia viril não era obstáculo a suas qualidades de finíssima sensibilidade. A sra. de Villeparisis pediu-lhe que descrevesse à minha avó um castelo onde estivera madame de Sévigné e disse de passagem que achava um pouco de literatura nesse desespero por estar separada de uma criatura tão aborrecida como a sua filha, a sra. de Grignan.

— Pois a mim me parece muito verdadeiro — respondeu o sr. de Charlus. — De resto, esses sentimentos se compreendiam muito bem naquela época. O habitante de Monomotapa, de La Fontaine, que vai correndo à casa do amigo porque o viu em sonhos um pouco triste, e o pombo que considerava a maior desgraça a ausência do companheiro, talvez lhe pareçam tão exagerados, minha tia, como madame de Sévigné, que não pode esperar tranquila o momento de ficar a sós com a filha.[53] E é muito belo o que diz ao separar-se: "Esta separação me dói tanto na alma como se me doesse no corpo. Durante a ausência não se poupam horas. Adiantamo-nos para o momento que constitui a nossa aspiração".[54]

Minha avó estava encantada de ouvir falar nas cartas da mesma maneira como o faria ela. Pareceu-lhe descobrir no sr. de Charlus qualidades de delicadeza e sensibilidade femininas. Depois, quando a sós, minha avó e eu falamos no sr. de Charlus, concordamos em que devia haver alguma mulher que tivesse influído grandemente em seu espírito, ainda que fosse a sua mãe, ou talvez a sua filha, se é que tivera filhos. Disse comigo que poderia ser alguma amante, pensando na influência que tivera em Saint-Loup a sua, pois com o exemplo de meu amigo viera eu a saber o quanto pode refinar a um homem a mulher com quem convive.[55]

— E depois, quando estivesse com a filha, madame de Sévigné provavelmente não teria mais nada que lhe dizer — tornou a sra. de Villeparisis.

— Naturalmente que teria, embora não fossem mais que "essas coisas tão insignificantes que só tu e eu sabemos apreciar".[56] Em suma, estava a seu lado. E isso, como diz La Bruyère, é o essencial. "Estar com os entes queridos, falar-lhes ou não, dá no mesmo."[57] Tem razão, essa é a única felicidade — acrescentou o sr. de Charlus, com voz melancólica. — E esta vida está tão

53 Alusão a duas fábulas de La Fontaine. A primeira intitulada "Os dois amigos", a outra, "Os dois pombos". (N. E.)

54 Charlus mistura em uma única citação duas cartas de madame de Sévigné: uma, do dia 18 de fevereiro de 1671, a segunda, do dia 10 de janeiro de 1689. (N. E.)

55 A revelação quanto às implicações dessas "qualidades de delicadeza e sensibilidade femininas" do sr. de Charlus só virão no quarto volume do livro. Até lá, toda uma série de pistas vão sendo semeadas, como logo abaixo, nas características de sua voz ou o gesto de não deixar a ponta do lenço de cor para fora do bolso. (N. E.)

56 Carta do dia 29 de maio de 1675. (N. E.)

57 Citação aproximada de trecho do capítulo "Do coração", do livro *Les caractères*, de La Bruyère, já citado anteriormente pelo narrador neste mesmo volume. (N. E.)

mal-arranjada que muito raramente gozamos dessa felicidade; madame de Sévigné é muito menos digna de compaixão que os outros: passou a maior parte da sua vida com a criatura amada.

— Mas não era amor: tratava-se da filha.

— O importante nesta vida não é aquilo em que se põe o amor, mas sentir o amor — respondeu ele em tom compenetrado, terminante e decisivo. — O sentimento de madame de Sévigné pela filha pode aspirar com maior motivo a parecer-se à paixão que pintou Racine em *Andrômaca* ou em *Fedra*, que as frívolas relações do jovem Sévigné com as suas amantes. E o mesmo acontece com o amor de alguns místicos por Deus. Essas demarcações tão estreitas que traçamos em redor do amor provêm unicamente da nossa grande ignorância da vida.

— De modo que te agradam muito *Andrômaca* e *Fedra?* — perguntou Saint-Loup ao tio, num tom levemente desdenhoso.

— Há muito mais verdade numa tragédia de Racine que em todos os dramas de Victor Hugo — retrucou o sr. de Charlus.

— A verdade é que a aristocracia é terrível — disse-me Saint-Loup ao ouvido. — Preferir Racine a Victor Hugo, afinal de contas, é qualquer coisa de enorme!

As palavras do tio haviam-no realmente contristado, mas consolava-o a satisfação de dizer "afinal de contas", e sobretudo "enorme".

Nessas reflexões sobre a tristeza de viver separado daquilo a que se ama (reflexões que fizeram minha avó dizer que o sobrinho da sra. de Villeparisis entendia algumas obras muito melhor do que a tia, e que estava num nível muito superior ao da maioria dos homens da sociedade), o sr. de Charlus deixava transparecer uma finura de sentimentos muito pouco habitual nos homens, mas também a sua voz, parecida com algumas vozes de contralto em que não está bastante cultivado o registro médio, e cujo canto parece um dueto entre um jovem e uma mulher, ia colocar-se nas notas altas no momento em que expressava estes pensamentos tão delicados, e adquiria imprevista doçura, como se tivesse por dentro coros de vozes de noiva e de irmã, cheios de ternura. Mas aquele bando de donzelas que pareciam escondidas na voz do sr. de Charlus, coisa que, se o notasse, lhe causaria grande pesar, pelo muito que odiava a todo efeminamento, não se limitava a interpretar e modular aquelas passagens sentimentais. Muitas vezes, enquanto o sr. de Charlus estava falando, ouvia-se um riso agudo e fresco de colegiais ou de moças faceiras a zombar do próximo com malícias de criadas picarescas e deslinguadas.

Contava que uma casa que fora de sua família, com o parque desenhado por Lenôtre, e onde uma vez pousara Maria Antonieta, pertencia atualmente aos ricos banqueiros Israel, que a tinham comprado.

— Israel, é esse o nome que tem aquela gente; mais me parece um termo genérico, racial, que um nome próprio. Pode ser que aquela gente nem tenha nome e que a designem com o nome da coletividade a que pertencem. Dá no mesmo. Ter sido propriedade dos Guermantes e pertencer agora aos Israel!!! — exclamou. — Isso me recorda aquela peça do castelo de Blois, de que me dizia o guarda que me ia guiando: "Aqui era onde rezava Maria Stuart, agora é onde eu guardo as vassouras". Claro está que nunca mais quero ouvir falar nessa casa que se desonrou, como não quero ouvir falar em minha prima Clara de Chimay, que abandonou o esposo.[58] Conservo fotografias da casa quando ainda estava intata e da princesa quando não tinha olhos senão para meu primo. A fotografia ganha um pouco de dignidade que lhe falta, quando deixa de ser reprodução da realidade e nos mostra coisas que não existem mais. Eu lhe darei uma, já que lhe interessa esse estilo — disse ele à minha avó.

---

58 Alusão a Clara Ward que, após ter desposado o príncipe Joseph de Chimay, fugiria em 1896 com um violinista. O casamento seria desfeito no ano seguinte. (N. E.)

Nesse momento notou que sobressaía um pouco a orla de cor de um lenço que trazia no bolso e apressou-se em empurrá-lo mais para dentro, com o gesto de susto de uma mulher pudibunda, embora não inocente, quando, por excesso de escrúpulo, dissimula um atrativo físico que lhe parece indecente.

— Imagine a senhora que aquela gente começou por destruir o parque de Lenôtre, coisa tão punível como estraçalhar um quadro de Poussin. Só por isso já deviam estar na cadeia os tais de Israel. Está visto — acrescentou, sorrindo, após um instante de silêncio — que sem dúvida alguma havia muitos outros motivos para que estivessem na cadeia. Em todo caso, imagine o efeito que faz diante de um edifício daquele estilo um parque à inglesa.

— Mas a casa é do mesmo estilo do Petit Trianon — disse a sra. de Villeparisis — , e Maria Antonieta mandou pôr ali um jardim à inglesa.

— Sim, mas que põe a perder a fachada de Gabriel — respondeu o sobrinho. — Evidentemente, seria hoje uma selvageria mandar desmanchar o Hameau.[59] Mas quaisquer que sejam os gostos de hoje, não creio que um capricho da senhora Israel tenha o mesmo prestígio que uma recordação da rainha.

Enquanto isso, minha avó me fazia sinais para que fosse deitar-me, apesar da insistência de Saint-Loup, que, com grande mortificação da minha parte, aludiu diante do sr. de Charlus à tristeza que muitas noites me invadia antes de adormecer, tristeza que deve ter parecido a seu tio coisa muito pouco viril. Esperei um momento, e, afinal, retirei-me; e muito surpreendido fiquei quando um instante depois bateram à porta e, ao perguntar quem era, ouvi a voz do sr. de Charlus, que dizia em tom seco:

---

59 O Petit Trianon é obra de Jacques-Ange Gabriel (1698-1782). No jardim ao seu redor, o arquiteto Richard Mique ergueu pequenas construções, como um Templo do Amor (1778), o Belvedere, o Teatro Miniatura (1780) e o Hameau (1783-1787) de que fala Charlus. (N. E.)

— Sou eu, Charlus. Pode-se entrar? Cavalheiro — prosseguiu no mesmo tom quando se viu no interior do quarto e depois de fechada a porta —, meu sobrinho contava há um instante que o senhor se sentia um pouco inquieto antes de adormecer, e dizia também que admira muito os livros de Bergotte. E como tenho na mala uma obra dele, que provalmente não conhece, aqui lha trouxe, para que o ajude a passar esse mau momento que costuma sofrer.

Agradeci, muito emocionado, ao sr. de Charlus, e disse-lhe que, pelo contrário, aquelas palavras de Saint-Loup sobre a minha tristeza, ao chegar a noite, me inspiraram o receio de que ele me julgasse ainda mais tolo do que era.

— Não, não — respondeu, em tom mais afetuoso. — Talvez não tenha o senhor mérito pessoal, isso muito poucas pessoas o possuem. Mas pelo menos tem juventude, e a juventude é uma grande sedução. Aliás, a maior das tolices é considerar censuráveis ou ridículas as coisas que não sentimos. A noite a mim me agrada muito e ao senhor lhe causa medo; gosto do perfume das rosas, e tenho um amigo a quem esse perfume causa febre. E não creia que por isso eu vá julgá-lo inferior a mim. Faço o possível por compreender tudo e abstenho-me de condenar o que quer que seja. Mas não se queixe muito, não digo que esses acessos de tristeza não sejam dolorosos; bem sei que há coisas que os outros não compreendem e que muito nos fazem sofrer. Mas pelo menos está a sua afeição muito bem empregada na pessoa de sua avó. Sempre a vê, e é de resto um afeto lícito, isto é, correspondido. Mas há muitos outros afetos de que não se poderia dizer o mesmo.

Enquanto dizia tais coisas, passeava pelo quarto de um lado para outro, olhando os objetos que havia na peça e apanhando um ou outro para examiná-lo. Dava-me a impressão de que tinha alguma coisa a comunicar-me e não achava maneira de dizê-lo.

— Tenho comigo no hotel outro volume de Bergotte, vou mandar trazê-lo — disse.

Chamou e logo depois apareceu um *groom.*

— Vá chamar o mordomo. É o único aqui capaz de fazer alguma coisa com inteligência — acrescentou altaneiramente o sr. de Charlus.

— O senhor Aimé? — perguntou o *groom.*

— Não sei como se chama; sim, parece que ouvi chamá-lo de Aimé. Despache-se, que tenho pressa.

— Virá em seguida, senhor; acabo de vê-lo lá embaixo — respondeu o *groom*, que queria mostrar-se a par de tudo.

Passou um instante e o *groom* tornou a aparecer.

— O senhor Aimé já está deitado. Mas eu posso encarregar-me do que deseja.

— Não; mande-o levantar-se.

— Impossível, senhor; ele não dorme aqui.

— Então, deixe-nos em paz.

Eu disse ao sr. de Charlus, depois que o *groom* se retirou:

— Mas é muita amabilidade sua; já é bastante um livro de Bergotte.

— Sim, lá isso é verdade.

O sr. de Charlus continuava a passear pelo quarto. Passaram-se alguns minutos dessa maneira. Após alguns instantes de hesitação, resolveu executar o ato que iniciara várias vezes: girar sobre os calcanhares, lançar-me um "Boa-noite!" com voz tão dura como quando entrou, e retirar-se.

Na manhã seguinte, o sr. de Charlus, que devia partir nesse dia, aproximou-se de mim na praia quando eu ia banhar-me, a fim de me dizer da parte de minha avó que ela me esperava logo que eu saísse do banho; e depois dos nobres sentimentos que expressara na noite anterior em meu quarto, muito me chocou ouvi-lo dizer, beliscando-me o pescoço, com uma familiaridade e um risinho muito vulgares:

— Afinal, você está pouco ligando para a vovó, hem, seu malandrinho?

— Como! Eu adoro a vovó!

— Cavalheiro — disse-me, dando um passo atrás e com ar glacial —, ainda é muito jovem e deve aproveitá-lo para aprender duas coisas: a primeira, abster-se de expressar sentimentos que se subentendem, porque são naturalíssimos; a segunda, não se lançar de sopetão a responder a alguma coisa que lhe dizem antes de penetrar-lhe o significado. Se tivesse tomado há pouco essa preocupação, teria evitado passar pelo transe de falar a torto e a direito como um surdo e acrescentar com isso um ridículo mais a esse ridículo de usar essas âncoras bordadas no traje de banho. Tenho necessidade desse livro de Bergotte que lhe emprestei. Mande-o antes de uma hora por esse mordomo de nome irrisório que tão bem lhe assenta: é de supor que a estas horas não esteja deitado. Recordo-me que ontem à noite lhe falei, antes do que devia, nas seduções da juventude, e vejo que lhe prestaria maior favor se lhe assinalasse a leviandade, a incompreensão e as inconsequências da juventude. Tenho esperanças, meu jovem, de que esta pequena ducha lhe há de ser tão saudável como o banho. Mas não fique assim parado, poderia resfriar-se. Bom dia, cavalheiro.

Por certo se arrependeu de tais palavras, pois algum tempo depois recebi — numa encadernação em marroquim que trazia embutida na capa uma placa de couro representando um ramo de miosótis em relevo — aquele livro que me emprestara e eu lhe devolvera em seguida, não por intermédio de Aimé, que tinha "saída" naquele dia, mas pelo ascensorista.

Havendo partido o sr. de Charlus, Robert e eu pudemos ir jantar em casa de Bloch. Durante esse pequeno banquete, verifiquei que aquelas histórias que Bloch julgava tão divertidas sem o serem, e as pessoas insignificantes que ele achava "muito curiosas", eram histórias e amigos do sr. Bloch pai. Há muita gente que começamos a admirar na infância: um pai mais inteligente que o resto da família, um professor que tem em si os méritos da metafísica que nos revela, ou um companheiro mais avançado que nós (Bloch, no meu caso) que despreza o Musset da *Esperança em Deus* quando ainda nos agrada, e que, em compensação, quando tenhamos chegado ao bom Leconte ou a Claudel,[60] continuará a extasiar-se com:

> *À Saint-Blaise, à la Zuecca*
> *Vous étiez, vous étiez bien aise...*

e acrescentará:

> *Padoue est un fort bel endroit*
> *Où de très grands docteurs en droit*
> *Mais j'aime mieux la polenta...*
> *... Passe dans son domino noir*
> *La Toppatelle.*

E das *Noites* somente ficará com estes versos:

> *Au Havre, devant l'Atlantique,*
> *À Venise à l'affreux Lido,*
> *Où vient sur l'herbe d'un tombeau*
> *Mourir la pâle Adriatique.*[61]

E acontece que, dessas pessoas a quem admiramos sem hesitação, se recolhem e citam coisas muito inferiores a outra que repeliríamos

---

60 Alusão ao poema publicado na coletânea *Poésies nouvelles*. O narrador desse poema se encontra também "cheio de juventude" e ainda não disse adeus "às suas ilusões". O poema termina com uma prece a Deus. A isso, Bloch prefere poemas de virtuose formal. Claudel já foi citado anteriormente como parâmetro de ousadia literária. O "bom Leconte" de Lisle demorara a ter admirado o seu talento, mas continuava a parecer um poeta moderno para essa geração que tinha como ídolo poético Alfred de Musset. (N. E.)

61 Versos extraídos de poemas da mesma coletânea de Musset, *Poésies nouvelles*. O primeiro trecho é o início do poema "Chanson"; o segundo vem de "À mon frère revenant d'Italie"; o último é de "La nuit d'Italie". (N. E.)

severamente se nos deixássemos guiar por nosso verdadeiro gosto, da mesma forma que um escritor utiliza num romance, sob o pretexto de que são autênticas, "frases" e personagens que, num conjunto vivo, são, pelo contrário, peso morto, coisa medíocre. Os retratos de Saint-Simon que ele escreveu sem admirar-se são admiráveis; mas as frases de espírito de pessoas que conheceu e que cita como deliciosas são hoje em dia medíocres ou incompreensíveis. Ele não se dignaria a inventar coisas de madame Cornuel ou de Luís XIV, que conta como muito finas ou pitorescas, fato que aliás se observa em outros escritores e se presta a várias interpretações; de momento, baste-nos supor que quando o escritor se acha no estado de espírito do que "observa" está em nível muito inferior ao estado de espírito do que cria.[62]

Havia, pois, dentro de meu colega Bloch, um Bloch pai atrasado quarenta anos em relação ao filho, que contava anedotas ridículas e que do fundo da pessoa de meu amigo ria tanto como o Bloch pai exterior e real, porque ao riso que soltava este último quando se acabava a história, repetindo duas ou três vezes a frase final para que o público a saboreasse bem, vinha juntar-se a gargalhada ruidosa com que o filho invariavelmente saudava à mesa as histórias paternas. E por isso meu companheiro Bloch, depois de haver dito coisas muito agudas, manifestava a sua herança de família, contando-nos pela trigésima vez algumas dessas graças que o pai trazia à luz (junto com a sua sobrecasaca) somente nos dias solenes em que Bloch filho trazia à casa algum amigo a quem valesse a pena deslumbrar: um dos seus professores, um colega que ganhava todos os prêmios etc.; naquela noite éramos Saint-Loup e eu. Eram coisas neste estilo: "Imaginem um crítico militar muito versado que sabiamente deduzira, e com grande número de provas, por que infalíveis

---

62 Madame Anne-Marie Bigot de Cornuel (1605-1694) passava por muito espirituosa e tinha um salão em Paris a partir do qual se difundiam suas tiradas. Tentando suprir parte dessa fragilidade narrativa de Saint-Simon, o próximo volume do livro enfeixará a narrativa e a análise do chamado "espírito dos Guermantes". (N. E.)

razões na guerra russo-japonesa os japoneses teriam de sair vencidos e os russos, vencedores".[63] Ou esta outra: "Fulano é uma personagem eminente que passa por grande financista nos meios políticos e por grande político nos meios financeiros". Estas frases alternavam com duas anedotas referentes ao barão de Rothschild uma e a sir Rufus Israel outra, personagens apresentadas de um modo ambíguo, a fim de que se pudesse inferir que Bloch pai falara pessoalmente com os dois.

Eu também me deixei apanhar no laço e, pela maneira com que Bloch pai falava de Bergotte, julguei que era um velho amigo seu. E, de fato, Bloch pai conhecia todas as celebridades "sem conhecê-las", por tê-las visto de longe no teatro ou na rua. E chegava a imaginar que seu próprio físico, seu nome e sua personalidade não eram desconhecidos àquelas personagens e que, ao vê-lo, tinham de reprimir muitas vezes um furtivo desejo de saudá-lo. A gente da aristocracia conhece os homens de talento diretamente, leva-os a jantar em casa, mas nem por isso os compreende melhor. E quando se viveu nesse ambiente, a estupidez dos indivíduos que o constituem inspira desejos de estar em círculos sociais mais modestos, onde se conhecem os homens de mérito sem conhecê-los, e que consideramos mais inteligentes do que são. Agora ia eu verificá-lo, falando de Bergotte.

O sr. Bloch pai não era o único que obtinha sucesso em casa. Meu amigo ainda o obtinha mais com as irmãs; falava-lhes constantemente em tom resmungão, metendo o nariz no prato, e elas morriam de riso. Tinham adotado o idioma do irmão, que falavam correntemente, como se fora obrigatório e o único próprio de criaturas inteligentes. Quando chegamos, a mais velha disse a uma das outras:

---

63 Erro de previsão do "crítico militar" e avanço súbito na cronologia da narrativa: essa guerra, que aconteceu entre os anos de 1904 e 1905, seria vencida pelos japoneses. (N. E.)

— Vai avisar ao sábio pai e à venerável mãe.

— Cachorras — disse-lhe Bloch —, apresento-lhes o cavalheiro Saint-Loup, o dos dardos ligeiros, que veio por uns dias de Doncières, a vila das casas de pedra polida, fecunda em cavalos.

Como tinha Bloch tanta vulgaridade como cultura, seus discursos costumavam terminar com algum gracejo menos homérico:

— Vamos, fechem um pouco mais esses peplos dos belos broches. Que escândalo é esse? Que estão pensando?[64]

E as srtas. Bloch retorciam-se entre tempestades de risos. Contou então a Bloch a alegria que me proporcionara, recomendando-me que lesse Bergotte, cujos livros adorava.

O sr. Bloch pai, que só conhecia Bergotte de longe e da sua vida apenas o que ouvira da voz pública, tinha também um modo indireto de inteirar-se da sua obra por meio de juízos alheios de aparência literária. Vivia esse senhor no mundo do pouco mais ou menos, onde se saúda no vácuo e se julga em falso. E o curioso é que nesses casos a inexatidão e a incompetência não tiram segurança ao que se diz, antes pelo contrário. Como muito pouca gente pode ter amizades altas e profunda cultura, acontece que, por benéfico milagre do amor-próprio, as pessoas que carecem de tais coisas se consideram as mais favorecidas, pois o prisma das escalas sociais faz supor a todos que a melhor posição é a que eles ocupam, de sorte que consideram muito menos favorecidos, menos aquinhoados e mais dignos de compaixão os seres de situação superior, e a quem nomeiam e caluniam sem conhecer e julgam e desprezam sem os ter compreendido. E ainda nos casos em que a multiplicação dos poucos méritos pessoais pelo amor-próprio não baste para assegurar a cada um a dose de felicidade, superior à concedida aos demais que lhe é

---

64. A tradução em português não pôde levar em conta a frase final de Bloch, no original: *"Après tout c'est pas mon père!"*, citação de uma fala célebre, repetida várias vezes ao longo da comédia *La dame de chez Maxim* (1899), de Georges Feydeau. A fala, dita pela heroína de modos fáceis, conotava: "Afinal de contas, não há mal nenhum nisso!". (N. E.)

necessária, há uma coisa para preencher a diferença: a inveja. E se a inveja se expressa em frases desdenhosas, cumpre traduzir "não quero conhecê-lo" por "não posso conhecê-lo". Esse o sentido intelectual da frase, mas o seu sentido passional é realmente "não quero conhecê-lo". Sabe-se que isso não é verdade; e no entanto não é dito por mero artifício, é dito porque é sentido, e já isto basta para anular a distância, isto é, para tornar feliz.

Graças ao egocentrismo, qualquer ser humano vê o universo estendido a seus pés, e a si mesmo, rei. O sr. Bloch pai permitia-se o luxo de ser monarca implacável quando, pela manhã, enquanto tomava chocolate, ao ver no jornal um artigo assinado por Bergotte, lhe concedia desdenhosamente uma breve audiência, pronunciava seu veredicto e dava-se ao gosto de repetir, entre um e outro sorvo de chocolate quente: "Esse Bergotte está ficando ilegível! Que sujeito aborrecido! Vou deixar a assinatura. Nada mais complicado do que essa obra de confeitaria". E apanhava outra fatia de pão com manteiga.

Essa ilusória importância do sr. Bloch pai se estendia um pouco além dos limites da sua própria percepção. Em primeiro lugar, consideravam-no os filhos um homem superior. Os filhos manifestam sempre tendência a depreciar ou a exaltar seus pais, e para um bom filho o seu pai será sempre o melhor de todos os pais, fora de todas as razões objetivas que tenha para admirá-lo. E razões destas havia no caso do sr. Bloch, que era instruído, fino e carinhoso com os seus. No círculo da família todos achavam muito agradável o seu convívio; pois acontece que, embora a sociedade elegante julgue as pessoas, conforme um padrão, absurdo para os outros, de regras falsas mas fixas, por comparação com a totalidade das pessoas elegantes, na vida tão fragmentada da classe média, as reuniões e jantares de família giram sempre em torno de pessoas que se mostram agradáveis ou divertidas, e que no mundo elegante não ficariam nem duas noites no cartaz. E nesse ambiente burguês em que não existem as factícias grandezas da aristocracia, são elas substituídas por distinções ainda mais aborrecidas. Assim acontecia que na família Bloch, e até num grau de parentesco bastante afastado, todos chamavam ao pai do meu amigo "o falso duque de Aumale", pois garantiam que se parecia com a referida personagem pelo formato do nariz e pelo bigode. (Não acontece também no meio dos *grooms* de um clube que aquele que usa o gorro de banda e a jaqueta muito justa, para fazer de oficial estrangeiro, segundo ele acredita, é para os seus camaradas quase uma notoriedade?)

A parecença era das mais vagas, mas os outros pensariam tratar-se de um título. E ouvia-se dizer: "Bloch? Qual? O duque de Almale?", da mesma forma que se diria: "A princesa Murat? Qual? A rainha de Nápoles?".[65] Havia ainda certo número de ínfimos indícios que aos olhos de sua parentela o revestiam de suposta distinção. Embora não chegasse a ter carruagem, alugava certos dias uma vitória descoberta, a dois cavalos, na Companhia de Transporte, e cruzava pelo Bois de Boulogne languidamente estendido na viatura, o rosto apoiado na mão, de modo que dois dedos tocassem na têmpora e os outros ficassem sob o queixo; e embora os que não o conheciam, ao vê-lo em tal atitude, o tomassem por um presunçoso, a família estava muito convencida de que, em matéria de chiquismo, o velho Salomon poderia dar lições até a Gramont-Caderousse.[66] Era dessas pessoas que, por terem comido muitas vezes no restaurante na mesma mesa do redator-chefe do *Radical*, são consideradas por ocasião da sua morte figuras muito conhecidas em Paris, pela crônica social da referida folha.[67] O sr. Bloch nos disse, a Saint-Loup e a mim, que Bergotte

65 Alusão à irmã de Napoleão, Caroline Bonaparte, que, tendo se casado com Murat, esta seria nomeada pelo imperador "rei de Nápoles". A princesa de Wagram, cujo salão Proust frequentava, se casaria com o neto de Caroline e manteria pretensões ao título. (N. E.)

66 Alusão a Charles-Robert de Gramont-Caderousse (1808-1865?) que, filho de um general do Império, levara uma vida dissoluta antes de ir se isolar no Oriente, deixando toda a sua fortuna a um certo dr. Déclat e a uma atriz. (N. E.)

67 O jornal *Le Radical* era uma publicação de esquerda, fundada em 1871. (N. E.)

sabia tão perfeitamente as razões que tinha ele, o sr. Bloch, para não cumprimentá-lo quando se encontravam no teatro ou no clube que Bergotte, quando o via, virava o rosto para o outro lado. Saint-Loup ficou vermelho porque pensou que esse clube não podia ser o Jockey, do qual seu pai fora presidente, embora tal clube devesse ser muito exigente na admissão, pois o sr. Bloch nos disse que hoje não mais aceitariam a Bergotte, ainda que quisesse entrar. De modo que Saint-Loup, timidamente, com receio de "subestimar as forças do adversário", perguntou se aquele clube era o da rua Royale, considerado desclassificador pela família de Saint-Loup em que ele sabia que eram recebidos alguns israelitas.[68]

— Não — respondeu o sr. Bloch em tom negligente, altivo e envergonhado —, é um clube reduzido, mas muito mais agradável, o Clube dos Palermas. Ali se julga muito severamente a galeria.[69]

— O presidente não é sir Rufus Israel? — perguntou Bloch ao pai, para lhe proporcionar uma mentira honrosa, sem que lhe ocorresse que esse financista não tinha para Saint-Loup a mesma importância que para ele.

Na verdade, não era sir Rufus quem fazia parte do clube, e sim um dos seus empregados. Mas esse empregado, como era muito benquisto com o patrão, dispunha de cartões do grande banqueiro e dava um ao sr. Bloch quando tinha este de viajar por algumas das linhas férreas de que sir Rufus era administrador; de modo que Bloch pai dizia: "Vou passar pelo clube para pedir uma recomendação de sir Rufus". E com aquele cartão deixava des-

---

68 O seletíssimo círculo da rua Royale, fundado por antigos membros descontentes do Jockey Club, contava com apenas um membro judeu dos possíveis modelos de Swann: Charles Haas. Lembre-se que a personagem proustiana tomava parte nos dois clubes de elite, no Jockey e no clube da rua Royale. Entretanto, o incipiente "Caso Dreyfus" começa a despertar cada vez mais o anti-semitismo. (N. E.)

69 O chamado "Clube dos Palermas" ("Cercle des Ganaches") reunia os defensores dos valores monárquicos. A referência reforça a simpatia por ideais reacionários da parte do pai de Bloch. (N. E.)

lumbrados os chefes de trem. As srtas. Bloch manifestaram maior interesse por Bergotte, e, em vez de continuarem falando dos Palermas, dirigiram a conversa para o escritor; a caçula perguntou ao irmão, no tom mais sério deste mundo, pois imaginava que para designar os homens de talento não existissem outros termos senão os que empregava o irmão:

— É mesmo um sujeito formidável esse Bergotte? Podemos colocá-lo à altura dos sujeitos de primeira, como Villiers ou Catulo?[70]

— Vi-o algumas vezes nas estreias — disse o sr. Nissim Bernard. — É canhoto, uma espécie de Schlemihl.[71]

Essa alusão à novela de Chamisso não era por certo uma coisa grave, mas o epíteto de Schlemihl fazia parte desse dialeto semialemão, semijudeu, cujo emprego, na intimidade da família, encantava o sr. Bloch, mas que diante de estranhos parecia vulgar e inoportuno. De modo que lançou ao tio um olhar severo.

— Sim, tem talento — disse Bloch.

— Ah! — exclamou gravemente a irmã, como dando a entender que nesse caso tinha desculpas a minha admiração.

— Todos os escritores têm talento — comentou despeitosamente o sr. Bloch pai.

— Pois até parece que vai candidatar-se à Academia — disse o filho, erguendo o garfo e franzindo as sobrancelhas com ar de diabólica ironia.

— Qual! — retrucou Bloch pai, que, pelo visto, não votava à Academia o mesmo desprezo que seus filhos. — Não tem bagagem bastante para acadêmico. Falta-lhe o calibre necessário.

---

70 A srta. Bloch pronuncia com certa intimidade os nomes de Philippe Auguste Villiers de l'Isle-Adam (1838-1889), que ela crê se chamar "Villiers", e o de Catulle Mendès (1841-1909), autores parnasianos de renome no final do século XIX. Não por acaso essa era a escola mais admirada pelo seu irmão, Bloch. (N. E.)

71 Palavra que em dialeto judeu-alemão significa "idiota, que se dá mal", referência ao herói da *História maravilhosa de Pierre Schlemihl*, escrito em 1814 pelo escritor alemão, de origem francesa, Adalbert Chamisso de Boncourt. (N. E.)

— Além disso, a Academia é um salão aristocrático, e Bergotte não tem brilho algum — declarou o sr. Nissim Bernard, tio rico e futura herança da sra. Bloch.

Era essa personagem uma criatura inofensiva e tranquila, que só com o sobrenome de Bernard teria despertado os dotes de diagnóstico de meu avô, sobrenome que, em verdade, não estava à altura daquele rosto, que parecia arrancado do palácio de Dario e reconstituído pela sra. Dieulafoy,[72] se, caso algum amador quisesse dar um remate oriental àquela figura de Susa, o nome de Nissim não tivesse estendido sobre a sua pessoa como as asas de um touro androcéfalo de Korsabad. O sr. Bloch estava sempre a insultar o tio, ou porque o irritasse o caráter bonachão e indefeso de sua vítima, ou porque, como fosse Nissim Bernard quem pagava a estada em Balbec, quisesse indicar com os seus insultos que continuava tão independente como sempre e, principalmente, que não pretendia alcançar com bajulações a sua futura herança. O que a este constrangia era ver-se tratado tão grosseiramente diante do mordomo. Murmurou uma frase ininteligível, em que só se perceberam estas palavras: "Quando os Mexores estão presentes". Com o nome de Mexores é designado na Bíblia o servo de Deus. Os Bloch empregavam em família esse termo, sempre muito satisfeitos com a segurança que tinham de que não os entenderiam nem os cristãos nem os criados, com o que se exaltava nas pessoas dos srs. Nissim Bernard e Bloch a sua dupla peculiariedade de patrões e de judeus. Mas esta última causa de satisfação convertia-se em motivo de aborrecimento quando havia gente estranha. Então o sr. Bloch, ao ouvir o tio dizer "os Mexores", imaginava que revelara mais do que devia o seu lado oriental, da mesma maneira que uma cocote que convida para uma reunião as suas colegas e pessoas muito distintas se aborrece quando as amigas aludem ao ofício delas ou soltam algu-

---

72 Ao longo de escavações na Pérsia, entre os anos de 1881 e 1886, a célebre arqueóloga francesa conseguiu reconstituir a chamada "frisa dos arqueiros", hoje preservada no Museu do Louvre. (N. E.)

ma frase mais pesada. De modo que a súplica do tio não só não produziu efeito algum no sr. Bloch, mas pô-lo fora de si, sem que se pudesse conter, e não mais perdeu ocasião de lançar inventivas contra o desgraçado Nissim: "O fato é que, quando há algum truísmo estúpido que dizer, o senhor não perde ocasião de soltá-lo, não é? E seria o primeiro a lamber os pés de Bergotte, se ele estivesse aqui", gritou o sr. Bloch, enquanto o seu tio, muito mortificado, inclinava para o prato aquela anelada barba de rei Sargão. Meu colega Bloch, desde que deixara crescer a barba, parecia-se bastante com o tio-avô, pois a tinha também muito crespa e de tom azulado.

— Ah! Como quem então o senhor é filho do marquês de Marsantes? — disse a Saint-Loup o sr. Nissim Bernard. — Conheci-o muito. — Julguei que queria dizer "conheci" no mesmo sentido de Bloch pai quando afirmava que conhecia a Bergotte, isto é, de vista. Mas acrescentou: — O seu pai era um excelente amigo meu. — Diante disso, Bloch ficara muito velho, seu pai fechou a cara, e as moças da casa se esforçavam por conter o riso. E vinha a ser porque esse desejo de dar-se importância, sopitado em Bloch pai e nos seu filhos, no caso do sr. Nissim Bernard chegara a gerar o hábito da mentira perpétua. Por exemplo, quando em viagem se hospedava num hotel, Nissim Bernard fazia o mesmo que teria feito Bloch pai: mandar que seu criado lhe trouxesse todos os jornais à mesa na hora do almoço, quando estava o refeitório cheio de gente, para que todos vissem que viajava com criado de quarto. Mas aos hóspedes do hotel com quem travava amizade, dizia o tio uma coisa que o sobrinho nunca teria dito: que era senador. Sabia perfeitamente que acabariam descobrindo ter usurpado esse título; era-lhe porém impossível, no momento, resistir à necessidade imperiosa de intitular-se senador. Muito sofria o sr. Bloch com os embustes do tio e os desgostos que lhe causavam.

— Não faça caso, ele é muito amigo de brincadeiras — disse baixinho a Saint-Loup, o qual sentiu maior interesse pelo velho, pois o atraía muito a psicologia dos mentirosos.

— Ainda mais embusteiro que o itacense Odisseus, a quem Atenas denominava o mais embusteiro dos homens — acrescentou meu colega Bloch.[73]

— Ora!, ora! Quem havia de dizer que eu jantaria com o filho de meu amigo?! Na minha casa de Paris tenho um retrato e muitas cartas de seu pai. Costumava chamar-me sempre de tio, não sei por quê. Era um homem muito simpático e agradável. Lembra-me que uma vez jantou em Nice, em minha casa... Estavam também naquela noite Sardou, Labiche, Augier...

— ... Molière, Racine, Corneille — continuou, ironicamente, o sr. Bloch. E seu filho completou a enumeração, acrescentando:

— Plauto, Menandro, Kalidassa.[74]

O sr. Nissim, muito ofendido, cortou de súbito a narrativa e, privando-se asceticamente de um grande prazer, não tornou a falar até o fim da ceia.

— Saint-Loup do brônzeo capacete — disse Bloch —, sirva-se um pouco mais desse pato de gordurentas coxas, sobre as quais derramou o ilustre vitimário das aves numerosas libações de vinho tinto.

Em geral, o sr. Bloch, depois de tirar do fundo da gaveta para um companheiro notável do filho as anedotas referentes a sir Rufus Israel e outras personagens, via que o filho já estava satisfeito e comovido com a fineza do pai, e retirava-se da conversação para não se rebaixar aos olhos do estudante. Mas quando havia um motivo extraordinário, por exemplo, quando o filho foi aprovado no concurso da *agrégation*, o sr. Bloch acrescentava à série habitual de anedotas esta reflexão irônica, reservada de preferência para os amigos pessoais e que agora trazia à luz para os amigos do filho, com grande

---

73 Bloch alude ao encontro de Ulisses com Atenas no canto XIII da *Odisseia*, em que, não a reconhecendo sob o disfarce de um pastor, prefere mentir para ela. (N. E.)

74 Menandro (cerca de 342-392 a.C.) é autor cômico ateniense que terá várias de suas obras adaptadas por Plauto. Kalidassa foi poeta e dramaturgo indiano que viveu entre os séculos V e IV a.C. (N. E.)

orgulho da parte deste: "O governo mostrou-se imperdoável. Não consultou o senhor Coquelin. Parece que o senhor Coquelin deu a entender que está muito desgostoso".[75] (Pois o pai de Bloch fazia de reacionário e aparentava desprezo pela gente de teatro.)

Mas as meninas Bloch e seu irmão ruborizaram-se até a raiz dos cabelos, tamanha foi a sua emoção, quando Bloch pai, para mostrar-se verdadeiramente régio para com os velhos amigos de seu filho, mandou trazer champanhe e anunciou, sem lhe dar importância, que, para obsequiar-nos, adquirira três poltronas de primeira para um espetáculo que dava naquela noite no Cassino uma companhia de operetas. Lamentava não ter podido conseguir um camarote. Não havia mais. Além disso, bem o sabia ele por experiência, ficava-se muito melhor de poltrona. Se o defeito do filho, isto é, o que o filho imaginava que os outros não viam, era a grosseria, o do pai era a avareza. Assim, o que ele chamava de champanhe era na verdade um vinhozinho espumante que foi trazido em jarra, e as poltronas de primeira se converteram realmente em assentos comuns, da plateia, que custavam a metade; e o sr. Bloch ficou persuadido, mercê da divina intervenção de seu defeito, de que não notaríamos diferença nem na mesa nem no teatro (onde todos os camarotes estavam vazios). O sr. Bloch, depois de nos deixar umedecer os lábios nas taças de champanhe que o seu filho ornara com o nome de "crateras de abertos flancos", fez-nos admirar um quadro ao qual tanto apreciava que o carregara para Balbec. Disse que era um Rubens. Saint-Loup, candidamente, perguntou se estava assinado. O sr. Bloch, muito vermelho, respondeu que tivera de mandar cortar a assinatura do pintor devido ao tamanho da moldura, mas que isso não tinha importância alguma porque não tencionava vendê-lo. Logo se despediu de nós para mergulhar no *Diário Oficial*; toda a casa estava cheia de números da referida

---

75 Constant Coquelin (1841-1909), ator francês citado no primeiro volume como uma das paixões platônicas do herói, antes que seus pais lhe autorizassem ir ao teatro. (N. E.)

publicação, e a sua leitura lhe era necessária, segundo nos disse, "devido à sua posição parlamentar", sobre a qual não nos forneceu esclarecimentos e cujo valor exato ignorávamos.

— Vou buscar um lenço para o pescoço — disse Bloch —, porque Zéfiro e Bóreas estão a disputar furiosamente o mar piscoso, e se nos atrasamos um pouco ao sair do teatro, voltaremos para casa com as primeiras luzes de Éos, a dos dedos de púrpura. A propósito — perguntou a Saint-Loup quando saímos (e eu pus-me a tremer, pois compreendi que aquele tom irônico se referia ao sr. de Charlus) —, quem era aquele excelente fantoche de paletó escuro que você passeava pela praia anteontem de manhã?

— Meu tio — respondeu Saint-Loup, agastado.

Infelizmente, o que Bloch não tinha era medo de ratas, e retorceu-se de riso.

— Ah!, meus parabéns, eu devia ter pensado nisso; muito chique; tem uma incomparável cara de tolo da mais alta linhagem.

— Pois está redondamente enganado, ele é muito inteligente — retrucou Saint-Loup, furioso.

— Lamento-o, porque então será menos completo. Estimaria muito conhecê-lo, pois estou certo de que tipos dessa espécie me inspirariam troços dignos deles. Quanto a esse, só vê-lo passar é de morrer de riso. Mas deixaria de lado a parte caricata, no fundo bastante desprezível para um artista enamorado da beleza plástica das frases, daquela cara ridícula, perdão, que me fez rebentar de riso, para ressaltar o lado aristocrático de seu tio, que produz um efeito bestial e, passada a primeira hilaridade, impressiona por seu grande estilo. Mas agora me lembro — disse, dirigindo-se a mim — de uma coisa que nada tem a ver com isso e que desejava perguntar-te, mas sempre que nos temos visto, algum deus, dos venturosos habitantes do Olimpo, ma varreu da cabeça, e foi pena, porque poderia ser-me de utilidade em certa ocasião, e ainda talvez o seja. Quem é aquela senhora tão bonita com quem te vi no Jardim da Aclimação, acompanhada de um cavalheiro a quem conheço de vista, e de uma menina de cabelos muito compridos?

Eu tinha observado naquela ocasião que a sra. Swann não se lembrava do nome de Bloch, visto que o confundira com outro e o qualificara como adido a não sei que ministério, dado esse que não tratei logo de averiguar se seria certo. Mas como era possível que Bloch, que, segundo me disse então a sra. Swann, se fizera apresentar a ela, não soubesse como se chamava a dama? Tão espantado fiquei que passei um momento sem falar.

— De qualquer modo, felicito-te — disse-me ele —, pois com certeza não te aborreceste com ela. Eu a encontrara, dias antes, no trem circular. E, em matéria de circulação, ela houve por bem ser muito gentil com este teu criado; nunca passei tão bons momentos; e já se estava arranjando tudo para um próximo encontro, quando um conhecido seu teve a infeliz ideia de subir para o nosso compartimento na penúltima estação.

Meu silêncio parece que não foi muito agradável a Bloch.

— Tinha esperança — disse-me — de infomar-me por teu intermédio do seu endereço, a fim de ir a sua casa várias vezes por semana para desfrutar os gozos de Eros, gratos aos deuses; mas, não insisto, já que deste para ser discreto a respeito de uma profissional que se me entregou três vezes seguidas, e de um modo refinadíssimo, no espaço que medeia entre Paris e o Point--du-Jour. Hei de encontrá-la alguma noite.

Pouco depois do jantar referido fui visitar Bloch, e ele pagou--me a visita, mas numa ocasião em que eu havia saído; quando perguntava por mim no hotel, passou por ali Françoise, que nunca o vira antes, embora Bloch tivesse estado por várias vezes em Combray. De modo que a única coisa que sabia a nossa criada era que um dos senhores que eu conhecia tinha ido visitar-me, não sabia "com que fim"; seu modo de vestir nada tinha de particular e não causou maior impressão em Françoise. Bem sabia eu que certas ideias sociais de Françoise seriam sempre impenetráveis para mim, pois eram provavelmente baseadas em confusões de palavras ou de nomes, que ela trocava; contudo, e apesar de haver renunciado desde muito a preocupar-me com essas coisas, não pude deixar de perguntar-me, inutilmente, aliás, que coisa imensa poderia significar para ela o nome de Bloch. Pois apenas lhe disse que aquele jovem a quem tinha visto era o sr. Bloch, recuou alguns passos, dando mostras de enorme espanto e decepção. "Como! Então aquilo é o senhor Bloch?", exclamou com ar aterrado, como se personagem tão prestigiosa devesse ter um exterior que "revelasse" imediatamente a presença de um grande homem. E como uma pessoa para quem uma personagem histórica não está à altura da reputação, repetia Françoise impressionada e em tom que revelava germes de ceticismo universal para o futuro: "Com que então é isso que é o senhor Bloch? Ah!, ninguém diria ao vê-lo!". E parecia que me guardava rancor por lhe haver falsificado Bloch. Mas teve a bondade de acrescentar: "Sabe o que lhe digo? Por mais Bloch que ele seja, o patrãozinho é tão distinto quanto ele".

Com Saint-Loup, a quem adorava, teve logo outra desilusão, mas de natureza diversa e que durou pouco: descobriu que ele era republicano. Pois Françoise, embora ao falar, por exemplo, da rainha de Portugal, dissesse: "Amélia, a irmã de Filipe", com essa falta de respeito que é, para a gente do povo, o supremo respeito, era monarquista.[76] Mas, além de tudo, isso de que um marquês, e um marquês que a havia deslumbrado, fosse republicano, era coisa inconcebível. E deixava-a de mau humor, tal como se lhe houvesse presenteado um cofre aparentemente de ouro e ela, depois de agradecer efusivamente, se certificasse, por intermédio de um joalheiro, de que era folheado. Retirou sua estima a Saint-Loup, mas logo lha tornou a conceder, pois pensou que um marquês de Saint-Loup não podia ser republicano; seu republicanismo era fingido e

---

76 Amélia de Bourbon-Orléans foi rainha de Portugal entre os anos de 1889 e 1908. Seu irmão Filipe, o duque de Orléans, era "amigo" da personagem Swann. (N. E.)

interesseiro, pois dessa maneira poderia tirar mais do governo vigente. Quando lhe ocorreu tal coisa, cessou sua frieza para com Robert e seu despeito comigo. E referindo-se a Saint-Loup, dizia: "É um hipócrita", com um sorriso benévolo e generoso que dava a entender que voltara a estimá-lo como antes e já o havia perdoado.

E acontece que Saint-Loup era de uma sinceridade e um desinteresse absolutos; e sua grande pureza moral, que não podia satisfazer inteiramente com um sentimento egoísta como o amor, e que não se via na impossibilidade, como acontecia comigo, de encontrar alimento espiritual fora de si, era o que o tornava tão capaz de amizade, enquanto eu era inapto a tal sentimento.

Também se enganava Françoise no tocante a Saint-Loup, quando dizia que por fora não parecia desdenhar a gente do povo, mas isso não era verdade, e bastava vê-lo quando se zangava com o seu cocheiro. De fato, algumas vezes Robert o interpelara com certa rudeza, mas tal coisa não indicava em Saint-Loup um sentimento de diferença de classes, e sim de igualdade. "Por que", respondeu-me, quando o interpelei por haver tratado tão duramente ao cocheiro, "por que irei afetar cortesia com ele? Não é um igual meu? Não está a mesma distância de mim que meus tios e meus primos? De modo que lhe parece que eu devia tratá-lo com considerações, como a um inferior? Você fala como um aristocrata", acrescentou desdenhosamente.

Com efeito, se havia alguma classe social contra a qual Robert manifestasse paixão e parcialidade era a aristocracia, a ponto de só grande dificuldade admitir a superioridade de um homem de sociedade, e em compensação acreditava muito facilmente na de um homem do povo. Falei-lhe da princesa de Luxemburgo, a quem encontráramos com sua tia.

— É uma topeira — disse —, como todas as de sua classe. Aliás, é minha prima afastada.

Como tinha grande prevenção com os aristocratas, não costumava Saint-Loup frequentar as reuniões da alta sociedade e, quando comparecia, adotava uma atitude depreciativa ou hostil, com o que mais aumentava o desgosto causado à sua família pelas suas relações com uma mulher "de teatro", relações que lhe eram fatais, segundo seus parentes, e a que atribuíam o desenvolvimento desse espírito denegridor em Robert, dessa má tendência que já o havia "desviado" e que acabaria por "afastá-lo completamente da sua classe". E por isso alguns levianos do Faubourg Saint-Germain falavam sem compaixão alguma da amante de Saint-Loup. "As loureiras, afinal de contas, fazem ofício", diziam, "valem tanto quanto as outras, mas esta não. Não a perdoamos. Causou muito mal a uma pessoa a quem muito queremos". A verdade é que Robert não era o único homem que houvesse caído nas redes de uma amante. Mas os outros continuavam a sua divertida existência de mundanos, e pensando, à maneira de mundanos, em política e no resto. Mas a família de Robert achava-o azedado. Não via que para muitos jovens da aristocracia uma amante é como um verdadeiro mestre, e as relações desse gênero são a única escola de moral que os inicia numa cultura superior e onde aprendem o valor dos conhecimentos desinteressados; e, a não ser isso, continuariam toda a vida com o espírito por cultivar, muito rudes para a amizade, sem gosto e sem finura. Até na gente baixa (que em matéria de grosseria se parece tantas vezes com o alto mundo) a mulher é mais sensível, mais fina, mais amiga do lazer, e tem curiosidade por certos requintes, respeita certas belezas de arte e sentimento, e, embora não os compreenda muito bem, coloca-os acima das coisas que mais desejáveis parecem ao homem: o dinheiro e a posição social. Ora, quer se trate da amante de um jovem aristocrata como Saint-Loup, ou de um jovem operário (os eletricistas, por exemplo, figuram hoje nas filas da verdadeira cavalaria), tem-lhe o amante muita admiração e respeito para que os não torne extensivos ao que ela própria respeita e admira; e assim fica invertida para ele a escala dos valores. Ela é frágil, mercê da sua condição feminina, tem perturbações nervosas, inexplicáveis, que, num homem, ou mesmo em outra mulher, sua tia ou prima, teriam feito sorrir aquele robusto rapagão. Mas não pode ver sofrer aquela a quem ama. O jovem fidalgo que tem, como Saint-Loup, uma amante, adquire o hábito, quando vai jantar com ela no restaurante, de levar no bolso o valerianato de que a companheira possa precisar, de recomendar ao garçom, incisivamente e sem ironia, que feche as portas sem ruído, que não adorne a mesa com musgo úmido, tudo para evitar à amiga essas indisposições que da sua parte ele nunca sentiu, que constituem para ele um mundo oculto em cuja realidade ela lhe ensinou a acreditar, indisposições que agora lamenta sem que tenha por isso necessidade de as conhecer e que lamentará ainda quando forem outras mulheres que as experimentem! A amante de Saint-Loup — como os primeiros monges da Idade Média à cristandade — lhe ensinara a piedade para com os animais, pois tinha paixão por eles, e nunca viajava sem levar consigo o seu cão, o seu canário, os seus papagaios; Saint-Loup vigiava-os com maternais cuidados e considerava uns verdadeiros brutos os que não são bons com os animais. Por outro lado, uma atriz, ou tida como tal, como a que vivia com ele — fosse ela inteligente ou não, coisa que eu ignorava —, fazendo-lhe achar tediosa a companhia das mulheres da sociedade e considerar um aborrecimento o compromisso de ir a alguma recepção, tinha-o preservado do esnobismo e curado da frivolidade. Se as relações mundanas, graças a ela, ocupavam menos espaço na vida do jovem amante, em compensação a amante lhe ensinara a pôr nobreza e refinamento em suas amizades, ao passo que, se fosse ele um simples homem de salão, seriam aquelas ditadas pela vaidade e o interesse e não isentas de rudeza. Com o seu instinto de mulher e dando preferência, nos homens, a certas qualidades de sensibilidade que o amante, longe dela, teria desconhecido e depreciado, sempre soubera distinguir e escolher, imediatamente, dentre os amigos de Saint-Loup, aquele que lhe dedicava verdadeira afeição. Sabia forçá-lo a ser e a se mostrar grato a esse amigo, a notar as coisas que lhe eram agradáveis, as coisas que o desgostavam. E logo Saint-Loup, sem mais necessidade de que a amante o advertisse, começou a preocupar-se com tudo isso, e em Balbec, onde ela não se achava, e por mim, a quem ela jamais vira e de quem talvez nem ainda lhe tivesse falado em suas cartas, fechava por conta própria a vidraça de um carro em que eu me achava, carregava as flores que me faziam mal e, quando tinha de despedir-se ao mesmo tempo de várias pessoas, tratava de as deixar um pouco mais cedo, a fim de ficar a sós e em último lugar comigo, fazendo essa distinção entre a minha pessoa e os outros. Tratava-me de modo diverso que aos demais. A amante lhe abrira o espírito ao invisível, pusera-lhe seriedade na vida, delicadezas no coração, mas tudo isso escapava à família em pranto, que repetia: "Essa desavergonhada ainda o matará e, enquanto isso, o desmoraliza". Na verdade, acabara ele por dela tirar todo o bem que ela podia fazer-lhe; e agora ela era apenas causa de que ele sofresse incessantemente, pois tomara-lhe horror e torturava-o. Começara um belo dia por achá-lo tolo e ridículo, porque os amigos que tinha entre jovens autores e atores lhe haviam assegurado que o era, e ela o repetia por seu turno com essa paixão, essa ausência de reservas que a gente mostra cada vez que recebe de fora e adota opiniões e costumes que antes ignorava inteiramente. Como aqueles comediantes, acreditava sem relutância que havia um abismo intransponível entre a sua pessoa e Saint-Loup, pois pertenciam a raças diversas, sendo ela uma intelectual e ele, por mais que pretendesse, um inimigo nato da inteligência. Essa opinião lhe parecia profunda, e procurava verificá-la nas palavras mais insignificantes, nos menores gestos de seu amante. Mas quando os mesmos amigos também a convenceram de que ela punha a perder em companhia tão pouco adequada as promessas de que dera mostras, diziam eles que o amante acabaria por prejudicá-la e que, vivendo com ele, estragaria a sua carreira artística, ao seu desprezo por Saint-Loup veio ajuntar-se o mesmo ódio que sentiria se ele estivesse intentando inocular-lhe uma doença mortal. Avistava-se com ele o menos possível, enquanto ia adiando o momento de uma ruptura definitiva, a qual me parecia muito pouco verossímil. Tamanhos sacrifícios fazia Saint-Loup pela amante que, a menos que ela fosse arrebatadora (mas ele jamais quisera mostrar-me sua fotografia, dizendo: "Antes de tudo, ela não é uma beleza, e depois, não sai bem em fotografias; são instantâneos que eu mesmo tirei com a minha Kodak e que lhe dariam uma falsa ideia dela"[77]), parecia difícil fosse ela encontrar um segundo homem que se prestasse a coisas semelhantes. Eu não considerava que certa mania de fazer nome, mesmo quando não se tem talento, e a estima, nada mais que a estima privada, de pessoas que se impõem à gente (o que talvez não fosse o caso da amante de Saint-Loup), podem constituir, mesmo para uma pequena cocote, motivos mais determinantes do que o prazer de ganhar dinheiro. Saint-Loup, que, sem compreender muito bem o que se passava no espírito da amante, sentia contudo em certos momentos que ela romperia quando pudesse, e, por causa disso, movido sem dúvida pelo instinto de conservação de seu amor, mais clarividente talvez do que o próprio Saint-Loup, usando aliás de uma habilidade prática que nele se conciliava com os maiores e mais cegos impulsos do coração, recusara-se a constituir-lhe um capital, tomara de empréstimo uma enorme quantia para que nada faltasse a ela, mas só lho remetia parceladamente. E por certo, caso tivesse verdadeiramente pensado em abandoná-lo, ela esperaria friamente até encher o seu pé-de-meia, o que, com as somas dadas por Saint-Loup, demandaria sem dúvida um tempo muito breve, mas ainda assim concedido suplementarmente para prolongar a felicidade de meu novo amigo — ou a sua desgraça.

---

77 As primeiras máquinas fotográficas da marca Kodak datam do ano de 1888 e passam rapidamente a designar genericamente um aparelho fotográfico. Mais adiante, Saint-Loup utilizará sua máquina para registrar pela última vez o rosto da avó do herói. (N. E.)

Esse período dramático da sua ligação — e que chegara agora ao ponto mais agudo, mais cruel para Saint-Loup, pois ela lhe proibira que permanecesse em Paris, onde a sua presença a exasperava e obrigara-o a passar sua licença em Balbec, ao lado da sua guarnição — começara uma noite, em casa de uma tia de Saint-Loup, com a qual obtivera que a sua amiga fosse recitar, para vários convidados, trechos de uma peça simbolista que desempenhara uma vez num teatro de vanguarda e pela qual o fizera compartilhar da admiração que ela própria sentia.

Mas quando aparecera com um grande lírio na mão, num vestido copiado da "Ancilla Domini" e que, segundo convencera a Robert, era uma verdadeira "visão de arte", sua chegada fora acolhida, naquela assembleia de homens de clube e de duquesas, com sorrisos que o tom monótono da salmodia, a estranheza de certas palavras, sua frequente repetição tinham mudado em risos a princípio abafados e depois tão irresistíveis que a pobre recitante não pudera continuar. No dia seguinte, a tia de Saint-Loup fora unanimemente censurada por ter deixado comparecer em seus salões uma artista tão grotesca. Um conhecido duque não ocultou que, se a criticavam, a culpa era inteiramente dela.

— Também, que diabo! Isso não é número que se apresente. Ainda se essa mulher tivesse talento! Mas não tem e jamais terá. Afinal de contas, Paris não é tão tola como dizem e a sociedade não é só composta de imbecis. Essa mulherzinha pensou evidentemente em assombrar Paris. Mas Paris não é assim tão fácil de espantar, e há coisas que não nos fazem engolir.

Quanto à artista, saiu, dizendo a Saint-Loup:

— Entre que peruas e galinhas sem educação, entre que malandros me foste meter! E acho melhor dizer-te: entre todos aqueles homens não houve um só que não me tivesse feito sinais e, como não lhes dei confiança, procuraram vingar-se.

Palavras que haviam mudado a antipatia de Robert pelas pessoas da sociedade em um horror ainda mais profundo e doloroso e que particularmente lhe inspiravam aqueles que menos o mereciam, devotados parentes que, por delegação da família, haviam tentado persuadir a amiga de Saint-Loup a romper com ele, gesto que esta lhe apresentava como inspirado pelo amor que dedicavam a ela. Robert deixara imediatamente de frequentá-los; mas quando se achava longe da amante, como agora, pensava que eles ou outros tinham talvez voltado à carga e decerto conseguido os seus favores. E quando se referia aos bons vivedores que enganam os amigos, que procuram corromper as mulheres e levá-las ao *rendez-vous*, sua fisionomia respirava sofrimento e ódio.

— Eu os mataria com menos remorso do que a um cachorro, que pelo menos é um animal afável, leal e fiel. Eis aí quem merece guilhotina, muito mais do que infelizes que foram conduzidos ao crime pela miséria e pela crueldade dos ricos.

Passava a maior parte do tempo a enviar cartas e telegramas para a amante. Cada vez que, além de proibi-lo de ir a Paris, ela encontrava a distância um jeito de brigar com ele, eu logo o via pelas suas feições descompostas. Como a amante nunca dissesse o que tinha a censurar, suspeitando que se ela não lho dizia era talvez porque não sabia e estava simplesmente farta dele, escrevia-lhe Robert: "Dize-me o que foi que eu fiz de mal. Estou disposto a reconhecer meus erros", pois a dor que sentia acabava-o persuadindo de que agira mal.

Ela fazia-o esperar indefinidamente as suas respostas, aliás desprovidas de sentido. Assim, era quase sempre de fronte anuviada e muitas vezes de mãos vazias que eu via Saint-Loup voltar do correio, onde, ao lado de Françoise, eram os únicos de todo o hotel que iam levar as cartas pessoalmente, ele por impaciência de amante, ela por desconfiança de criada. (Os telegramas obrigavam-no a andar ainda muito mais.)

Quando minha avó, alguns dias depois do jantar em casa dos Bloch, me disse alegremente que Saint-Loup acabava de lhe perguntar se não queria que ele a fotografasse antes de deixar Balbec, e vi que ela pusera para isso o seu mais belo vestido e hesitava entre diversos chapéus, senti-me um pouco irritado com aquela infantilidade que tanto me surpreendia da sua parte. Chegava até a perguntar-me se não me havia enganado a respeito de minha avó, se não a colocava demasiado alto, se ela seria tão alheia, como eu sempre supusera, a tudo quanto se referia à sua pessoa, se não teria o que eu lhe julgava mais estranho, a faceirice.

Infelizmente, esse desagrado que me causava o projeto de pose fotográfica, e principalmente a satisfação que parecia provocar em minha avó, deixei-o transparecer o suficiente para que Françoise o notasse, apressurando-se involuntariamente em aumentá-lo por meio de um discurso sentimental e comovido, ao qual eu não quis parecer que aderia.

— Oh, senhor!, a pobre ficaria tão contente que lhe tirassem o retrato e até vai pôr o chapéu que a velha Françoise lhe preparou. É preciso fazer-lhe a vontade, senhor!

Convenci-me de que não era cruel em zombar da sensibilidade de Françoise, lembrando-me de que muitas vezes também o faziam minha mãe e minha avó, meus modelos em tudo. Mas, vendo que eu tinha o ar aborrecido, disse-me minha avó que renunciaria à pose fotográfica, se tal coisa me contrariasse. Não o permiti, assegurei-lhe que não via nenhum inconveniente naquilo e deixei que se embelezasse, mas julguei dar mostra de penetração e força dizendo-lhe algumas palavras irônicas e ferinas destinadas a neutralizar o prazer que ela parecia achar em ser fotografada, de modo que, se fui constrangido a ver o magnífico chapéu de minha avó, consegui ao menos fazer desaparecer-lhe do rosto aquela expressão alegre que deveria fazer-me feliz e que, como tantas vezes acontece quando ainda estão vivas as criaturas a quem mais amamos, se nos apresenta como a exasperante manifestação de um defeito mesquinho mais que preciosa forma da felicidade que tanto lhes desejaríamos proporcionar. Meu mau humor provinha sobretudo de que minha avó, naquela semana, parecia que me evitava e não pudera tê-la um instante a sós comigo, tanto de dia como de noite. Quando voltava à tarde para ficar um pouco com ela, diziam-me que estava ausente; ou então se fechava com Françoise para longos conciliábulos que não me era permitido interromper. E quando, depois de passar fora a noite com Saint-Loup, pensava durante o regresso no momento em que poderia encontrar e beijar minha avó, por mais que eu esperasse fosse ela bater contra a divisão aquelas pancadinhas que me convidariam a entrar para lhe dar boa-noite, nada ouvia; acabava por me deitar, odiando-a um pouco, por me haver assim privado, com uma indiferença tão nova da sua parte, de uma alegria com que eu tanto contara, permanecia ainda, com o coração palpitante como na infância, a escutar a parede que permanecia muda, e adormecia em pranto.

Naquele dia, como nos precedentes, fora Saint-Loup obrigado a ir a Doncières, onde agora necessitariam sempre de seus serviços até o fim da tarde, enquanto ele não regressasse definitivamente. Eu sentia que não estivesse em Balbec. Vira descerem dos carros, entrando umas no salão de dança do Cassino, outras na sorveteria, moças que de longe me haviam parecido encantadoras. Estava num desses períodos da mocidade, vagos, desprovidos de um amor particular, em que, por toda parte — como o enamorado com a mulher por quem se apaixonou —, se deseja, se procura, se vê a beleza. Que um único traço real — o pouco que se distingue de uma mulher vista ao longe, ou de costas — nos permita projetar a Beleza diante de nós, imaginamos tê-la reconhecido, bate-nos o coração, apressamos o passo, e ficaremos sempre meio persuadidos de que era ela, contanto que a mulher tenha desaparecido: só quando podemos alcançá-la é que comprendemos o nosso engano.

Aliás, cada vez mais doente, era eu tentado a encarecer os prazeres mais simples, devido às próprias dificuldades que havia para mim em atingi-los. Mulheres elegantes, julgava divisá-las por toda parte, pois me sentia muito cansado se era na praia, e muito tímido se no Cassino ou numa pastelaria, para que pudesse aproximar-me delas onde quer que fosse. No entanto, se devesse morrer em breve, desejaria saber como eram feitas de perto, na realidade, as mais bonitas raparigas que a vida pudesse oferecer, ainda que fosse outro que não eu, ou mesmo ninguém, que devesse aproveitar aquela oferta (não notava, com efeito, que havia um desejo de posse na minha curiosidade). Ousaria entrar no salão de baile, se Saint-Loup estivesse comigo. Sozinho, fiquei simplesmente diante do Grande Hotel, aguardando o momento de ir ter com minha avó, quando, quase ainda na extremidade do dique, onde faziam mover-se uma estranha mancha, vi que se aproximavam cinco ou seis mocinhas, tão diferentes, no aspecto e nas maneiras, de todas as pessoas com quem estávamos acostumados em Balbec, como o seria, chegado não se sabe de onde, um bando de gaivotas que executa na praia a passos medidos — as retardatárias alcançando as outras num voo — um passeio cuja finalidade se antolha tão obscura aos banhistas, a quem elas não parecem ver, quão claramente determinado por seu espírito de pássaros.

Uma daquelas desconhecidas empurrava com a mão a sua bicicleta; duas outras empunhavam tacos de golfe; e o seu vestuário singular aberrava do das outras jovens de Balbec, entre as quais havia algumas que na verdade se entregavam aos esportes, mas sem adotar para isso uma indumentária especial.

Era a hora em que damas e cavalheiros vinham todos os dias dar a sua volta pelo dique, expostos aos reflexos impiedosos da luneta que sobre eles assestava, como se fossem portadores de alguma tara que ela queria inspecionar nos mínimos detalhes, a mulher do presidente, altivamente sentada diante do quiosque de música, no centro daquela temida fila de cadeiras, onde eles próprios dali a pouco, atores transformados em críticos, viriam acomodar-se para julgar, por seu turno, os que desfilariam ante seus olhos. Todas aquelas criaturas que percorriam o dique, gingando tão forte como se fora o convés de um barco (pois não sabiam erguer uma perna sem ao mesmo tempo mover o braço, virar os olhos, empertigar os ombros, compensar o movimento que acabavam de fazer com outro equivalente do lado contrário, e congestionar o rosto) e que, fingindo não ver para insinuar que não lhes importavam, mas olhando disfarçadamente, para evitar encontrões, as pessoas que andavam a seu lado ou vinham em sentido inverso, não obstante se chocavam com elas, enredavam--se nelas, porque tinham sido reciprocamente, da sua parte, objeto da mesma atenção secreta, oculta sob o mesmo aparente desdém: pois o amor — e por conseguinte o temor — da multidão constitui um dos mais poderosos móveis entre todos os homens, quer procurem agradar aos outros ou espantá-los, ou então mostrar-lhes que os desprezam. No solitário a reclusão, ainda que absoluta e até o fim da vida, tem muita vez por princípio um amor desregrado da multidão e tanto mais forte do que qualquer outro sentimento, que ele, não podendo obter, quando sai, a admiração da porteira, dos transeuntes, do cochoeiro ali estacionado, prefere jamais ser visto e renunciar por isso a toda e qualquer atividade que obrigue a sair para a rua.

No meio de todas aquelas pessoas, algumas das quais estavam a pensar em algo mas traíam a mobilidade do espírito por uma série de gestos bruscos e uma divagação do olhar, tão pouco harmoniosos como a circunspecta vacilação de seus vizinhos, as meninas que eu vira, com esse domínio de movimentos que provém de perfeita flexibilidade do corpo e de um desprezo sincero pelo resto da humanidade, caminhavam direito para a frente, sem hesitação nem rigidez, executando exatamente os movimentos que desejavam, numa plena independência de cada um dos membros em relação aos outros, conservando a maior parte do corpo essa imobilidade tão notável entre as boas valsistas. Já não estavam longe de mim. Embora cada uma fosse de um tipo inteiramente diverso das outras, todas possuíam beleza; mas, a falar verdade, fazia tão poucos instantes que eu as via e sem ousar olhá--las fixamente, que ainda não tinha individualizado nenhuma delas. Exceto uma, cujo nariz reto e pele morena a faziam contrastar em meio às outras, como um Rei Mago de tipo árabe nalgum quadro da Renascença, só me eram conhecidas, esta por um par de olhos duros, atrevidos e zombeteiros, aquela por faces onde o róseo tinha esse tom acobreado que dá ideia de gerânio; e mesmo esses traços, eu não havia ainda indissoluvelmente ligado nenhum deles antes a uma que a outra menina qualquer; e quando (segundo a ordem em que se desenrolava aquele conjunto maravilhoso, porque ali vizinhavam os aspectos mais diferentes, e nele estava aproximada toda a gama de cores, mas que era confuso como uma música de que eu não pudesse isolar e reconhecer as frases no momento da sua passagem, distinguidas mas esquecidas imediatamente depois) eu via emergir um oval branco, olhos negros, olhos verdes, não sabia se eram os mesmos que já me haviam trazido encanto ainda há pouco, e não podia reportá-los a determinada menina que eu tivesse separado das outras e reconhecido. E essa ausência, na minha visão, das demarcações que em breve estabeleceria entre elas, propagava através do seu grupo uma flutuação harmoniosa, a translação contínua de uma beleza fluida, coletiva e móvel.

E, na vida, talvez não fosse unicamente o acaso que, para reunir aquelas amigas, as escolhera todas tão belas; talvez aquelas raparigas (cuja atitude bastava para lhes revelar a natureza ousada, frívola e madura), extremamente sensíveis a qualquer ridículo e a qualquer fealdade, incapazes de se deixar seduzir por um atrativo de ordem intelectual ou moral, houvessem naturalmente sentido igual repulsa a todas as camaradas da mesma idade cujos pendores contemplativos ou sensíveis se traíssem por timidez, constrangimento, falta de jeito, pelo que elas deviam chamar "um gênero antipático" e assim as haviam mantido afastadas; ao passo que se haviam ligado a outras para as quais as atraía certa mescla de graça, de agilidade e elegância física, única maneira como podiam imaginar a franqueza de um caráter sedutor e a promessa de boas horas de convivência. Talvez também a classe a que pertenciam, e que eu não poderia identificar, estivesse nesse ponto de evolução em que, ou pelo enriquecimento e o lazer, ou pelos novos hábitos desportivos, espalhados até em certos meios populares, e de uma cultura física a que ainda não viera reunir-se a do intelecto, um meio social semelhante às harmoniosas e fecundas escolas de escultura, que, não buscando ainda a expressão torturada, produz naturalmente, e em abundância, belos corpos de belas pernas, de belas ancas, de rostos sadios e repousados, com um ar de agilidade e atilamento. E acaso não eram nobres e calmos modelos de beleza humana que eu via ali diante do mar, como estátuas expostas ao sol numa costa da Grécia?

Tal como se julgassem, do seio de seu bando que avançava ao longo do dique como um luminoso cometa, que a multidão circundante era composta de criaturas de outra raça e de que nem mesmo o sofrimento lhes poderia despertar um sentimento de solidariedade, elas não pareciam vê-la, forçavam as pessoas paradas a afastarem-se como à passagem de uma máquina que se houvesse largado e da qual não seria lícito esperar que evitasse os pedestres, e limitavam-se quando muito a se entreolhar, rindo, se algum velho senhor, cuja existência não admitiam e cujo contato evitavam, fugia com movimentos de susto ou cólera, mas precipitados ou risíveis. Não tinham, para quem não pertencesse ao seu grupo, nenhuma afetação de desprezo: bastava-lhes o seu desprezo sincero. Mas não podiam ver um obstáculo sem divertir-se em transpô-lo, tomando impulso ou de pés juntos, pois estavam todas plenas e exuberantes dessa juventude que temos tamanha necessidade de expandir que, mesmo quando estamos tristes ou doentes, obedecendo mais às necessidades da idade que ao humor do dia, jamais deixamos passar uma oportunidade de salto ou de deslizamento sem a aproveitar conscienciosamente, interrompendo, semeando a nossa marcha lenta — como Chopin a frase mais melancólica — de graciosas voltas em que o capricho se mistura à virtuosidade. A esposa de um velho banqueiro, depois de hesitar entre diversas exposições para o marido, tinha-o sentado numa espreguiçadeira defronte ao dique, abrigado do vento e do sol pelo quiosque da banda de música. Vendo-o bem acomodado, acabava de deixá-lo para ir comprar um jornal que leria para ele e que o distrairia, pequenas ausências em que o deixava a sós e que não prolongava além de cinco minutos, o que a ele parecia muito, mas que ela frequentemente renovava, para que o velho esposo, a quem ao mesmo tempo prodigava e dissimulava os seus cuidados, tivesse a impressão de que ainda se achava em estado de viver como todo mundo e não tinha nenhuma necessidade de proteção. A tribuna dos músicos formava acima dele um trampolim natural e tentador, sobre o qual, sem a mínima hesitação, pôs-se a correr a mais velha do bando; saltou por cima do velho apavorado, cujo gorro praieiro foi roçado pelos pés ágeis, com grande divertimento das outras moças, sobretudo de dois olhos verdes num rosto de bonequinha que expressaram uma admiração e uma alegria em que julguei discernir um pouco de timidez, uma atitude envergonhada e fanfarrona, que não existia nas outras. "Esse pobre velho me dá pena, já parece meio arrebentado", disse uma delas com uma voz rouca e num tom meio irônico. Deram mais alguns passos, depois pararam um momento no meio do caminho, sem se importar se interrompiam o trânsito, em conciliábulo, num agregado de forma irregular, compacto, insólito e pipilante, como pássaros que se ajuntam no momento de voar; depois retomaram o lento passeio ao longo do dique, acima do mar.

Agora, os seus encantadores traços não mais estavam indistintos e misturados. Eu os repartira e agrupara (na falta do nome de cada uma, que ignorava) pela grande que havia saltado por cima do velho banqueiro; pela pequena que desdenhava contra o horizonte marinho as suas faces rechonchudas e róseas, os seus olhos verdes; pela de tez morena e nariz reto que se destacava entre as outras; por uma outra, de rosto branco como um ovo, no qual um nariz pequenino formava um arco de círculo como o biquinho de um pinto, rosto como os têm certas criaturas muito jovens;

por mais outra ainda, alta, de pelerina (o que lhe emprestava um aspecto tão pobre e de tal forma lhe desmentia a elegância do porte que a única explicação que se apresentava ao espírito era de que aquela menina devia ter pais bastante brilhantes e que colocavam o seu amor-próprio bastante acima dos banhistas de Balbec e da elegância indumentária de seus próprios filhos para que lhes fosse de todo indiferente deixá-la passear pelo dique numa vestimenta que gente inferior teria achado demasiado modesta); por uma de olhos brilhantes, risonhos, de faces gordas e sem brilho, por baixo de uma boina negra enterrada na cabeça, que empurrava uma bicicleta com um meneio de ancas tão pronunciado, com um jeito tão significativo e empregando termos de gíria tão fortes e gritados tão alto, quando passei a seu lado (entre os quais distingui no entanto a frase infeliz de "viver a vida"), que eu, abandonando a hipótese que a pelerina da sua camarada me fizera arquitetar, concluí antes que todas aquelas raparigas pertenciam à população que frequentava os velódromos e deviam ser jovens amantes de ciclistas. Em todo caso, entre nenhuma das minhas hipóteses figurava a de que pudessem ser virtuosas. À primeira vista — pela maneira como se olhavam a rir, pelo olhar insistente da de faces sem brilho — eu tinha compreendido que não o eram. Aliás, minha avó sempre vigiara por mim com uma escrupulosidade demasiado timorata para que eu não supusesse indivisível o conjunto das coisas que não se devem fazer e que moças que faltavam com o respeito à velhice pudessem ser detidas por escrúpulos quando se tratava de prazeres mais tentadores do que saltar por cima de um octogenário.

Agora já as tinha individualizado; todavia, a réplica que davam umas às outras com os olhares, animados por um espírito de suficiência e camaradagem e nos quais de quando em quando brilhava um raio de interesse ou insolente indiferença, conforme se fixassem numa das amigas ou num transeunte, e a consciência de se conhecerem com bastante intimidade para andar sempre juntas, formando "grupo à parte", criava entre seus corpos separados e independentes, à medida que avançavam pelo passeio, um elo invisível, mas harmonioso, como uma mesma sombra cálida ou uma mesma atmosfera que os envolvesse, e formava com eles um todo homogêneo em suas partes e inteiramente diverso da multidão por entre a qual se desenrolava lentamente o seu cortejo.

Por um instante, enquanto eu passava pela morena de rosto cheio que empurrava uma bicicleta, tocaram-me seus olhares oblíquos e risonhos, dirigidos do íntimo daquele mundo inumano que encerrava a vida daquela pequena tribo, inacessível desconhecido a que certamente não poderia chegar, nem encontrar localização, a ideia do que eu era. Inteiramente preocupada com o que diziam as companheiras, aquela rapariga com a boina descida muito baixo sobre a testa acaso me teria visto no momento em que me atingira o raio negro emanado de seus olhos? Se me vira, que lhe poderia eu significar? Do seio de que universo me distinguia ela? Ser-me-ia tão difícil dizê-lo como, ao nos aparecerem ao telescópio certas particularidades em um astro vizinho, seria desastrado inferir que ali habitam seres humanos, que eles nos avistam, e que ideias essa visão acaso lhes despertou.

Se pensássemos que os olhos de determinada rapariga não são mais que brilhantes globos de mica, não teríamos nenhuma avidez de conhecer a sua vida e uni-la à nossa. Mas sentimos que o que luz naquele disco refletor não é unicamente devido à sua composição material; mas que são, desconhecidas de nós, as negras sombras das ideias que aquela criatura forma relativamente aos lugares e às pessoas que conhece — grama de hipódromos, areia dos caminhos, aonde, pedalando através de campos e bosques, me teria arrastado aquela pequena peri, mais sedutora para mim que a do paraíso persa — as sombras também da casa onde ela vai entrar, dos projetos que forma ou que formaram para ela; e principalmente que é ela, com os seus desejos, as suas simpatias, as suas repulsas, a sua obscura e incessante vontade. Sabia que eu não possuiria aquela jovem ciclista se não possuísse também o que havia nos seus olhos. E era por conseguinte toda a sua vida que me inspirava desejo; desejo doloroso, porque o sentia irrealizável, mas embriagador, porque, tendo aquilo que até então fora a minha vida subitamente deixado de ser a minha vida total, não sendo mais que uma pequena parte do espaço estendido à minha frente que eu ardia por transpor, e que era constituído da vida daquelas raparigas, oferecia-me esse prolongamento, essa multiplicação possível de si mesmo, que é a felicidade. E, sem dúvida, o não haver entre nós nenhum hábito como nenhuma ideia em comum me deveria tornar mais difícil ligar-me com elas e agradar-lhes. Mas talvez era também graças a essas diferenças, à cons-ciência de que não entrava na composição da natureza e dos atos daquelas moças um único elemento que eu conhecesse ou possuísse, era talvez por isso que acabava de suceder em mim, à saciedade, a sede — semelhante à sede com que arde uma terra estorricada — de uma vida que minha alma, visto que jamais havia recebido dela uma gota que fosse, com tanto mais avidez absorveria, em longos haustos, na mais perfeita embebição.

Eu de tal modo olhava aquela ciclista de olhos brilhantes que ela pareceu percebê-lo e disse à maior uma frase que eu não ouvi, mas que fê-la rir. A falar verdade, aquela morena não era a que mais me agradava, justamente porque era morena e porque, desde o dia em que eu vira Gilberte na ladeira de Tansonville, uma rapariga ruiva, de pele dourada, permanecera para mim como o inacessível ideal. Mas a própria Gilberte, não a tinha eu amado principalmente porque me aparecera nimbada da auréola de ser a amiga de Bergotte e de ir visitar com ele as catedrais? E, da mesma forma, não me podia eu rejubilar de ter visto aquela morena olhar-me (o que me fazia esperar que seria mais fácil entrar em relações primeiro com ela), pois me apresentaria às outras, à impiedosa que saltara por cima do velho, à cruel que dissera: "Esse pobre velho me dá pena", a todas sucessivamente, de quem tinha ela, de resto, o prestígio de ser a inseparável companheira? E, no entanto, a suposição de que poderia um dia ser o amigo de uma ou outra daquelas moças, que aqueles olhos cujos olhares desconhecidos me tocavam às vezes, brincando sobre mim sem o saber, como um efeito de sol sobre um muro, poderiam um dia, por uma alquimia miraculosa, deixar transpenetrar entre suas parcelas inefáveis a ideia de minha existência, alguma afeição por minha pessoa, que eu próprio poderia um dia tomar lugar entre elas, no seu desfile ao longo do mar — essa hipótese me parecia encerrar uma contradição tão insolúvel, como se, diante de algum friso antigo, ou de algum afresco figurando um cortejo, eu tivesse julgado possível, a mim, espectador, tomar parte, amado por elas, entre as divinas processionárias.

Era, então, irrealizável a felicidade de conhecer aquelas raparigas? Por certo não era a primeira desse gênero a que eu havia renunciado. Era só lembrar tantas desconhecidas que, mesmo em Balbec, o carro que se afastava a toda a velocidade me fizera abandonar para sempre. E até o prazer que me dava o pequeno bando, nobre como se fosse composto de virgens helênicas, provinha de ter qualquer coisa da fuga das passantes pela estrada. Essa fugacidade das criaturas que não são conhecidas nossas, que nos obrigam a desatracar da vida habitual em que as mulheres que frequentamos acabam revelando as suas taras, coloca-nos nesse estado de perseguição em que nada mais detém a fantasia. Ora, despojar dela os nossos prazeres é reduzi-los a si mesmo, a nada. Oferecidas por uma dessas alcoviteiras, que eu aliás não desprezava, como já se viu retiradas do elemento que dava tantas nuanças e imprecisão, aquelas raparigas ter-me-iam encantado menos. Cumpre que a imaginação, despertada pela incerteza de poder atingir o seu objeto, crie uma finalidade que nos oculte a outra e, substituindo o prazer sensual pela ideia de penetrar numa vida, nos impeça de reconhecer esse prazer, de sentir o seu verdadeiro gosto, de restringi-lo a seus limites. É preciso que entre nós e o peixe (que, se o víssemos pela primeira vez servido numa mesa, não pareceria valer as mil artimanhas e rodeios necessários para nos apoderarmos dele) se interponha, durante as tardes de pesca, o remoinho a cuja superfície vêm aflorar, sem que saibamos ao certo o que pretendemos fazer com isso, o polido de uma carne, a indecisão de uma forma, na fluidez de um transparente e móvel azul.

Àquelas moças também favorecia essa mudança de proporções sociais características das estações balneares. Todas as vantagens que em nosso meio habitual nos prolongam e engrandecem ali se tornam invisíveis, suprimem-se na verdade; em compensação, as criaturas a quem indevidamente se atribuem tais vantagens só avançam amplificadas numa falsa grandeza. Isso tornava mais fácil que desconhecidas, e naquele dia aquelas moças, adquirissem a meus olhos uma importância enorme, ao mesmo tempo em que tornava impossível fazer-lhes conhecer a importância que eu pudesse possuir.

Mas se o passeio do pequeno grupo não era mais que uma parcela de fuga inumerável de passantes, que sempre me perturbara, essa fuga era aqui reduzida a um movimento de tal modo vagaroso que se aproximava da imobilidade. Ora, precisamente porque numa fase tão pouco rápida, com as faces não mais arrebatadas num turbilhão, mas calmas e distintas, me parecem ainda belas, isso me impedia de acreditar, como tantas vezes fizera quando me transportava a carruagem da sra. de Villeparisis, que, de mais perto, se eu parasse um instante, certos detalhes, uma pele bexiguenta, um defeito nas asas do nariz, um olhar apatetado, a careta do sorriso, um corpo malfeito, teriam substituído no corpo e no rosto da mulher os que eu sem dúvida imaginara; pois bastava uma bonita linha de corpo, um entrevisto fresco de pele para que eu de boa-fé lhe acrescentasse alguma encantadora espádua, algum olhar delicioso de que levava sempre comigo a lembrança ou ideia preconcebida, pois essas decifrações rápidas de uma criatura vista de relance nos expõem aos mesmos erros dessas leituras demasiado rápidas em que, por uma única sílaba e sem tomar tempo para identificar as outras, pomos em lugar da palavra que está escrita uma completamente diversa que a nossa memória nos fornece. Mas agora não podia ser assim. Eu olhara bem aqueles rostos; vira cada um deles, não em todas as suas facetas e rara vez de frente, mas ainda assim de dois ou três ângulos bastante diferentes para que eu pudesse fazer a retificação, ou pelo menos a verificação e "prova" das diferentes suposições de linhas e de cores sugeridas à primeira vista e para ver subsistir neles, através das expressões sucessivas, alguma coisa de inalteravelmente material. Também podia dizer com toda a certeza que nem em Paris, nem em Balbec, na hipótese mais favorável do que poderia ser, mesmo que pudesse ter ficado a conversar com elas, as passantes que detiveram meus olhos, jamais houvera nenhuma cujo aparecimento e sucessivo desaparecimento sem que eu chegasse a conhecê-la, me causasse mais pesar do que o destas, nem me desse a ideia de que a sua afeição pudera ser embriaguez tamanha. Nem entre as atrizes, ou as camponesas, ou as moças do pensionato religioso, eu vira nada de tão belo, impregnado de tal desconhecido, tão inestimavelmente precioso, tão verossimilmente inacessível. Elas eram, da desconhecida e possível felicidade da vida, um exemplar tão delicioso e em tão perfeito estado que era quase por motivos intelectuais que eu me achava desesperado de medo de não poder fazer em condições únicas, sem deixar margem alguma a um possível erro, a experiência do que nos oferece de mais misterioso a beleza que se deseja e que a gente se consola de não possuir nunca, indo pedir prazer — como Swann sempre se recusara a fazer, antes de Odette — a mulheres a quem não desejamos, tanto assim que se morre sem jamais ter sabido o que era esse outro prazer. Sem dúvida, podia ser que não fosse em realidade um prazer desconhecido, que de perto se lhe dissipasse o mistério, que não fosse mais que uma projeção, que uma miragem do desejo. Mas, em tal caso, eu só poderia atribuí-lo à necessidade de uma lei da natureza — que, aplicando-se a estas moças, se aplicava a todas — e não ao defeituoso do objeto. Pois era aquele que eu teria escolhido entre todos, porque bem reconhecia, com uma satisfação de botânico, que não era possível encontrar reunidas espécies mais raras que as daquelas jovens flores que interrompiam diante de mim naquele momento a linha do mar, com a sua ligeira sebe, semelhante a um pequeno bosque de rosas da Pensilvânia, ornamento de um jardim nos penhascos, entre as quais cabe todo o trajeto de oceano percorrido por algum vapor, tão lento em deslizar sobre o traço horizontal e azul que vai de um caule a outro, que uma borboleta preguiçosa, retardada no fundo da corola que o casco do navio ultrapassou de há muito, pode, para abrir voo, na certeza de chegar antes do navio, esperar que apenas um fragmento azulado separe ainda a proa deste da primeira pétala da flor para a qual navega.

Voltei porque devia ir jantar em Rivebelle com Robert, e minha avó exigia que em tais dias, antes de partir, eu me estendesse uma hora no leito, sesta que o médico de Balbec logo me prescreveu para as outras tardes.

Aliás, para voltar, nem sequer havia a necessidade de deixar o dique e penetrar no hotel pelo *hall*, isto é, por trás. Em virtude de um adiantamento comparável ao do sábado em Combray, quando se almoçava uma hora mais cedo, agora, em pleno verão, os dias se haviam tornado tão longos que o sol ainda estava alto no céu, como em uma hora de merenda, quando punham a mesa para o jantar no Grande Hotel de Balbec. Assim, as grandes janelas envidraçadas e corrediças permaneciam abertas no mesmo nível do dique. Era só saltar uma estreita moldura de madeira para encontrar-me na sala de jantar, que eu logo deixava para tomar o elevador.

Ao passar pelo escritório, dirigia um sorriso ao gerente; recolhia outro correspondente em seu rosto, sem mais sentir nem sombra de desagrado, pois desde que me achava em Balbec minha atenção compreensiva se fora pouco a pouco injetando naquela cara e transformando-a como uma preparação de História Natural. Seus traços fisionômicos já eram para mim coisa corrente, haviam-se carregado de significação, medíocre, sim, mas inteligível como letra que já não se parecia àqueles caracteres estranhos, intoleráveis, que me apresentara seu rosto no primeiro dia em que vi diante de mim uma personagem ora esquecida; personagem que, se me acontecia evocá-la, era já desconhecida e dificílima de identificar com a personalidade insignificante e polida a que servia de caricatura sumária e disforme. Já sem aquela timidez e tristeza da noite de minha chegada ao hotel, tocava a campainha do elevador; e agora o ascensorista já não ficava silencioso enquanto eu ia subindo a seu lado, como em uma caixa torácica móvel que corresse ao longo da espinha, mas repetia-me: "Já não há tanta gente como um mês atrás. Começam a partir; os dias vão encurtando". E dizia isso não porque fosse verdade, mas porque tinha uma colocação em hotel num lugar mais quente da costa e desejaria que nós todos partíssemos, para que assim o hotel tivesse de fechar e lhe sobrassem alguns dias de folga antes de continuar em sua nova colocação. "Continuar" e "nova" não eram na sua linguagem expressões contraditórias, porque para ele continuar era a forma usual de começar. A única coisa que me estranhou é que tivesse a condescendência de dizer "colocação", pois pertencia a esse proletariado moderno que pretende apagar da linguagem qualquer vestígio do regime da domesticidade. Mas em seguida me anunciou que na "colocação" em que ia "continuar" teria uma "túnica mais bonita" e "honorários" melhores; e é que as palavras "uniforme" e "salário" lhe parecem antiquadas e inconvenientes. E como, por um acaso de absurda contradição, o vocabulário sobreviveu, apesar de tudo, no espírito dos "patrões", à concepção da desigualdade, acontecia que eu sempre interpretava mal o que me dizia o ascensorista. O que eu queria saber era se minha avó se achava no hotel. E antes que eu lhe perguntasse qualquer coisa, dizia-me ele: "Essa senhora acaba de sair do seu quarto". Eu jamais atinava com a coisa e imaginava tratar-se de minha avó. "Não, essa senhora que é, penso eu, empregada dos senhores." Como na antiga linguagem burguesa, que pelo visto já devia estar abolida, não se considerava a cozinheira uma empregada, eu ficava um momento a pensar: "Enganou-se, pois nós não temos fábrica nem empregados". Logo me vinha à mente que o nome de empregado é o mesmo que o uso do bigode para os garçons: uma satisfação de amor-próprio que se dá aos criados, e que essa senhora que acabava de sair era Françoise (que provavelmente fora visitar o cafeteiro ou ver costurar a governanta da senhora belga); tal satisfação ainda não parecia bastante ao rapaz do elevador, porque costumava dizer da gente de sua classe, em tom de compaixão: "o trabalhador", ou "o pequeno", empregando o mesmo singular coletivo de Racine quando diz "o pobre...".[78] Mas, em geral, como já haviam desaparecido a timidez e o desejo de agradar que senti no primeiro dia, não falava mais com ele. E agora ele é que ficava sem resposta durante aquela curta travessia, cujos nós tinha de ir fiando, através do hotel, oco como um brinquedo, e que desdobrava em redor de nós, de andar para andar, as suas ramificações de corredores; e lá no fundo a luz se aveludava, diminuía, desmaterializava as portas de comunicação e os degraus das escadas interiores, que convertia num âmbar dourado, inconsistente e misterioso, como um desses crepúsculos em que Rembrandt recorta o anteparo de uma janela ou a borda de um poço. E em cada andar um resplendor áureo sobre o tapete anunciava o pôr do sol e as janelas dos banheiros.

Indagava comigo se as meninas que acabava de ver morariam em Balbec e quem seriam. Quando o desejo se orienta assim para uma pequena tribo humana que ele escolheu, tudo o que a ela se refere vem a converter-se em motivo de emoção e, logo depois, de

---

78 Aproximação tipicamente proustiana entre um fato do cotidiano e uma referência erudita: nesse trecho ele aproxima expressões utilizadas pelo ascensorista de versos do segundo ato, cena 9, da peça *Athalie*, de Racine. (N. E.)

sonho. Ouvira a uma senhora no passeio: "É uma amiga da menina Simonet", no mesmo tom de presunçoso esclarecimento de uma pessoa que dissesse: "É um companheiro inseparável do pequeno La Rochefoucauld". E logo se notou no rosto da pessoa a quem foram dirigidas tais palavras a curiosidade e o desejo de olhar com maior atenção a favorecida criatura "amiga da menina Simonet". Privilégio que por certo não se concedia a todo mundo. Porque a aristocracia é coisa relativa. E há lugarejos onde o filho de um vendedor de móveis é príncipe das elegâncias e tem a sua corte, como um jovem príncipe de Gales. Mais tarde procurei recordar como soou para mim na praia, ao ouvi-lo pela primeira vez, esse nome Simonet, incerto ainda em sua forma, que eu não percebera bem, e também em sua significação, na possibilidade de que designasse a esta ou àquela pessoa; envolvido, em suma, dessa vagueza e dessa novidade que nos serão tão comoventes, no futuro; pois esse nome, cujas letras se vão gravando segundo a segundo, e cada vez mais profundamente, em nós, por obra da incessante atenção, chegará a converter-se (com o da menina Simonet não me ocorreu isto senão anos mais tarde) no primeiro vocábulo que encontramos no momento de despertar ou após um desmaio, antes ainda da noção da hora que seja e do lugar em que nos achemos, antes da palavra "eu", como se o ser que esse nome designa fosse mais do que nós mesmos, e como se depois de um momento de inconsciência essa trégua que acaba de expirar significasse antes de tudo alguns instantes em que deixamos de pensar em tal nome. Não sei por que desde o primeiro dia me pareceu que alguma daquelas meninas devia chamar-se Simonet, e estava sempre pensando em como poderia chegar a conhecer a família Simonet; e conhecê-los por meio de uma pessoa que eles julgassem superior, coisa não muito difícil, se se tratava de livres rapariguinhas do povo, como eu supunha, a fim de que não formassem de mim uma ideia muito desdenhosa. Pois não é possível chegar ao conhecimento perfeito nem efetuar a absorção completa de uma criatura que nos desdenha enquanto não tenhamos vencido esse desdém. E cada vez que a imagem de mulheres tão diferentes penetra em nós, já não temos um instante de repouso, a não ser que o esquecimento ou a concorrência de outras imagens a elimine, até que convertamos essas mulheres estranhas em algo parecido a nós mesmos, pois nossa alma tem nestas coisas a mesma faculdade de reação e atividade que o nosso organismo, o qual não pode tolerar a intromissão em seu seio de um corpo estranho sem tentar ime-diatamente a digestão e a assimilação do intruso; assim, imaginava eu que a pequena Simonet devia ser a mais bela de todas, e, de resto, a que talvez chegasse um dia a ser minha amante, porque foi ela a única que notara a fixidez de meus olhares, voltando um pouco para mim a cabeça duas ou três vezes. Perguntei ao ascensorista se não conhecia alguns Simonet em Balbec. Como não lhe agradara confessar que ignorava o que quer que fosse, respondeu que lhe parecia ter ouvido falar nesse nome. Chegado ao último andar, pedi-lhe que me mandasse a lista dos hóspedes recém-chegados.

Saí do elevador; mas, em vez de entrar no quarto, segui pelo corredor, porque àquela hora o camareiro, embora tivesse medo às correntes de ar, abria a janela do fundo; essa janela não dava para o mar, e sim para o vale e a colina, mas como estava quase sempre fechada e os vidros eram opacos, não deixava ver a paisagem. Fiz estação por um momento diante da janela, prestando a devida devoção à "vista" que por uma vez se me oferecia, para além da colina a que se encostava o hotel; na colina havia apenas uma casinha postada a certa distância, mas a que a perspectiva e a luz vesperal, conservando-lhe o volume, davam uma cinzeladura preciosa e um escrínio de veludo, como a uma dessas arquiteturas em miniatura, pequeno templo ou pequena capela de ourivesaria e esmalte que servem de relicário e que só se expõem em raros dias à veneração dos fiéis. Mas aquele instante de adoração já havia durado demais, pois o camareiro, que tinha numa das mãos um molho de chaves e com a outra me saudava, tocando o seu solidéu de sacristão, mas sem erguê-lo, devido ao ar puro e fresco da tarde, vinha fechar os dois batentes da janela como quem fecha as duas portas de um relicário e furtava à minha adoração o monumento reduzido e a relíquia de ouro. Entrei no meu quarto.

À medida que o verão avançava, ia mudando o quadro que se avistava da minha janela. No princípio havia muita claridade, e sombra apenas quando fazia mau tempo: então, no vidro glauco a que parecia intumescer com as vagas redondas, o mar, engastado entre os caixilhos de ferro de minha vidraça como entre os chumbos de um vitral, desfiava em toda a rochosa orla da baía triângulos empenachados de uma imóvel espuma delineada com a delicadeza de uma pena ou de uma pluma desenhadas por Pisanello, e que pareciam solidificados nesse esmalte branco, inalterável e espesso, que figura uma camada de neve nos trabalhos de vidro de Gallé.

Em breve os dias diminuíram e no momento em que eu entrava no quarto o céu violeta parecia estigmatizado pela figura hirta, geométrica, passageira e fulgurante do sol (semelhante à representação de algum signo miraculoso, de alguma aparição mística) e inclinava-se para o mar sobre a charneira do horizonte como um quadro religioso acima do altar-mor, ao passo que as diversas partes do poente, expostas nos espelhos das estantes baixas de acaju que corriam ao longo das paredes e que eu reportava em pensamento à maravilhosa pintura de que elas estavam destacadas, assemelhavam-se a essas cenas diferentes que algum mestre antigo executou outrora para uma confraria sobre um relicário e que se exibem ao lado uns dos outros numa sala de museu os painéis separados, que só a imaginação do visitante repõe em seu lugar sobre as predelas do retábulo.

Algumas semanas mais tarde, quando eu subia, o sol já desaparecera. Por cima do mar, compacta e recortada como uma gelatina, havia uma franja de céu vermelho, semelhante à que eu via em Combray sobre o Calvário quando voltava de meu passeio e me dispunha a descer à cozinha antes do jantar, e um momento depois, sobre o mar frio e azulado como esse peixe que chamam de mugem, o céu, do mesmo tom rosado do salmão que haveriam de servir-nos pouco depois em Rivebelle, reavivava o prazer que eu teria em vestir a casaca para ir jantar. No mar, e muito perto da margem, lutavam por elevar-se uns acima dos outros, em camadas cada vez mais largas, vapores de um negro de fuligem, mas com um brunido e consistência de ágata, de um peso visível, e de tal modo que os mais altos, inclinando-se por cima da haste deformada e até para fora do centro de gravidade dos que até então os haviam sustentado, pareciam estar a pique de arrastar toda aquela armação já a meio caminho do céu, e precipitá-la ao mar. A vista de um barco que se afastava como um viajante noturno dava-me a mesma impressão que já tivera no trem de estar liberado das necessidades do sono e do enclausuramento num quarto. Aliás, na verdade não me sentia prisioneiro em meu quarto, visto que dentro de uma hora ia sair dele para tomar um carro. Estendia-me na cama, e via-me cercado por todos os lados de imagens do mar, como se estivesse na cama de vento de um desses barcos que passavam perto de mim, desses barcos que depois, pela noite, nos espantaria ver moverem-se lentamente nas trevas, como cisnes sombrios e silenciosos, mas que não dormem.

E muitas vezes, com efeito, não eram mais que imagens, pois esquecia que por detrás daquelas cores não havia senão o triste vazio da praia, varrida por esse vento inquieto da noite que com tanta angústia sentira no dia de minha chegada a Balbec; de resto, preocupado com a ideia das raparigas que vira passar, nem sequer ali em meu quarto me sentia de ânimo bastante tranquilo e desinteressado para que pudessem produzir-se em minha alma impressões de beleza verdadeiramente profundas. Com a espera da ceia em Rivebelle, ainda me achava de humor mais frívolo e meu pensamento residia nesses instantes na superfície de meu corpo, o corpo que ia vestir em seguida a fim de que parecesse o mais agradável possível aos olhares femininos que em mim pousassem no iluminado restaurante; de modo que era incapaz de imaginar qualquer profundeza sob o colorido das coisas. E se, sob a minha janela, o voo infatigável e brando dos martinetes e das andorinhas não subisse como um repuxo, como uma girândola de vida, unindo o intervalo desses fogos ascendentes com a fiada imóvel e branca de longos sulcos horizontais, se não fora o encantador milagre desse fenômeno natural e local que ligava à realidade as paisagens que tinha diante dos olhos, poderia eu acreditar que não eram mais que uma seleção, diariamente renovada, de pinturas expostas arbitrariamente no local em que me achava e sem que tivessem relação necessária com este. Às vezes era uma exposição de estampas japonesas: junto à delicada côdea de sol, redondo e vermelho como a lua, uma nuvem amarela figurava um lago e, destacando-se contra ela, como se fossem árvores plantadas à margem do lago imaginário, erguiam-se negros gladíolos; uma barra de um rosa suave, como nunca vira desde a minha primeira caixa de aquarelas, inflava-se à guisa de rio, e às suas margens havia uns barquinhos que pareciam estar em seco, esperando que os viessem pôr a flutuar. E com o olhar desdenhoso, entediado e frívolo de um amador ou de uma mulher que percorre entre duas visitas mundanas uma galeria, dizia eu com os meus botões: "Curioso esse pôr do sol; sim, muito singular; mas já vi outros igualmente delicados e extraordinários". Mais me agradavam as tardes em que aparecia, como em tela impressionista, um barco absorvido e fluidificado pelo horizonte, de uma cor tão crepuscular que parecia da mesma matéria, como se a sua proa e suas enxárcias não fossem mais que recortes abertos no azul vaporoso do céu, que neles se fazia ainda mais sutil e filigranado. Às vezes o oceano enchia quase toda a minha janela, com uma franja de céu apenas bordada no alto por uma linha que era do mesmo azul do mar, pelo que imaginava eu que fosse mar também, atribuindo sua tonalidade diversa a um efeito de luz. Em outros dias o mar pintava-se tão somente na parte inferior da janela e todo o espaço restante enchiam-no infinitas nuvens amontoadas umas contra as outras, em franjas horizontais, de sorte que parecia que as janelas apresentavam, por premeditação ou especialidade artística, um "estudo de nuvens", enquanto os vidros das estantes mostravam nuvens semelhantes, mas de diversos lugares do horizonte e diversamente iluminadas, como se oferecessem essa repetição, tão grata de alguns mestres contemporâneos, de um mesmo e único motivo tomado sempre em horas diferentes, mas que, graças à imobilidade da arte, agora já podiam ver-se juntos numa mesma peça, executados a pastel e cada qual por detrás de seu vidro. Vezes havia em que sobre mar e céu, uniformemente cinzentos, pousava com delicado refinamento um leve tom rosado, e uma borboleta adormecida na parte baixa da janela, ali ao pé daquela "harmonia em gris e rosa", à maneira das de Whistler, parecia apor com as suas asas a assinatura favorita do mestre de Chelsea.[79] Tudo ia desaparecendo, até a tonalidade rósea, e nada mais restava que olhar. Erguia-me um momento e, antes de tornar a deitar-me, fechava os cortinados. Por cima deles, da minha cama, via a raia de claridade que ainda restava ensombrecer-se e atenuar-se progressivamente; mas nenhuma espécie de tristeza nem de nostalgia me dava o deixar morrer no alto das cortinas aquela hora em que geralmente estava sentado à mesa, pois sabia que aquele dia era diferente dos demais, muito mais longo, como os dias polares, que a noite interrompe apenas por uns momentos; sabia que da crisálida daquele crepúsculo já se aprestava a sair, em radiante metamorfose, a esplendorosa luz do restaurante de Rivebelle. "Já está na hora", pensava; espreguiçava-me na cama, punha-me de pé, dava remate à tarefa de preparar-me, e pareciam-me deliciosos aqueles instantes inúteis, aliviados de todo peso material, nos quais eu empregava, enquanto os outros estavam embaixo jantando, todas as forças acumuladas durante a inatividade do descanso, tão somente em enxugar o corpo, em vestir o *smoking*, em dar o laço na gravata, em todos esses movimentos dominados já pelo esperado prazer de ver de

---

79 "Harmonia em gris e rosa" é o título do retrato de Lady Meux realizado por Whistler (1843-1903), que assinava algumas de suas telas com uma simples borboleta. (N. E.)

novo uma mulher em que havia reparado da última vez que estivera em Rivebelle, que parecera me olhar, e que, se aquela noite saiu por um momento do refeitório, foi acaso para ver se eu não a seguia; e muito alegremente me revestia de todos aqueles atrativos para entregar-me espontânea e completamente a uma vida nova, livre, sem preocupações, em que me seria possível apoiar minhas hesitações na calma de Saint-Loup, em que escolheria, dentre todas as espécies da História Natural vindas de todas as terras, aquelas que, por serem ingredientes de inusitados pratos, imediatamente encomendados por meu amigo, mais tentassem a minha gula ou a minha imaginação.

E afinal chegaram os dias em que já não podia entrar no hotel pelas janelas do refeitório; não estavam abertas porque era de noite, e todo um enxame de pobres e de curiosos, atraídos por aquele esplendor para eles inacessível, pendia, em negros cachos fustigados pela ventania, das paredes luminosas e resvaladiças da colmeia de vidro.

Bateram; era Aimé, que fizera questão de trazer-me em pessoa as últimas listas de hóspedes.

Antes de retirar-se, Aimé insistiu em dizer que Dreyfus era mil vezes culpado.

— Hão de saber tudo — disse ele. — Não neste ano, mas no ano que vem. Quem me disse foi um senhor muito bem relacionado no Estado-Maior.[80]

Perguntei se não se resolveriam a descobrir tudo de uma vez, antes do fim do ano.

---

80 Proust vai introduzindo o "Caso Dreyfus" pela "porta dos fundos": propondo sempre uma leitura da história "a partir da psicologia do indivíduo medíocre", ele nos fala inicialmente daquele caso através do empregado do hotel de Balbec. Em julho de 1898, o ministro da Guerra, Godefroy Cavaignac, havia apresentado à Câmara um dossiê que pareceria provar de uma vez por todas a culpa do coronel judeu Dreyfus, em um caso de espionagem junto ao governo alemão. Essa espécie de prova cabal revelar-se-ia uma farsa (cf. o posfácio ao volume *Sodoma e Gomorra*). (N. E.)

— Ele pousou o cigarro — continuou Aimé, reproduzindo a cena e sacudindo a cabeça e o indicador, como fizera o seu hóspede, como quem diz: não se deve ser demasiado exigente. — Não este ano, Aimé — disse-me ele, batendo-me no ombro —, não é possível. Mas lá pela Páscoa, sim! — E Aimé bateu-me levemente no ombro, dizendo: — Está vendo o senhor? Eu lhe mostro exatamente como ele fez — ou porque estivesse lisonjeado com aquela familiaridade de uma grande personagem, ou para que eu pudesse melhor apreciar em pleno conhecimento de causa o valor do argumento e os nossos motivos de esperança.

Não foi sem um leve choque no coração que, na primeira página da lista de hóspedes, li as palavras: "Simonet e família". Tinha ainda comigo velhos sonhos que datavam da infância, e nestes sonhos toda a ternura que habitava em meu coração, e que, sentida por ele, dele não se distinguia, foi-me trazida por um ser tão diferente de mim quanto possível. E tal ser, eu o fabricava agora ainda mais uma vez, utilizando para isso o nome Simonet e a recordação da harmonia daqueles corpos jovens que vira desfilar na praia em procissão desportiva digna da Antiguidade e de Giotto. Não sabia qual das moças era a srta. Simonet, nem sequer se alguma delas assim se chamava, mas já sabia que era amado pela srta. Simonet e que procuraria travar relações com ela por intermédio de Saint-Loup. Infelizmente Robert obtivera prorrogação de licença sob a condição de comparecer todos os dias a Doncières. Pensei que, para fazê-lo faltar às suas obrigações militares, devia contar não só com a sua amizade a mim, mas também com a mesma curiosidade de naturalista humano que tantas vezes me despertara o desejo de conhecer uma nova variedade da beleza feminina, embora sem ter visto a pessoa de que falavam, só por ouvir dizer que em determinada casa de frutas havia uma caixa muito bonita. Mas em vão procurei excitar essa curiosidade em Saint-Loup, falando-lhe nas minhas moças. Nele a curiosidade estava de há muito paralisada pelo amor que dedicava à atriz sua amante. E, mesmo que houvesse sentido de leve tal curiosidade, tê-la-ia imediatamente reprimido, por uma espécie de crença supersticiosa de que a fidelidade da amante podia talvez depender da sua própria fidelidade. Assim, fomos jantar em Rivebelle sem que ele prometesse ocupar-se ativamente do meu caso.

Nos primeiros tempos, quando chegávamos, o sol acabava de pôr-se, mas ainda estava claro; no jardim do restaurante, cujas luzes ainda não estavam acesas, baixava o calor do dia, depositava-se, assim como no fundo de uma taça, ao longo de cujas paredes a geleia transparente e escura do ar parecia tão consistente quanto uma grande roseira que, aderida ao muro ensombrecido que ela estriava de rosa, se assemelhava à arborização que se vê no fundo de uma pedra de ônix. Mas depois, ao descermos do carro em Rivebelle, já reinava a noite, e também era quase noite quando partíamos de Balbec, se o mau tempo nos fazia adiar o instante de atrelar, na esperança de uma melhora. Mas naqueles dias era sem tristeza que eu ouvia soprar o vento, pois sabia que não significava o abandono de meus projetos, a reclusão em um quarto; sabia que, na grande sala de jantar do restaurante onde entraríamos ao som da música dos ciganos, as inúmeras lâmpadas facilmente triunfariam da escuridão e do frio, aplicando-lhes os seus largos cautérios de ouro, e sentava alegremente ao lado de Saint-Loup no cupê que nos esperava sob o aguaceiro.

Desde algum tempo as palavras de Bergotte, ao dizer-se convicto de que eu, apesar do que julgava, tinha pendor para fruir principalmente os prazeres da inteligência, me haviam dado, a respeito do que eu poderia fazer mais tarde, uma esperança diariamente desmentida pelo tédio que sentia ao sentar-me ante uma mesa para começar um estudo crítico ou um romance. "Afinal de contas", pensava eu, "talvez o prazer que se teve em escrevê-la não seja o critério infalível do valor de uma bela página, talvez não passe de um estado acessório que muitas vezes se lhe vem juntar, mas cuja falta não pode incriminá-la. Talvez algumas obras-primas tenham sido compostas entre bocejos". Minha avó apaziguava minhas dúvidas, dizendo que eu trabalharia bem e com alegria se passasse bem de saúde. E como o nosso médico achara mais prudente avisar-me dos graves riscos a que podia expor-me o meu estado, traçando-me todas as precauções de higiene a seguir a fim de evitar um acidente — eu subordinava todos os prazeres à finalidade que julgava infinitamente mais importante que eles, de me tornar bastante forte para poder realizar a obra que talvez trouxesse em mim; exercia sobre mim mesmo, depois que estava em Balbec, uma constante e minuciosa vigilância. Ninguém me faria tocar na taça de café que me privaria do sono da noite, necessário para não ficar fatigado no dia seguinte. Mas ao chegarmos em Rivebelle, por causa da excitação de um prazer novo e achando-me nessa zona diferente em que o excepcional nos faz entrar depois de ter cortado o fio, pacientemente urdido desde tantos dias, que nos conduzia para a sensatez — como se jamais devesse haver dia seguinte, nem objetivos elevados para realizar —, logo desaparecia aquele mecanismo preciso de prudente higiene que funcionava para salvaguardá-los. Enquanto um criado me pedia a capa, dizia-me Saint-Loup:

— Você não sentirá frio? Talvez seja melhor que a conserve, não está fazendo muito calor.

Eu respondia: "Não, não", e talvez não sentisse frio, mas em todo caso já não mais conhecia o medo de cair doente, a necessidade de não morrer, a importância de trabalhar. Entregava a minha capa; entrávamos na sala do restaurante ao som de qualquer marcha guerreira executada pelos ciganos, avançávamos por entre as filas de mesas postas, como por um fácil caminho de glória e, sentindo o alegre ardor imprimido a nosso corpo pelos ritmos da orquestra que nos concedia as suas honras militares e aquele imerecido triunfo, nós o dissimulávamos por detrás de uma fisionomia grave e gelada, com um andar cheio de lassidão, para não imitar essas cantoras de café-concerto que, vindo cantar num tom bélico uma copla obscena, entram correndo em cena com o marcial aspecto de um general vitorioso.

A partir daquele momento eu me tornava um homem novo, que não era mais o neto de minha avó e só se lembrava dela à saída, mas o irmão momentâneo dos garçons que nos iam servir.

A dose de cerveja, e com mais forte razão de champanhe, que em Balbec eu não consentiria em atingir numa semana, conquanto então à minha consciência calma e lúcida o sabor dessas beberagens apresentasse um prazer claramente apreciável mas facilmente sacrificado, eu a absorvia numa hora, acrescentando-lhe algumas gotas de porto, muito distraído para poder saboreá-lo, e dava ao violinista que acabava de tocar os dois luíses que vinha economizando há um mês para uma compra de que não mais me lembrava. Alguns garçons que serviam, à solta entre as mesas, disparavam a toda a velocidade, com um prato sobre as palmas estendidas, parecendo até que não o deixar cair fosse a finalidade desse gênero de corridas. E com efeito, os suflês de chocolate chegavam a seu destino sem derramar-se e as batatas à inglesa, apesar do galope que as deveria ter sacudido, arranjadas, como na partida, em torno do carneiro de Pauillac. Notei um desses empregados, muito alto, emplumado de soberbos cabelos negros, o rosto arrebicado de uma cor que mais lembrava certas espécies de pássaros raros do que a espécie humana, e que, correndo sem pausa e, dir-se-ia, sem finalidade de um a outro extremo da sala, fazia pensar em alguma dessas araras que enchem os grandes aviários dos jardins zoológicos com o seu ardente colorido e a sua incompreensível agitação. Logo o espetáculo se ordenou, pelo menos a meus olhos, de maneira mais nobre e mais calma. Toda aquela vertiginosa atividade se fixava em serena harmonia. Eu olhava as mesas redondas cuja inumerável frequência enchia o restaurante, como outros tantos planetas, tais como eram figurados nos quadros alegóricos de antigamente. Aliás, exercia-se uma força de atração irresistível entre aqueles diversos astros, e em cada mesa os fregueses não tinham olhos senão para as mesas em que não se achavam, exceto algum rico anfitrião, o qual, tendo conseguido trazer algum escritor célebre, se empenhava em tirar dele, graças às virtudes da mesa giratória, frases insignificantes com que as damas se maravilhavam. A harmonia dessas mesas astrais não prejudicava a incessante revolução dos inúmeros criados que, por não estarem sentados como os fregueses e sim de pé, evoluíam numa zona superior. Sem dúvida corriam para trazer *hors-d'oeuvre*, renovar bebidas, recolher copos. Mas, apesar dessas razões particulares, a sua perpétua corrida entre as mesas redondas acabava por evidenciar a lei da sua vertiginosa e regulada circulação. Sentadas por trás de um maciço de flores, duas horríveis caixas, entregues a cálculos sem fim, pareciam duas mágicas ocupadas em prever, por meio de cálculos astrológicos, os transtornos que podiam às vezes produzir-se naquela abóbada celeste concebida segundo a ciência da Idade Média.

E eu tinha certa pena de todos os fregueses, porque sentia que para eles as mesas redondas não eram planetas e não haviam praticado nas coisas o secionamento que nos desembaraça da sua aparência costumeira e nos permite descobrir analogias. Pensavam estar jantando com determinada pessoa, que a refeição custaria mais ou menos tanto e que recomeçariam no dia seguinte. E pareciam absolutamente insensíveis ao desenrolar de um cortejo de rapazinhos que, não tendo por certo nada de urgente a fazer na ocasião, carregavam processionalmente pães em grandes cestos. Alguns, demasiado jovens, atordoados com os cachações que os mordomos lhes davam de passagem, fixavam melancolicamente os olhos num sonho remoto e só se sentiam consolados se algum hóspede do hotel de Balbec em que estiveram outrora empregados, reconhecendo-os, lhes dirigia a palavra e dizia-lhes pessoalmente que levassem o champanhe, que estava imbebível, o que os enchia de orgulho.

Eu ouvia a vibração de meus nervos, em que havia bem-estar, independente dos objetos exteriores que o pudessem proporcionar, e que o menor deslocamento que eu ocasionava ao meu corpo, à minha atenção, bastava para fazer-me sentir, como num olho fechado uma leve compressão produz à sensação da cor. Já bebera muito porto e, se ainda pedia mais, era menos em vista do bem--estar que me trariam os novos cálices do que por efeito do bem-estar provocado pelos cálices precedentes. Deixava a música por si mesma conduzir o meu prazer sobre cada nota, onde vinha ele então docilmente pousar. Se, como no caso dessas indústrias químicas graças às quais são postos no mercado, em grande quantidade, corpos que só se encontram na natureza de modo acidental e muito raramente, aquele restaurante de Rivebelle reunia, em um mesmo momento, mais mulheres de cujo íntimo me acenavam perspectivas de felicidade que o acaso dos passeios me depararia num ano; por outro lado, aquela música que ouvíamos — arranjos de valsas, de operetas alemãs, de canções de café-concerto, todas novas para mim — era em si mesma como que um lugar de prazer aéreo, superposto ao outro e mais embriagador do que ele. Pois cada motivo, particular como uma mulher, não reservava, como o faria ela, para algum privilegiado, o segredo de volúpia que ocultava: ele mo oferecia, me namorava, vinha a mim com um ar caprichoso ou canalha, abordava-me, acariciava-me, como se eu me tivesse tornado de súbito mais sedutor, mais poderoso ou mais rico; bem que eu achava nessas músicas alguma coisa de cruel; é que todo sentimento desinteressado de beleza, todo reflexo de inteligência lhes era desconhecido; para elas só existe o prazer físico. E são o inferno mais impiedoso, o mais desprovido de saídas para o infeliz ciumento a quem apresentam esse prazer, esse prazer que a mulher amada goza com um outro, como a única coisa que existe no mundo para aquela que o enche inteiro. Mas enquanto eu repetia a meia-voz as notas daquela música e lhe devolvia o seu beijo, tão cara se me tornou a volúpia toda sua que ela me dava, que seria capaz de deixar meus pais para seguir o motivo no mundo singular que construía no invisível, em linhas alternadamente cheias de languidez e vivacidade. Embora tal prazer não seja dos que dão mais valor à criatura a que se unem, pois não é sentido unicamente por esta, e embora, de cada vez que em nossa vida desagradamos a uma mulher que nos viu, ela ignorasse em tal momento se possuíamos ou não essa felicidade interior e subjetiva que, por conseguinte, em nada lhe teria alterado o juízo que formou a nosso respeito, eu me sentia mais poderoso, quase irresistível. Parecia-me que meu amor já não era alguma coisa desagradável e de que pudessem sorrir, mas tinha precisamente a comovedora beleza, a sedução daquela música, semelhante ela própria a um meio simpático em que a minha amada e eu nos teríamos encontrado, tornando-nos íntimos de repente.

O restaurante não era apenas frequentado por mulheres levianas, mas também pela gente mais elegante da sociedade, que ali comparecia às cinco ou oferecia grandes jantares. O chá das cinco se realizava numa galeria envidraçada, estreita e longa, em forma de corredor que, indo do vestíbulo à sala de jantar, perlongava de um lado o jardim, do qual só era separada, não falando em alguns pilares de pedra, pelas vidraças, que abriam aqui e acolá. Isso ocasionava, além de inúmeras correntes de ar, bruscos, intermitentes reflexos, toda uma ofuscante e instável iluminação que quase impedia de distinguir as mulheres que, quando ali se achavam, empilhadas de duas em duas mesas em todo o comprimento do estreito gargalo, como cintilassem a cada gesto que faziam para tomar chá ou trocar saudações, dir-se-ia um reservatório, uma nassa em que o pescador atulhara os fulgurantes peixes apanhados, metade fora d'água e banhados de raios, a reverberarem a nossos olhos em sua luz cambiante.

Algumas horas mais tarde, durante o jantar, esse naturalmente servido no refeitório, acendiam as luzes, se bem que fora ainda estivesse claro, de modo que a gente avistava, no jardim, ao lado de pavilhões alumiados pelo crepúsculo e que pareciam os pálidos espectros da tarde, sebes cuja glauca verdura era atravessada pelos últimos raios e que, da sala de jantar iluminada pelas lâmpadas, apareciam, além das vidraças — não mais, como se teria dito das damas que tomavam chá no fim da tarde, ao longo do corredor azul, numa faixa rebrilhante, úmida —, mas como as vegetações de um pálido e verde aquário gigante banhado em luz sobrenatural. Levantavam-se da mesa; e se os convivas, durante a refeição, passavam o tempo a olhar, a reconhecer, a indagar a respeito dos convivas do jantar vizinho, haviam sido retidos numa coesão perfeita em torno de sua própria mesa, a força atrativa, que os fazia gravitar em torno de seu anfitrião de uma noite, perdia algo do seu poder no momento em que, para tomar café, se dirigiam para aquele mesmo corredor em que fora servido o chá; acontecia muitas vezes que, no instante da passagem, algum jantar em andamento perdia um ou vários de seus corpúsculos, que, tendo sofrido muito fortemente a atração do jantar rival, se destacavam um instante do seu, onde eram substituídos por senhores ou damas que tinham vindo cumprimentar amigos, dizendo: "Tenho de ir andando para estar com o sr. X, que me convidou hoje". E, durante um instante, era como que dois ramalhetes separados que houvessem trocado algumas de suas flores. Depois o próprio corredor se esvaziava. Muitas vezes, como mesmo depois do jantar ainda houvesse um pouco de claridade, não alumiavam aquele longo corredor e, acotovelado pelas árvores que se inclinavam lá fora do outro lado da vidraça, tinha ele o aspecto de uma alameda num parque espesso e tenebroso. Às vezes, na penumbra, um conviva ali se demorava. Atravessando-o para sair, vi no corredor, uma noite, sentada no meio de um grupo desconhecido, a bela princesa de Luxemburgo. Tirei o chapéu, sem deter-me. Ela reconheceu-me, inclinou a cabeça, a sorrir; muito acima desse cumprimento, emanando daquele próprio gesto, se elevaram melodiosamente algumas palavras a mim dirigidas, que deviam ser um boa-noite um pouco longo não para que eu parasse, mas unicamente para completar a saudação, para torná-la uma saudação falada. Mas as palavras permaneceram tão indistintas e o som, a única coisa que percebi, se prolongou tão suavemente, e tão musical me pareceu, que foi como se na ramagem ensombrada das árvores um rouxinol se pusesse a cantar.

Se por acaso, para terminar a noite com algum grupo de amigos seus que encontráramos, Saint-Loup resolvia ir ao Cassino de uma praia vizinha e se, partindo com eles, me punha sozinho num carro, eu recomendava ao cocheiro que fosse a toda a velocidade, a fim de que se tornassem menos longos os instantes que passaria sem o auxílio de ninguém para me dispensar de fornecer eu próprio à minha sensibilidade — dando contramão e saindo da passividade em que estava preso como numa engrenagem — essas modificações que eu recebia dos outros desde que chegara a Rivebelle. O choque possível com um carro que viesse em sentido contrário naqueles caminhos em que só havia lugar para um único e em que fazia noite escura, a instabilidade do solo muita vez desmoronado do barranco, a proximidade de sua vertente a pique sobre o mar, nada disso achava em mim o pequeno esforço necessário para levar a representação e o temor do perigo até a minha razão. E que, do mesmo modo que não o desejo de ficar célebre, mas o hábito do trabalho é que nos permite produzir uma obra, não é o entusiasmo do momento atual, mas as sábias reflexões do passado que nos auxiliam a preservar o futuro. Ora, se ao chegar a Rivebelle eu já lançara fora essas muletas do raciocínio, da fiscalização própria que ajudam nossa fraqueza a seguir o reto caminho, e me achava atacado de uma espécie de ataxia moral, o álcool, distendendo excepcionalmente meus nervos, dava aos minutos presentes uma qualidade, um encanto que não me podiam tornar mais apto, nem mesmo mais resolvido a defendê-los; pois fazendo-me preferi-los mil vezes ao resto da minha vida, minha exaltação os isolava dela; achava-me encerrado no presente, como os heróis, como os bêbados; momentaneamente eclipsado, meu passado já não projetava adiante de mim essa sombra de si mesmo que nós chamamos o nosso futuro; colocando a finalidade de minha vida, não mais na realização dos sonhos desse passado, mas na felicidade do minuto atual, eu nada via além deste. De maneira que, por uma contradição apenas aparente, no momento em que experimentava um prazer excepcional, em que sentia que minha vida podia ser feliz, em que poderia ter mais valor para mim, era nesses momentos que, liberto dos cuidados que até então poderia ela ter inspirado, eu a abandonava sem vacilação ao acaso de um acidente. Em suma, não fazia aliás senão concentrar numa noite a incúria que para os outros homens está diluída na sua existência inteira, em que diariamente afrontam sem necessidade os riscos de uma viagem por mar, de um passeio de aeroplano ou automóvel, quando os espera em casa a criatura que a sua morte aniquilaria ou quando está ainda ligado à fragilidade de seu cérebro o livro cujo próximo aparecimento é a única razão de ser da sua vida. E assim, no restaurante de Rivebelle, nas noites em que lá ficávamos, se alguém viesse com o intento de matar-me, como eu não via senão numa remota distância sem realidade a minha avó, a minha vida por vir, os meus livros por compor, como aderia inteiramente ao odor da mulher que estava na mesa próxima, à polidez dos mordomos, ao contorno da valsa que tocavam, como estava colado à sensação presente, não tendo mais extensão que ela nem outra finalidade que a de não ser dela separado, seria morto contra ela, deixar-me-ia matar sem resistência, sem mover-me, abelha entorpecida pelo fumo do tabaco, que já não tem o empenho de preservar a provisão de seus esforços acumulados e a esperança de sua colmeia.

Devo de resto dizer que essa insignificância a que se reduziam as coisas mais graves, em contraste com a violência de minha exaltação, acabava por incluir até a srta. Simonet e suas amigas. A empresa de conhecê-las me parecia agora fácil mas indiferente, pois só a minha sensação atual, graças ao seu extraordinário poder, à alegria que provocavam suas menores alterações e até sua simples continuidade, só isso tinha importância para mim; todo o resto, parentes, trabalho, prazer, raparigas de Balbec, pesava tanto como uma bolha de espuma numa ventania que não a deixa repousar, não existia senão relativamente a esse poder interior; a embriaguez realiza em algumas horas o idealismo subjetivo, o fenomenismo puro: tudo não é mais que aparência e só existe em função do nosso sublime eu. Não quer dizer, aliás, que um amor verdadeiro, se temos algum, não possa subsistir em semelhante estado. Mas sentimos tão bem, como num meio novo, que pressões desconhecidas mudaram as dimensões desse sentimento que não podemos considerá-lo como dantes. Esse mesmo amor, é verdade que o reencontramos, mas deslocado, não mais pesando sobre nós, satisfeito da sensação que lhe concede o presente e que nos basta, pois o que não seja atual não nos importa. Infelizmente, o coeficiente que assim transforma os valores, apenas os transforma nessa hora de embriaguez. As pessoas que não tinham mais importância e sobre as quais soprávamos como sobre bolhas de sabão retomarão amanhã a sua densidade; será preciso entregar-se de novo a trabalhos que não significam mais nada. Coisa mais grave ainda, essa matemática do dia seguinte, a mesma de ontem, e com cujos problemas nos encontraremos inexoravelmente às voltas, é a que nos rege até durante aquelas horas salvo para nós mesmos. Se se acha perto de nós alguma mulher virtuosa ou hostil, essa coisa tão difícil na véspera — a saber que chegássemos a agradar-lhe — nos parece agora um milhão de vezes mais fácil sem que o tenha ficado em nada, pois só a nossos próprios olhos, a nossos próprios olhos interiores, é que nós mudamos. Ela fica tão contrariada no mesmo instante em que nos tenhamos permitido uma familiaridade como o estaremos no dia seguinte por ter dado cem francos ao *groom*, e pela mesma razão que para nós foi apenas retardada: a ausência de embriaguez.

Eu não conhecia nenhuma das mulheres que se achavam em Rivebelle e que, por fazerem parte da minha embriaguez como os reflexos fazem parte do espelho, me pareciam mil vezes mais desejáveis do que a cada vez menos existente srta. Simonet. Uma jovem loira, sozinha, com uma cara triste sob o chapéu de palha semeado de flores campesinas, olhou-me um instante com um ar cismarento e pareceu-me agradável. Depois foi a vez de outra, depois de uma terceira; enfim de uma morena de pele magnífica. Quase todas, ao contrário do que acontecia comigo, eram conhecidas de Saint-Loup.

Antes de vir conhecer a sua amante atual, tinha de tal modo vivido no mundo restrito da libertinagem que, de todas as mulheres que jantavam naquelas noites em Rivebelle, e muitas das quais ali se encontravam por acaso, tendo vindo à praia, algumas para encontrar o amante, outras para ver se encontravam algum, não havia quase nenhuma que ele não conhecesse por ter passado — ele próprio ou algum de seus amigos — pelo menos uma noite com ela. Não as cumprimentava se estavam com um homem, e elas, embora olhando-o mais do que a qualquer outro, porque a indiferença que sabiam ter Saint-Loup por toda mulher que não fosse a sua atriz lhe dava perante elas um prestígio singular, afetavam não conhecê-lo. E uma cochichava: "É o pequeno Saint-Loup. Parece que continua amando a sua perua. É o amor de verdade. Que bonito rapaz! Acho-o de espantar; e que chique! Sempre há mulheres que têm sorte! É um rico tipo em tudo! Conheci-o quando estava com o Orléans. Os dois eram inseparáveis. Estavam de farra naquela ocasião. Mas agora, nada disso; ele não lhe faz nenhuma. Ah!, ela pode dizer que tem mesmo sorte. Eu só queria saber o que ele achou naquela mulher. É preciso ser mesmo um trouxa. Ela tem pés do tamanho de barcos, bigodes à americana, e como é suja a sua roupa de baixo! Não acredito que uma operariazinha quisesse ficar com as suas calças. Repara só que olhos ele tem, é da gente se matar por um homem desses. Cala-te, ele me reconheceu, ele está rindo, oh!, eu sabia que se lembrava de mim. É só lhe falarem a meu respeito". Entre elas e ele eu surpreendia um olhar de inteligência. Desejaria que Saint-Loup me apresentasse àquelas mulheres, desejaria marcar-lhes um encontro e que elas mo concedessem, mesmo que não pudesse aceitá-lo. Pois sem isso, a fisionomia delas ficaria eternamente desprovida, na minha memória, dessa parte de si mesma — e como se estivesse oculta por véu —, que varia em todas as mulheres, que não podemos imaginar numa delas quando não lha vimos, e que parece apenas no olhar que se dirige a nós e que aquiesce ao nosso desejo e nos promete que ele será satisfeito. E no entanto, mesmo assim limitado, o rosto delas significava muito mais para mim que o das mulheres que eu soubesse virtuosas e não me parecia, como o destas, plano, sem interior, composto de uma peça única e sem espessura. Sem dúvida não era para mim o que devia ser para Saint-Loup, que, pela memória, sob a indiferença, para ele transparente, dos traços imóveis que afetavam não conhecê-lo ou sob a banalidade do mesmo cumprimento que teriam dirigido tanto a ele como a qualquer outro, recordava, via, entre cabelos desfeitos, uma boca arquejante e olhos semicerrados, todo um quadro silencioso, como os que os pintores, para enganar a maioria dos visitantes, recobrem de um pano decente. Para mim, pelo contrário, que sabia que nada do meu ser penetrara numa ou noutra daquelas mulheres, e não seria ali carregado pelos caminhos ignotos que ela seguiria vida afora, aqueles rostos permaneciam fechados. Mas já era muito saber que se abririam, para que me parecessem de um valor que não lhes teria atribuído se não passassem de belas medalhas, em vez de medalhões, sob os quais se ocultavam recordações de amor. Quanto a Robert, mal parando no lugar quando estava sentado, dissimulando sob um sorriso de homem de corte e avidez de agir como homem de guerra, eu, olhando-o bem, verificava o quanto a ossatura enérgica de seu rosto triangular devia ser a mesma que a de seus ancestrais, mais feita para um ardente arqueiro que para um letrado delicado. Debaixo da pele fina, a construção atrevida e a arquitetura feudal apareciam. Sua cabeça fazia pensar nessas torres de antigos torreões cujas ameias não utilizadas permanecem visíveis, mas que foram arranjadas interiormente em biblioteca.

De volta a Balbec, a propósito de alguma dessas desconhecidas a quem ele me havia apresentado, eu dizia comigo, sem parar um segundo e no entanto quase sem o notar: "Que mulher deliciosa!", assim como se canta um refrão. Por certo, essas palavras eram ditadas antes por disposições nervosas que por um juízo perdurável. Não é menos certo que, se eu tivesse mil francos comigo e ainda houvesse joalheiros abertos àquela hora, teria comprado um anel para a desconhecida. Quando as horas de nossa vida se desenrolam assim em planos muito diferentes, acontece dar a gente muito de si mesmo para diversas pessoas que no dia seguinte nos parecem desprovidas de interesse. Mas sentimo-nos responsáveis pelo que lhes dissemos na véspera e queremos honrar a nossa palavra.

Como naquelas noites me recolhesse muito tarde, reencontrava com prazer no meu quarto, que não me era mais hostil, o leito onde no dia da chegada julgara que seria sempre impossível repousar e onde agora os meus membros tão cansados buscavam apoio; de maneira que sucessivamente minhas coxas, meus quadris, minhas espáduas procuravam aderir em todos os seus pontos aos lençóis que envolviam o colchão, como se minha fadiga, semelhante a um escultor, quisesse tirar o molde total de um corpo humano. Mas não podia adormecer, sentia aproximar-se a manhã; a calma e a saúde não mais estavam em mim. No seu desespero, parecia-me que jamais tornaria a encontrá-las. Teria de dormir por muito tempo para alcançá-las. Ora, ainda que caísse em modorra, de qualquer maneira seria despertado duas horas mais tarde pelo concerto sinfônico. Subitamente adormecia e caía nesse sono pesado em que se desvendam para nós o regresso à juventude, a retomada dos anos passados, os sentimentos perdidos, a desencarnação, a transmigração das almas, a evocação dos mortos, as ilusões da loucura, a regressão aos reinos mais elementares da natureza (pois se dizem que muitas vezes vemos animais em sonhos, quase sempre esquecemos que nós próprios, no sonho, somos um animal privado dessa razão que projeta sobre as coisas uma luz de certeza; aí só oferecemos, pelo contrário, ao espetáculo da vida, uma visão duvidosa e a cada minuto aniquilada pelo esquecimento, desvanecendo-se a realidade precedente ante aquela que lhe sucede, como uma projeção de lanterna mágica diante da seguinte, quando se trocou o vidro), enfim, todos esses mistérios que julgamos não conhecer e nos quais somos na verdade iniciados quase todas as noites, assim como no outro grande mistério do aniquilamento e da ressurreição. Tornada mais vagabunda pela digestão laboriosa do jantar de Rivebelle, a iluminação sucessiva e errante de zonas ensombrecidas de meu passado fazia de mim um ser cuja suprema felicidade seria encontrar Legrandin, com quem acabava de conversar em sonhos.

Depois, até a minha própria vida estava inteiramente oculta por um cenário novo, como o que se coloca à beira do palco e diante do qual, enquanto atrás se mudam os quadros, atores representam um entreato. Aquele em que eu desempenhava então o meu papel era ao gosto dos contos orientais, nele eu nada sabia de meu passado nem de mim mesmo, devido àquela extrema proximidade de um cenário interposto; não era mais que uma personagem que recebia bastonadas e sofria variados castigos por uma falta que não percebia, mas que era a de ter bebido vinho do Porto em excesso. De súbito despertava, notava que, graças a um longo sono, não tinha ouvido o concerto sinfônico. Já era de tarde; certificava-me disso pelo meu relógio, após alguns esforços para erguer-me, esforços a princípio infrutíferos e interrompidos por quedas no travesseiro, mas dessas quedas curtas que se seguem ao sono como aos outros torpores, seja o vinho que as proporcione, ou uma convalescença; de resto, antes mesmo de ter olhado a hora, estava certo de que já havia passado do meio-dia. Ontem à noite eu não era mais um ser esvaziado, sem peso, e (como é preciso ter estado deitado para ser capaz de sentar-se e ter dormido para o ser de calar-se) não podia deixar de mover-me nem de falar, não tinha mais consistência nem centro de gravidade, achava-me como que lançado e parecia-me que poderia continuar minhas vagas andanças até a Lua. Ora, se, ao dormir, meus olhos não tinham visto a hora, meu corpo soubera calculá-la, medira o tempo, não sobre um quadrante superficialmente figurado, mas pelo peso sucessivo de todas as minhas forças refeitas que ele, como um possante relógio, deixara descer ponto por ponto, do meu cérebro para o resto do corpo, onde agora acumulava até acima de meus joelhos a abundância intata das suas provisões. Se é verdade que o mar foi outrora o nosso meio vital, onde é preciso remergulhar nosso sangue para recuperar nossas forças, dá-se o mesmo com o esquecimento, com o nada mental; parecemos então ausentes do tempo durante algumas horas; mas as forças que se ordenaram durante esse tempo sem serem despendidas mediram-no pela quantidade delas tão exatamente como os pêndulos do relógio ou os desmoronantes montículos da ampulheta. Aliás, não se sai mais facilmente de tal sono do que da vigília prolongada, de tal modo todas as coisas tendem a durar e, se é verdade que certos narcóticos fazem dormir, dormir por muito tempo é um narcótico mais poderoso ainda, após o qual se tem muito trabalho para despertar. Semelhante ao marinheiro que enxerga o cais onde amarrar a sua barca, no entanto ainda sacudida pelas ondas, bem que eu tinha a ideia de olhar a hora e levantar-me, porém meu corpo era a todo instante remergulhado no sono; a aterrissagem era difícil e, antes de pôr-me de pé para alcançar o relógio e confrontar a sua hora com a que indicava a riqueza de materiais de que dispunham as minhas pernas moídas, tornava a cair ainda duas ou três vezes sobre o travesseiro.

Afinal via claramente: "duas da tarde!". Tocava a campainha, mas em seguida reentrava num sono que dessa vez devia ser infinitamente mais longo, a julgar pelo repouso e pela visão de uma imensa noite ultrapassada que eu encontrava no meu despertar. No entanto, como este era causado pela entrada de Françoise, entrada que fora por sua vez motivada pelo meu toque de campainha, aquele novo sono, que me parecia ter sido mais longo do que o outro e que me trouxera tanto bem-estar e esquecimento, não havia durado mais que meio minuto.

Minha avó abria a porta de meu quarto, e eu lhe fazia algumas perguntas sobre a família Legrandin.

Não basta dizer que havia recuperado a calma e a saúde, pois fora mais que uma simples distância que me separara delas na véspera, toda a noite tivera de lutar contra uma onda contrária e, depois, não me encontrava apenas junto delas: elas haviam reentrado em mim. Em pontos precisos e ainda um pouco dolorosos de minha cabeça vazia e que um dia seria destruída, deixando as minhas ideias escaparem-se para sempre, estas haviam mais de uma vez tomado o seu lugar e encontrado essa existência de que até então, ai de mim, não tinham sabido aproveitar-se.

Mais uma vez escapara à impossibilidade de dormir, ao dilúvio, ao naufrágio das crises nervosas. Já não temia absolutamente o que me ameaçava na véspera, à noite, quando me achava desprovido de repouso. Uma nova vida se abria diante de mim; sem fazer um único movimento, pois estava ainda alquebrado, embora já disposto, gozava da minha fadiga com alegria; ela havia separado e rompido os ossos de minhas pernas, de meus braços, que eu sentia dispersos ante mim, prestes a juntar-se e que ia reerguer nada mais que cantando, como o arquiteto da fábula.[81]

Subitamente me lembrei da jovem loira de ar triste que vira em Rivebelle e que me havia olhado um instante. Durante toda a noite, embora outras me houvessem parecido agradáveis, agora só ela vinha elevar-se do fundo de minha lembrança. Parecia-me

---

81 Alusão a Anfião, filho de Zeus e Antíope, que, segundo a lenda, se pôs a cantar e a tocar lira diante das ruínas de Tebas, e, ao som de sua música, as pedras foram tomando lugar por conta própria. (N. E.)

que ela me notara, eu esperava que um dos garçons de Rivebelle me viesse trazer um recado de sua parte. Saint-Loup não a conhecia e acreditava que ela fosse honesta. Seria muito difícil vê-la, vê-la sem cessar, mas estava disposto a tudo para isso: não pensava senão nela. Muita vez fala a filosofia de atos livres e de atos necessários. Talvez não haja um ato mais completamente sofrido por nós do que esse que, em virtude de uma força ascensional comprimida durante a ação, e uma vez nossa consciência em repouso, faz assim remontar até ela uma lembrança nivelada com as outras pela força opressiva da distração, e lançar-se adiante, porque, sem o sabermos, continha, mais horas do que os outros, um encanto de que só nos apercebemos vinte e quatro horas depois. E talvez não haja tampouco ato mais livre, pois é ainda desprovido do hábito, dessa espécie de mania mental que favorece, em amor, o renascimento exclusivo da imagem de certa pessoa.

Esse dia era justamente o seguinte àquele em que vira desfilar diante do mar o belo cortejo de raparigas. Interroguei a seu respeito vários hóspedes do hotel, que vinham a Balbec quase todos os anos. Não puderam informar-me. Mais tarde, uma fotografia explicou-me o motivo. Quem poderia reconhecer agora nelas, recém-saídas, mas afinal já saídas de uma idade em que se muda tão completamente, certa massa amorfa e deliciosa, ainda completamente infantil, de meninas que, tão só alguns anos antes, a gente podia ver sentadas em círculo na areia, perto de uma barraca: espécie de brilhantes e vaga constelação onde não se distinguiriam dois olhos mais brilhantes que os outros, um rosto malicioso, cabelos loiros, senão para logo os reperder e confundir no seio da nebulosa indistinta e láctea?

Sem dúvida, naqueles anos ainda tão pouco afastados, não era à visão do grupo, como na véspera em seu primeiro aparecimento ante mim, mas ao próprio grupo que faltava nitidez. Então, aquelas crianças demasiado pequenas estavam nesse grau elementar de formação em que a personalidade ainda não apôs o seu selo em cada rosto. Como esses organismos primitivos em que o indivíduo praticamente não existe por si mesmo e é antes constituído pelo polipeiro que pelos pólipos que o compõem, permaneciam elas comprimidas umas contra as outras. Às vezes uma derrubava a sua vizinha, e então um riso louco, que parecia a única manifestação da sua vida pessoal, as agitava a todas ao mesmo tempo, apagando, confundindo aqueles rostos indecisos e careteantes na gelatina de um único cacho cintilante e trêmulo. Numa fotografia antiga que deviam dar-me um dia, e que conservei, o seu bando infantil já oferece o mesmo grupo de figurantes que mais tarde o seu cortejo feminino; sente-se ali que já deviam produzir na praia certa mancha singular que obrigava a olhar para elas; mas ali não se pode reconhecê-las individualmente senão por intermédio do raciocínio, deixando o campo livre a todas as transformações possíveis durante a juventude até o limite em que essas formas reconstituídas fossem dar numa outra individualidade que é preciso também identificar e cujo belo rosto, devido à concomitância de uma estrutura elevada e cabelos crespos, tem possibilidade de haver sido outrora essa redução de careta mirrada que o retrato apresenta; e a distância percorrida em pouco tempo pelos caracteres físicos de cada uma dessas moças fazia deles um critério bastante vago e, por outro lado, visto que o que tinham de comum e, por assim dizer, de coletivo, era desde então muito pronunciado, acontecia às vezes às suas melhores amigas tomar uma por outra naquela fotografia, tanto que a dúvida não podia afinal ser resolvida senão por determinado acessório de toalete que uma estava certa de ter usado, com exclusão das outras. Desde esses dias tão diferentes daquele em que eu acabava de vê-las no dique, tão diferentes e no entanto tão próximos, elas ainda se deixavam abandonar ao riso, como eu notara na véspera, mas a um riso que já não era o riso intermitente e quase automático da infância, escape espasmódico que outrora fazia a todo momento aquelas cabeças darem um mergulho, como os bandos de vairões no Vinonne se dispersavam e desapareciam para reformar-se um instante depois; suas fisionomias se haviam agora tornado senhoras de si, seus olhos se fixavam nos objetivos que tinham em mira; e fora preciso ontem a indecisão e o tremor de minha percepção inicial para confundir indistintamente, como o fizera a hilaridade antiga e a velha fotografia, as Espórades hoje individualizadas e desunidas da pálida madrépora.

Por certo muitas vezes, à passagem de lindas raparigas, eu me fizera a promessa de tornar a vê-las. Habitualmente, não reapareciam; de resto, a memória, que depressa olvida a sua existência, dificilmente tornaria a lhes encontrar os traços; nossos olhos talvez não as reconheçam, e já teremos visto passar novas raparigas que tampouco veremos novamente. Mas outras vezes, e assim devia acontecer com o pequeno bando insolente, o acaso as traz com insistência perante a nossa vista. Este então nos parece belo, pois nele discernimos como que um começo de organização, de esforço para compor a nossa vida, e nos torna fácil, inevitável e por vezes — após interrupções que poderiam fazer crer que deixaríamos de lembrar — e por vezes cruel a fidelidade das imagens a cuja posse julgaremos mais tarde termos sido predestinados, e que, sem ele, poderíamos no princípio esquecer tão facilmente, como tantas outras.

Em breve a estada de Saint-Loup atingiu o fim. Eu não tornara a ver aquelas moças na praia. Ele passava muito pouco tempo da tarde em Balbec para poder ocupar-se com elas e, em intenção minha, procurar conhecê-las. À noite era mais livre e continuava a levar-me seguidamente a Rivebelle. Há nesses restaurantes, como nas praças públicas e nos trens, pessoas encerradas numa aparência vulgar e cujo nome nos espanta se, tendo-o por acaso perguntado, descobrimos que são, não o inofensivo joão-ninguém que supúnhamos, mas nada menos que o ministro ou o duque de que tantas vezes ouvíramos falar. Já duas ou três vezes, no restaurante de Rivebelle, tínhamos Saint-Loup e eu visto sentar a uma mesa, quando todo mundo começava a retirar-se, um homem de elevada estatura, bastante robusto, de traços regulares, barba grisalha, mas cujo olhar pensativo permanecia fixo com aplicação no vácuo. Uma noite, em que perguntávamos ao gerente quem era aquele freguês obscuro, isolado e retardatário: "Como, não conheciam o célebre pintor Elstir?", disse-nos ele. Swann tinha uma vez pronunciado o seu nome diante de mim, esquecera-me absolutamente a que propósito; mas a omissão de uma lembrança, como a de um membro de frase numa leitura, favorece às vezes, não uma incerteza, mas a eclosão de uma certeza prematura. "É um amigo de Swann e um artista conhecido, de grande valor", disse eu a Saint-Loup. Logo depois, passou por ele e por mim, como um frêmito, o pensamento de que Elstir era um grande artista, um homem célebre, e que, confundindo-nos com os outros fregueses, não suspeitava a exaltação em que nos lançara a ideia de seu talento. Sem dúvida, o fato de ele ignorar nossa admiração e de conhecermos Swann não nos teria sido penoso se não estivéssemos também veraneando em Balbec. Mas, demorados numa idade em que o entusiasmo não pode permanecer silencioso, e encerrados numa vida em que o incógnito parece sufocante, escrevemos uma carta assinada com os nossos nomes, em que revelávamos a Elstir, nos dois convivas sentados a alguns passos dele, dois amadores apaixonados de seu talento, dois amigos de seu grande amigo Swann, e em que lhe pedíamos para lhe apresentar as nossas homenagens. Um garçom encarregou-se de levar essa missiva ao homem célebre.

Célebre, Elstir talvez não o fosse ainda naquela época tanto como o pretendia o dono do estabelecimento, e como o foi aliás pouquíssimos anos mais tarde. Mas fora dos primeiros a habitar aquele restaurante, quando ainda não passava de uma espécie de granja e a levar para ali uma colônia de artistas (que de resto haviam todos emigrado para outras bandas, logo que a granja em que se comia ao ar livre, debaixo de um simples telheiro, se tornara um centro elegante; o próprio Elstir só voltava naquele momento a Rivebelle por causa de uma ausência da sua mulher, com quem morava não longe dali). Mas um grande talento, mesmo quando não é ainda reconhecido, provoca necessariamente alguns fenômenos de admiração, e tais que o dono da granja fora levado a distingui-los, pelas perguntas de mais de uma inglesa de passagem, ávida de informações sobre a vida que levava Elstir, ou pelo número de cartas que este recebia do estrangeiro. Então o homem notara mais que Elstir não gostava de ser importunado enquanto trabalhava, que se levantava de noite para levar um pequeno modelo a pousar nu à beira da praia, quando fazia luar, e dissera consigo que tantas fadigas não eram perdidas, nem injustificada a admiração dos turistas, quando reconhecera num quadro de Elstir uma cruz de madeira que estava plantada à entrada de Rivebelle.

— É ela mesma — repetia com estupefação.— Há os quatro pedaços! Ah!, mas também ele se dá um trabalho!

E desconfiava que um pequeno "pôr do sol sobre o mar" que Elstir lhe tinha dado valesse mesmo uma fortuna.

Nós o vimos ler nossa carta, metê-la no bolso, continuar a jantar, pedir as suas coisas, erguer-se para sair, e estávamos de tal modo certos de o ter chocado com a nossa iniciativa que desejaríamos agora (tanto quanto o temêramos) partir sem ser notados por ele. Não pensávamos um só momento numa coisa que deveria parecer-nos a mais importante: era que o nosso entusiasmo por Elstir, de cuja sinceridade não permitiríamos que duvidassem e de que poderíamos, com efeito, dar como testemunho a nossa respiração entrecortada pela espera, o nosso desejo de fazer o que quer que fosse de difícil ou de heroico pelo grande homem, não era, como imaginávamos, admiração, pois jamais viramos coisa alguma de Elstir; o nosso sentimento podia ter por objeto a ideia vazia de um "grande artista" e não uma obra que nos era desconhecida. Era, quando muito, admiração no vácuo, o quadro nervoso, a armadura sentimental de uma admiração sem conteúdo, isto é, qualquer coisa de tão indissoluvelmente ligada à infância como certos órgãos que não existem no homem adulto; éramos ainda crianças. Elstir no entanto ia chegar à porta, quando de súbito deu meia-volta e dirigiu-se a nós. Eu estava transportado num delicioso terror como não poderia suportar alguns anos mais tarde, porque, ao mesmo tempo em que a idade nos diminui a capacidade, o hábito da vida social nos tira qualquer ideia de provocar tão estranhos ensejos, de sentir esse gênero de emoções.

Entre as poucas palavras que Elstir nos disse, sentando-se à nossa mesa, nada me respondeu, nas diversas vezes em que lhe falei de Swann. Comecei a acreditar que não o conhecia. Nem por isso deixou de me pedir que o fosse visitar em seu ateliê de Balbec, convite que ele não dirigiu a Saint-Loup, e que fiquei devendo, o que talvez não acontecesse à recomendação de Swann se Elstir lhe fosse ligado (pois a parte de sentimentos desinteressados é maior do que se acredita na vida dos homens), a algumas palavras que o fizeram pensar que eu amava as artes. Prodigou-me uma amabilidade que era tão superior à de Saint-Loup, como esta à afabilidade de um pequeno-burguês. Ao lado da de um grande artista, a amabilidade de um grão-senhor, por mais encantadora que seja, tem o ar de um desempenho de um ator, de uma simulação. Saint-Loup procurava agradar, Elstir gostava de dar, de dar-se. Tudo o que possuía, ideias, obras, e o resto, que tinha em muito menos conta, ele o teria dado com alegria a alguém que o compreendesse. Mas, na falta de uma companhia suportável, vivia no isolamento, com uma selvageria que a gente da sociedade chamava atitude e má-educação, os poderes públicos, ausência de espírito cooperativo, seus vizinhos, loucura, sua família, egoísmo e orgulho.

E sem dúvida nos primeiros tempos tinha ele pensado com prazer, mesmo na solidão, que, por meio de suas obras, se dirigia a distância, dava mais alta ideia de si àqueles que o tinham desconhecido ou magoado. Talvez então vivesse sozinho, não por indiferença, mas por amor aos outros, e, como eu renunciara a Gilberte para reaparecer-lhe um dia sob cores mais amáveis, destinava a sua obra a alguns, como um retorno a eles, em que, sem o rever, o amariam, o admirariam, falariam a seu respeito; uma renúncia não é sempre total desde o princípio, quando a decidimos com a nossa alma antiga e antes de que, em reação, tenha ela agido sobre nós, quer se trate da renúncia de um doente, de um monge, de um artista, de um herói. Mas se ele tinha querido produzir em vista de algumas pessoas, ao produzir vivera para si mesmo, longe da sociedade a que se tornara indiferente; e a prática da solidão lhe dera o seu amor, como acontece com toda grande coisa que a princípio tememos, porque a julgávamos imcompatível com coisas menores a que nos apegávamos e de que ela menos nos priva do que nos desliga. Antes de a conhecer, toda a nossa preocupação é saber em que medida podemos conciliá-la com certos prazeres que deixam de o ser logo que a conhecemos.

Elstir não ficou muito tempo a conversar conosco. Propunha-me ir a seu ateliê nos dois ou três dias seguintes, mas, no dia seguinte àquela noite, como eu tivesse acompanhado minha avó até o extremo do dique, em direção das barrancas de Canapville, ao voltar, à esquina de uma das pequenas ruas que desembocam transversalmente na praia, cruzamos com uma moça que, com a cabeça baixa como um animal que fizessem entrar a contragosto no estábulo, e segurando tacos de golfe, marchava diante de uma pessoa autoritária, verossimilmente a sua "inglesa", ou de uma de suas amigas, que se assemelhava ao retrato de *Jeffries* por Hogarth,[82] o rosto vermelho como se a sua bebida favorita fosse antes o gim que o chá, e prolongando em pontas retorcidas e

---

82 Alusão a um dos primeiros retratos de grupo, o quadro *A família Jeffries*, pintado por Hogarth, em 1730, conservado na National Gallery de Washington. O quadro mostra o advogado Jeffrie com a esposa e os quatro filhos. Com intenções satíricas, os quadros de Hogarth retratam senhores e a burguesia londrina. (N. E.)

sujas de tabaco um bigode grisalho mais ainda espesso. A menina que a precedia assemelhava-se àquela do pequeno bando que, debaixo de uma boina negra, abria uns olhos risonhos num rosto imóvel e rechonchudo. Ora, a que voltava naquele momento tinha também uma boina negra, mas me parecia ainda mais bonita que a outra, a linha de seu nariz era mais reta, e na base a asa era mais larga e mais carnuda. Depois, a outra me aparecera como uma altiva rapariga pálida, esta como uma criança domada e de pele rósea. No entanto, como empurrasse uma bicicleta igual e usasse as mesmas luvas de renda, concluí que as diferenças eram talvez devidas à maneira como eu estava colocado e às circunstâncias, pois era pouco provável que houvesse em Balbec uma segunda moça de rosto apesar de tudo tão semelhante e que na sua indumentária caprichosa reunisse as mesmas particularidades. Lançou na minha direção um olhar rápido; no dia seguinte, quando tornei a ver o pequeno bando na praia, e mesmo mais tarde, quando conheci todas as moças que o compunham, nunca tive a certeza absoluta de que alguma delas — mesmo a que entre todas mais se lhe assemelhava, a menina da bicicleta — fosse verdadeiramente a que eu vira aquela tarde na praia, à esquina da rua, moça que não era muito, mas em todo caso um pouco diferente da que eu notara no cortejo.

A partir daquela tarde, eu, que nos dias precedentes pensara sobretudo na alta, foi a dos tacos de golfe, a presumível srta. Simonet, quem recomeçou a preocupar-me. No meio das outras, ela parava muitas vezes, forçando as amigas, que pareciam respeitá-la muito, a interromper também a caminhada. E assim, fazendo alto, os olhos brilhantes sob a sua boina, que ainda agora revejo, silhuetada sobre a tela que lhe forma, ao fundo, o mar, e separada de mim por um espaço transparente e azulado — o tempo transcorrido desde então —, primeira imagem, pequenina na minha memória, desejada, perseguida, depois esquecida, depois reencontrada, de uma face que muitas vezes depois projetei no passado para poder dizer comigo de uma rapariga que se achava em meu quarto: "É ela!".

Mas era talvez ainda a de pele de gerânio e olhos verdes a que eu mais desejaria conhecer. De resto, fosse qual fosse a que preferia avistar em determinado dia, as outras, sem esta, bastavam para excitar-me; meu desejo, mesmo inclinando-se ora por uma, ora por outra, continuava — como no primeiro dia a minha confusa visão — a reuni-las, a fazer delas o pequeno mundo à parte, animado de uma vida comum, que elas tinham aliás a pretensão de constituir, e, se pudesse tornar-me amigo de alguma delas, teria penetrado — como um pagão refinado ou um cristão escrupuloso entre os bárbaros — numa sociedade rejuvenescedora onde reinavam a saúde, a inconsciência, a volúpia, a crueldade, a inintelectualidade e a alegria.

Minha avó, a quem contara minha entrevista com Elstir e que se alegrava com todo o proveito intelectual que eu podia tirar da sua amizade, achava absurdo e pouco gentil que ainda não tivesse ido fazer-lhe uma visita. Mas eu só pensava no pequeno bando e, incerto da hora em que aquelas moças passariam pelo dique, não me animava a afastar-me. Minha avó espantava-se também da minha elegância, pois me lembrara de súbito das roupas que até então tinha deixado no fundo da mala. Punha cada dia uma diferente e até escrevera para Paris, pedindo que me enviassem novos chapéus e novas gravatas.

É um grande encanto que se acrescenta à vida de uma estação balneária como Balbec, se o rosto de uma linda rapariga, uma vendedora de conchas, de doces ou de flores, pintado em vivas cores em nosso pensamento, se torna cotidianamente para nós, desde a manhã, o objetivo de cada um desses dias ociosos e luminosos que se passam na praia. São então, e por isso mesmo, embora desocupados, vivos como dias de trabalho, aguilhoados, imantados, levemente tendidos para um instante próximo, aquele em que, enquanto compramos *sablés*,[83] rosas, amonites, nos deleitaremos em ver,

---

83 Biscoitinhos que esfarelam com facilidade. (N. E.)

num rosto feminino, as cores pousadas tão puramente como numa flor. Mas pelo menos, essas mulheres, antes de tudo podemos falar-lhes, o que nos evita de construir com a imaginação os outros lados diferentes dos que nos fornece a simples percepção visual, e recriar sua vida, exagerar seu encanto, como diante de um retrato; sobretudo, justamente porque lhes falamos, podemos saber onde, a que horas encontrá-las. Ora, não se dava absolutamente o mesmo comigo no concernente às moças do pequeno bando. Como seus hábitos me eram desconhecidos, quando não as avistava certos dias, ignorando a causa da sua ausência, procurava saber se esta era alguma coisa de fixo, se não eram vistas senão de dois em dois dias, ou quando fazia determinado tempo, ou se havia dias em que nunca as viam. Imaginava-me de antemão amigo delas e a dizer-lhes: "Mas não estavam aqui naquele dia?". "Ah!, sim, é porque era um sábado, e nos sábados nunca vimos porque..." Ainda se fosse possível saber que no triste sábado é inútil insistir, que se poderia percorrer a praia em todos os sentidos, sentar à frente da confeitaria, fingir que se come um doce, entrar na loja do comerciante de curiosidades, esperar a hora do banho, o concerto, a chegada da maré, o pôr do sol, a noite, sem ver o pequeno grupo desejado. Mas o dia fatal não voltava decerto uma vez por semana. Talvez não caísse forçosamente num sábado. Talvez certas condições atmosféricas influíssem nele, talvez lhe fossem completamente estranhas. Quantas observações pacientes, mas não serenas, é preciso recolher sobre os movimentos em aparência irregulares desses mundos desconhecidos, antes que possamos estar certos de que não nos deixamos enganar por meras coincidências, que nossas previsões não serão desmentidas, antes que possamos deduzir as leis seguras dessa apaixonada astronomia, adquiridas a preço de experiências cruéis. Lembrando-me de que não as vira no mesmo dia da semana que hoje, dizia comigo que não viriam, que era inútil permanecer na praia. E precisamente as avistava. Por outro lado, um dia que, na hipótese de que houvesse leis referentes à volta dessas constelações, eu calcula como um dia fasto, elas não vinham. Mas a essa primeira incerteza de saber se as veria ou não no mesmo dia vinha ajuntar-se outra mais grave, a de que talvez nunca mais as visse, pois ignorava em suma se deviam partir para a América ou voltar para Paris. Bastava isso para fazer-me começar a amá-las. Pode-se ter inclinação por uma pessoa. Mas para desencadear essa tristeza, esse sentimento do irreparável, essas angústias, que preparam o amor, é preciso — e talvez isso e não a pessoa amada seja o ansiado objeto da paixão — o risco de uma impossibilidade. Já iam assim atuando essas influências que se repetem no curso de amores sucessivos, e que se podem produzir, mas então antes na vida das grandes cidades, a respeito de operárias de que não se sabem os dias de folga ou que nos assustamos ao não vê-las sair da oficina; influências que pelo menos se renovaram no transcurso de meus amores. Talvez sejam inseparáveis do amor, talvez tudo o que constitui uma particularidade do primeiro venha acrescentar-se aos seguintes, por lembrança, sugestão, hábito e, através dos sucessivos períodos de nossa vida, dê a seus aspectos diferentes um caráter geral.

Arranjava todos os pretextos para ir à praia nas horas em que esperava encontrá-las. Tendo-as uma vez avistado durante o nosso almoço, só chegava à mesa atrasado, esperando indefinidamente no dique que elas passassem; ficando o pouco de tempo em que almoçava a interrogar o azul da vidraça; levantando-me muito antes da sobremesa para não perdê-las no caso de que estivessem passeando em outra hora, e irritando-me com minha avó, inconscientemente má, quando ela me fazia ficar na sua companhia além da hora que me parecia propícia. Tratava de prolongar o horizonte, colocando minha cadeira atravessada; se por acaso avistava qualquer das moças, como participavam todas da mesma essência especial, era como se tivesse visto projetado em face de mim, numa alucinação móvel e diabólica, um pouco do sonho inimigo e no entanto apaixonadamente cobiçado que ainda um momento antes não existia senão em meu cérebro, onde aliás se achava permanentemente estagnado.

Amando-as todas, não amava nenhuma, e contudo o seu possível encontro era para os meus dias o único elemento delicioso, única coisa que fazia nascer em mim essas esperanças que desafiam todos os obstáculos, esperanças muitas vezes seguidas de acessos de raiva, quando não as tinha visto. Em tal momento, aquelas moças eclipsavam minha avó; ter-me-ia sorrido uma viagem, se fosse para ir a algum lugar onde elas se achavam. Era a elas que meu pensamento agradavelmente se prendia, quando supunha pensar em outra coisa ou em nada. Mas quando pensava nelas, embora sem o saber, sucedia que, ainda mais inconscientemente, elas eram para mim aquelas ondulações monstruosas e azuis do mar, o perfil de um desfiladeiro diante do mar. Era o mar que eu esperava encontrar, se fosse a alguma cidade onde estivessem. O amor mais exclusivo por uma pessoa é sempre o amor de outra coisa.

Minha avó, como eu agora me interessasse extremamente pelo golfe e pelo tênis, deixando fugir a ocasião de ver trabalhar e ouvir um artista que ela sabia dos maiores, me testemunhava um desprezo que me parecia provir de ideias um pouco estreitas. Tinha eu entrevisto outrora nos Campos Elísios, e melhor o verificara depois, que, ao nos enamorarmos de uma mulher, projetamos simplesmente nela um estado de nossa alma; que por conseguinte o importante não é o valor da mulher, mas a profundeza do estado; e que as emoções que uma rapariga medíocre nos proporciona podem fazer com que nos subam à consciência as partes mais íntimas de nós mesmos, mais pessoais, mais remotas, mais essenciais, o que não faria o prazer que nos dá a conversação de um homem superior ou mesmo a contemplação admirativa de suas obras.

Acabei por obedecer à minha avó, e com tanto mais aborrecimento, visto que Elstir habitava muito longe do dique, numa das avenidas mais novas de Balbec. O calor obrigou-me a tomar o bonde que passava pela rua da Praia, e eu me esforçava para pensar que estava no antigo reino dos cimerianos, talvez na pátria do rei Mark ou no local da floresta de Brocelianda, em não olhar o luxo de pacotilha das construções que se desenrolavam ante mim e entre as quais a vila de Elstir era talvez a mais suntuosamente feia, e alugada apesar disso por ele, porque, de todas as que existiam em Balbec, era a única que lhe podia oferecer um vasto ateliê.

Foi assim, desviando os olhos, que atravessei o jardim, que tinha um gramado — como uma redução de qualquer residência burguesa nos arredores de Paris —, uma pequena estatueta de galante jardineiro, esferas de vidro onde a gente podia olhar-se, cercaduras de begônias e um pequeno caramanchel sob o qual se alongavam uns *rocking-chairs* ante uma mesa de ferro, mas depois de todos esses aspectos de uma fealdade citadina, não mais prestei atenção às molduras cor de chocolate dos plintos quando me vi no ateliê; senti-me perfeitamente feliz, pois, por todos os estudos que se achavam à minha volta, eu me julgava capaz de elevar-me a um conhecimento poético, fecundo em alegrias, de muitas formas que até então não havia isolado do espetáculo total da realidade. E o ateliê de Elstir me apareceu como o laboratório de uma espécie de nova criação do mundo, onde, do caos em que estão todas as coisas que vemos, ele havia tirado, pintando-os sobre diversos retângulos de tela que se achavam colocados em todos os sentidos, aqui uma vaga colérica batendo contra a areia a sua espuma lilás, acolá um jovem de linho branco, apoiado no convés de um barco. O casaco do jovem e a vaga espumejante tinham adquirido uma dignidade nova pelo fato de que continuavam a existir, embora já não fossem aquilo em que aparentemente consistiam, visto que a vaga não podia molhar, nem o casaco vestir ninguém.

No momento em que entrei, o criador estava terminando, com o pincel que tinha na mão, a forma do sol no seu poente.

Os estores se achavam descidos de quase todos os lados, o ateliê estava bastante fresco e (salvo num lugar em que a luz do dia apunha à parede a sua decoração deslumbrante e passageira) escuro; apenas se achava aberta uma pequena janela retangular enquadrada de madressilvas que, depois de um trecho de jardim, dava para a avenida; de sorte que a atmosfera da maior parte do ateliê era sombria, transparente e compacta na sua massa, mas úmida e brilhante nas fraturas onde a luz lhe punha engastes, como um cristal de rocha, uma de cujas faces, já talhada e polida, brilha aqui e ali como um espelho, e enche-se de irisações. Enquanto Elstir, a meu pedido, continuava a pintar, eu circulava por aquele claro--escuro, parando ante um quadro, depois diante de outro.

O maior número dos que me cercavam não era o que eu desejaria ver de Elstir, isto é, as pinturas pertencentes às suas primeira e segunda maneiras, como dizia uma revista de arte inglesa, que andava pela mesa do salão do Grande Hotel, a maneira mitológica e aquela em que ele sofrera a influência do Japão, ambas admiravelmente bem representadas, diziam, na coleção da sra. de Guermantes. Naturalmente, o que havia no seu ateliê não eram senão marinhas tiradas ali em Balbec. Mas podia distinguir que o encanto de cada uma consistia numa espécie de metamorfose das coisas representadas, análoga à que em poesia se chama de metamorfose e que, se Deus Pai havia criado as coisas nomeando-as, era tirando--lhes o nome ou dando-lhes um outro que Elstir as recriava. Os nomes que designam as coisas respondem sempre a uma noção da inteligência, estranha às nossas impressões verdadeiras e que nos força a eliminar delas tudo o que não se reporte a essa noção.

Às vezes, da minha janela, no hotel de Balbec, de manhã quando Françoise corria as cortinas que ocultavam a luz, de tarde quando esperava o momento de partir com Saint-Loup, acontecera-me, graças a um efeito de sol, tomar uma parte mais sombria do mar por uma costa afastada, ou olhar com alegria uma zona azul e fluida, sem saber se pertencia ao mar ou ao céu. Mas logo minha inteligência restabelecia entre os elementos a separação que minha impressão abolira. É assim que me acontecia em Paris, em meu quarto, ouvir uma altercação, quase um motim, até que tivesse transferido à sua causa, por exemplo, um carro cujo rodar se aproximava, aquele ruído de que eliminava então as vociferações agudas e discordantes que meu ouvido realmente escutara, mas que a minha inteligência sabia que rodas não produziam. Mas os raros momentos em que se via a natureza tal como é, poeticamente, desses momentos é que era composta a obra de Elstir. Uma das metáforas mais frequentes nas marinhas que tinha consigo naquele momento era justamente a que, comparando a terra ao mar, suprimia qualquer demarcação entre ambos. Era essa comparação, tácita e incansavelmente repetida numa mesma tela, que aí introduzia essa multiforme e possante unidade, causa, às vezes não claramente percebida por eles, do entusiasmo que provocava em certos amadores a pintura de Elstir.

Era, por exemplo, para uma metáfora de tal gênero — num quadro que representava o porto de Carquethuit, quadro que terminara há uns poucos dias e que contemplei longamente — que Elstir preparara o espírito do espectador, não empregando para o vilarejo senão termos marinhos e termos urbanos para o mar. Ou porque as casas ocultassem uma parte do porto, ou uma doca de calafetagem, ou talvez o próprio mar, insinuando-se em golfo nas terras como acontecia constantemente naquela região de Balbec, do outro lado da ponta avançada em que estava construída a cidade, os telhados eram ultrapassados (como o seriam por chaminés ou campanários) por mastros, os quais pareciam fazer, dos navios a que pertenciam, qualquer coisa de citadino, de construído em terra, impressão aumentada por outros barcos, parados ao longo do cais, mas tão apertados que os homens conversavam de um para outro sem que se pudessem distinguir sua separação e o interstício da água, e assim aquela flotilha de pesca tinha menos aspecto de pertencer ao mar do que, por exemplo, as igrejas de Criquebec que, ao longe, cercadas de água por todos os lados, porque vistas sem a cidade, numa vibração de sol e de vagas, pareciam sair das águas, feitas de alabastro ou espuma e, encerradas na curva de um arco-íris versicolor, formar um quadro irreal e místico. No primeiro plano da praia, o pintor soubera habituar os olhos a não reconheçerem fronteira fixa, demarcação absoluta, entre a terra e o oceano. Homens que lançavam barcos ao mar corriam tanto nas ondas como sobre a areia, a qual, molhada, refletia já os cascos, como se fosse água. Nem o próprio mar subia regularmente, mas seguia os acidentes da costa, que a perspectiva chanfrava ainda mais, tanto que um navio em alto-mar, meio oculto pelas obras avançadas do arsenal, parecia vogar no meio da cidade; mulheres que apanhavam mariscos nas rochas, como estavam cercadas de água e devido à depressão que, após a barreira circular das rochas, afundava na praia (dos dois lados mais próximos das terras) até o nível do mar, pareciam estar numa gruta marinha encimada de barcos e vagas, aberta e protegida no meio das ondas miraculosamente afastadas. Se todo o quadro dava essa impressão dos portos em que o mar entra na terra, em que a terra é já marinha e a população, anfíbia, em tudo se mostrava a força do elemento marinho; e perto dos rochedos, à entrada do molhe, onde o mar estava agitado, sentia-se, pelo esforço dos marinheiros e pela obliquidade dos barcos inclinados em ângulo agudo, diante da calma verticalidade do entreposto, da igreja, das casas da cidade, aonde uns voltavam e donde outros partiam para a pesca, que trotavam rudemente sobre a água como sobre um animal fogoso e rápido cujos corcovos, não fora a sua habilidade, os teria lançado por terra. Um grupo de passeantes saía alegremente num barco sacolejante como uma carriola; um marinheiro alegre, mas também atento, governava-a como que com rédeas, e dirigia a vela fogosa; cada qual se segurava bem no seu lugar para não fazer muito peso de um lado e não virar; e assim corriam pelos campos ensolarados, pelos sítios umbrosos, despenhando-se pelas ladeiras. Era uma bela manhã, apesar da tempestade que caíra. Sentiam-se ainda as potentes forças que tinham, a neutralizá-las, o belo equilíbrio dos barcos imóveis, gozando do sol e da frescura, nas partes em que o mar era tão calmo que os reflexos quase tinham mais solidez e realidade que os cascos vaporizados por um efeito de sol e confundidos pela perspectiva. Ou melhor, não se deveria dizer outras partes do mar. Pois entre essas partes havia tanta diferença como entre uma delas e a igreja a sair das águas, e os barcos atrás da cidade. A inteligência fazia em seguida um mesmo elemento do que aqui era escuro por efeito da tempestade, mais longe de uma só cor com o céu e tão lustroso quanto ele, e acolá tão branco de sol, de névoa e de espuma, tão compacto, tão térreo, tão cercado de casas, que se pensava nalgum caminho de pedras ou num campo de neve, no qual a gente se assustava de ver um navio elevar-se em íngreme subida e a seco, como um carro a esforçar-se na saída de um vau, mas que ao fim de um momento, vendo barcos titubeantes sobre a extensão alta e desigual do planalto sólido, se compreendia ser ainda o mar, idêntico em todos esses aspectos diversos.

Embora se diga com razão que não há progresso nem descobertas em arte, mas somente nas ciências e, como cada artista recomeçando, por sua conta, um esforço individual não pode ser auxiliado nem entravado pelos esforços de qualquer outro, cumpre no entanto reconhecer que, na medida em que a arte evidencia certas leis, uma vez que a indústria as vulgarizou, a arte anterior perde retrospectivamente um pouco da sua originalidade. Desde a época em que Elstir começou a pintar, temos visto muitas dessas chamadas "admiráveis" fotografias de paisagens e cidades. Se se intenta precisar o que é que denominam admirável neste caso os amadores, ver-se-á que tal epíteto costuma aplicar-se a uma imagem estranha de uma coisa conhecida, imagem diversa da que vemos habitualmente, imagem singular e contudo real, imagem que justamente por isso duplamente nos seduz, porque nos causa estranheza, nos tira de nossos hábitos e ao mesmo tempo nos faz voltar a nós mesmos, ao recordar-nos determinada impressão. Por exemplo, alguma dessas fotografias "magníficas" nos servirá de ilustração a uma lei de perspectiva, nos mostrará uma catedral que estamos acostumados a ver em meio a uma cidade, apanhada, pelo contrário, de um ponto em que apareça trinta vezes mais alta que as casas e formando talhamar à beira d'água, de que na verdade está distante. Justamente o esforço de Elstir para não expor as coisas tal como sabia que eram, mas em função dessas ilusões ópticas que formam a nossa visão inicial, o tinha levado integralmente a pôr em evidência algumas dessas leis de perspectiva, que então chocavam mais porque era a arte que primeiro as revelava. Um rio, devido ao cotovelo que formava seu curso, parecia um lago fechado por todas as partes, no seio das planícies ou das montanhas, e o mesmo efeito causava um golfo, porque as ribas escarpadas se tocavam quase aparentemente pelos dois lados. Num quadro pintado em Balbec durante um tórrido dia de verão, uma entrada do mar, encerrado entre muralhas de granito rosa, parecia não ser o mar, que aparentemente começava mais além. A continuidade do oceano era sugerida unicamente por umas gaivotas que revoluteavam sobre aquilo que ao espectador parecia pedra, mas onde elas aspiravam, pelo contrário, a umidade marinha. Ainda havia outras leis de visão que derivavam desse mesmo quadro, como a graça liliputiana das velas brancas ao pé dos enormes alcantilados, naquele espelho azul onde estavam pousadas como borboletas adormecidas, ou uns contrastes entre a profundidade das sombras e a palidez da luz. A tal ponto interessavam a Elstir esses jogos de luz, igualmente banalizados pela fotografia, que outrora se havia comprazido em pintar verdadeiras miragens, dentre as quais um castelo com a sua torre se apresentava como um castelo completamente circular, prolongado no alto por uma torre e embaixo por outra torre inversa, já porque a limpidez extraordinária do ar desse à sombra refletida na água a dureza e o brilho da pedra, já porque as brumas matinais convertessem a pedra em coisa tão vaporosa como a sombra. Da mesma forma, além do mar, por detrás de uma fila de árvores, começava outro mar, rosado pelo sol poente, e que era o céu. A luz, como se inventasse novos sólidos, impelia a parte iluminada de um barco para além da que ficava na sombra, e arranjava como os degraus de uma escadaria de cristal a superfície, materialmente plana, mas quebrada pela iluminação, do mar matinal. Um rio que corre por baixo das pontes de uma cidade estava apanhado de tal maneira que aparecia totalmente deslocado, aqui se espraiando em lago, ali feito filetes, noutra parte rompido pela interposição de uma colina encimada de árvores onde à noite vai a gente tomar a fresca; e o ritmo dessa revolta cidade estava tão somente assegurado pela vertical inflexível dos campanários que não subiam, mas antes, conforme o prumo da gravidade, marcando a cadência como numa marcha triunfal, pareciam ter em suspenso abaixo deles toda a massa, mais confusa, das casas escalonadas na bruma, ao longo do rio esmagado e desfeito. E (como as primeiras obras de Elstir datavam da época em que adornava as paisagens a presença de uma personagem) na escarpada margem ou na montanha, a estrada, esse elemento semi-humano da natureza, sofria, do mesmo modo que o rio ou o oceano, os eclipses da perspectiva. Uma crista montanhosa, o vapor de uma cascata ou mar cortavam a continuidade do caminho, visível para o viandante, mas não para nós; de modo que a miúda personagem, vestida antiquadamente e perdida naquelas solidões, parecia muitas vezes estar parada diante de um abismo, como se a estrada por onde ia terminasse ali; mas trezentos metros além, no bosque de abetos, víamos emocionados uma coisa que nos acalmava o coração, e era que reaparecia a estreita brancura da areia hospitaleira para os passos do caminhante, aquela estrada cujas curvas intermédias, que iam ladeando a cascata ou o golfo, nos foram ocultadas pelo declive da montanha.

O esforço que fazia Elstir por despojar-se, em presença da realidade, de todas as noções da sua inteligência era tanto mais admirável, porque esse homem — que antes de pintar se tornava ignorante, esquecia-se de tudo por probidade, pois o que se sabe não é a gente — possuía uma inteligência excepcionalmente cultivada. Confessei-lhe a decepção que me causara a igreja de Balbec.

— Como! — disse-me Elstir —, não lhe satisfez aquele pórtico? É a mais bela Bíblia historiada que um povo poderá ler. A Virgem e os baixos-relevos onde se expõe sua vida constituem a expressão mais terna e inspirada desse longo poema de adoração e louvor que a Idade Média vai estendendo aos pés da Madona. Não pode imaginar, além da sua minuciosa exatidão para traduzir o texto sacro, quantos achados de delicadeza teve o velho escultor, que pensamentos profundos e que encantadora poesia! A ideia desse grande véu onde os Anjos levam o corpo da Virgem, demasiado sagrado para que ousem tocá-lo diretamente — disse-lhe eu que o mesmo assunto era tratado em Saint-André-des-Champs; mas Elstir, que vira fotografias do pórtico dessa última igreja, fez-me notar que a zelosa diligência com que rodeiam a Virgem aqueles tipos de aldeões era coisa muito diversa da gravidade dos anjos, tão finos e esbeltos, quase italianos, da igreja de Balbec —; o anjo que carrega a alma da Virgem para reuni-la a seu corpo; o encontro da Virgem e de Isabel, com o gesto desta última, que toca o seio de Maria e espanta-se ao sentir-lhe a plenitude; o braço esticado da parteira, que não quis crer na Imaculada Conceição sem tocar; e o cinto lançado pela Virgem a santo Tomás para lhe dar prova da ressurreição; esse véu, também, que a Virgem arranca do seio para velar a nudez de seu filho, de um lado do qual a Igreja recolhe o sangue, o licor da Eucaristia, enquanto, do outro, a Sinagoga, cujo reinado está findo, tem os olhos vendados, segura um cetro quebrado ao meio e deixa escaparem, com a coroa que lhe tomba da cabeça, as tábuas da antiga Lei; e o esposo que, ajudando, na hora do Juízo Final, a sua jovem esposa a sair do túmulo, lhe apoia a mão contra o seu próprio coração para tranquilizá-la e provar-lhe que realmente está batendo, será que isso é tolice e lugar-comum? E o anjo que carrega o Sol e a Lua, afinal inúteis, pois está escrito que o Esplendor da Cruz será sete vezes mais poderoso que o dos astros; e o que mergulha a mão na água do banho de Jesus, para ver se está bastante quente; e o que sai das nuvens para colocar sua coroa na fronte da Virgem, e todos aqueles que, inclinados do alto do céu, entre os balaústres da Jerusalém celeste, erguem os braços de terror ou de alegria, à vista do suplício dos maus ou da felicidade dos eleitos! Pois são todos os círculos do céu, todo um gigantesco poema teológico e simbólico que o senhor tem ali. É louco, é divino, é mil vezes superior a tudo quanto verá na Itália, onde esse tímpano foi aliás inteiramente copiado por escultores de muito menos gênio. Não houve época em que todo mundo teve gênio, uma história isso... Seria mais forte do que a Idade de Ouro. O tipo que esculpiu aquela fachada, acredite o senhor que era tão forte e tinha ideias tão profundas como as pessoas de agora a quem mais admira. Eu lhe mostraria tudo isso, se fôssemos lá juntos. Há certas palavras do ofício da Assunção que foram traduzidas com uma sutileza que um Redon não igualou.[84]

Essa vasta visão celeste de que me falava ele, o gigantesco poema teológico que estava ali escrito, não foi isso no entanto o que meus olhos viram; ao abrir-se, cheios de desejos, ante aquela fachada. Eu lhe falava era nas grandes estátuas de santos que, trepadas em muletas, formam como que uma avenida.

— Ela parte do fundo das idades para ir dar em Jesus Cristo — disse-me ele. — São, de um lado, seus ancestrais segundo o espírito; do outro, os reis de Judá, seus ancestrais segundo a carne. Todos os séculos ali estão e, se tivesse reparado melhor no que lhe pareceu uma espécie de muletas, teria podido nomear os que ali se achavam trepados. Pois sob os pés de Moisés teria reconhecido o bezerro de ouro, sob os pés de Abraão, o carneiro, sob os de José, o demônio aconselhando a mulher de Putifar.

Disse-lhe também que esperava encontrar um monumento quase persa, o que decerto fora uma das causas da minha decepção.

---

84. Elstir opõe o escultor medieval a Odilon Redon (1840-1916), pintor da nova geração de pintores franceses da época em que se passa a narrativa proustiana. Os temas religiosos ocupavam lugar de destaque em suas obras. (N. E.)

— Mas há muito de verdade nisso — respondeu-me. — Algumas partes são completamente orientais; e há um capitel que reproduz tão exatamente um tema persa que não basta para explicá-lo a persistência das tradições de Oriente. O escultor deve ter copiado algum cofre trazido por navegadores. — Com efeito, devia ele mostrar-me mais tarde a fotografia de um capitel onde vi dragões quase chineses que se devoravam, mas em Balbec essa pequena peça de escultura me passara despercebida no conjunto do monumento, que não se assemelhava ao que haviam indicado estas palavras: "igreja quase persa".

As alegrias intelectuais que eu desfrutava naquele ateliê de maneira nenhuma me impediam de sentir, embora elas nos envolvessem, e a contragosto nosso, as mornas transparências, a penumbra fulgurante da peça, e, ao fundo da janelinha enquadrada de madressilvas, na avenida rústica, a resistente secura da terra queimada pelo sol e velada tão somente pela transparência da distância e a sombra das árvores. Acaso o inconsciente bem-estar que me causava aquele dia de verão servia para aumentar, como um afluente, a alegria que me causava a vista do "Porto de Carquethuit".

Julgava Elstir modesto, mas compreendi que me enganara ao ver seu rosto nuançar-se de tristeza quando, numa frase de agradecimentos, pronunciei a palavra "glória". Os que julgam duráveis as suas obras — e era o caso de Elstir — tomam o hábito de situá-las numa época em que eles próprios não sejam mais que pó. E assim, forçando-os a refletir no nada, a ideia da glória os entristece porque é inseparável da ideia da morte. Mudei de conversa para dissipar a nuvem de orgulhosa melancolia com que eu, sem querer, velara a fronte de Elstir.

— Haviam-me aconselhado — disse-lhe, pensando na conversa que tivéramos com Legrandin em Combray e sobre a qual estimaria ter a opinião de Elstir — que não fosse à Bretanha, porque era maléfico para um espírito já inclinado ao sonho.

— Qual! Quando um espírito é inclinado ao sonho, não devemos mantê-lo afastado deste, não lho devemos racionar. Enquanto o senhor desviar seu espírito de seus sonhos, ele não os conhecerá, e será o senhor joguete de mil aparências, porque não compreendeu a sua natureza. Se um pouco de sonho é perigoso, não é menos sonho que há de curá-lo, e sim mais sonho, todo o sonho. É preciso conhecer inteiramente os nossos sonhos para não mais sofrer com eles; há uma separação da vida e do sonho tão útil de fazer que me pergunto se não deveria ser praticada preventivamente, assim como pretendem certos cirurgiões que se extirpe o apêndice em todas as crianças, para evitar a possibilidade de uma futura apendicite.

Fôramos até o fundo do ateliê, para junto da janela que dava, atrás do jardim, para uma estreita alameda transversal, quase um caminho rústico. Tínhamos ido até ali para respirar o ar fresco da tarde mais avançada. Julgava-me bem longe das moças do pequeno bando, e foi sacrificando de uma vez a esperança de vê-las que acabara por obedecer aos rogos de minha avó, indo visitar Elstir. Nunca se sabe onde está o que procuramos, e muita vez evitamos por longo tempo o lugar para o qual todos nos convidam, por outros motivos. Mas não suspeitávamos que ali encontraríamos justamente a criatura de nossos pensamentos. Eu olhava vagamente o caminho que, apesar de passar bem junto do ateliê, não pertencia a Elstir. De súbito ali apareceu, a passos rápidos, a jovem ciclista do bando, tendo, sobre os negros cabelos, a boina baixada para suas faces rechonchudas e alegres e um pouco insistentes; e naquele afortunado caminho miraculosamente povoado de doces promessas, eu a vi, sob as árvores, lançar a Elstir um sorridente cumprimento de amiga, arco-íris que uniu para mim o nosso mundo terráqueo a regiões que até então julgara inacessíveis. Aproximou-se até para estender a mão ao pintor, sem parar, e vi que tinha um sinalzinho no queixo. "Conhece essa menina?", perguntei a Elstir, compreendendo que poderia apresentar-me a ela, convidá-la a entrar. E aquele tranquilo ateliê, com o seu horizonte rural, encheu-se de um delicioso acréscimo, como acontece com uma casa onde uma criança já se diverte muito e onde vem a saber que, além disso, pela generosidade que têm as belas coisas e as nobres pessoas em aumentar indefinidamente os seus dons, está sendo preparada em sua intenção uma deliciosa mesa. Disse-me Elstir que ela se chamava Albertine Simonet e nomeou-me também as suas amigas, que lhe descrevi com bastante exatidão para que não tivesse hesitações. Eu cometera um erro no tocante à sua posição social, mas não no mesmo sentido que habitualmente em Balbec. Ali eu tomava facilmente por príncipes a filhos de lojistas que andavam a cavalo. Situara dessa vez num meio equívoco moças de uma pequena burguesia muito rica, do mundo da indústria e dos negócios. Era o que, antes de tudo, menos me interessava, pois não tinha para mim nem o mistério do povo nem o de uma sociedade como a dos Guermantes. E por certo, se aquela brilhante inanidade da vida de praia não lhes houvesse conferido ante meus olhos ofuscados em prévio prestígio que não mais perderiam, talvez não tivesse eu conseguido lutar vitoriosamente contra a ideia de que eram filhas de fortes negociantes. Não pude senão admirar o quanto a burguesia francesa era um maravilhoso ateliê da mais generosa e variada escultura. Que tipos imprevistos, que invenção no caráter dos rostos, que decisão, que frescor, que singeleza nos traços! Os velhos burgueses avarentos de que tinham saído aquelas Dianas e aquelas ninfas me pareciam os maiores estatuários do mundo. Antes que tivesse tempo de me aperceber da metamorfose social daquelas moças, e de tal modo essas descobertas de um engano, essas modificações da noção que se tem de uma pessoa possuem a instantaneidade de uma reação química, já se instalara por detrás da fisionomia de um gênero tão malandro daquelas moças que eu tomara por amantes de corredores de bicicleta e de campeões de boxe, a ideia de que muito bem podiam ter ligações com a família de algum notário nosso conhecido. Eu não sabia absolutamente quem fosse Albertine Simonet.

Ela, é claro, ignorava o que devia ser um dia para mim. Até esse nome Simonet, que já ouvira na praia, se me pedissem que o escrevesse, tê-lo-ia ortografado com dois *nn*, sem suspeitar da importância que aquela família atribuía a só possuir um único. À medida que se desce na escala social, o esnobismo apega-se a nadas que não são talvez mais nulos do que as distinções da aristocracia, mas que, por serem mais obscuros, mais peculiares a cada qual, surpreendem em maior grau. Talvez tivesse havido alguns Simonet que houvessem andado em maus negócios, ou coisa pior. A verdade é que os Simonet, ao que parece, sempre se haviam irritado, como ante uma calúnia, quando lhes dobravam o *n*. Tinham o ar de ser os únicos Simonet com um *n*, em vez de dois, tendo talvez nisso tanto orgulho como os Montmorency em serem os primeiros barões da França. Perguntei a Elstir se aquelas moças moravam em Balbec, respondendo-me ele que sim quanto a algumas delas. A vila de uma estava precisamente situada na extremidade da praia, onde começavam os alcantilados de Canapville. Como fosse grande amiga de Albertine Simonet, era mais uma razão para acreditar que fora mesmo a essa última que havia encontrado quando me achava com minha avó. É verdade que havia tantas ruas transversais à praia, e formando com ela o mesmo ângulo, que era muito difícil especificar de qual se tratava. Desejaria a gente haver conservado uma lembrança exata, mas no momento preciso a visão estava perturbada. No entanto, que Albertine e aquela moça que entrava em casa de sua amiga fossem uma única e mesma pessoa era praticamente uma certeza. Apesar disso, enquanto as inúmeras imagens que me apresentou no futuro a morena jogadora de golfe, por mais diferentes que sejam umas das outras, se superpõem (pois sei que todas elas lhe pertencem) e, se remonto o fio de minhas recordações, consigo, sob a proteção dessa identidade e como por um caminho de comunicação interior, repassar por todas essas imagens sem sair de uma mesma pessoa, em compensação, se quero remontar até à moça com quem cruzei no dia em que estava com minha avó, é-me preciso voltar ao ar livre. Estou convencido de que é Albertine que encontro, aquela mesma que parava seguidamente, entre todas as suas amigas, naquele passeio em que suas figuras se alçavam sobre a linha do horizonte marinho, mas todas essas imagens continuam separadas daquela outra porque não posso conferir-lhe retrospectivamente uma identidade que não tinha para mim no momento em que impressionou meus olhos; e apesar de tudo o que possa assegurar-me o cálculo das probabilidades, aquela moça de rosto cheio que me olhou tão atrevidamente à esquina da ruazinha, e pela qual creio que poderia ter sido amado, no sentido estrito da palavra "rever", essa eu jamais revi.

Minha indecisão entre as diversas moças do bando, que conservavam um pouco do encanto coletivo que a princípio me perturbara, veio também se acrescentar a essas causas para deixar-me mais tarde, mesmo no tempo de meu maior — de meu segundo — amor por Albertine, uma espécie de liberdade intermitente e muito breve para não amá-la? Por haver errado entre todas as suas amigas em vez de fixar-se definitivamente nela, meu amor conservou para algumas vezes, entre ele e a imagem de Albertine, certo "dispositivo" que lhe permitia, como uma iluminação mal adaptada, pousar em outras antes de voltar a aplicar-se nela; a relação entre o mal que eu sentia no coração e a lembrança de Albertine não me parecia necessária, talvez pudesse coordená-la com a imagem de outra pessoa. O que me permitia, no espaço de um relâmpago, fazer desaparecer a realidade, não só a realidade exterior como no meu amor a Gilberte (que eu reconhecera como um estado interior em que tirava tão somente de mim a qualidade particular, o caráter especial da criatura a quem amava, tudo o que a tornava indispensável à minha felicidade), mas até mesmo a realidade interior e puramente subjetiva.

— Não há dia em que alguma delas não passe pelo ateliê e não entre para uma visitinha — disse-me Elstir, desesperando-me com o pensamento de que, se tivesse ido visitá-lo logo que minha avó pedira, provavelmente desde muito teria travado relação com Albertine.

Ela se afastara; já não mais a avistávamos do ateliê. Calculei que tivesse ido juntar-se às amigas no dique. Se pudesse ir até lá com Elstir, seríamos apresentados. Inventei mil pretextos para que ele consentisse em dar uma volta na praia comigo. Já não tinha a mesma calma de antes do aparecimento da moça no quadro da janela tão encantadora até então sob as suas madressilvas e agora bem vazia. Elstir causou-me uma alegria mesclada de tortura ao dizer que daria alguns passos comigo, mas que antes era obrigado a terminar o trecho que estava pintando. Eram flores, mas não daquelas cujo retrato eu desejaria encomendar, mais que o de qualquer pessoa, a fim de saber pela revelação do seu gênio o que eu tantas vezes procurara em vão diante delas — pilriteiros, espinheiros róseos, escovinhas, flores de macieira. Elstir, enquanto pintava, falava-me de botânica, mas eu mal o escutava; ele não bastava por si mesmo, não era mais que o intermediário necessário entre aquelas moças e eu; o prestígio que para mim alguns momentos antes lhe dava o seu talento já não valia senão na medida em que conferia um pouco a mim mesmo aos olhos do pequeno bando a quem seria por ele apresentado.

Eu ia e vinha, impaciente por vê-lo terminar o trabalho; apanhava estudos para contemplá-los, muitos dos quais, virados para a parede, estavam empilhados uns sobre os outros. E assim me sucedeu encontrar uma aquarela que devia ser de uma época muito mais antiga da vida de Elstir e que me causou essa espécie de particular encanto que proporcionam as obras não só de uma execução deliciosa, mas também de um tema tão singular e tão sedutor que é a este que atribuímos uma parte do encanto da obra, como se o pintor não tivesse tido outro trabalho senão o de descobri-lo, observá-lo, realizado como já estava na natureza, e reproduzi-lo em seguida. O fato de que possam existir tais objetos, belos, mesmo fora da interpretação do artista, contenta em nós um materialismo inato, combatido pela razão, e serve de contrapeso às abstrações da estética. Era a referida aquarela o retrato de uma mulher jovem, não bonita, mas de um tipo curioso, que usava um chapéu semelhante a um chapéu-coco com uma fita de seda cereja; uma de suas mãos enluvadas de mitenes segurava um cigarro aceso, ao passo que a outra erguia à altura do joelho uma espécie de grande chapéu de jardim, simples anteparo de palha contra o sol. A seu lado, uma floreira cheia de rosas, em cima de uma mesa. Muita vez, e era o caso atual, a singularidade dessas obras provém principalmente de que foram executadas em condições particulares que não discernimos claramente a princípio, por exemplo, se o vestuário estranho de um modelo feminino é um disfarce de baile a fantasia, ou se a capa vermelha de um velho, que parece tê-la vestido para prestar-se a um capricho do pintor, é a sua toga de catedrático ou de conselheiro, ou a sua murça de cardeal. O caráter ambíguo da criatura, cujo retrato contemplava, procedia, sem que eu o compreendesse, de que era uma jovem atriz de outrora em meio travesti. Mas o seu chapéu-coco, sob o qual os cabelos se mostravam estufados mas curtos, sua jaqueta de veludo sem lapela, abrindo-se sobre um peitilho branco, fizeram-me hesitar no tocante à data da moda e ao sexo do modelo, de modo que eu não sabia exatamente o que tinha ante os olhos, senão que era a mais luminosa das obras de pintura. E o prazer que me causava era apenas perturbado pelo medo de que Elstir, demorando-se ainda mais, me fizesse perder as moças, pois o sol já se mostrava oblíquo e baixo na janela. Nenhuma das coisas representadas na aquarela estava ali como um dado real, pintado por ser útil à cena: o vestuário, porque a dama estivesse vestida, ou a floreira pelas flores. O vidro da floreira, amado por si mesmo, parecia encerrar a água onde mergulhavam as hastes dos cravos em alguma coisa de tão límpido e quase tão líquido quanto ela; o vestuário da mulher envolvia-a de um modo que tinha um encanto independente, fraternal, e como se as obras da indústria pudessem rivalizar em encanto com as maravilhas da natureza, tão delicado, tão saboroso ao toque do olhar, tão frescamente pintado como o pelo de uma gata, as pétalas de um cravo, as penas de uma pomba.

A brancura do peitilho, de uma finura de granizo e cuja frívola plissagem tinha campânulas como as do junquilho, se iluminava com os claros reflexos da peça, esses também sutis e finamente matizados como buquês de flores que recamassem a tela. E o veludo da jaqueta, nacarado e brilhante, tinha ali qualquer coisa de eriçado, picotado e veloso que fazia pensar no desalinho dos cravos no vaso. Mas sentia-se principalmente que Elstir, descuidoso do que pudesse apresentar de imoral aquele disfarce de uma jovem atriz, para quem o talento com que ela interpretaria o papel tinha por certo menos importância que o enervante atrativo que ia oferecer aos sentidos embotados ou depravados de certos espectadores, se ativera pelo seu contrário a esses traços de ambiguidade como a um elemento estético que valia a pena ser posto em relevo e que ele tudo fizera para sublinhar. Ao longo das linhas do rosto, o sexo parecia a ponto de confessar que era o de uma rapariga um pouco viril, esvaía-se depois e mais além reaparecia, sugerindo antes a ideia de um jovem efeminado, vicioso e sonhador, depois fugia de novo, indiscernível. O caráter de cismadora tristeza do olhar, pelo próprio contraste com os acessórios pertencentes ao mundo da boemia e do teatro, não era o que havia de menos perturbador. Pensava-se de resto que devia ser factício e que a jovem criatura que parecia oferecer-se às carícias naquele provocante costume achara sem dúvida picante acrescentar-lhe a expressão romanesca de um sentimento secreto, de um desgosto inconfessado. Embaixo do retrato estava escrito: *"Miss Sacripant*, outubro de 1872". Não pude conter a minha admiração.[85]

— Oh!, não é nada, um esboço da mocidade... Tratava-se de uma fantasia para uma revista de variedades. Tudo vai muito longe.

---

85 Alusão possível a uma ópera-cômica, representada pela primeira vez em Paris no ano de 1866. Nela, a personagem Sacripant aparecia, nas duas últimas cenas, disfarçada de mulher. Mas, quem fazia Sacripant não era um homem, mas uma mulher, a atriz Goby-Fontanel, o que sublinha duplamente o tema da ambiguidade sexual e do travestimento, tão importantes na figuração das relações amorosas no decorrer da obra proustiana. (N. E.)

— E que foi feito do modelo? — O espanto provocado por minhas palavras precedeu no rosto de Elstir o ar indiferente e distraído que ele lhe imprimiu ao fim de um segundo.

— Olhe, passe-me depressa essa tela — disse ele —, ouço a senhora Elstir que vem vindo e, embora a jovem criatura do chapéu-coco não tenha desempenhado, asseguro-lhe, nenhum papel em minha vida, é excusado que a minha mulher tenha essa aquarela ante os olhos. Só guardei isso como um divertido documento do teatro daquela época.

E antes de ocultar a aquarela atrás de si, Elstir, que decerto não a via desde muito, lançou-lhe um olhar atento.

— Só se pode guardar a cabeça — murmurou. — O resto está mal pintado, as mãos são de um principiante.

Eu estava desolado com a chegada da sra. Elstir, que ainda nos ia retardar. Em breve o rebordo da janela se apresentava róseo. Nossa saída seria pura perda. Já não havia nenhuma probabilidade de ver as moças e por conseguinte nenhuma importância em que a sra. Elstir nos deixasse mais ou menos depressa. Não se demorou muito, aliás. Achei-a muito aborrecida. Poderia ter sido bela, com vinte anos menos, a conduzir um boi pela campina romana; mas seus cabelos negros estavam embranquecendo; ela era comum sem ser simples, pois julgava que a solenidade de maneiras e a majestade de atitude eram requeridas pela sua beleza escultural, que com a idade havia perdido todos os seus encantos. Vestia-se com a maior simplicidade. E ficava-se impressionado mas surpreso ao ouvir Elstir dizer a todo momento e com respeitoso carinho como se apenas o pronunciar tais palavras lhe causasse ternura e veneração: "Minha formosa

---

86 O nome "Gabrielle" enfeixa algumas referências: primeiro, a Gabrielle d'Estrées (1573-1599), favorita do rei francês Henrique IV, que inspirou o quadro mais conhecido da Escola de Fontainebleau e, muito depois, em 1855, um romance de Auguste Maquet; Gabrielle também era o nome da segunda esposa do pintor impressionista Renoir. (N. E.)

Gabrielle!".[86] Mais tarde, quando conheci a pintura mitológica de Elstir, a sra. Elstir também adquiriu beleza para mim. Compreendi que o pintor havia atribuído um caráter quase divino a determinado tipo ideal resumido em certas linhas, em certos arabescos que se repetiam constantemente em sua obra, a determinados cânones, e todo o tempo de que dispunha, todo o esforço de pensamento de que se sentia capaz, numa palavra, toda a sua vida, consagrou-a à missão de distinguir melhor essas linhas e reproduzi-las com a maior fidelidade. Tão grave e exigente era o culto que semelhante ideal inspirava a Elstir que nunca o deixava satisfeito, era a parte mais íntima de si mesmo; de modo que não pudera considerar esse ideal e tirar dele emoções, até o dia em que o encontrou realizado exteriormente no corpo de uma mulher, no corpo da que havia de ser a sra. Elstir, e em que pôde — como só é possível com o que não é a nossa própria pessoa — achá-lo meritório, comovedor, divino. Que descanso pousar os lábios naquela beleza que até então tinha de tirar da própria alma com tamanho trabalho, e que agora, misteriosamente encarnada, se lhe oferecia para uma série de eficazes comunhões! Naquela época Elstir já saíra dessa primeira mocidade em que se espera realizar o ideal apenas com o poder do pensamento. Ia-se aproximando da idade em que a gente conta com as satisfações do corpo para estimular as forças do espírito, quando a fadiga deste nos inclina para o materialismo, e a diminuição da atividade para a possibilidade de influências passivamente recebidas, e começamos já a admitir que pode haver determinados corpos, determinados ofícios, ritmos privilegiados que realizem com tanta naturalidade o nosso ideal que embora sem gênio, tão somente copiando o movimento de um ombro, a tensão de um colo, cheguemos a executar uma obra-prima; é a idade em que nos comprazemos em acariciar a beleza com o olhar, fora de nós, perto de nós, num belo esboço de Ticiano descoberto em um antiquário, numa amante que é tão bela como o esboço de Ticiano. Quando compreendi tal coisa, já me agradava ver a sra. Elstir, seu corpo ficou mais leve porque eu o enchi de uma ideia, a ideia de que era uma criatura imaterial, um retrato de Elstir. Era-o para mim e também o devia ser para ele. Os dados reais da vida não têm valor para o artista, são unicamente um ensejo para manifestar seu gênio. Quando se veem juntos dez retratos de diferentes pessoas executados por Elstir, logo se percebe que são antes de tudo Elstir. Somente após essa maré do gênio que recobre a vida, quando o cérebro se fatiga, pouco a pouco se rompe o equilíbrio e, como um rio que retoma o curso após o contrafluxo de uma grande maré, é a vida que recupera a primazia. Ora, enquanto durava o primeiro período, pouco a pouco o artista foi deduzindo a lei e a fórmula do seu dom inconsciente. Sabe que situações, se é romancista, que paisagens, se é pintor, lhe fornecem a matéria, indiferente em si, mas necessária às suas pesquisas, como o seria um laboratório ou um ateliê. Sabe que fez suas obras-primas com efeitos de meia-luz, com remorsos que modificam a ideia de pecado, com mulheres pousadas sob as árvores, ou meio mergulhadas n'água, como estátuas. Dia virá em que, pelo desgaste de seu cérebro, já não terá, diante desses materiais de que servia seu gênio, o impulso necessário para o esforço intelectual requerido para produzir a sua obra, e continuará no entanto a procurá-los, alegrando-se de se ver junto deles, pelo prazer espiritual, convidativo ao trabalho, que provocam no seu espírito; e cercando-os de um sentimento de superstição, como se fossem superiores a todas as outras coisas, como se neles estivesse depositada e já feita uma boa parte da obra artística, não fará mais que procurar e adorar os modelos. Andará falando com criminosos arrependidos, cujo remorso e regeneração lhe serviram de assunto para os seus romances; comprará uma casa de campo em região onde a bruma atenue a força da luz; passará horas inteiras a ver como se banham as mulheres, ou fará coleção de telas antigas. E assim, a beleza da vida, palavras de certo modo sem significação, região situada aquém da arte e onde vi que Swann se detinha, era também aquele lugar a que um dia haveria de ir retrocedendo pouco a pouco um Elstir, por debilitação do seu gênio criador, por idolatria das formas que o tinham favorecido ou por desejo do menor esforço.

Afinal deu a última pincelada nas flores; estive a olhá-las um momento; agora já não tinha mérito em perder tempo a olhá-las, pois sabia que as moças não mais estariam na praia; mas, ainda que acreditasse que ali continuavam, e que não conseguisse alcançá-las devido àqueles minutos de contemplação, olharia o quadro, considerando que Elstir se interessava mais pelas suas flores do que pelo meu encontro com as moças. Pois o modo de ser de minha avó, inteiramente oposto ao meu total egoísmo, contudo se refletia no meu. Em qualquer circunstância em que uma pessoa indiferente, mas a quem sempre tratara com exterior afeto ou respeito, não arriscasse mais que uma contrariedade, ao passo que eu me visse num perigo, minha atitude não poderia ser outra senão ter-lhe pena por seu desgosto, como se se tratasse de coisa considerável, e encarar meu perigo como insignificância; tudo porque me parecia que para tal pessoa as coisas deviam apresentar-se nessas proporções. E para falar a verdade, acrescentarei que ainda ia mais longe: não só não deplorava o meu perigo, mas ia-lhe ao encontro e, em compensação, quanto ao perigo dos outros, fazia por afastá-lo deles, embora houvesse probabilidades de que por isso viesse a recair em mim. Obedece tal fato a várias razões que não depõem muito a meu favor. Uma delas é que, enquanto não fazia mais que raciocinar, imaginava ter apego à vida; mas cada vez que no decurso de minha existência me vi atormentado por preocupações morais ou por meras inquietações nervosas, tão pueris às vezes que não me atreveria a contá-las, se então surgia uma circunstância imprevista que implicava para mim risco de morte, tão leve era essa nova preocupação, comparada com as outras, que a acolhia com um sentimento de alívio que ia até a alegria. E assim acontecia que eu, o homem menos bravo do mundo, vinha a conhecer essa coisa que, nos momentos de puro raciocínio, se me afigurava tão inconcebível e estranha ao meu modo de ser. E no momento em que surge o perigo, ainda que seja mortal e que me ache num estágio da vida inteiramente tranquila e feliz, se estou com outra pessoa, não posso deixar de colocá-la a salvo e tomar para mim o lugar de perigo. Quando um número considerável de experiências me acabou demonstrando que eu sempre procedia assim e com muito gosto, descobri envergonhado que, ao contrário do que sempre julgara e afirmara, era muito sensível à opinião alheia. Contudo, essa espécie de inconfessado amor-próprio nada tem a ver com a vaidade e o orgulho. Pois aquilo com que se satisfazem orgulho ou vaidade não me causa prazer algum e nunca me atraiu. Mas nunca pude negar-me a mostrar às mesmas pessoas a quem consegui ocultar esses meus pequenos méritos, que fariam talvez com que formassem ideia menos má de mim, que mais me preocupa afastar a morte de seu caminho que do meu. Porque o móvel de minha conduta é então o amor-próprio e não a virtude, muito natural me parece que em qualquer circunstância procedam de modo diverso. Nada mais longe de mim que censurá-las por isso; fá-lo-ia talvez se me visse movido pela ideia de um dever, que nesse caso me pareceria obriga-tório tanto para elas como para mim. Ao contrário, considero-as muito sensatas pelo fato de defenderem sua vida, mas não posso deixar de colocar o valor da minha em lugar secundário; coisa particularmente absurda e culposa desde que me pareceu descobrir que a vida de muitas pessoas que resguardo com o meu corpo quando rebenta uma bomba vale menos do que a minha. De resto, no dia da visita a Elstir ainda faltava muito para que eu chegasse a averiguar essa diferença de valores, e não se tratava de nenhum perigo, mas simplesmente de um sinal precursor do pernicioso amor-próprio: aparentar que não concedia àquele prazer tão ardentemente cobiçado maior importância que a seu trabalho de aquarelista, ainda por terminar. Afinal terminou o quadro. E quando saímos, como os dias eram então muito longos, vi que não era tão tarde como supunha; fomos ao passeio do dique. Lancei mão de mil artimanhas para reter Elstir no lugar por onde supunha que ainda poderiam passar as moças. Mostrava-lhe os alcantis que se erguiam ali perto e pedia-lhe que me falasse deles, a fim de que esquecesse a hora e permanecesse no local. Parecia-me haver mais probabilidade de encontrar o bando de moças se nos dirigíssemos até o fim da praia.

— Gostaria que víssemos de perto aqueles rochedos — disse a Elstir, porque verificara que uma das moças costumava passear por aquelas bandas. — Enquanto isso, conte-me coisas de Carquethuit. Como me agradaria ir a Carquethuit! — acrescentei, sem pensar que o novo caráter, tão fortemente manifestado no "Porto de Carquethuit", provinha talvez da visão do pintor e não de nenhum mérito especial dessa praia. — Depois que vi o quadro, é o lugar que mais tenho vontade de conhecer, além da Ponta de Raz, que aliás seria uma viagem bem longa.

— E mesmo que estivesse mais perto, eu lhe aconselharia preferentemente Carquethuit — respondeu Elstir. — A Ponta de Raz é admirável; mas afinal de contas é a costa escarpada normanda ou bretã, que o senhor já conhece, ao passo que Carquethuit é muito diferente, com aqueles rochedos na praia baixa. Não conheço nada parecido na França; recorda-me antes alguns aspectos da Flórida. É muito curioso, não? Também é um lugar extremamente selvagem. Fica entre Clitourps e Nehomme; bem sabe o senhor como são desolados esses lugares. Mas a linha das praias é deliciosa. Aqui o litoral não diz nada; mas se visse o que tem de gracioso e suave naqueles lugares...

Anoitecia e era preciso voltar; ia eu acompanhando Elstir até a sua residência, quando de repente, tal como surge Mefistófeles diante de Fausto, assomaram ao fundo da avenida — como simples objetivação irreal e diabólica do temperamento oposto ao meu, daquela vitalidade cruel e quase bárbara que faltava à minha fraqueza e ao meu excesso de dolorosa sensibilidade e de intelectualismo — alguns flocos dessa matéria impossível de confundir com qualquer outra, algumas espórades do grupo zoofítico de raparigas, as quais pareciam não me ver, mas na verdade deviam estar pronunciando irônicos juízos sobre a minha pessoa. Ao ver que era inevitável o encontro entre elas e nós, e pensando que Elstir me chamaria, voltei-me de costas, como faz o banhista para receber a onda; estaquei e, deixando que meu ilustre companheiro seguisse o seu caminho, deixei-me ficar para trás, afetando súbito interesse, a olhar a vitrina da loja de antiguidades que ali havia; agradou-me essa possibilidade de parecer que estava pensando em outra coisa diversa das tais moças; e já pressentia vagamente que quando Elstir me chamasse para apresentar-me a elas mostraria eu esse olhar interrogativo que revela não a surpresa, mas o desejo de fazer-se de surpreendido (e isso porque somos todos muito maus atores ou porque o próximo é sempre muito bom fisionomista) e talvez chegasse até a levar o dedo ao peito, como que dizendo: "É a mim que está chamando?", para logo acorrer com a cabeça docilmente inclinada, muito obediente e dissimulando com fria atitude o incômodo que me causava o verme arrancado à contemplação de umas faianças antigas para que me apresentassem a umas pessoas que não me interessava conhecer. Enquanto isso, continuava a olhar a vitrina, à espera de que meu nome, lançado a gritos por Elstir, viesse ferir-me como uma bala esperada e inofensiva. A certeza de ser apresentado às moças teve como resultado não só fazer-me simular indiferença, mas senti-la realmente. O prazer de conhecê-las, como agora já era inevitável, comprimiu-se, reduziu-se, pareceu-me muito menor do que o de falar com Saint-Loup, jantar com a minha avó e fazer pelos arredores excursões que decerto lamentaria abandonar pelo convívio com pessoas que pouco deviam interessar-se pelos monumentos históricos. Além disso, o que diminuía o prazer que eu ia fruir não era só a iminência, senão também a incoerência de sua realização. Leis tão precisas como da hidrostática mantêm a superposição de imagens que formamos numa ordem fixa e que se transforma quando se aproxima o acontecimento. Elstir ia cha-mar-me.

Mas não era da maneira como muitas vezes imaginei na praia ou em meu quarto que eu havia de conhecer as moças. O que ia suceder era outro acontecimento para o qual não estava preparado. Agora não reconhecia nem meu desejo nem seu objeto; quase sentia haver saído com Elstir. Mas, sobretudo, devia-se a contração daquele prazer que eu esperava à certeza de que não mo podiam tirar. E voltou a recuperar toda a sua dimensão quando, como em virtude de uma força elástica, não mais sofreu a pressão dessa certeza, no momento em que, resolvendo voltar a cabeça, vi que Elstir, parado a alguns passos dali, estava a despedir-se das moças. O rosto daquela que se achava mais perto do pintor, cheio e iluminado pelos seus olhares, parecia uma torta em que se houvessem reservado uns buraquinhos para uns pedaços de céu. Seus olhos, embora quietos, davam uma impressão de mobilidade, como acontece nesses dias de muito vento, em que não se vê o ar, mas nota-se a rapidez com que atravessa o fundo azul. Por um instante os seus olhares se cruzaram com os meus, como esses céus viajores dos dias de tormenta, que se aproximam de uma nuvem menos rápida, tangenciam-na, tocam-na, e passam adiante. Mas não se conhecem e se afastam um do outro. Assim nossos olhares estiveram cruzados um momento, ignorando cada um o que continha de promessas e ameaças para o futuro o continente celeste que tinha diante de si. Só no preciso instante em que seu olhar pousou exatamente no meu foi que se nublou de leve, mas sem diminuir a velocidade. Assim acontece por uma noite clara, quando a lua, arrastada pelo vento, passa por trás de uma nuvem, vela por um instante o seu esplendor e reaparece em seguida. Elstir já se havia despedido das moças sem chamar-me. Tomaram elas por uma rua transversal e o pintor aproximou-se de mim. Tudo estava perdido.

Já disse que Albertine não me parecera nesse dia com a mesma aparência que nos anteriores e que, cada vez que a via, se me afigurava diferente. Mas naquele momento compreendi que certas modificações no aspecto, na importância e na magnitude de uma criatura podem consistir na variabilidade de certos estados de espírito interpostos entre elas e nós. E um dos que maior papel desempenham em tal caso é a crença em determinada coisa (naquela tarde, a crença de que ia conhecer Albertine alguns segundos depois converteu-a em coisa insignificante a meus olhos, e o esvaimento de semelhante crença logo lhe devolveu o caráter de coisa preciosa; anos mais tarde, a crença de que Albertine me era fiel, e depois o desaparecimento dessa ideia, acarretaram análogas mudanças).

Por certo que já em Combray tinha eu visto diminuir ou aumentar, conforme as horas, conforme entrasse eu num ou noutro dos dois grandes modos que dividiam minha sensibilidade, a pena de não estar com minha mãe — tão imperceptível de tarde como a luz da lua enquanto brilha o sol, mas que logo, quando caía a noite, reinava solitária em minha alma ansiosa no mesmo lugar onde estavam as lembranças apagadas e recentes. Mas naquele dia, ao ver que Elstir se separava das moças sem me ter chamado, aprendi que as variações da importância que têm para nós um prazer ou um pesar podem obedecer não só àquela alternância dos estados d'alma, mas também à mutação de crenças invisíveis; graças a elas, a morte, por exemplo, nos parece coisa indiferente porque a cercaram de um halo de irrealidade, e fazem assim com que atribuamos grande importância ao fato de ir a um concerto de sociedade, o qual perderia toda a importância se, de súbito, pela notícia de que nos vão guilhotinar, desaparecesse a crença que impregna a festa dessa noite; bem certo é esse papel que desempenham as crenças; em minha alma havia alguma coisa que o sabia: a vontade; mas é inútil que ela o saiba, se continuam a ignorá-lo a inteligência e a sensibilidade; e essas duas faculdades procedem de muito boa-fé quando acreditam que sentimos desejos de abandonar uma amante, a qual só a vontade sabe que queremos muito. E que estão obscurecidas pela crença de que tornaremos a encontrá-la dali a pouco. Mas que se dissipe tal crença, que fiquem sabendo que essa mulher se foi embora para sempre, e então inteligência e sensibilidade se tornam como loucas, perdem o equilíbrio, e o ínfimo prazer aumenta ao infinito.

Variação de uma crença, vazio do amor também, que, sendo preexistente e móvel, se detém na imagem de uma mulher simplesmente porque essa mulher será quase inatingível. E logo começamos a pensar, mais do que nessa mulher, cuja imagem dificilmente evocamos, nos meios de conhecê-la. Desenvolve-se todo um processo de angústias, o que basta para sujeitar o nosso amor a essa mulher, objeto que mal conhecemos, desse amor. A paixão chega a tornar-se imensa, e ocorre-nos reconhecer que lugar diminuto ocupa dentro dela a mulher real. E se de súbito, como no momento em que vi Elstir dirigir-se às moças, cessa a nossa preocupação, cessa a nossa angústia, como todo o nosso amor era essa angústia, parece que a paixão se desvaneceu de repente, no mesmo instante em que a sua presa, em cujo valor não refletimos muito, está a nosso alcance. Que conhecia eu de Albertine? Um ou dois perfis destacados sobre o mar, por certo muito menos belos que os das mulheres de Veronese, as quais deveriam ser preferidas no caso em que eu obedecesse a razões puramente estéticas. E que outras razões podia ter se, uma vez que minha angústia arrefecia, não me encontrava com outra coisa a não ser esses mudos perfis, e não possuía nada mais? Desde que vira Albertine, fazia todos os dias mil reflexões a seu respeito, mantinha com o que eu chamava Albertine todo um colóquio interior, em que lhe inspirava perguntas e respostas, pensamentos e ações e, na série indefinida de Albertines imaginadas que se sucediam em meu espírito de hora a hora, a Albertine de verdade, a que vi na praia, só figurava à frente como a criadora de um papel, a estrela, só aparece nas primeiras de uma longa série de representações. Essa Albertine quase se reduzia a uma silhueta; tudo o que se lhe sobrepunha era da minha invenção, pois em amor acontece que as contribuições originárias de nós mesmos suplantam — ainda que apenas do ponto de vista da quantidade — aquelas que nos vêm da criatura amada. E isso é certo no tocante aos amores mais efetivos. Há os que podem não só formar-se, mas substituir em torno de muito pouca coisa — e até entre os que receberam sanção carnal. Um velho professor de desenho de minha avó teve uma filha de uma amante de classe muito inferior. A mãe morreu pouco depois de nascer a menina e, com a sua morte, causou tal desgosto ao professor, que este não lhe pôde sobreviver muito tempo. Nos últimos meses de sua vida, minha avó e algumas outras senhoras de Combray, que nunca tinham querido fazer alusão diante do professor àquela mulher, com quem aliás nunca vivera oficialmente e com quem não tivera muitas relações, pensaram em assegurar o futuro da menina, contribuindo cada qual com uma quantia para lhe dar uma renda vitalícia. Minha avó foi quem o propôs, e houve algumas amigas que muito se fizeram rogar, indagando se valeria a pena preocupar-se com a menina, pois sabe lá se ao menos seria filha de quem se imaginava seu pai, porque com mulheres como aquela não se pode ter nenhuma segurança. Afinal se decidiram. A menina foi à nossa casa agradecer. Era feia e tão pouco se parecia com o velho professor que todas as dúvidas se dissiparam; como o único que tinha de bonito eram os cabelos, uma senhora disse ao pai, que a acompanhava: "Que lindos cabelos ela tem!". E minha avó, considerando que agora a mulher culpada já estava morta e o professor a caminho da sepultura e, por conseguinte, uma alusão a esse passado que todos fingiam ignorar já não tinha gravidade, acrescentou:

— Talvez seja de família. A mãe dela tinha os cabelos assim?

— Não sei — respondeu ingenuamente o pai. — Eu nunca a vi a não ser de chapéu.

Tinha de voltar com Elstir. Olhei-me numa vidraça. Além do desastre de não ter sido apresentado, vi que minha gravata estava torta e que os cabelos compridos me apareciam por debaixo do chapéu, coisa que me sentava muito mal; mas, de qualquer maneira, sempre era uma sorte que, ainda com esse aspecto, as moças me tivessem visto em companhia de Elstir e assim não pudessem esquecer-me; também foi uma sorte que naquela tarde, e a conselho de minha avó, estivesse com o colete bonito, que estive a ponto de substituir por um horrível, e com a minha melhor bengala; porque, como os acontecimentos que desejamos nunca se efetuam conforme havíamos pensado, na falta das vantagens com que julgavamos contar se apresentam outras que não esperávamos, e assim tudo se compensa; tanto medo tínhamos ao pior que, afinal de contas, somos levados a reconhecer que, tudo bem pesado, o caso nos foi mais favorável que adverso.

— Eu gostaria tanto de conhecê-las — disse a Elstir quando me aproximei.

— Então por que ficou a uma légua? — Estas foram as palavras que pronunciou, não porque expressassem seu pensamento, visto que, se quisesse satisfazer meu desejo, nada mais fácil do que chamar-me, mas porque tivesse ouvido frases desse gênero, muito familiar às pessoas vulgares apanhadas em falta, e porque até os grandes homens são, em certas coisas, iguais ao vulgo e procuram suas escusas correntes em repertório idêntico, da mesma forma que compram o pão de cada dia no mesmo padeiro, ou talvez porque tais palavras, que de certo modo devem ser lidas às avessas, visto que sua letra significa o contrário da verdade, sejam o necessário efeito, o gráfico negativo de um movimento reflexo. — Tinham pressa. — Eu, antes de tudo, imaginei que as moças não tinham deixado chamar uma pessoa que tão pouco simpática lhes era; pois, a não ser assim, ele me haveria chamado, depois de tantas perguntas que fiz a respeito delas e do interesse que viu que me inspiravam.

— Estavámos falando de Carquethuit — disse-me à porta da casa, quando ia despedir-me. — Executei um pequeno esboço onde se vê muito bem a linha da praia. O quadro não está mau, mas trata-se de outra coisa. Se quiser eu lho darei como lembrança da nossa amizade — acrescentou, pois as pessoas que negam o que a gente deseja costumam dar-nos outra coisa.

— O que me agradaria muito, se é que tem alguma, é a fotografia desse retrato de miss Sacripant. Mas que significa esse nome?

— É a personagem representada pelo modelo do retrato, numa opereta estúpida.

— Não a conheço, mas parece que o senhor não acredita...

Elstir não disse nada.

— É que afinal de contas pareceu que fosse da senhora Swann, quando solteira — disse eu, num desses súbitos e fortuitos encontros com a verdade, muito raros, mas que, quando acontecem, vêm servir de base à teoria dos pressentimentos, contanto que se esqueçam todos os erros que a invalidam. Elstir não me respondeu. Era com efeito um retrato de Odette de Crécy. Não quis ela conservá-lo por muitas razões, algumas óbvias. Mas ainda havia outras. O retrato era anterior ao momento em que Odette, disciplinando as suas feições, formara com o próprio rosto e o corpo essa criação que, através dos anos, haviam de respeitar em suas linhas gerais os cabeleireiros e as modistas, e também a mesmíssima Odette em seu modo de andar, de falar, de sorrir, de colocar as mãos, de olhar e de pensar. Era preciso toda depravação de um amante enfarado para que Swann preferisse às inúmeras fotografias da Odette *ne varietur* em que se havia transformado a sua deliciosa mulher aquele retratinho que tinha em seu quarto, em que se via, com um chapéu de palha enfeitado de margaridas, uma jovem magra bastante feia, de cabelos desordenados e feições abatidas.

De resto, ainda que o retrato fosse, não anterior, como a fotografia predileta de Swann, à sistematização das feições de Odette em um tipo novo, cheio de majestade e encanto, e sim posterior, bastaria a simples visão de Elstir para desorganizar esse tipo. O gênio artístico opera à maneira dessas temperaturas extremamente elevadas que têm força para dissociar as combinações dos átomos e agrupá-los outra vez conforme uma ordem inteiramente contrária e correspondente a outro gênero. Tinha essa falsa harmonia que a mulher impõe a seus traços e de cuja persistência se assegura todos os dias antes de sair, inclinando um pouco mais o chapéu, alisando os cabelos e tornando mais alegre o olhar para garantir sua continuidade, a visão do pintor a destrói num segundo e cria em seu lugar um novo agrupamento dos traços da mulher, de modo que satisfaça a determinado ideal feminino e pictórico que ele traz no seu íntimo. Assim acontece que, depois de certa idade, os olhos de um grande pesquisador encontram por toda parte os elementos necessários para estabelecer as únicas relações que lhe interessam. Como esses operários e jogadores que não têm escrúpulos e se contentam com o que lhes cai nas mãos poderiam dizer de qualquer coisa: "Isto serve". E assim aconteceu que uma prima da princesa de Luxemburgo, beldade das mais altaneiras, se deixou fascinar, há tempos, por uma arte que era nova na época, e encomendou um retrato seu ao mais famoso dos pintores naturalistas. Logo o olhar do artista encontrou o que procurava por toda parte. E sobre a tela havia, em lugar da grande dama, uma caixeirinha tendo por fundo um vasto cenário inclinado em violeta, que lembrava a praça Pigalle. Mas, sem chegar a tanto, um retrato de mulher por um grande artista não só não tenderá em caso algum a satisfazer quaisquer das exigências da mulher que lhe serviu de modelo, como essas, por exemplo, que levam, quando entrada em anos, a retratar-se com vestidos de mocinha que realçam seu talhe ainda juvenil, e a representam como irmã de sua filha ou filha de sua filha (que, se necessário for, figurará a seu lado muito malvestida, como convém), mas, pelo contrário, há de querer salientar os aspectos desfavoráveis que ela deseja ocultar e que o tentam, como, por exemplo, uma cor de febre ou mesmo esverdeada, porque possuem mais "caráter"; mas isso basta para desencantar o espectador vulgar e reduzir a nada o ideal cuja armadura essa mulher tão altivamente mantinha e que a colocava, em sua forma única e irredutível, à parte e acima da humanidade. Agora já se vê destronada, colocada fora de seu próprio tipo, que era o seu reino invulnerável; não é mais que uma de tantas mulheres, que não nos inspira nenhuma fé em sua superioridade. De tal forma identificávamos com esse tipo não só a beleza de uma Odette, mas a sua personalidade e essência que, ao ver o retrato que lhe tira o caráter, nos dá vontade de bradar que está muito mais feia do que é e, sobretudo, muito pouco parecida. Não a reconhemos. Contudo, sentimos bem que há ali uma criatura que já vimos. Mas não é Odette; conhecemos, sim, o rosto, o corpo, o aspecto dessa criatura. E não nos lembram a mulher que nunca sentava-se assim, e cuja postura habitual não desenhou nunca o estranho e provocante arabesco que mostra o quadro, mas a outras mulheres, a todas as que pintou Elstir, e que sempre, por diferentes que fossem, assim colocou, de frente, com o pé recurvo assomando por debaixo da saia, e um grande chapéu redondo na mão, correspondendo simetricamente, ao nível do joelho, que oculta, a esse outro disco, visto de frente, o rosto. Em suma, um retrato genial não só desloca o tipo de uma mulher, tal como o estabeleceram sua faceirice e sua concepção egoísta da beleza, mas também, se é antigo, não se contenta de envelhecer o original da mesma forma que a fotografia, isto é, apresentando-o com modas antigas. Porque num retrato de pintor o tempo indica, além do vestuário da mulher, o estilo que tinha então o artista. Esse estilo, a primeira maneira de Elstir, era a mais terrível certidão de nascimento para Odette, pois a convertia, como as suas fotografias da mesma época, numa caçula das cocotes então conhecidas; mas a seu retrato, tornava-o contemporâneo dos inúmeros que Manet ou Whistler pintaram com modelos já desaparecidos e que pertencem ao esquecimento ou à História.

A estes pensamentos, silenciosamente ruminados ao lado de Elstir, enquanto o acompanhava, me arrastava a recente descoberta da identidade de seu modelo, quando essa primeira descoberta acarretou outra muito mais inquietante para mim e referente à identidade do artista. Fizera ele o retrato de Odette de Crécy. Seria, pois, possível que esse homem genial, esse sábio, esse solitário, esse filósofo de palestra magnífica e que dominava todas as coisas fosse o ridículo e perverso pintor protegido outrora pelos Verdurin? Perguntei-lhe se não os tinha conhecido e se não o chamavam então de sr. Biche. Elstir me respondeu que sim, sem dar mostras de confusão, como se se tratasse de um tempo já passado de sua existência; não suspeitava a extraordinária decepção que me causou, mas ergueu os olhos e leu-a em meu rosto. No seu se espelhou um ar de descontentamento. Como estávamos quase em sua casa, outro homem de menos inteligência e coração que ele talvez se houvesse despedido secamente, sem mais nada, fazendo depois o possível para não se encontrar comigo. Mas Elstir não fez tal coisa; como verdadeiro mestre — talvez o seu único defeito do ponto de vista da criação pura fosse o de ser um mestre, neste sentido da palavra mestre, porque um artista, para entrar na plena verdade da vida espiritual, deve estar só e não prodigalizar o que é seu, nem sequer a seus discípulos — procurava extrair de qualquer circunstância, referente a ele ou a outrem, e para melhor ilustração dos jovens, a parte de verdade que continha. E preferiu, a frases que pudessem vingar seu amor-próprio, outras que me instruíssem.

— Não há homem — disse-me — por sábio que seja que em alguma época da sua mocidade não tenha levado uma vida ou não haja pronunciado umas palavras que não lhe agrade recordar e que quisesse ver anuladas. Mas na verdade não deve senti-lo inteiramente, pois não se pode estar certo de ter alcançado a sabedoria, na medida do possível, sem passar por todas as encarnações ridículas ou odiosas que a precedem. Bem sei que há jovens, filhos e netos de homens distintos, com preceptores que lhes ensinam nobreza d'alma e elegância moral desde os bancos escolares. Talvez nada se tenha a dizer da sua vida, talvez possam publicar e assinar tudo quanto disseram, mas são pobres almas, descendentes sem força de gente doutrinária, e de uma sabedoria negativa e estéril. A sabedoria não se transmite, é preciso que a gente mesmo a descubra depois de uma caminhada que ninguém pode fazer em nosso lugar, e que ninguém nos pode evitar, porque a sabedoria é uma maneira de ver as coisas. As vidas que o senhor admira, essas atitudes que lhe parecem nobres, não as arranjaram o pai de família ou o preceptor; começaram de modo muito diverso; sofreram a influência do que tinham em torno, de bom ou frívolo. Representam um combate e uma vitória. Compreendo que não mais reconheçamos a imagem do que fomos num primeiro período da vida e que nos seja desagradável. Mas não há que renegá-la, porque é um testemunho de que temos vivido de acordo com as leis da vida e do espírito e que dos elementos comuns da vida — da vida dos ateliês, dos grupinhos artísticos, se se trata de um pintor — tiramos alguma coisa de superior a tudo isso.

Tínhamos chegado à porta de sua casa. Eu estava muito aborrecido por não ter sido apresentado às moças. Mas agora já havia alguma possibilidade de encontrá-las nesta vida; deixavam de ser uma visão efêmera num horizonte onde chegara a imaginar que nunca mais as veria surgir. Agora já se não agitava em torno delas essa espécie de remoinho que nos separava, e que não era senão a tradução do desejo em perpétua atividade, móvel, urgente, alimentado de inquietudes, que em mim despertava a sua condição de inacessíveis, ou seu possível desaparecimento para todo o sempre. Esse desejo, eu já podia pô-lo em descanso, deixá-lo de reserva, a par de tantos outros cuja realização ia adiando à medida que a sabia possível. Separei-me de Elstir e fiquei sozinho. E então, de súbito, e apesar de minha decepção, vi em meu espírito toda essa série de casualidades que não havia suspeitado: que Elstir fosse precisamente amigo daquelas moças, as que naquela mesma manhã eram para mim figuras de um quadro com o mar por fundo, que elas me tivessem visto em companhia e amistoso colóquio com um grande pintor, o qual sabia agora que eu desejava conhecê-las e sem dúvida secundaria o meu desejo. Tudo isso me havia causado alegria, mas a alegria estivera oculta até então; era como essas visitas que esperam que os demais tenham ido embora e que fiquemos sozinhos para dizer-nos que estão ali conosco. E então as vemos, podemos dizer-lhes que estamos ao seu dispor, e escutá-las. Às vezes acontece que entre o momento em que essas alegrias entraram em nós e o momento em que nós entramos nelas passaram tantas horas e vimos tanta gente que temos medo de que não nos hajam esperado. Mas têm paciência, não se cansam e, depois que todos se foram, vemo-las junto de nós. Outras vezes, nós é que estamos tão cansados que nos parece não haver suficiente força em nosso desfalecente espírito para reter essas lembranças e impressões que têm como único modo de realização e como único lugar habitável o nosso frágil eu. E muito havíamos de senti-lo, pois a existência só tem interesse nesses dias em que o pó das realidades vem mesclado com um pouco de areia mágica, e um vulgar incidente da vida se converte em episódio novelesco. Todo um promontório do mundo inacessível surge assim dentre as luzes do sonho e entra em nossa vida; e então vemos na vida, da mesma forma que o que despertou de um sono, aquelas pessoas com quem sonhamos tão intensamente que julgamos nunca haveríamos de vê-las a não ser em sonhos.

A calma que me trouxe a possibilidade de conhecer aquelas moças quando bem quisesse me era agora tanto mais preciosa porque, devido aos preparativos de viagem de Saint-Loup, não podia andar no seu rastro como antes. Minha avó desejava mostrar a meu amigo a sua gratidão pelas inúmeras finezas que tivera conosco. Disse-lhe eu que Robert era grande admirador de Proudhon e que podia mandar vir para Balbec um bom número de cartas desse filósofo que ela havia comprado; Saint-Loup veio vê-las no hotel no dia em que chegaram, que era o dia da véspera de sua partida. Leu-as avidamente, manuseando as folhas de papel com muito respeito e procurou guardar algumas frases de memória; ergueu-se, desculpando-se por nos haver tomado tanto tempo, quando minha avó lhe disse:

— Não; leve-as, são para o senhor; foi para isso que mandei buscá-las.

Deu-lhe tamanha alegria que não a pôde dominar, como não se pode dominar um estado físico que sobrevém sem intervenção da vontade; ficou vermelho como um menino recém-castigado, e chegaram à alma de minha avó, muito mais que as frases de gratidão que ele pudesse ter proferido, todos os baldados esforços que fez para conter a alegria que o agitava. Mas temia haver expressado mal o seu reconhecimento, e no dia seguinte, debruçado à portinhola daquele trem de uma linha secundária que devia levá-lo à sua guarnição, ainda se desculpava por seu desajeitamento. A cidade onde sediava seu regimento não distava muito de Balbec. Pensou em ir de carro, como costumava fazer quando tinha de voltar à noite e não se tratava de uma partida definitiva. Mas precisava mandar por via férrea a sua numerosa bagagem. E pareceu-lhe mais simples ir ele igualmente de trem, seguindo nisto o conselho do gerente do hotel, que, consultado, respondera a Robert que trem ou carro seriam "mais ou menos equívocos". Com o que pretendia significar que seriam equivalentes (enfim, mais ou menos como Françoise teria dito "tão bom como tão bom").

— Bem — resolveu Saint-Loup —, então tomarei o *cobrinha*.

Eu também o teria tomado para acompanhar meu amigo até Doncières, mas estava muito cansado; e durante o longo momento que passamos na estação, isto é, o tempo que dedicou o maquinista a esperar por alguns amigos atrasados, sem os quais não queria partir, e a tomar algum refresco, prometi a Saint-Loup que iria visitá-lo várias vezes por semana. Como Bloch fora também à estação, com grande desgosto de Saint-Loup, este, ao ver que meu colega o tinha ouvido quando me convidava para almoçar, e até para morar em Doncières com ele, não teve outro remédio senão dizer-lhe, num tom sumamente frio, que tinha por objeto corrigir a amabilidade forçada do convite, para que Bloch não o levasse a sério:

— Se alguma vez passar por Doncières numa tarde em que eu esteja livre, pode perguntar por mim no quartel, embora quase sempre eu esteja ocupado. — Talvez também dissesse isso por temer que eu sozinho não fosse, e imaginando que eu mantinha com Bloch mais amizade do que confessava, dava-me assim um ensejo de ter um companheiro de viagem que me animasse a ir.

Tinha medo de que essa maneira de convidar a uma pessoa, aconselhando-a ao mesmo tempo que não fosse, houvesse melindrado Bloch, e parecia-me que Saint-Loup não lhe deveria ter dito coisa alguma. Enganei-me, pois depois da partida voltamos juntos até o cruzamento de duas ruas, uma que levava até o hotel e outra até a vila de Bloch, e este, por todo o caminho, não fez outra coisa senão perguntar-me em que dia iríamos a Doncières, porque depois de "todos os amáveis convites" que Saint-Loup lhe fizera, seria "uma grosseria da sua parte" não aceitar. Alegrei-me que não tivesse notado o tom bem pouco insistente, apenas cortês com que lhe fora feito o convite, ou, no caso mesmo de ter notado, que não se ofendesse e não se desse por achado. Contudo, desejava que Bloch não caísse no ridículo de ir logo a Doncières. Mas não me atrevia a dar-lhe um conselho que forçosamente o havia de incomodar, fazendo-lhe ver que Saint-Loup fora muito menos insistente em seu convite do que ele em aceitá-lo. Queria ir porque, embora todos os defeitos que tivesse nesse ponto fossem compensados por qualidades estimáveis de que careciam pessoas mais reservadas, o fato é que Bloch levava a sua indiscrição a extremos irritantes. A seu ver, não podia passar aquela semana sem que fôssemos a Doncières (dizia "fôssemos" porque acho que contava com a minha presença para atenuar o efeito da sua). Por todo o caminho, diante do ginásio, debaixo das árvores, diante do campo de tênis, da prefeitura, do posto de conchas, me foi detendo, para que eu marcasse um dia determinado; mas como eu não o quisesse fazer, retirou-se agastado, dizendo:

— Faze o que te der na veneta, cavalheiro. De qualquer maneira, eu tenho de ir, visto que ele me convidou.

Tal medo tinha Saint-Loup de não haver agradecido devidamente à minha avó que dois dias depois tornou a recomendar-me que lhe expressasse a sua gratidão, numa carta escrita em Doncières e que parecia, por aquele envelope em que o correio carimbara o nome da cidade, ter vindo a correr para dizer-me que entre as suas muralhas, no quartel de cavalaria Luís XVI, meu amigo pensava em mim. O papel trazia as armas dos Marsantes, em que se distinguiam um leão e, acima, uma coroa fechada por um barrete de par de França.

"Depois de uma viagem sem novidades (dizia-me), dedicada a ler um livro que comprei na estação, escrito por Arvède Barine (um autor russo, creio; mas pareceu-me que está muito bem escrito para ser de um estrangeiro; diga-me o que acha, pois você deve conhecê-lo, você que é um poço de ciência e já leu tudo o que existe[87]), aqui estou outra vez em meio desta vida grosseira e me sinto muito sozinho porque não tenho nada do que deixei em Balbec; uma vida em que não encontro nenhuma lembrança afetiva, nenhum encanto intelectual: num ambiente que você desprezaria, mas que tem o seu atrativo. Parece-me que desde a última vez que saí daqui tudo mudou, porque nesse intervalo começou uma das épocas mais importantes de minha vida, a de nossa amizade. Espero que jamais termine. Não falei dela senão a uma pessoa, à minha amiga, que me deu a surpresa de vir passar uma hora comigo. Muito lhe agradaria conhecê-lo, e parece-me

---

87 Saint-Loup não sabe que Arvède Barine não é um autor russo, mas sim o pseudônimo da escritora Louise Cécile Vincens (1840-1908), colaboradora do *Journal de Débats*, autora de obras de crítica literária e de uma biografia em dois volumes da filha do rei Luís XIV, a "Grande Mademoiselle". (N. E.)

que haviam de entender-se bem, pois ela é muito dada à literatura. Por outro lado, para ter tempo de pensar em nossas conversas e de reviver essas horas que nunca esquecerei, isolo-me de meus companheiros, rapazes excelentes, mas que não compreendem essas coisas. Essa lembrança dos momentos passados com você, desejaria eu, por ser o primeiro dia, evocá-las só para mim, sem escrever. Mas receio que você, espírito sutil, coração ultrassensível, se tome de cuidados não recebendo carta minha, se é que se dignou humilhar seu pensamento até este rude soldado que tanto trabalho lhe há de custar para desbastar e polir, a fim de que seja um pouco mais sutil e digno de seu amigo."

No fundo, por seu tom de afeto, essa carta se parecia muito com aquelas que, quando ainda não conhecia Saint-Loup, imaginava que haveria de escrever-me, nessas minhas fantasias de imaginação de que me arrancou a frieza do seu primeiro acolhimento, colocando-me ante uma realidade glacial que não seria definitiva. Depois dessa carta, de cada vez que traziam a correspondência à hora do almoço, eu logo sabia quando havia carta sua, porque as de Robert ostentavam sempre essa segunda fisionomia que nos mostra uma criatura que está ausente e em cujas feições (o tipo de letra) não há motivo algum para que não distingamos uma alma individual, como as distinguimos na forma do nariz ou nas inflexões da voz.

Agora de boa vontade ficava sentado à mesa, finda a refeição, enquanto retiravam o serviço, e não me limitava o olhar para o mar, a não ser no momento em que poderiam passar as moças do bando. Pois desde que vira essas coisas nas aquarelas de Elstir, agradava-me encontrar na realidade, apreciando-as como elementos poéticos, aquele gesto interrompido das facas atravessadas, a redondez de um guardanapo desdobrado onde o sol intercala um retalho de veludo amarelo, a taça meio vazia que assim melhor revela a nobre amplitude de suas formas, e o fundo de seu cristal translúcido, semelhante a uma condensação do dia, um pouco de vinho escuro, mas fulgurante; a mudança de volumes e a transmutação dos líquidos por efeito da luz, essa alteração das ameixas que passam do verde ao azul e do azul ao ouro na fruteira meio vazia, o passeio daquelas cadeiras velhinhas que vêm duas vezes por dia instalar-se em redor da toalha estendida na mesa como em um altar onde se celebram os ritos da gula, e na qual há umas ostras com umas gotas de água lustral no fundo como pingos de água-benta; e buscava a beleza, onde menos imaginei pudesse estar, nas coisas mais comuns, na vida profunda de uma "natureza-morta".

Alguns dias depois da partida de Saint-Loup, consegui que Elstir desse uma reunião íntima, onde havia de encontrar Albertine; ao sair do Grande Hotel, houve quem me dissesse que eu estava muito elegante e com muito boa cara (o que se devia a um longo repouso e especiais cuidados de indumentária) e senti não poder reservar minha simpatia e minha elegância (assim como o prestígio de Elstir) para a conquista de uma pessoa mais interessante, e ter de gastar tudo isso pelo simples prazer de conhecer Albertine. Minha inteligência considerava esse prazer muito pouco valioso logo que o teve assegurado. Mas em mim a vontade não participou um único instante dessa ilusão, porque a vontade é a serva perseverante e imutável de nossas personalidades sucessivas; oculta-se na sombra, desdenhada, incansavelmente fiel, e trabalha sem cessar e sem se preocupar com as variações de nosso eu, para que não lhe falte nada do que necessita. No momento de efetuar uma ansiada viagem, no momento em que a inteligência e a sensibilidade começam a se perguntar se realmente valerá a pena viajar, a vontade, sabedora de que essas duas amas ociosas considerariam outra vez tal viagem como uma coisa magnífica desde que não se efetuasse, deixa-as divagar diante da estação e entregarem-se a múltiplas hesitações; e vai tomando as passagens e coloca-nos no vagão para quando chegue a hora da partida. Tudo quanto têm de mutáveis a sensibilidade e a inteligência, tem-no ela de firme; mas como é calada e não expõe seus motivos, quase parece que não existe, e as partes restantes do nosso eu obedecem às decisões da vontade sem dar por isso, ao passo que por outro lado percebem muito bem as suas próprias incertezas. Minha sensibilidade e minha inteligência armaram, pois, uma discussão sobre o valor do prazer que haveria em conhecer Albertine, enquanto eu olhava ao espelho aqueles vãos e frágeis adornos da minha pessoa, que ambas estimariam conservar intatos para outra ocasião. Porém minha vontade não deixou que passasse a hora e foi o endereço de Elstir que ela deu ao cocheiro. E como a sorte estava lançada, minha inteligência e minha sensibilidade se deram ao luxo de pensar que era uma pena. Mas o fato é que, se minha vontade tivesse dado outro endereço, ficariam com um nariz de dois palmos.

Quando pouco depois chegava à casa de Elstir, a primeira coisa que pensei foi que a srta. Simonet ali não estivesse. É verdade que lá estava uma jovem sentada, com um vestido de seda e sem nada na cabeça; mas para mim eram desconhecidos aqueles cabelos magníficos e a cor da tez, onde não encontrei a mesma essência que extraíra de uma ciclista a passear na praia, coberta com a sua boina. Contudo, aquela era Albertine. E mesmo quando o soube, não me preocupei com ela. Quando somos jovens e vamos a todas as reuniões mundanas, morremos para nós mesmos, convertemo-nos num homem diferente, porque todo salão é um novo universo, em que, obedecendo à lei de outra perspectiva moral, fixamos a atenção, como se nos fossem importar para sempre, em pessoas, danças e jogos de cartas que teremos esquecido no dia seguinte. Como para chegar até o objetivo de uma conversa com Albertine era preciso tomar um caminho que não havia traçado, o qual parava primeiro diante de Elstir e depois ante outros grupos de convidados, a quem me iam apresentando, depois junto ao bufê, onde eu comia uma torta de cereja, enquanto escutava imóvel a música que começavam a tocar, verifiquei que atribuía a todos esses episódios a mesma importância que a minha apresentação à srta. Simonet, apresentação que não era mais que um dentre aqueles episódios, e que eu inteiramente esquecera ter sido momentos antes o objetivo único de minha visita. Mas acaso não acontece o mesmo na vida ativa, com as nossas verdadeiras felicidades e as nossas maiores desgraças? No meio de outras pessoas, recebemos daquela a quem amamos a resposta favorável ou mortal que há um ano esperávamos. Mas é preciso continuar a conversar, as ideias se ajuntam umas às outras, desenrolando uma superfície à qual apenas vem surdamente aflorar de vez em quando a lembrança muito mais profunda, mas tênue, de que a desgraça chegou para nós. Se, em vez desta, é a felicidade que chega, pode acontecer que somente vários anos depois nos lembremos que o maior acontecimento de nossa vida sentimental se realizou sem que tivéssemos tempo de conceder-lhe demorada atenção, e quase que de tomar consciência dele, numa reunião mundana, por exemplo, à qual apenas tínhamos ido na expectativa desse acontecimento.

No momento em que Elstir me chamou para apresentar-me a Albertine, sentada um pouco além, acabei primeiro de comer uma bomba de café e pedi com interesse a um velho senhor com quem acabava de travar relações, e ao qual me permiti oferecer a rosa que ele admirava em minha botoeira, que me fornecesse detalhes sobre certas feiras normandas. Desnecessário dizer que a apresentação que se seguiu não me causou prazer algum, nem se me afigurou de qualquer gravidade. Quanto ao prazer, naturalmente só o conheci um pouco mais tarde quando, no hotel, sozinho, me tornei eu mesmo. Com os prazeres, dá-se o mesmo que com as fotografias. O que apanhamos na presença da criatura amada não passa de um negativo; revelamo-lo mais tarde, uma vez em casa, quando encontramos à nossa disposição essa câmara escura interior cuja entrada é proibida enquanto há gente à vista.

Se o conhecimento do prazer me foi assim retardado por algumas horas, por outro lado senti imediatamente a gravidade daquela apresentação. Podemos, no momento da apresentação, sentir-nos de súbito gratificados e portadores de um "vale" para futuros prazeres, empós do qual corríamos há várias semanas; mas bem compreendemos que a sua obtenção acaba, para nós, não só com trabalhosas pesquisas — o que apenas poderia alegrar-nos — mas também com a existência de certa criatura, aquela que a nossa imaginação havia desnaturado e a quem havia engrandecido o nosso angustioso temor de que jamais nos viesse a conhecer. No momento em que nosso nome ressoa na boca do apresentador, principalmente se este o cerca, como fez Elstir, de comentários elogiosos — nesse momento sacramental, análogo àquele em que, numa *féerie*, o gênio ordena a alguém que seja de súbito outra pessoa —, desvanece a criatura de quem nos desejávamos aproximar; antes de tudo, como permaneceria ela igual a si mesma, visto que — pela atenção que a desconhecida é obrigada a prestar ao nosso nome e conceder à nossa pessoa — nos olhos situados no infinito (e que supúnhamos que os nossos, errantes, mal regulados, aflitos, divergentes, jamais conseguiriam encontrar) o olhar consciente, o pensamento incognoscível que buscávamos acaba de ser milagrosa e simplesmente substituído pela nossa própria imagem pintada como no fundo de um espelho que sorrisse. Se a encarnação de nós mesmos no que nos parecia mais diferente de nós é o que mais modifica a pessoa a quem acabam de apresentar-nos, a forma dessa pessoa permanece ainda bastante vaga; e podemos perguntar-nos se ela será deus, mesa ou bacia.[88] Mas, tão ágeis como os ceroplastas que fazem um busto diante de nós em cinco minutos, as poucas palavras que a desconhecida nos vai dizer precisarão essa forma e lhe darão alguma coisa de definitivo que excluirá todas as hipóteses a que se entregavam na véspera nosso desejo e nossa imaginação. Sem dúvida, mesmo antes de comparecer àquela reunião, Albertine já não era absolutamente para mim esse fantasma único, digno de assombrar a nossa vida, que permanece para nós

---

88 Alusão a uma frase da fábula de La Fontaine intitulada "O estatuário e a estátua de Júpiter" ("Le statuaire et la statue de Jupiter"). (N. E.)

uma passante de quem não sabemos nada, a quem apenas vislumbramos. Seu parentesco com a sra. Bontemps já restringira aquelas hipóteses maravilhosas, fechando uma das vias por onde podiam espalhar-se. À medida que me aproximava da jovem e mais a conhecia, esse conhecimento efetuava-se por subtração, sendo cada parte de imaginação e de desejo substituída por uma noção que valia infinitamente menos, à qual em verdade vinha juntar-se uma espécie de equivalente, no domínio da vida, ao que as sociedades financeiras dão após o reembolso da ação primitiva, e que elas chamam ação de usufruto. Seu nome e seus parentes tinham sido um primeiro limite às minhas hipóteses. Outro limite foi a sua amabilidade, enquanto, bem junto de Albertine, eu tornava a encontrar o sinalzinho que tinha ela na face, abaixo da vista; enfim, admirei-me de ouvi-la servir-se do advérbio "perfeitamente" em vez de "completamente" ao falar de duas pessoas, dizendo de uma: "É perfeitamente louca, mas muito gentil, afinal de contas", e de outra: "É um senhor perfeitamente vulgar e perfeitamente aborrecido". Por pouco agradável que seja esse emprego de "perfeitamente", indica um grau de civilização e de cultura a que eu não podia imaginar que houvesse atingido a bacante de bicicleta, a musa orgíaca do golfe. O que aliás não impede que Albertine, depois dessa primeira metamorfose, ainda devesse mudar muitas vezes para mim. As qualidades e os defeitos que uma criatura apresenta dispostos no primeiro plano de sua face arranjam-se numa formação muito diversa quando a abordamos por um lado diferente — como, numa cidade, os monumentos espalhados em ordem dispersa numa linha única, sob outra perspectiva escalonam-se em profundeza e trocam suas grandezas relativas. Para começar, achei Albertine com um ar bastante intimidado em vez de implacável; pareceu-me mais sensata do que mal-educada, a julgar pelos epítetos de "ela tem maus modos, ela tem uns modos esquisitos", que aplicou a todas as moças de quem lhe falei; tinha enfim, como parte marcante do rosto, uma têmpora bastante afo--

gueada e pouco agradável de ver, e não mais o olhar estranho em que eu sempre havia pensado até então. Mas não passava de uma segunda vista, e outras haveria sem dúvida, pelas quais eu deveria passar sucessivamente. Assim, só depois de haver reconhecido, não sem hesitações, os erros de óptica do princípio, é que se pode chegar ao conhecimento exato de uma criatura, se é que esse conhecimento é possível. Mas não o é; pois enquanto se retifica a visão que dele temos, ele próprio, que não é um objetivo inerte, muda por sua conta; pensamos apanhá-lo, ele se desloca; e, julgando vê-lo enfim mais claramente, apenas as imagens antigas que havíamos tomado é que conseguimos aclarar, mas essas imagens não o representam mais.

Todavia, apesar das inevitáveis decepções que possa trazer, essa marcha para o que apenas se entreviu, para o que se teve o prazer de imaginar, é a única salutar para os sentidos, que nela entretêm seu apetite. De que morno tédio está impregnada a vida das pessoas que, por preguiça ou timidez, vão diretamente de carro à casa dos amigos a quem conheceram sem primeiro haver sonhado com eles, sem jamais atrever-se pelo caminho a parar junto do que desejam!

Regressei pensando naquela reunião, revendo a bomba de café que tinha acabado de comer antes que Elstir me levasse para junto de Albertine, a rosa que dera ao velho senhor, todos esses detalhes escolhidos, sem o sabermos, pelas circunstâncias, e que compõem para nós, num arranjo especial e fortuito, o quadro de um primeiro encontro. Mas esse quadro, tive a impressão de o ver de outra perspectiva de muito longe de mim mesmo, compreendendo que existira só para mim, quando alguns meses mais tarde, para meu grande espanto, como falasse a Albertine no dia em que nos conhecêramos pessoalmente, ela me recordou a bomba, a flor que eu dera, tudo o que eu julgava, não digo importante apenas para mim, mas apenas de mim sabido, que eu encontrava assim, transcrito, numa versão de que não suspeitava a existência, no pensamento de Albertine. Desde esse primeiro dia, quando pude ver, ao voltar, a lembrança que comigo trazia, compreendi que passe de mágica fora à perfeição executado, e como havia eu conversado um momento com uma pessoa que, graças à habilidade do prestidigitador, sem nada ter da que eu seguira por tanto tempo à beira-mar, lhe fora substituída. De resto, eu deveria tê-lo adivinhado, pois a moça da praia fora fabricada por mim. Apesar disso, como nas minhas conversações com Elstir eu a tinha identificado como Albertine, sentia-me para com esta na obrigação moral de manter as promessas de amor feitas à Albertine imaginária. Noivamos por procuração e nos julgamos no dever de desposar imediatamente a pessoa interposta. Aliás, se havia desaparecido pelo menos provisoriamente de minha vida uma angústia à qual bastaria, para apaziguar, a lembrança dos modos corretos, do "perfeitamente vulgar" e da têmpora afogueada, essa lembrança despertava em mim outro gênero de desejo que, embora suave e nada doloroso, semelhante a um sentimento fraternal, podia com o tempo tornar-se perigoso, fazendo-me sentir a cada instante a necessidade de beijar aquela nova criatura cujas boas maneiras, timidez e inesperada disponibilidade detinham a corrida inútil de minha imaginação, mas davam origem a uma gratidão enternecida. E depois, como logo começa a memória a tirar fotografias independentes umas das outras, e suprime todo elo, todo progresso, entre as cenas nelas figuradas, a última, na coleção das que ela expõe, não destrói forçosamente as precedentes. Em face da medíocre e tocante Albertine com quem eu tinha falado, eu via a misteriosa Albertine diante do mar. Eram agora lembranças, isto é, quadros, dos quais nenhum me parecia mais verdadeiro que o outro. Enfim, para terminar com esse dia de apresentação: procurando rever o sinalzinho abaixo da vista, lembrei-me que, quando Albertine partira da casa de Elstir, eu lhe vira o mesmo sinalzinho no queixo. Em suma, quando a via, notava que tinha um sinal, mas a minha memória errante em seguida o passeava pelo seu rosto, colocando-o ora aqui, ora acolá.

Por mais desapontado que ficasse pelo fato de achar na srta. Simonet uma moça muito pouco diferente de quantas conhecia, da mesma forma que a minha decepção ante a igreja de Balbec não me anulava o desejo de ir ao Quimperlé, a Pont-Aven e a Veneza, dizia comigo que, por intermédio de Albertine, se ela própria não era o que eu havia esperado, poderia vir a conhecer suas amigas do pequeno bando.

Julguei a princípio que fracassaria no meu intento. Como Albertine devia ainda ficar por muito tempo em Balbec, e eu também, achei que seria melhor não tentar vê-la muito seguidamente e esperar uma ocasião que me proporcionasse um encontro. Mas isso acontecia diariamente e era muito de recear que ela se contentasse em responder de longe à minha saudação, a qual, neste caso, repetida durante toda a estação, não me adiantaria coisa alguma.

Pouco tempo depois, certa manhã em que chovera e em que fazia quase frio, no passeio do dique abordou-me uma moça de boina e regalo, tão diferente da que vira na reunião de Elstir que me parecia uma operação impossível para o espírito reconhecer nela a mesma pessoa; contudo, reconheci-a, mas depois de um segundo de surpresa que, segundo creio, não escapou a Albertine. De resto, como naquele momento me lembrava das "boas maneiras" que tanto me assombraram, agora me escandalizou, pelo contrário, pelo seu tom rude e seus modos de moça do bando. Acrescente-se que a têmpora já não era o centro óptico e tranquilizador do rosto, ou porque a olhasse do outro lado, ou porque a ocultasse a boina, ou talvez porque a vermelhidão não era constante.

— Que tempo, hem? No fundo, o verão sem fim de Balbec é uma boa pilhéria. E você, que faz aqui? Não é visto em parte alguma, nem no golfe, nem nos bailes do Cassino. Também não monta a cavalo. Como você deve se cacetear! Não lhe parece que a gente se idiotiza ficando o dia inteiro na praia? Ah!, você gosta disso, hem!? Bem, você tem tempo. Vejo que você não é como eu, que adoro todos os esportes. Não esteve nas corridas de Sogne? Nós fomos de bonde, e bem compreendo que não lhe agrade um calhambeque daqueles. Demoramos duas horas. No mesmo tempo eu teria ido e voltado três vezes com a minha máquina. — Admirei Saint-Loup quando chamara ao pequeno trem de ferro local de "cobrinha", por causa das inumeráveis voltas que dava e entretanto me intimidava a facilidade com que Albertine dizia "calhambeque". Sentia a sua maestria num sistema de designações em que eu tinha medo que ela descobrisse e desprezasse a minha inferioridade. Também a riqueza de sinônimos que o pequeno bando possuía para designar essa estrada de ferro ainda não me tinha sido revelada. Ao falar, Albertine mantinha a cabeça imóvel, as narinas apertadas, movendo apenas a ponta dos lábios. Disso resultava como que um som arrastado e nasal em cuja composição entravam talvez heranças provincianas, uma afetação juvenil de fleuma britânica, lições de uma professora estrangeira e uma hipertrofia congestiva da mucosa do nariz. Essa emissão de voz, que aliás cedia progressivamente, à medida que ela ia conhecendo as pessoas e tornava-se naturalmente infantil, poderia ter passado por desagradável. Mas era singular e encantadora para mim. Cada vez que eu passava alguns dias sem encontrá-la, exaltava-me, repetindo: "Nunca se vê você no golfe", no tom nasal com que ela o dissera, muito direita, sem mover a cabeça. E eu pensava então que não havia criatura mais desejável.

Formávamos naquela manhã um desses pares que pontilham aqui e ali o passeio do dique com os seus encontros, com as suas paradas, justamente o tempo necessário de trocar algumas palavras antes de se despedirem para tomar separadamente cada qual o seu caminho divergente. Aproveitei-me dessa imobilidade para olhar e ficar sabendo de uma vez por todas onde estava situado o sinalzinho. Ora, tal como uma frase de Vinteuil que me encantara na sonata e que a minha memória fizera errar do andante ao final até o dia em que, tendo a partitura em mãos, pude encontrá-la e imobilizá-la em minha lembrança no seu devido lugar, no *scherzo*, assim o sinalzinho que eu recordara ora na face, ora no queixo, parou para sempre no lábio superior, abaixo do nariz. Da mesma forma encontramos com espanto versos que sabemos de cor numa peça onde não suspeitávamos que se encontrassem.

Naquele momento, como para que diante do mar se multiplicasse livremente, na variedade das suas formas, todo o rico conjunto decorativo que era o belo desfilar das virgens, ao mesmo tempo douradas e róseas, recozidas pelo sol e pelo vento, as amigas de Albertine, de belas pernas, de gracioso talhe, mas tão diferentes umas das outras, deixaram ver seu grupo, que se foi desenrolando, avançando em nossa direção, mais próximo do mar, numa linha paralela. Pedi licença a Albertine para acompanhá-la um momento. Infelizmente, limitou-se a abanar com a mão para as suas companheiras.

— Mas as suas amigas vão queixar-se, se as abandona — disse-lhe eu, na esperança de que passearíamos todos juntos. Aproximou-se de nós um rapaz de feições regulares, que trazia duas raquetes na mão. Era o jogador de bacará, cujas loucuras tanto indignavam a esposa do magistrado. Com um ar frio, impassível, em que evidentemente imaginava consistir a suprema distinção, cumprimentou Albertine.

— Vem do golfe, Octave? — perguntou-lhe ela. — Como se foi você, esteve em forma hoje?

— Que horror! Estou dando para trás.

— E Andrée também jogou?

— Sim, fez setente e sete.

— Oh!, um verdadeiro recorde!

— Eu tinha feito ontem oitenta e dois.

Era filho de um rico industrial que devia representar um papel bem importante na organização da próxima Exposição Universal. Impressionou-me ver até que ponto, naquele jovem e nos outros raros amigos masculinos das moças do bando, o conhecimento de tudo quanto era indumentária, modo de vestir, charutos, bebidas inglesas, cavalos, conhecimento que ele possuía nos seus mínimos aspectos, com uma infalibilidade orgulhosa que atingia a silenciosa modéstia do sábio — se desenvolvera isoladamente, sem vir acompanhada da mínima cultura intelectual. Não tinha a menor hesitação quanto à oportunidade do *smoking* ou do pijama, mas não suspeitava do caso em que se pode empregar ou não determinada palavra, nem sequer das regras mais elementares do francês. Essa disparidade entre as duas culturas devia ser a mesma que no caso do seu pai, presidente do Sindicato dos Proprietários de Balbec, pois numa carta aberta aos eleitores, que acabava de mandar pregar em todos os muros, dizia: "Eu quis ver o prefeito para falá-lo a respeito disso, ele não quis escutar minhas justas queixas". Octave, no Cassino, obtinha prêmios em todos os concursos de tango, bóston etc., o que lhe proporcionaria, se quisesse, um belo casamento nesse meio dos "banhos do mar", em que não é no sentido figurado, mas no sentido literal, que as moças acabam casando com o seu "par". Acendeu um charuto, enquanto dizia a Albertine: "Com a sua licença...", como se pede autorização para terminar, enquanto se conversa, um trabalho urgente. Pois nunca podia estar "sem fazer nada", embora jamais fizesse coisa alguma. E como a inatividade completa acaba produzindo os mesmos efeitos que um trabalho exagerado, tanto no domínio moral como na vida do corpo e dos músculos, a constante nulidade intelectual que habitava atrás da fronte sonhadora de Octave acabara por lhe produzir, apesar do seu ar calmo, inócuos pruridos de pensamento que o impediam de dormir à noite, como poderia acontecer a um metafísico esgotado.

Pensando que se conhecesse seus amigos teria mais ocasiões de avistar-me com aquelas moças, eu estivera a ponto de pedir para lhe ser apresentado. Assim o disse a Albertine, logo que ele se foi embora, a repetir: "Estou dando para trás". Pensava inculcar--lhe a ideia de mo apresentar da próxima vez.

— Que está dizendo? — exclamou Albertine. — Não vou apresentá-lo a um gigolô! Aqui está fervendo de gigolôs. Mas não poderiam conversar com você. Este joga muito bem o golfe, e acabou-se. Sei o que digo, não é absolutamente o seu gênero.

— Suas amigas não vão gostar que as abandone assim — disse-lhe eu, esperando que me convidasse a irmos os dois para junto delas.

— Não, elas não têm nenhuma necessidade de mim.

Cruzamos por Bloch, que me dirigiu um sorriso ladino e insinuante, e, embaraçado no tocante a Albertine, a quem não conhecia, ou pelo menos conhecia "sem conhecer", baixou a cabeça para o colarinho, num movimento seco e rebarbativo.

— Como se chama esse ostrogodo? — perguntou Albertine.
— Não sei por que me cumprimenta, pois não me conhece. Por isso não lhe respondi.

Não tive tempo de retrucar a Albertine, porque, marchando em direitura a nós:

— Desculpa-me interromper-te — disse ele —, mas queria avisar-te que vou amanhã a Doncières. Não posso demorar mais sem cometer uma grosseria, e pergunto-me o que Saint-Loup-en-Bray estará pensando de mim. Previno-te que tomo o trem das duas. Ao teu dispor.

Mas eu não pensava senão em ver de novo Albertine e conhecer as suas amigas, e Doncières, como lá não iam elas e me obrigaria a voltar depois da hora em que iam à praia, parecia-me no fim do mundo. Disse a Bloch que me era impossível.

— Pois bem, irei sozinho. Segundo os dois ridículos alexandrinos do mestre Arouet, direi a Saint-Loup para afagar o seu clericalismo: "Sabei que meu dever não depende do seu. Que faça o que quiser: eu cumprirei o meu".[89]

— Reconheço que ele é um bonito rapaz — disse-me Albertine. — Mas como me desagrada!

---

89 Bloch cita versos que não são de autoria de Voltaire, cujo sobrenome era Arouet, mas da peça *Polyceute*, de Corneille. (N. E.)

Jamais me passara pela ideia que Bloch pudesse ser um bonito rapaz; efetivamente o era. Com a sua cabeça um pouco proeminente, um nariz muito recurvado, um ar de extrema finura e de que estava persuadido de sua finura, tinha um rosto agradável. Mas não podia agradar a Albertine. Talvez fosse devido às más qualidades de Albertine, à dureza e à insensibilidade do pequeno bando, à grosseria deste com tudo que não fosse ele próprio. Aliás, quando mais tarde os apresentei, não diminuiu a antipatia de Albertine. Bloch pertencia a um meio em que, entre zombaria exercida contra a alta sociedade e o suficiente respeito pelas boas maneiras que deve ter todo homem "de mãos limpas", se estabeleceu uma espécie de convenção especial que difere das maneiras da alta sociedade e é, apesar de tudo, uma forma particularmente odiosa de mundanismo. Quando o apresentavam, inclinava-se ao mesmo tempo com um sorriso de ceticismo e um respeito exagerado e, se era a um homem, dizia: "Encantado, cavalheiro", com uma voz que zombava das palavras que pronunciava, mas que denotava a consciência de que ele não era nenhum bruto. Concedido esse primeiro instante a um costume que ele seguia e ironizava ao mesmo tempo (como quando dizia: "Feliz Ano-Novo"), assumia um ar fino e malicioso e "proferia coisas sutis", que eram muitas vezes cheias de verdade, mas que "mexiam com os nervos" de Albertine. Quando eu lhe disse naquele primeiro dia que ele se chamava Bloch, ela exclamou: "Eu seria capaz de apostar que era mesmo judeu. É bem o jeito deles". Mais tarde, Bloch ainda devia irritar Albertine de outra maneira. Como tantos outros intelectuais, não podia dizer simplesmente as coisas simples. Achava para cada uma um qualificativo precioso, e depois fazia generalizações. Isso aborrecia Albertine, que não gostava muito que se preocupassem com o que ela fazia, e que, por ter torcido o pé e ficado em repouso, Bloch dissesse: "Ela está na cadeira preguiçosa, mas, por ubiquidade, não deixa de frequentar simultaneamente vagos golfes e remotos tênis". Isso não passava de "literatura", mas que, pelas dificuldades que lhe poderia ocasionar com pessoas cujo convite recusara, dizendo que não podia mover-se, bastaria para fazer com que tomasse ojeriza ao rosto e à voz de quem dizia essas coisas.

Separamo-nos, Albertine e eu, com a promessa de sair juntos um dia. Tinha conversado com ela sem saber onde caíam minhas palavras e aonde iriam parar, como se tivesse lançado pedras num abismo sem fundo. Que sejam em geral preenchidas, pela pessoa a quem as dirigimos, com um sentido que ela tira da sua própria substância e que é muito diferente do que tínhamos posto nessas mesmas palavras, é um fato que a vida cotidiana perpetuamente nos revela. Mas se, além disso, nos encontramos junto de uma pessoa cuja educação (como para mim a de Albertine) nos é ignorada, desconhecidos os pendores, as leituras, os princípios, não sabemos se nossas palavras causam nela mais efeito que a um animal a que tivéssemos de fazer compreender certas coisas. De modo que tentar ligar-me com Albertine se me afigurava com uma tomada de contato com o desconhecido, se não com o impossível, um exercício tão incômodo como domar um cavalo, tão apaixonante como criar abelhas ou cultivar rosas.

Algumas horas antes, julgava que Albertine só responderia de longe à minha saudação. E acabávamos de separar-nos depois de projetar uma excursão juntos. Prometi a mim mesmo, quando encontrasse Albertine, ser mais ousado com ela, e traçara-me previamente o plano de tudo o que lhe diria e até mesmo (agora que tinha a absoluta impressão de que ela devia ser leviana) de todos os prazeres que lhe proporia. Mas o espírito é influenciável como o vegetal, como a célula, como os elementos químicos, e o meio que o modifica, se aí o mergulhamos, vem a ser as circunstâncias, os novos ambientes. Tornando-me diferente pelo simples fato da sua presença, quando me encontrei de novo com Albertine, disse-lhe coisas muito outras das que havia projetado. Depois, lembrando-me da vermelhidão da têmpora, indagava comigo se Albertine não apreciaria mais uma gentileza que soubesse desinteressada. Estava enfim embaraçado diante de certos olhares seus, de certos sorrisos. Podiam significar costumes fáceis, mas também a alegria um pouco tola da rapariga buliçosa, mas honesta no fundo. A mesma expressão, de rosto como de linguagem, podia comportar diversas acepções e eu estava hesitante como um aluno ante as dificuldades de uma versão grega.

Desta vez nos encontramos quase em seguida com a alta, Andrée, a que tinha saltado por cima do velho. Albertine teve de apresentar-me. Sua amiga possuía uns olhos extraordinariamente claros; faziam lembrar as portas de um quarto sombrio que abrem para o sol e os reflexos verdes do mar iluminado.

Passaram cinco senhores que eu conhecia muito bem de vista desde que estava em Balbec. Muitas vezes indagara comigo quem poderiam ser.

— Não é gente muito chique — disse-me Albertine; com um risinho de desprezo. — O velhinho de cabelos tintos e luvas amarelas tem uma pinta, hem?, é o dentista de Balbec, um bom tipo; o gordo é o prefeito, não o baixinho, esse você deve ter visto, é o professor de dança, um tonto igualmente, que não nos pode suportar porque fazemos muito barulho no Cassino, estragamos as suas cadeiras e queremos dançar sem tapete, de modo que nunca nos deu prêmio, quando só nós é que sabemos dançar. O dentista é uma boa pessoa; eu, por mim, o cumprimentaria, para dar raiva ao professor de dança, mas não posso porque está com eles o senhor de Sainte-Croix, o conselheiro-geral, um homem de excelente família, que se passou para os republicanos por dinheiro; nenhuma pessoa decente o cumprimenta mais. Conhece meu tio por causa do governo, mas o resto da família lhe virou as costas.

O magro, de impermeável, é o regente da orquestra. Como!, não o conhece? Toca divinamente. Não foi ouvir a *Cavalleria Rusticana?*[90] Ah!, para mim é ideal. Ele dá um concerto esta noite, mas não podemos ir porque se realiza na sala da prefeitura, de onde retiraram o Cristo, e a mãe de Andrée teria um ataque apoplético se nós fôssemos.[91] Você pode me dizer que o marido de minha tia está no governo. Mas que quer? A minha tia é minha tia. E não creia que por isso eu a estimo. Ela nunca teve outro desejo senão desembaraçar-se de mim. A pessoa que de fato me serviu de mãe, e com duplo mérito, porque não é nada minha, é uma amiga, a quem aliás eu quero como se fosse minha mãe. Hei de mostrar-lhe o retrato dela.
— Fomos abordados um instante pelo campeão de golfe e jogador de bacará, Octave. Pareceu-me ter descoberto um laço comum entre nós, porque, segundo deduzi da conversa, era parente afastado dos Verdurin, que o estimavam muito. Mas falou-me desdenhosamente das famosas quartas-feiras, acrescentando que o sr. Verdurin ignorava o uso do *smoking*, motivo pelo qual era verdadeiramente vexante encontrá-lo nalguns *music-halls*, onde a gente bem desejaria não ser saudado a gritos: "Olá, malandro!", por um senhor de paletó e gravata preta de notário de aldeia. Depois Octave nos deixou, e em seguida foi a vez de Andrée, que chegara a seu chalé, onde entrou, sem que me tivesse dito uma única palavra durante todo o passeio. Senti muito que se fosse; tanto mais que enquanto falava a Albertine da frieza de sua companheira para comigo e comparava em pensamento a dificuldade que parecia ter Albertine em unir-se a suas amigas com a hostilidade contra a qual parecia ter-se chocado Elstir para realizar o meu desejo, passaram umas moças a quem saudei, as srtas. d'Ambresac, que Albertine também cumprimentou.

90 Drama lírico-declamatório de Mascagni representado na Ópera Cômica de Paris em 1892. Signo da vulgaridade artística de Albertine nesse estágio do livro. (N. E.)
91 Alusão à política de laicização dos lugares públicos levada adiante pelo ministro da Instrução Pública, Jules Ferry. (N. E.)

Pensei que depois disso iria melhorar a minha situação perante Albertine. Eram filhas de uma parenta da sra. de Villeparisis e que também conhecia a sra. de Luxemburgo. O sr. e a sra. d'Ambresac, que possuíam uma pequena vila em Balbec e eram extraordinariamente ricos, levavam uma vida das mais simples, e costumavam sempre vestir, o marido, o mesmo tipo de casaco, a mulher, um costume escuro. Ambos faziam à minha avó uns grandes cumprimentos que não levavam a coisa nenhuma. As filhas, muito bonitas, vestiam-se com mais elegância, mas uma elegância de cidade e não de praia. Com seus longos vestidos, seus grandes chapéus, pareciam pertencer a uma outra humanidade que não a de Albertine. Esta sabia muito bem quem eram elas.

— Ah!, conhece as pequenas d'Ambresac? Pois bem, conhece então gente muito chique. Aliás, são muito simples — acrescentou, como se isso fosse contraditório. — São muito gentis, mas de tal modo bem-educadas que não as deixam ir ao Cassino, principalmente por nossa causa, porque somos gente de tipo inconveniente. Agradam-lhe? Bem, isso depende... São as verdadeiras patinhas brancas. O que talvez tenha o seu encanto. Se você gosta de patinhas brancas, está muito bem servido. Parece que podem agradar, pois já há uma delas que está noiva do marquês de Saint-Loup. E isso causou muito pesar à mais moça, que estava apaixonada por esse jovem. Quanto a mim, só a sua maneira de falar com a ponta dos lábios me enerva. E depois, vestem-se de um modo ridículo. Vão jogar golfe de vestido de seda! Na sua idade, vestem-se mais pretensiosamente que mulheres idosas que bem sabem o que é vestir-se. Veja a senhora Elstir. Eis aí uma mulher elegante. — Respondi que ela me parecera vestida com muita simplicidade. Albertine pôs-se a rir. — Com muita simplicidade, concordo, mas veste-se que é um primor e, para chegar ao que você acha muito simples, gasta um dinheiro louco. — Os vestidos da sra. Elstir passavam despercebidos aos olhos de quem não tivesse o gosto seguro e sóbrio das coisas da toalete. Esse gosto me

541

faltava. Elstir o possuía em grau supremo, pelo que me disse Albertine. Eu não o havia suspeitado, tampouco que as coisas elegantes mas simples que enchiam o seu ateliê fossem maravilhas longo tempo desejadas por ele, que as seguira de venda em venda, conhecendo toda a sua história, até o dia em que ganhara bastante dinheiro para poder possuí-las. Mas neste ponto Albertine, tão ignorante quanto eu, nada podia dizer-me de novo. Ao passo que, em matéria de vestuário, guiada por um instinto de coquete e talvez por uma nostalgia de moça pobre que saboreia com mais desinteresse e delicadeza nos ricos as coisas que ela própria não poderá usar, soube falar muito bem dos refinamentos de Elstir, tão exigente que achava toda mulher malvestida, e que, colocando um mundo inteiro numa proporção, num matiz, mandava fazer para a mulher, a preços fabulosos, sombrinhas, chapéus, capas que ensinara Albertine a achar deliciosos e que uma pessoa sem gosto não teria notado mais do que eu. Aliás, Albertine, que fizera um pouco de pintura sem que tivesse, como o confessava, nenhuma "disposição", experimentava grande admiração por Elstir e, graças ao que ele lhe dissera e mostrara, era entendida em quadros de um modo que muito contrastava com o seu entusiasmo pela *Cavalleria Rusticana.* É que na realidade, embora isso ainda não se notasse, ela era muito inteligente e, nas coisas que dizia, a tolice não era sua, mas do seu ambiente e da sua idade. Elstir tivera sobre ela uma influência feliz, mas parcial. As formas da inteligência não tinham chegado todas em Albertine ao mesmo grau de desenvolvimento. O gosto da pintura quase tinha alcançado o da toalete e de todas as formas da elegância, mas não fora acompanhado pelo gosto da música, que permanecia muito atrás.

De nada adiantou que Albertine soubesse quem eram as d'Ambresac, pois como quem pode muito nem por isso pode também o pouco, depois de eu haver saudado aquelas moças, não a achei mais inclinada do que antes a apresentar-me às suas amigas.

— Você é mesmo muito amável em conceder tanta importância a elas. Não faça caso, que não são nada. Que é que essas garotas podem significar para um homem como você? Andrée, pelo menos, é muito inteligente. Uma boa menina, apesar de louca varrida, mas as outras são mesmo muito estúpidas.

Depois de deixar Albertine, fiquei logo muito ressentido por me haver Saint-Loup ocultado que estivesse noivo e fizesse uma coisa tão incorreta como casar sem previamente romper com a amante. No entanto, poucos dias depois fui apresentado a Andrée e, como ela conversou bastante tempo, aproveitei para lhe dizer que estimaria vê-la no dia seguinte, mas respondeu que era impossível porque achara a mãe não muito bem e não queria deixá-la sozinha. Dois dias depois, numa visita a Elstir, falou-me ele da grande simpatia que Andrée me dedicava, e, como eu respondesse:

— Mas eu que simpatizei muito com ela desde o primeiro dia, tanto que pedi para tornar a vê-la no dia seguinte, mas ela não podia.

— Sim, eu sei, ela me contou — disse-me Elstir —, até sentiu muito, mas tinha aceitado um convite para um piquenique a dez léguas daqui, onde devia ir de *break*,[92] e não podia mais desistir. —Embora essa mentira, visto que Andrée me conhecia tão pouco, fosse muito insignificante, eu não devia continuar a dar-me com uma pessoa capaz de a dizer. Cesteiro que faz um cesto... E se todos os anos fosse a gente ver esse amigo que da primeira vez não pôde comparecer a um encontro por se haver resfriado, encontrá-lo-íamos de novo resfriado, e faltaria outra vez ao encontro, e tudo por uma mesma razão permanente em lugar da qual ele julga ter razões variadas, ocasionadas pelas circunstâncias.

Numa das manhãs seguintes àquela em que Andrée, segundo me dissera, fora obrigada a ficar junto da mãe, estava eu a

---

92 Veículo aberto, de tração animal, de quatro rodas. (N. E.)

passear um pouco com Albertine, a quem encontrara lançando ao
ar, com um cordão, um objeto esquisito que a fazia assemelhar-se
à *Idolatria* de Giotto;[93] chama-se aliás diabolô, e de tal modo caiu
em desuso que, ante o retrato de uma menina com um deles, os
comentadores do futuro poderão dissertar, como diante de uma
figura alegórica da Arena, sobre o que tem ela na mão. Ao cabo
de um momento, a moça do bando, de aspecto duro e pobre, que
zombara no primeiro dia, com um ar tão maligno: "Coitado do
velho", falando do velho senhor roçado pelos pés alígeros de
Andrée, veio dizer a Albertine:

— Bom dia, não os incomodo? — Tirara o chapéu, que a
estorvava, e os seus cabelos, como uma variedade vegetal arrebatadora e desconhecida, lhe repousavam na fronte, com a minuciosa
delicadeza da sua foliação. Albertine, irritada talvez por vê-la de
cabeça descoberta, não respondeu nada e conservou um silêncio
glacial. Apesar disso, a outra ficou como estava, mantida longe de
mim por Albertine, que às vezes fazia por ficar a sós com ela, e
outras por andar a meu lado, deixando-a para trás. Fui obrigado,
para que ela me apresentasse, a pedi-lo diante da outra. Então,
no momento em que Albertine me nomeou, no rosto e nos olhos
azuis daquela menina em que achara um olhar tão cruel quando
havia dito: "Coitado do velho, que pena me dá!", vi passar e brilhar um sorriso cordial, amável, e ela estendeu-me a mão. Seus
cabelos eram dourados, e não só eles; pois se as faces eram róseas
e os olhos azuis, era como o céu ainda purpúreo da manhã, onde
por toda parte aponta e brilha o ouro.

Entusiasmando-me em seguida, pensei que fosse uma menina tímida em amor, e que era por mim, por amor de mim, que ela havia
ficado conosco, apesar das desfeitas de Albertine, e que devia sentir-se feliz por ter podido confessar enfim, com aquele olhar sorri-

---

93 Alusão a uma das fuguras alegóricas pintadas por Giotto na capela da Arena, na
cidade de Pádua. (N. E.)

dente e bom, que seria tão terna para mim como terrível para os outros. Decerto já me havia notado na praia quando eu ainda não a conhecia e pensara em mim desde então; talvez fosse para se fazer admirar por mim que ela zombara do velho senhor, e porque não conseguisse travar relações comigo que tivera nos dias seguintes aquele ar melancólico. Do hotel, muitas vezes a tinha avistado a passear de tarde pela praia. Era provavelmente com a esperança de encontrar-me. E agora, constrangida pela presença de Albertine, como o tinha sido pela de todo o pequeno bando, não se apegava evidentemente a nós, apesar da atitude cada vez mais fria de sua amiga, senão na esperança de ficar por último, de marcar encontro comigo para um momento em que achasse meios de escapar, sem que a família e as amigas o soubessem, e num lugar seguro, antes da missa ou depois do golfe. E ainda mais difícil era vê-la porque Andrée estava de mal com ela e a detestava.

— Por muito tempo suportei a sua terrível falsidade — disse-me ela. — Sua baixeza, as inúmeras sujeiras que me fez. Tudo suportei por causa das outras. Mas a última encheu-me as medidas. — E contou-me uma intriga que essa moça espalhara e que, de fato, podia prejudicar Andrée.

Mas as palavras a mim prometidas pelo olhar de Gisèle para o momento em que Albertine nos deixasse sozinhos não puderam ser ditas, porque Albertine, obstinadamente colocada entre nós dois, continuara a responder cada vez mais brevemente, deixando depois de responder de todo às palavras da amiga, o que fez com que esta acabasse por abandonar-nos. Censurei Albertine por se haver mostrado tão desagradável.

— Isto lhe ensinará a ser mais discreta. Não é má menina, mas é cacete. Não tem necessidade de meter o nariz em tudo. Por que veio grudar-se a nós sem que ninguém a chamasse? Por pouco que não a mandei plantar batatas. Aliás, não gosto que ande com os cabelos assim, não é direito. — Eu olhava as faces de Albertine enquanto ela me falava, e perguntava comigo que perfume, que gosto poderiam ter; naquele dia ela estava, não fresca, mas lisa, de um róseo único, violáceo, cremoso, como certas rosas que têm um verniz de cera. Eu estava apaixonado por elas como o ficamos às vezes por uma espécie de flores.

— Não reparei bem nela — respondi.

— Pois olhou-a bastante, parecia que queria tirar-lhe o retrato — disse ela, sem se abrandar pelo fato de que naquele momento fosse ela própria que eu olhava tanto. — Mas não creio que ela possa agradar-lhe. Não é absolutamente do gênero *flirt*. E desse gênero é que você deve gostar. Em todo caso, não terá mais ocasião de se grudar e oferecer-se, porque em breve regressa a Paris.

— E as outras amiguinhas suas vão com ela?

— Não, ela apenas, ela e a Miss, porque tem de fazer exames de segunda época, vai roer um duro a pobre. Garanto-lhe que não é nada divertido. Pode ser que pegue um bom assunto. O acaso é tudo! Assim, uma de nossas amigas pegou. "Relate um acidente a que tenha assistido." Isto é que é sorte. Mas conheço uma menina que teve de explanar "Entre Alceste e Philinte, qual dos dois preferiria ter como amigo?". O que eu não teria suado com isso! Primeiro e antes de tudo, não é pergunta que se faça a moças. As moças se ligam a outras moças e não são obrigadas a ter senhores como amigos. — Esta frase me fez tremer, mostrando-me a pouca possibilidade que tinha de ser admitido no pequeno bando. — Mas, em todo caso, mesmo que a questão tenha sido proposta a rapazes, que há para dizer de uma coisa dessas? Várias famílias escreveram ao *Gaulois* para queixar-se da dificuldade de semelhantes questões.[94] E o melhor de tudo é que numa coletânea das melhores provas de alunas premiadas o tema foi tratado duas vezes de modo inteiramente oposto. Tudo depende do examinador.

94 De tendência reacionária e monarquista, o jornal de bom-tom, *Le Gaulois*, concorria com o *Le Figaro* na simpatia das jovens leitoras de boa família. A referência ao jornal coincide com o antissemitismo de Albertine, pois o jornal era claramente anti-Dreyfus. (N. E.)

Um quer que se diga que Philinte era um adulão e um velhaco, o outro, que não se podia recusar admiração a Alceste, mas que era demasiado azedo e, como amigo, deveríamos preferir-lhe a Philinte. Como quer que as pobres alunas tomem pé quando nem os professores estão de acordo entre si? E ainda não é nada, cada ano a coisa se torna mais difícil. Para Gisèle, só mesmo um bom pistolão.

Voltei ao hotel, minha avó não estava, esperei-a um bom pedaço; afinal, quando ela entrou, pedi-lhe que me deixasse fazer uma excursão, em condições inesperadas, que duraria talvez umas quarenta e oito horas; almocei com ela, mandei chamar um carro e toquei para a estação. Gisèle não se espantaria ao ver-me ali; depois de feita a baldeação em Doncières, havia no trem de Paris um vagão com corredor, onde, enquanto Miss dormitasse, eu poderia levar Gisèle para um canto escuro e marcar encontro com ela para o meu regresso a Paris, que eu trataria de apressar o mais possível. Conforme ela quisesse, acompanha-la-ia até Caen ou até Evreux, e tomaria o primeiro trem de volta. Mas que não diria Gisèle se soubesse que eu estivera a hesitar muito tempo entre ela e as suas amigas, e que tanto quis enamorar-me dela como de Albertine, da menina de olhos claros e de Rosemonde! Sentia remorsos, agora que um recíproco amor ia unir-me a Gisèle. Poderia de resto assegurar-lhe muito veridicamente que Albertine não mais me agradava. Tinha-a visto virar-se naquela manhã, quase me dando as costas, para falar a Gisèle. Inclinava a cabeça com ar amuado, e os cabelos, que trazia penteados para trás, mais negros do que nunca, e diferente das outras vezes, brilhavam como se ela acabasse de sair de dentro d'água. Cheguei a pensar numa franga molhada, e aqueles cabelos me fizeram encarnar em Albertine outra alma diversa da que até então me evocavam a face violeta e o misterioso olhar. Por um instante, tudo que consegui ver de Albertine foram aqueles cabelos luzidios, jogados para trás, e era somente isso que continuava a ver. Nossa memória se assemelha a essas lojas que expõem na vitrina, de uma mesma pessoa, uma vez uma fotografia, depois outra. E em geral a mais recente continua exposta sozinha. Enquanto o cocheiro fustigava o cavalo, eu escutava as palavras de gratidão e ternura que Gisèle me dizia, todas nascidas do seu bom sorriso e da sua mão estendida; é que nos períodos de minha vida em que não estava e desejava estar enamorado, trazia em mim não só um ideal físico de beleza entrevista e que reconhecia de longe em toda mulher que passava a distância suficiente para que suas feições confusas não se opusessem à identificação, mas também o fantasma moral, disposto sempre a encarnar-se, da mulher que se ia enamorar de mim e dar-me as réplicas naquela comédia amorosa que trazia eu escrita na cabeça desde menino, comédia que, a meu ver, qualquer rapariga amável estava querendo representar, contanto que tivesse um mínimo de disposições físicas para o seu papel. Nessa obra, e qualquer que fosse a nova "estrela" que eu trazia para que estreasse ou repetisse esse papel, a cena, as peripécias e o texto conservavam uma forma de *ne varietur*.

Alguns dias depois, e apesar da pouca vontade que tinha Albertine de apresentar-nos, já conhecia eu a todo o bando juvenil do primeiro dia, que continuava completo em Balbec (menos Gisèle, a quem não pude ver na estação, pois, devido a uma longa parada na barreira e a uma mudança de horário, cheguei quando fazia cinco minutos que partira o trem, e agora já não me lembrava dela), e a mais duas ou três amigas suas que, a meu pedido, elas me apresentaram. De modo que, como a esperança do prazer que me havia de causar o convívio com uma nova moça provinha de outra moça que ma havia apresentado, a mais recente vinha a ser como uma dessas variedades de rosas que se obtém graças a uma rosa de outra espécie. E passando de corola em corola por essa cadeia de flores, a alegria de conhecer mais outra me induzia a voltar--me para aquela a quem a devia, como gratidão tão cheia de desejo como se fosse a minha nova esperança. Dentro em pouco tempo passava todo o dia com elas.

Mas, ali!, na flor fresca já se podem distinguir esses pontos imperceptíveis que para um espírito alerta desenham o que haverá de ser, pela dessecação ou frutificação das carnes hoje em flor, a forma imutável e já predestinada da semente. Segue-se com delícia um narizinho semelhante a uma onda minúscula, que infla deliciosamente uma água matinal, e que parece imóvel, desenhável, porque o mar está de tal modo calmo que não se percebe a maré. Os rostos humanos não parecem mudar no momento em que a gente os olha, porque a revolução que cumprem é demasiado lenta para que a notemos. Mas bastava ver junto dessas moças a suas mães ou a suas tias para medir as distâncias que, por atração interna de um tipo, geralmente horrível, teriam atravessado essas feições em menos de trinta anos, até a hora em que o olhar decai e o rosto que ultrapassou a linha do horizonte já não recebe luz alguma. Eu sabia que, tão profundo, tão inelutável como o patriotismo judeu ou o atavismo cristão nos que se julgam mais libertos da sua raça, habitava, sob a rósea inflorescência de Albertine, de Rosemonde, de Andrée, desconhecidos para elas próprias, mantidos em reserva pelas circunstâncias, um nariz grosso, uma boca saliente, uma gordura que estranharia, mas que na realidade já se achava nos bastidores, prontos para entrar em cena, tal uma onda de dreyfusismo, de clericalismo, súbita, imprevista, fatal, ou um heroísmo nacionalista e feudal, subitamente surgidos, ao apelo das circunstâncias, de uma natureza anterior ao próprio indivíduo, com a qual ele pensa, vive, evolui, se fortalece ou morre, sem que a possa distinguir dos objetos particulares com que a confunde. Mesmo mentalmente, dependemos das leis naturais muito mais do que pensamos, e nosso espírito possui de antemão, como este criptógamo ou aquela gramínea, as particularidades que julgamos escolher. Mas não somos capazes de apreender mais que as ideias segundas, sem chegar à causa primeira (raça judaica, família francesa etc.) que as produzia necessariamente e que manifestamos no momento requerido. E talvez, ao passo que umas nos parecem resultado de uma deliberação, outras de uma imprudência em nossa higiene, tenhamos de nossa família, como as papilonáceas a forma de sua semente, tanto as ideias de que vivemos como a doença de que morremos.

Como num plantel em que as flores amadurecem em épocas diferentes, eu as tinha visto, como velhas damas, naquela praia de Balbec, essas duras sementes, esses brandos tubérculos, que minhas amigas seriam um dia. Mas que importava? Naquele momento era a estação das flores. Assim, quando a sra. de Villeparisis me convidava para um passeio, eu procurava um pretexto para não estar livre. Não visitei Elstir senão quando minhas novas amigas me acompanhavam. Nem sequer pude encontrar uma tarde para ir a Doncières visitar Saint-Loup, conforme lhe prometera. As reuniões mundanas, as conversas sérias, mesmo uma amistosa palestra, se viessem substituir meus passeios com aquelas moças, me causariam o mesmo efeito de que se nos levassem, na hora do almoço, não a comer, mas a folhear um álbum. Os homens, os jovens, as mulheres velhas ou maduras com quem julgamos agradável conviver, não os levamos senão numa plana e inconsistente superfície, pois só tomamos consciência deles pela percepção visual reduzida a si mesma; mas, quando essa percepção se dirige para uma rapariga, vai como que delegada pelos demais sentidos; eles vão procurar umas após outras as diversas qualidades odoríferas, táteis, sápidas, que assim saboreiam, mesmo sem o auxílio das mãos e dos lábios; e capazes, graças às artes de transposição e ao gênio de síntese em que excele o desejo, de reconstituir, sob a cor das faces ou do colo, o roçar, a degustação, os contatos proibidos, emprestam a essas raparigas a mesma consistência de mel que às rosas ou às uvas, quando vagabundeiam por um rosal ou um vinhedo, de que comem os cachos com os olhos.

Se chovia, embora o mau tempo não assustasse Albertine, que era vista seguidamente com o seu impermeável, a correr de bicicleta sob as bátegas d'água, passávamos o tempo no Cassino, onde me pareceria impossível não ir nesses dias. Eu desprezava profundamente as srtas. d'Ambresac, porque ali não haviam entrado nunca. E ajudava com muito gosto minhas amigas a pregar peças no professor de dança. Em geral, ganhávamos algumas admoestações do arrendatário ou dos empregados, que usurpavam poderes ditatoriais, porque minhas amigas, até a própria Andrée (que justamente por causa do salto se me afigurara no primeiro dia uma criatura tão dionisíaca e que era, pelo contrário, frágil, intelectual, e, naquele ano, muito adoentada, mas que, apesar disso, obedecia, mais que ao seu estado de saúde, ao gênio da idade, que a tudo arrasta e confunde na mesma alegria a sãos e enfermos), não podiam ir ao vestíbulo, ao salão de festas sem tomar impulso, saltar por cima de todas as cadeiras, voltar deslizando, a guardar o equilíbrio com um gracioso movimento de braço, e cantando, misturando todas as artes naquela primeira juventude, à maneira dos poetas dos tempos antigos, para quem os gêneros ainda não estão separados e que mesclam, num poema épico, os preceitos agrícolas aos ensinamentos teológicos.[95]

Essa Andrée, que no primeiro dia me parecera a mais fria de todas, era infinitamente mais delicada, mais afetuosa, mais fina que Albertine com quem mostrava uma carinhosa e paciente ternura de irmã mais velha. No Cassino, vinha sentar-se ao meu lado e sabia — ao contrário de Albertine — desistir de uma valsa, ou até de ir ao Cassino, quando eu não me encontrava muito bem, para vir ao hotel. Exprimia sua amizade a mim, a Albertine, com nuanças que provavam a mais deliciosa inteligência das coisas do coração, o que talvez fosse devido, em parte, ao seu estado doentio. Tinha sempre um sorriso alegre para desculpar a infantilidade de Albertine, que expressava com uma ingênua violência a irresistível atração que para ela ofereciam os divertimentos a que não sabia, como Andrée, preferir resolutamente

---

95 Alusão provável à obra *Os trabalhos e os dias*, de Hesíodo. (N. E.)

uma conversa comigo... Quando se aproximava a hora de um chá servido no campo de golfe, se estávamos todos juntos nesse momento, ela se preparava, depois vinha ter com Andrée:

— E então, Andrée, que estás esperando? Bem sabes que vamos tomar chá no golfe.

— Não, eu fico conversando com ele — respondia Andrée, apontando-me.

— Mas sabes que a senhora Durieux te convidou — exclamava Albertine, como se a intenção de Andrée de ficar comigo só se pudesse explicar pela ignorância em que devia estar de que fora convidada.

— Ora, minha filha, não sejas tão idiota — respondia Andrée. Albertine não insistia, de medo que lhe propusessem ficar também. Sacudia a cabeça:

— Faze o que quiseres — respondia, como se fala a um enfermo que por gosto se mata a fogo lento. — Eu vou andando, pois parece que o teu relógio está atrasado.

E saía a toda.

— É encantadora, mas incrível — dizia Andrée, envolvendo a amiga num sorriso que ao mesmo tempo a acariciava e julgava.

Se, nesse gosto pelas diversões, tinha Albertine alguma coisa da Gilberte dos primeiros tempos, é porque existe certa semelhança, embora vá evoluindo, entre as mulheres que sucessivamente amamos, semelhança que provém da fixidez de nosso temperamento, pois este é que as escolhe, eliminando todas as que não nos seriam ao mesmo tempo opostas e complementares, isto é, próprias para satisfazer os nossos sentidos e fazer sofrer o nosso coração. São, essas mulheres, um produto do nosso temperamento, uma imagem, uma projeção invertida, um "negativo" da nossa sensibilidade. De modo que um romancista poderia, no curso da vida de seu herói, pintar quase exatamente iguais os seus sucessivos amores, e dar com isso a impressão, não de imitar-se a si mesmo, mas de criar, pois há menos força numa inovação artificial que numa repetição destinada a sugerir uma verdade nova. Ainda deveria registrar no caráter do enamorado um índice de variação que se acentua à medida que vai chegando a novas regiões, sob outras latitudes da vida. E talvez expressasse uma verdade mais se, desenhando caracteres para as outras personagens, se abstivesse de dar qualquer caráter à mulher amada. Conhecemos o caráter dos que nos são indiferentes, mas como poderíamos apanhar o de uma criatura que se confunde com a nossa vida, que em breve não mais separamos de nós mesmos e sobre cujas motivações não cessamos de fazer ansiosas hipóteses, perpetuamente retocadas? Lançando-se além da inteligência, nossa curiosidade pela mulher amada ultrapassa na sua carreira o caráter dessa mulher, e, ainda que nos pudéssemos deter, por certo não o desejaríamos. O objeto de nossa inquieta investigação é mais essencial do que essas particularidades de caráter, semelhantes a esses pequenos losangos de epiderme cujas variadas combinações constituem a originalidade florida da carne. Nossa radiação intuitiva as atravessa, e as imagens que nos traz não são as de um rosto particular, mas representam a triste e dolorosa universalidade de um esqueleto.

Como Andrée era extremamente rica, e Albertine, pobre e órfã, Andrée, com grande generosidade, fazia-a aproveitar seu luxo. Quanto a seus sentimentos para com Gisèle, não eram exatamente como eu a princípio imaginara. Com efeito, logo chegaram notícias da estudante, e quando Albertine mostrou a carta que dela recebera, carta destinada por Gisèle a dar ao pequeno bando notícias da sua viagem e da sua chegada, desculpando-se da preguiça de ainda não ter escrito às outras, fiquei surpreso ao ouvir de Andrée, a quem supunha sua mortal inimiga:

— Vou escrever-lhe amanhã, porque se espero que ela escreva primeiro, não será para tão cedo... ela é tão negligente... — E voltando-se para mim, acrescentou: — É claro que você não poderia achá-la notável, mas é uma boa menina, e na verdade tenho mesmo muita afeição a ela. — Concluí que as brigas de Andrée não duravam muito.

Como todos os dias, exceto nos de chuva, saíamos de bicicleta pelo litoral ou pelos campos, uma hora antes já procurava preparar-me e queixava-me se Françoise não havia arranjado direito as minhas coisas. Ora, mesmo em Paris, Françoise empertigava altiva e raivosamente o corpo que a idade começava a curvar, ante a mínima falta que lhe imputassem, ela que era tão humilde, tão modesta e amável quando lisonjeavam o seu amor-próprio. Como este era a sua mola vital, a satisfação e o bom humor de Françoise estava na razão direta da dificuldade das coisas que lhe pediam. As que tinha de fazer em Balbec eram tão fáceis que ela mostrava quase sempre um descontentamento que de súbito se centuplicava e a que se aliava uma irônica expressão de orgulho quando eu me queixava, no momento de ir ter com minhas amigas, de que o meu chapéu não estivesse escovado ou as minhas gravatas em ordem. Ela, que podia dar-se tanto trabalho sem achar por isso que tivesse feito alguma coisa, à simples observação de que um casaco não estava no lugar, não só encarecia com que cuidado o guardara para não se encher de pó, mas, pronunciando um elogio em regra de seus trabalhos, alegava que não eram absolutamente férias que ela estava passando em Balbec e que não encontrariam no mundo outra pessoa capaz de levar uma vida como aquela.

— Não compreendo como é que podem deixar assim as coisas, e vão lá ver se uma outra se arranjaria nesta barafunda. Até o diabo perderia aqui o seu latim. — Ou então se contentava em assumir uma expressão de rainha, lançando-me olhares inflamados, e guardava um silêncio interrompido logo que ela fechava a porta e tomava o corredor; este reboava com frases que eu adivinhava injuriosas mas que permaneciam tão indistintas como as das personagens que recitam suas primeiras palavras atrás dos bastidores antes de entrar em cena. Aliás, quando me preparava para sair com minhas amigas, ainda que nada faltasse e Françoise estivesse de bom humor, mesmo assim ela mostrava-se insuportável. Pois, servindo-se de gracejos que eu lhe fizera sobre aquelas moças, na minha necessidade de falar a respeito delas, Françoise assumia um ar de quem me revelava o que eu melhor do que ela poderia saber se era exato, mas que não o era porque ela o tinha compreendido mal. Tinha, como todo mundo, o seu gênio próprio; uma pessoa jamais se assemelha a um caminho reto, mas espanta-nos com os seus singulares e inevitáveis atalhos de que os outros não se apercebem e por onde nos é penoso ter de passar. Cada vez que eu chegava ao ponto "chapéu fora do lugar", "por alma de Andrée ou de Albertine", via-me obrigado por Françoise a perder-me em caminhos desviados e absurdos que me retardavam muito. O mesmo acontecia quando eu mandava preparar sanduíches de queijo e de salada e comprar tortas que comeria com as moças, nos rochedos, à hora da merenda, e "que elas bem poderiam pagar, uma de cada vez, se não fossem tão interesseiras", declarava Françoise, em socorro de quem vinha então todo um atavismo de rapacidade e vulgaridade provincianas e para quem dir-se-ia que a alma dividida da defunta Eulalie se encarnara, mais graciosamente do que em santo Elói, nos corpos encantadores de minhas amigas do pequeno bando. Eu escutava essas acusações irritado por topar com um dos lugares a partir dos quais se tornava intransitável o caminho rústico e familiar que era o gênio de Françoise, não por muito tempo, felizmente. Depois, encontrado o casaco e preparados os sanduíches, eu ia procurar Albertine, Andrée, Rosemonde, outras às vezes, e partíamos todos, a pé ou de bicicleta.

Outrora, teria preferido que esses passeios se efetuassem em dias de mau tempo. Então queria eu descobrir em Balbec "a terra dos cimerianos", e belos dias eram uma coisa que não deveria ter existido ali, uma intrusão do vulgar verão dos banhistas naquela antiga região velada pelas brumas. Mas agora, tudo quanto eu havia desdenhado e afastado de minha vista, não só os efeitos de sol mas até as regatas e as corridas de cavalos, eu o procuraria com paixão pelo mesmo motivo por que outrora não desejava senão mares tempestuosos, e que era porque se ligavam, uns atualmente como outrora os outros, a uma ideia estética. E que, com minhas amigas, fora algumas vezes visitar Elstir e, nos dias em que as moças lá estavam, ele mostrara preferentemente alguns esboços de lindas *yachtswomen* ou então um esboço apanhado de um hipódromo perto de Balbec. Inicialmente, e com timidez, eu havia confessado a Elstir que não quisera ir às reuniões ali realizadas.

— Fez mal — disse-me ele —, é tão lindo, e tão curioso também. Primeiro essa criatura particular, o jóquei, em que tantos olhos estão fixos e que ali está diante do *paddock*, modesto e apagado na sua casaca espaventosa, formando um todo com o cavalo irrequieto que retém, como seria interessante revelar seus movimentos profissionais, mostrar a mancha brilhante que ele produz, ele e o pelo dos cavalos, no campo de corridas. Que transformação de todas as coisas nessa imensidade luminosa de um campo de corridas, onde somos surpreendidos com tantas sombras e reflexos que só ali se vêem! Como ali são lindas as mulheres! Principalmente a primeira reunião esteve de arrebatar, e havia mulheres de extrema elegância numa luz úmida, holandesa, em que se sentia subir, mesmo ao sol, o frio penetrante da água. Nunca vi mulheres chegando de carro, ou olhando pelos binóculos, em uma luz como aquela, provinda sem dúvida da umidade marinha. Ah!, como gostaria de a transportar para a tela! Voltei louco daquelas corridas, com uma enorme vontade de trabalhar!

Depois, extasiou-se mais ainda com as reuniões de iatismo que com as corridas de cavalos, e eu observei então que regatas, que reuniões esportivas, onde mulheres bem vestidas se banham na glauca luz de um hipódromo marinho, podiam ser, para um artista moderno, motivos tão interessantes como, para um Veronese ou um Carpaccio, as festas que eles tanto gostavam de descrever.

— Sua comparação é muito exata — disse-me Elstir —, pois a cidade em que eles pintavam essas festas é em parte uma cidade náutica. Somente a beleza das embarcações daquele tempo consistia o mais das vezes na sua pesadez, na sua complicação. Havia torneios marítimos, como aqui, geralmente em honra de alguma embaixada como a que Carpaccio representou na *Lenda de santa Úrsula*.[96] Os navios eram maciços, construídos como arquiteturas, e pareciam quase anfíbios, como Venezas menores no meio da outra, quando, unidos por meio de pontes levadiças, recobertos de cetim carmesim e de tapetes persas, levavam mulheres de brocado cereja ou de damasco verde até junto dos balcões incrustados de mármores multicores, onde outras mulheres se inclinavam para olhar, com seus vestidos de mangas negras entreabertas e cujo forro branco era bordado a pérolas ou todo rendilhado. Já não mais se sabia onde terminava a terra, onde começava a água, o que ainda era o palácio ou já o navio, a caravela, a galeaça, o bucentauro.[97]

Albertine ouvia com apaixonada atenção esses detalhes de toalete, as imagens de luxo que nos descrevia Elstir.

— Oh!, como eu desejaria ver essas rendas de que me fala, é tão bonito o ponto de Veneza — exclamava ela. — E depois, eu gostaria tanto de ir a Veneza...

— Talvez você possa em breve contemplar — disse-lhe Elstir — os maravilhosos tecidos que lá se usavam. Só podiam ser vistos nos quadros de pintores venezianos, ou então muito raramente nos tesouros das igrejas e, às vezes, até, aparecia algum à venda. Mas dizem que um artista de Veneza, Fortuny, redescobriu o segredo da sua fabricação e que dentro de alguns anos as mulheres poderão passear, e sobretudo ficar em casa, em brocados tão magníficos como os que Veneza ornava, para as suas patricias, com desenhos do

---

96 Ciclo composto de nove telas, cuja primeira, *A chegada de santa Úrsula a Colônia*, data do ano de 1490. Tal obra servirá justamente de modelo para os vestidos de Fortuny, citado na sequência. (N. E.)

97 Em Veneza, os doges utilizavam o bucentauro, galeão ricamente decorado, para as cerimônias solenes. (N. E.)

Oriente.[98] Mas eu não sei se gostaria muito disto, se não seria um pouco anacrônico demais, para mulheres de hoje, mesmo a ostentar-se em regatas, pois para voltar a nossos modernos barcos de recreio são exatamente o contrário dos tempos de Veneza, "Rainha do Adriático". O maior encanto de um iate, do mobiliário de um iate, das suas toaletes, é a sua simplicidade de coisas do mar... e eu amo tanto o mar! Confesso que prefiro as modas de hoje às modas do tempo de Veronese, e mesmo de Carpaccio. O que há de lindo em nossos iates — e nos iates médios principalmente; não gosto dos enormes, metidos a navio; é como no caso dos chapéus, tem-se de guardar certa medida — é a coisa lisa, simples, clara, discreta, que, num tempo de bruma, azulado, toma uma inconsistência cremosa. É preciso que a peça em que se está tenha o ar de um pequeno café. O mesmo se dá com as toaletes das mulheres num iate, o que é gracioso são as toaletes leves, brancas e lisas, de linho, de cambraia, de cotim, que ao sol, e sobre o azul do mar, ostentam um branco tão fulgurante como uma vela branca. De resto, há poucas mulheres que se vistam bem; algumas, no entanto, são maravilhosas. Nas corridas, a senhorita Léa estava com um chapeuzinho branco e uma sombrinha branca que eram de encantar. Não sei o que daria por uma sombrinha daquelas.

Eu muito desejaria saber em que se diferençava essa sombrinha das demais, e muito mais o que queria saber Albertine, mas por outros motivos, de faceirice feminil. Mas, como dizia Françoise dos suflês, "Depende da mão", a diferença estava no corte. "Era", dizia Elstir, "pequenino, redondo, como um para-sol chinês". Citei as sombrinhas de certas mulheres, mas não era nada daquilo. Elstir achava horríveis todas aquelas sombrinhas.

---

98 O pintor italiano Mariano de Fortuny (1871-1949) fundou em 1907 uma fábrica de tecidos em Veneza que tentava retomar motivos artísticos em seus desenhos. Albertine ganhará do herói alguns desses vestidos que remetem a exemplares presentes na arte do pintor Carpaccio. (N. E.)

Homem de gosto exigente e apurado, fazia consistir em um nada, que era tudo, a diferença entre o que usavam os três quartos das mulheres e que lhe causava horror, e uma linda coisa que o encantava; e, ao contrário do que acontecia a mim, para quem todo o luxo era esterilizante, aquilo lhe exaltava o desejo de pintar, "para ver se fazia coisas tão bonitas assim".

— Olhe, eis aí uma pequena que já compreendeu como eram o chapéu e a sombrinha — disse-me Elstir, mostrando-me Albertine, cujos olhos brilhavam de cobiça.

— Como gostaria de ser rica para ter um iate! — disse ela ao pintor. — Eu lhe pediria conselhos para o seu arranjo. Que lindas viagens não faria! E que lindo seria ir às regatas de Cowes! E um automóvel! Não acha que são bonitas as modas femininas para automóvel?

— Não — respondeu Elstir —, mas ainda o serão. Aliás, há poucos costureiros, um ou dois, Callot, embora abusando um pouco das rendas, Doucet, Cheruit, algumas vezes Paquin.[99] O resto são uns horrores!

— Mas então há uma diferença tão grande assim entre uma toalete de Callot e a de um costureiro qualquer? — perguntava eu a Albertine.

— Mas claro! Enorme, seu bobo. Oh!, desculpe. A tristeza é que aquilo que custa trezentos francos em qualquer parte custa dois mil no estabelecimento deles. Mas não há comparação, só parecem a mesma coisa para quem não entende nada do assunto.

— Perfeitamente — respondeu Elstir —, sem que se possa no entanto dizer que a diferença seja tão profunda como entre uma escultura da catedral de Reims e outra da igreja de Santo

---

99 Elstir prefere estilistas de uma elegância refinada, mas sóbria. A cor mais empregada, por exemplo, nas roupas de Jacques Doucet era o preto. Especializada em vestidos de baile, madame Paquin contava entre suas clientes as rainhas da Espanha, da Bélgica e de Portugal, além das mulheres elegantes de Paris. (N. E.)

Agostinho. Olhe, a propósito de catedrais — continuou ele, dirigindo-se especialmente a mim, pois isso se referia a uma conversa em que as moças não tinham tomado parte e que aliás não lhes interessaria de modo algum —, falava-lhe no outro dia da igreja de Balbec como de um grande penhasco, um grande molhe de pedras da região, mas, inversamente — disse, mostrando-me uma aquarela —, veja estes penhascos, é um esboço apanhado perto daqui, nos Creuniers, repare como estes rochedos poderosa e delicadamente recortados fazem pensar numa catedral.

E, com efeito, semelhavam imensos arcos de abóbada cor-de-rosa. Mas, pintados num dia tórrido, pareciam reduzidos a pó, volatizados pelo calor, o qual tinha bebido a meio o mar, que passara, em toda a extensão da tela, para o estado gasoso. Naquele dia em que a luz havia como que destruído a realidade, concentrara-se esta em criaturas sombrias e transparentes que, por contraste, davam uma impressão de vida mais patente, mais próxima: as sombras. Ávidas de frescor, a maioria delas, desertando o largo inflamado, se refugiara ao pé dos rochedos, ao abrigo do sol; outras, nadando lentamente sobre as águas como delfins, apegavam-se aos flancos de barcos em passeio, cujos cascos alargavam, sobre a água pálida, com o seu corpo lustoso e azul. A sede de frescura comunicada por elas era talvez o que mais contribuía para a sensação de calor daquele dia, o que me fez exclamar o quanto lamentava não conhecer os Creuniers. Albertine e Andrée asseguraram que eu lá já devia ter estado umas cem vezes. Neste caso, fora sem o saber, sem imaginar que um dia a sua vista pudesse inspirar-me tal sede de beleza, não precisamente natural, como a que até então buscara nos penhascos de Balbec, mas antes arquitetônica. Principalmente eu que, ali chegado para ver o reino das tempestades, nunca, em meus passeios com a sra. de Villeparisis, em que muitas vezes só o avistávamos de longe, pintado no intervalo das árvores, nunca achara o oceano bastante real, bastante líquido, bastante vivo, que desse suficientemente a impressão de lançar as suas massas d'água e que só gostaria de ver imóvel sob uma mortalha hibernal de bruma, eu não poderia absolutamente acreditar que estivesse sonhando agora com um mar que não era mais que um vapor esbranquiçado e que perdera a consistência e a cor. Mas este mar, Elstir, como os que sonhavam naquelas barcas entorpecidas de calor, lhe havia provado o encantamento com tamanha profundeza que soubera transportar e fixar em sua tela o imperceptível refluxo da água, a pulsação de um momento feliz; e ao ver aquele mágico retrato, ficava-se de tal modo enamorado que não se tinha outro pensamento senão correr mundo para reencontrar aquele dia que se fora, em toda a sua graça instantânea e repousada.

De modo que se antes dessas visitas a Elstir, antes de ter visto certa marinha sua onde havia uma jovem com vestido de linho ou barege, num iate que arvorava a bandeira americana, e que pôs o "duplo" espiritual de um traje de linho branco e de uma bandeira em minha imaginação, logo movida do insaciável desejo de ver imediatamente vestidos de linho branco e bandeiras junto ao mar, como se isso jamais me tivesse acontecido até então, eu sempre me esforçara, diante do mar, em expulsar do campo da minha visão, tanto como os banhistas do primeiro plano, os iates de velas demasiado brancas como uma roupa de praia, tudo quanto me impedia de persuadir-me de que estava contemplando a onda imemorial que já desenrolava a sua vida misteriosa antes do aparecimento da espécie humana; e até os dias de luz radiosa me parecia que davam o aspecto frívolo do verão universal àquela costa de tempestades e névoa, e não eram senão um simples tempo de repouso, o que em música se chama um compasso de espera, ao passo que agora o que se me afigurava como funesto acidente era o mau tempo, que não tinha lugar adequado no mundo da beleza, e eu desejava ardentemente ir buscar na realidade o que tanto me exaltava na arte, e tinha até esperanças de que o tempo fosse bastante favorável para ver do alto dos penhascos as mesmas sombras azuis que havia no quadro de Elstir.

Quando ia pela estrada, já não protegia os olhos com a mão, como nesses dias em que concebia a natureza como animada de uma vida anterior ao aparecimento do homem e oposta a todos esses fastidiosos aperfeiçoamentos da indústria que até então me faziam bocejar nas exposições universais ou nas lojas das modistas; esses dias em que não queria ver senão a seção de mar em que não houvesse vapores, de modo que o oceano me aparecesse imemorial, contemporâneo ainda das idades em que estivera separado da terra, ou pelo menos contemporâneo dos primeiros séculos da Grécia, pois assim podia repetir-me com toda a verdade os versos do "tio Leconte", tão caros a Bloch:

Ils sont partis, les rois des nefs éperonnées
Emmenant sur la mer tempétueuse, hélas!
Les hommes chevelus de l'héroïque Hellas.

Agora já não podia desprezar as modistas, pois Elstir me dissera que o delicado gesto com que dão o último pregueado, a suprema carícia às laçadas ou às penas de um chapéu já pronto, lhe interessaria tanto desenhá-lo como as posturas dos jóqueis (coisa que encantou a Albertine). Mas, quanto às modistas, teria de aguardar meu regresso a Paris, e, quanto às corridas e regatas, meu regresso a Balbec no ano seguinte, pois naquela temporada já não as havia mais. Nem sequer podia a gente encontrar um iate com damas vestidas de linho branco.

Seguidamente encontrávamos as irmãs de Bloch, que eu não podia deixar de cumprimentar desde que havia jantado em casa de seu pai. Minhas amigas não as conheciam.

— Não me deixam brincar com israelitas — dizia Albertine. A maneira que tinha de pronunciar a palavra "israelita", acentuando o *s*, já teria bastado, embora sem se ouvir o começo da frase, para indicar que não eram precisamente de simpatia os sentimentos que, a respeito do povo eleito, animavam aquelas jovens burguesas, de famílias devotas e que deviam acreditar sem dificuldade que os judeus degolavam as crianças cristãs.

— E depois, que gente suja essas suas amigas! — dizia-me Andrée, com um sorriso que significava saber ela muito bem que não eram amigas minhas.

— Como tudo quanto se refere à tribo — acrescentava Albertine, com a entonação sentenciosa de uma pessoa de experiência. A falar verdade, as irmãs de Bloch, ao mesmo tempo cheias de roupas e seminuas, com o seu aspecto lânguido, atrevido, faustoso e sujo, não causavam muito boa impressão. E uma prima delas, que não tinha mais de quinze anos, escandalizava todo o Cassino com a sua ostentosa admiração pela srta. Léa, cujo talento de atriz muito admirava o sr. Bloch pai, embora a ele não se lhe pudesse censurar como à sua sobrinha, pois ninguém dizia que se inclinasse mais para os homens.

Certos dias merendávamos nalguma das granjas-restaurantes dos arredores de Balbec. Eram estabelecimentos chamados de Écorres, Maria Teresa, Cruz de Herland, Bagatela, Califórnia, Maria Antonieta. Foi este último o adotado pelo pequeno bando.

Mas outras vezes, em lugar de ir a uma granja, subíamos até o alto das fragas, e, uma vez lá chegados, sentados na relva, abríamos os nossos pacotes de sanduíches e doces. Minhas amigas preferiam os sanduíches e estranhavam ver-me comer apenas um bolo de chocolate goticamente enfeitado de açúcar, ou uma torta de damasco. E que com sanduíches de queijo e alface, alimento ignorante e novo, eu nada tinha de conversar. Mas os bolos eram instruídos, e tagarelas as tortas. Havia nos primeiros um velho sabor de creme e nas segundas uma frescura de frutas que muito sabiam a respeito de Combray, de Gilberte, não só a Gilberte de Combray, mas também a de Paris, em cujas merendas eu os saboreava. Recordavam-me aqueles pratinhos de sobremesa das

Mil e uma noites que tanto distraíam minha tia Léonie com os seus "argumentos", quando Françoise lhe levava ora *Aladin e a lâmpada maravilhosa,* ora *Ali Babá,* o *dorminhoco despertado,* ou *Simbad, o marinheiro embarcando em Baçorá com todos os seus tesouros.* Muito me alegraria em tornar a ver aqueles pratos, mas minha avó não sabia aonde tinham ido parar e supunha aliás que eram pratos vulgares comprados na região. Mas que importava? Na tristonha e campesina Combray, eles e suas vinhetas se incrustavam multicores, como na escura igreja os vitrais de cambiantes pedrarias, como no crepúsculo de meu quarto as projeções da lanterna mágica, como diante da estação e da estrada de ferro do departamento, os botões de ouro da Índia e os lilases da Pérsia, como a coleção de porcelanas antigas de minha tia-avó na sua sombria casa de velha dama da província.

Estendido nas rochas, não via diante de mim mais que uns prados e, acima deles, não os sete céus da física cristã, mas a superposição de dois únicos, um mais carregado — o mar — e, no alto, outro mais pálido. Merendávamos e, se eu tivesse trazido, para dar de presente, uma pequena lembrança que fosse do agrado de alguma das meninas, a alegria inundava-lhes o rosto translúcido, subitamente vermelho, com tamanha violência que a boca não a podia conter e, para deixá-la sair, rebentava em risos. Estavam todas ao meu redor e, entre seus rostos, muito pouco separados, o ar traçava caminhos de azul, como que abertos por um jardineiro que quis conseguir um pouco de espaço para poder ele próprio andar no meio de um bosque de rosas.

Esgotadas as provisões, nós nos entregávamos a jogos que antes me pareciam aborrecidos, e às vezes tão infantis como a "torre de guarda" ou "quem rir primeiro", mas aos quais eu não renunciaria por um império; a aurora de juventude que coloria ainda a face daquelas meninas, e que a mim, na minha idade, não mais alcançava, iluminava tudo diante delas e, da mesma maneira que a fluida pintura de alguns primitivos, destacava sobre um fundo de ouro os mais insignificantes detalhes da sua vida. Quase todos os seus rostos estavam confundidos naquele arrebol confuso da aurora de que ainda não haviam surgido as verdadeiras feições. Só se via uma cor deliciosa, atrás da qual era impossível discernir o que haveria de ser o perfil alguns anos adiante. O de hoje não era definitivo, e bem podia acontecer que fosse uma parecença momentânea com algum parente falecido, a quem a natureza quisera prestar essa cortesia comemorativa. Chega tão depressa o instante em que já não resta nada que esperar, quando o corpo se fixa, numa imobilidade que não promete mais surpresas, quando se perde toda esperança ao ver, como se veem as folhas mortas nas árvores de estio, como caem os cabelos ou como embranquecem em fontes ainda juvenis, e é tão curta essa radiosa manhã que a gente acaba por não gostar senão das rapariguinhas muito jovens, aquelas cuja carne, como uma preciosa pasta, se acha ainda em plena elaboração. Não são mais que uma onda de matérias dúcteis, trabalhada a cada momento pela impressão passageira que as domina. Parece que cada uma é sucessivamente uma estatueta da alegria, da seriedade juvenil, da graça, do espanto, modelada por uma expressão franca, inteira, mas fugaz. Essa plasticidade empresta muita variedade e encanto às atenções que tem para conosco uma adolescente. Verdade é que também são indispensáveis na mulher feita, e que uma mulher a quem não agradamos, ou que não nos demonstra que lhe agradamos, assume a nossos olhos qualquer coisa de tediosamente uniforme. Mas tais atenções, a partir de certa idade, já não despertam suaves flutuações em uma face que as lutas da existência enrijeceram e tornaram para sempre militante ou extática. Uma — pela força contínua da obediência que submete a esposa ao esposo — parece, antes que de uma mulher, a face de um soldado; outra, esculpida pelos sacrifícios que dia a dia fez a mãe pelos seus filhos, é a de um apóstolo. E ainda há outra que, após anos de trabalhos e tempestades, é a face de um velho lobo do mar, numa mulher de que só as vestes revelam o sexo. E por certo as atenções que tem conosco uma mulher ainda podem, quando a amamos, semear de encantos novos as horas que passamos junto dela. Mas não é para nós sucessivamente uma mulher diferente. Sua alegria permanece exterior a um rosto imutável. Mas a adolescência é anterior à solidificação completa, e daí vem que se sinta junto às raparigas jovens essa alegria que inspira o espetáculo de formas em constante mutação, a brincar numa oposição instável que nos recorda essa perpétua recriação dos elementos primordiais da natureza que contemplamos ante o mar.

E não era apenas uma reunião mundana, um passeio com a sra. de Villeparisis que eu sacrificava ao "jogo de anel" ou às "adivinhas" de minhas amigas. Saint-Loup me mandara dizer várias vezes que, já que eu não ia visitá-lo em Doncières, obtivera uma licença de vinte e quatro horas que passaria em Balbec comigo. E eu sempre lhe escrevia que não viesse, invocando o pretexto de que justamente naquele dia tinha de sair de Balbec para fazer uma visita de obrigação com minha avó. Sem dúvida me julgou ele muito mal ao saber por sua tia em que consistia a obrigação de família e que pessoas faziam no caso o papel de minha avó. E, contudo, talvez eu não fizesse inteiramente mal em sacrificar, não só os prazeres da sociedade, mas também os da amizade ao gosto de passar todo o dia naquele jardim. Os seres que têm a possibilidade de viver para si mesmos — é verdade que estes seres são os artistas e fazia muito que eu estava convencido de que jamais o seria — têm também o dever de viver para si mesmos, e a amizade é uma dispensa desse dever, uma abdicação pessoal. A palestra mesma que é o modo de expressão da amizade não passa de uma divagação superficial, com que não adquirimos coisa alguma. Podemos ficar falando a vida inteira sem fazer outra coisa senão repetir indefinidamente a vacuidade de um minuto, ao passo que o andar do pensamento no trabalho solitário da criação artística se efetua no sentido da profundidade, na única direção que não nos está vedada e em que podemos progredir, embora com mais trabalho, para alcançar uma verdade. E a amizade não é apenas destituída de virtudes, como a palestra; é, além disso, funesta. Pois a impressão de tédio, isto é, de ficar na superfície de si mesmo, em vez de continuar as viagens de exploração pelas profundezas, que nenhum de nós que obedeça a uma lei de desenvolvimento puramente interna pode deixar de sentir junto a um amigo qualquer, essa impressão de tédio a amizade nos persuade a retificá-la quando nos vemos a sós, a relembrar com emoção as palavras que nos disse o nosso amigo, a considerá-las como um precioso dom já que não somos como construções a que se podem acrescentar pedras de fora, mas como árvores que tiram da sua própria seiva o nó seguinte do seu tronco, a camada superior da sua fronde. Eu estava mentindo a mim mesmo, interrompia o crescimento no sentido em que podia efetivamente aumentar e ser feliz, quando me congratulava por ser estimado e admirado por uma criatura tão boa, tão inteligente e tão requestada como Saint-Loup, quando adaptava a inteligência, não às minhas próprias e obscuras impressões que seria meu dever destrinçar, porque, repetindo-as — fazendo com que mas repetisse esse outro eu que vive em nós e em que descarregamos com tanto gosto o fardo de pensar — esforçava-me por encontrar uma beleza muito diversa da que perseguia silenciosamente quando estava verdadeiramente só, mas que daria mais mérito a Robert, a mim mesmo, à minha vida. Na vida que um amigo daqueles me proporcionava, eu aparecia a mim mesmo como delicadamente preservado da solidão, nobremente desejoso de sacrificar-me por ele, em suma, incapaz de realizar-me. Junto daquelas moças, pelo contrário, embora fosse egoísta o prazer que sentia, pelo menos não se fundava nessa mentira que tem a pretensão de fazer-nos crer que não estamos irremediavelmente sozinhos, mentira que nos impede de reconhecer que quando estamos falando com outros não somos nós que falamos, que nos modelamos então à semelhança dos estranhos e não de um eu muito diferente deles. As palavras que se trocavam entre as moças do pequeno bando e mim eram pouco interessantes, raras aliás, interrompidas da minha parte por longos silêncios. Isso não me impedia de sentir em escutá-las, quando me falavam, tanto prazer como em olhá-las, em descobrir na voz de cada uma delas um quadro vivamente colorido. É com delícia que eu lhes ouvia o gorjeio. Amar ajuda a discernir, a diferenciar. Num bosque, o amador de pássaro distingue em seguida esses trinados peculiares a cada um, que o vulgo confunde. O amador de raparigas sabe que as vozes humanas são ainda muito mais variadas. Cada uma possui mais notas que o mais rico instrumento. E as combinações segundo as quais as agrupa são tão inesgotáveis como a variedade infinita das personalidades. Quando conversava com uma de minhas amigas, apercebia-me de que o quadro original, único, da sua individualidade, me era engenhosamente desenhado, tiranicamente imposto, tanto pelas inflexões da voz como pelas da sua fisionomia, e que eram dois espetáculos que traduziam, cada um no seu plano, a mesma realidade singular. Sem dúvida, as linhas da voz, como as da face, não estavam ainda definitivamente fixadas; a primeira mudaria ainda, como mudaria a segunda. Como as crianças possuem uma glândula que as auxilia a digerir o leite materno e que não existe mais nos adultos, havia no chilreio daquelas meninas notas que as mulheres não mais possuem. E nesse instrumento mais variado tocavam elas com os lábios, com essa aplicação, esse ardor dos pequenos anjos músicos de Bellini, coisa que também é apanágio exclusivo da juventude. Mais tarde essas meninas perderiam o acento de convicção entusiasta que emprestava encanto às coisas mais simples, quer Albertine, num tom de autoridade, fizesse trocadilhos que as mais jovens escutavam cheias de admiração, até que um riso louco se apoderava delas com a violência irresistível de um espirro, quer Andrée se pusesse a falar dos trabalhos escolares do bando, mais infantis ainda do que os seus jogos, com uma gravidade essencialmente pueril; e suas palavras ressoavam tal como essas estrofes dos tempos antigos em que a poesia, ainda pouco diferenciada da música, era declamada em notas diferentes. Apesar de tudo, a voz já acusava nitidamente a maneira que cada uma tinha de encarar a vida, tão individual que seria generalizar demais se disséssemos: "Esta leva tudo em troça, aquela é muito peremptória, aqueloutra fica na dúvida expectante". As nossas feições não passam de gestos que o hábito tornou definitivos. A natureza, como a catástrofe de Pompeia, como uma metamorfose de ninfa, nos imobilizou no movimento costumeiro. E, assim, nossa entonação de voz contém a nossa filosofia da vida, aquilo que a pessoa pensa das coisas a cada instante. Sem dúvida, aqueles traços não eram tão somente delas. Eram de seus pais. O indivíduo está mergulhado em algo mais geral do que ele. Destarte, os pais dão alguma coisa mais que esse aspecto habitual que constitui as feições e a voz: dão determinadas maneiras de falar, frases consagradas que, tão inconscientes como uma entonação e quase tão profundas, indicam, como essa, um modo de encarar a vida. É certo que, quanto às moças, há expressões dessas que seus pais não lhes dão antes de certa idade, geralmente só depois que se tornam mulheres. Ficam de reserva. Assim, por exemplo, se falavam dos quadros de um amigo de Elstir, Andrée, que ainda usava os cabelos soltos, não podia pessoalmente fazer uso da expressão que usavam sua mãe e sua irmã casada: "Parece que o *homem* é encantador". Mas isso viria com a permissão de ir ao Palais-Royal. E desde a primeira comunhão, já Albertine dizia como uma amiga de sua tia: "Isso me pareceria atroz". Também lhe tinham dado de presente o hábito de repetir o que lhe diziam, a fim de parecer que se interessava e que procurava formar uma opinião pessoal. Se diziam que a pintura de um artista era boa ou a sua casa bonita: "Ah!, é boa a pintura? É bonita a casa dele?". Enfim, mais geral ainda que a herança familiar, era a saborosa matéria imposta pela província de origem de que tiravam a sua voz e na qual mordiam direções. Quando Andrée ponteava secamente uma nota grave, não podia evitar que a corda perigordina de seu instrumento vocal produzisse um som cantante, muito em harmonia, aliás, com a pureza meridional de seus traços; e em Rosemonde, a qualidade do seu rosto e da sua voz do Norte respondia às eternas traquinagens de sua proprietária com o acento peculiar de sua província. E eu notava como que um belo diálogo entre essa província e o temperamento da moça, que ditava as inflexões. Diálogo, não discórdia. Ninguém teria sido capaz de separar a moça do seu torrão natal. Ela continua sendo ele. De resto, essa reação dos materiais locais sobre o gênio que os utiliza, e a que empresta nova louçania, não concorre para que a obra seja menos individual, e, quer se trate do trabalho de um arquiteto, de um ebanista ou de um músico, continua refletindo minuciosamente os traços mais sutis da personalidade do artista, ainda que tenha este de trabalhar na pedra molar de Senlis ou na greda vermelha de Estrasburgo, ainda que respeite os nós peculiares do freixo, ou que tenha levado em conta, ao compor, os recursos e os limites da sonoridade, as possibilidades da flauta ou da viola.

Tudo isso eu sentia, e no entanto falávamos tão pouco... Ao passo que com a sra. de Villeparisis ou com Robert teria mostrado em minhas palavras mais alegria do que a realmente experimentada, pois me sentia cansado ao separar-me deles; em compensação, ali, deitado entre aquelas moças, a plenitude do sentimento superava em muito a nobreza e a escassez da nossa palavra e transbordava dentre os limites da minha imobilidade e do meu silêncio em ondas de felicidade cujo marulho ia espraiar-se ao pé daquelas rosas da manhã.

Para um convalescente que repousa o dia inteiro num jardim ou num pomar, um cheiro de flores ou de frutos não impregna mais profundamente os mil nadas de que se compõe o seu *far niente* do que, para mim, aquela cor, aquele aroma que meu olhar ia buscar naquelas moças e cuja doçura acabava por incorporar-se a mim. Assim as uvas se adoçavam ao sol. E aqueles jogos tão simples, em virtude de sua lenta continuidade, determinaram em mim, como acontece com essas pessoas que não fazem mais que ficar estendidas na praia, respirando o sal marinho e tostando-se, um alívio, um sorriso de beatitude, um deslumbramento vago que me chegara até os olhos.

Às vezes, uma gentil atenção de algumas delas despertava em mim amplas vibrações que afastavam por algum tempo o desejo das outras. Assim, um dia, Albertine disse: "Quem tem um lápis?". Andrée deu o lápis, Rosemonde, o papel, e Albertine então disse: "Olhem, meninas, é proibido espiar o que estou escrevendo". E depois de aplicar-se muito em fazer a letra clara, enquanto escrevia em cima do joelho, passou-me o papel, dizendo: "Cuidado para que ninguém veja". Desdobrei-o então e li estas palavras que ela me escrevera. "Eu o amo muito."

— Mas em vez de estar escrevendo tolices — exclamou, muito impetuosa e grave, voltando-se para Andrée e Rosemonde —, é melhor que lhes mostre a carta de Gisèle que recebi hoje de manhã. Que cabeça, a minha! Tenho a carta aqui no bolso, e dizer-se que ainda nos poderá ser tão útil.

Gisèle julgara conveniente remeter à amiga, para que a mostrasse às outras, a composição literária que fizera no exame.[100] Albertine tinha medo dos temas que costumavam cair, mas aqueles que tocaram a Gisèle para escolher eram ainda muito mais difíceis. O primeiro dizia: "Sófocles escreve dos Infernos a Racine para consolá-lo do insucesso de *Atalia*; e o segundo: "Suponha-se que depois da estreia de *Ester*, madame de Sévigné escreve a madame de La Fayette para lhe dizer o quanto sentiu a sua ausência".[101] Ora, Gisèle, por excesso de zelo que devia ter comovido os examinadores, escolhera o primeiro, o mais difícil dos dois temas, e tinha-o tratado tão notavelmente que obtivera catorze e fora felicitada pela banca. Teria obtido a menção "Ótimo" se não tivesse levado pau no exame de espanhol. A composição de que Gisèle remetera cópia a Albertine foi-nos imediatamente lida pela destinatária, pois

100 O "exame" refere-se ao chamado "certificat d'études", o que, em português, seria o equivalente ao final do nono ano. (N. E.)

101 No dia 26 de janeiro de 1689, madame de Sévigné assistiu efetivamente à primeira representação da peça de Racine. Dois dias depois ela fala do espetáculo em uma carta a sua filha. (N. E.)

tendo ela de submeter-se ao mesmo exame, desejava muito saber a opinião de Andrée, muito mais forte que elas todas e capaz de lhes dar bons conselhos.

— Ela teve uma sorte! — disse Albertine. — É justamente um tema que lhe deu aqui a sua professora de francês.

Assim começava a carta de Sófocles a Racine, redigida por Gisèle:

"Meu caro amigo, desculpai-me escrever-vos sem ter a honra de ser pessoalmente conhecido de vós, mas não mostra a vossa nova tragédia de *Atalia* que haveis perfeitamente estudado as minhas modestas obras? Não vos limitastes a pôr versos na boca dos protagonistas ou das personagens principais do drama, mas os escrevestes, e encantadores, permiti-me que o diga sem lisonja, para os coros, que não estavam muito mal, ao que dizem, na tragédia grega, mas que são em França uma verdadeira novidade. Além disso, o vosso talento, tão ágil, tão primoroso, tão encantador e fino e delicado, atingiu aqui uma energia pela qual vos felicito. Atalia, Joad, eis umas personagens que o vosso rival, Corneille, não saberia construir melhor. Os caracteres são viris, a intriga, simples e forte. Eis aí uma tragédia cujo móvel não é o amor, pelo que vos cumprimento sinceramente. Os mais famosos preceitos nem sempre são os mais verdadeiros. Citar-vos-ei como exemplo:

De cette passion la sensible peinture
Est pour aller au coeur la route la plus sûre.[102]

Mostraste que o sentimento religioso que transborda de vossos coros não é menos capaz de comover. O grande público pode ter ficado desorientado, mas os verdadeiros conhecedores vos fazem justiça. Quis, pois, enviar-vos as minhas congratulações, a que junto, caro confrade, as expressões dos meus sinceros sentimentos".

---

102 "Desta paixão a sensível pintura/ é para se chegar ao coração a estrada mais segura". Versos extraídos da *Arte poética* de Boileau (III, 96-97). (N. E.)

Os olhos de Albertine brilhavam continuamente enquanto lia.

— É o caso de acreditar que ela tenha copiado isso — exclamou ao determinar. — Eu nunca julgaria Gisèle capaz de fazer uma prova destas. E os versos que ela cita? Onde diabo terá ido desencavá-los?

A admiração de Albertine, embora mudando de objeto, ainda aumentou, assim como a mais aplicada atenção, que lhe arregalava os olhos, quando Andrée, consultada por ser a mais velha e "a mais afiada", falou da composição de Gisèle, primeiro com certa ironia, depois com um ar de displicência que mal dissimulava a sua verdadeira seriedade, e refez à sua maneira a mesma carta.

— Não está mal — disse ela a Albertine —, mas se eu fosse tu e me dessem o mesmo tema, o que pode acontecer, pois o apresentam seguidamente, eu não faria assim. Eis como faria. Primeiro, se eu fosse Gisèle, não me deixaria embalar e começaria por escrever o meu plano numa folha à parte. Em primeira linha, a posição da questão e a exposição do tema, depois, as ideias gerais a serem aproveitadas no desenvolvimento. Enfim a apreciação, o estilo, a conclusão. Assim, inspirando-se num sumário, a gente sabe aonde vai. Logo que começa a exposição do tema, ou, se assim preferes, Titine, visto que se trata de uma carta, logo que entra num assunto, Gisèle dá uma rata. Dirigindo-se a um homem do século XVII, Sófocles não deveria escrever "meu caro amigo".

— Sim, ela deveria tê-lo feito dizer "meu caro Racine" — exclamou fogosamente Albertine. — Ficaria muito melhor.

— Não — respondeu Andrée num tom um tanto zombeteiro —, ela deveria escrever "Senhor". Da mesma forma, para terminar, deveria ter encontrado alguma coisa como: "Permiti, senhor", ou quando muito, caro senhor, "que aqui vos diga dos sentimentos de estima com que tenho a honra de ser vosso servidor". Por outro lado, Gisèle diz que os coros de *Atalia* são uma novidade. Esquece *Ester*, e duas tragédias pouco conhecidas, mas que foram precisamente analisadas este ano pelo professor, de modo que basta citá-las, visto que são a mania dele, para a gente ser aprovada. São elas *As judias*, de Robert Garnier, e *Aman*, de Montchrestien.[103]

Andrée citou esses dois títulos sem que conseguisse ocultar um sentimento de benévola superioridade, que se exprimiu num sorriso, bastante gracioso, aliás. Albertine não mais se conteve:

— Andrée, tu és de abafar — exclamou. — Tu vais escrever-me esses dois títulos. Imagina que sorte se me caísse isso; ainda que fosse no oral, eu os citava e faria um efeito cavalar.

Mas depois, sempre que Albertine perguntava a Andrée o nome das duas peças, para tomar nota, a amiga tão erudita alegava tê-las esquecido e nunca mais pôde lembrá-los.

— E depois — continuou Andrée, num tom de imperceptível desdém para aquelas companheiras tão infantis, mas muito contente por fazer-se admirar, e dando mais importância do que aparentava à explicação de como teria desenvolvido o tema —, Sófocles, nos Infernos, deve estar bem informado. Deve, pois, saber que não foi diante do grande público, mas diante do Rei Sol e de alguns cortesãos privilegiados que se efetuou a representação de *Atalia*. O que disse Gisèle, a esse respeito, da estima dos conhecedores, não está de todo mau, mas poderia ser completado. Sófocles, tornado imortal, pode muito bem ter o dom da profecia e anunciar que, segundo Voltaire, *Atalia* não será apenas "a obra-prima de Racine, mas do espírito humano".[104]

Albertine bebia todas essas palavras. Tinha as pupilas em brasa. E foi com a mais profunda indignação que rechaçou a proposta de Rosemonde, para começarem a brincar.

— Enfim — disse Andrée, no mesmo tom distraído, desenvolto, um tanto zombeteiro e ardorosamente convicto —, se Gisèle tivesse

---

103 Peças do século XVI que abordam o sofrimento do povo judeu. (N. E.)

104 Alusão a uma frase do *Discours historique et critique*, de Voltaire, escrito em 1769, por ocasião de uma tragédia sua não encenada, cujo título era *Guèbres*. (N. E.)

anotado primeiro as ideias gerais, talvez lhe tivesse ocorrido o que eu teria feito, isto é, mostrar a diferença que há entre a inspiração religiosa dos coros de Sófocles e os de Racine. Faria com que Sófocles observasse que, se os coros de Racine são impregnados de sentimentos religiosos como os da tragédia grega, não se trata contudo dos mesmos deuses. O de Joad nada tem a ver com o de Sófocles. E isso leva muito naturalmente, findo o desenvolvimento, à conclusão: "Que importa que as crenças sejam diferentes?". Sófocles sentiria escrúpulos de insistir nesse ponto. Recearia ferir as convicções de Racine e, insinuando a esse respeito algumas palavras sobre os seus mestres de Port-Royal, prefere felicitar a seu êmulo pela elevação do seu gênio poético.

A admiração e a atenção tinham dado tanto calor a Albertine que ela suava abundantemente. Andrée conservava a fleuma sorridente de um dândi feminino.

— Não seria mau tampouco citar alguns juízos de críticos famosos — disse ela, antes que recomeçassem a brincar.

— Sim, falaram-me nisso — respondeu Albertine —, os mais recomendáveis, em geral, são os juízos de Sainte-Beuve e de Merlet, não é?[105]

— Tu não te enganas absolutamente — replicou Andrée, que aliás se recusou a escrever os dois outros nomes, apesar das súplicas de Albertine —, Merlet e Sainte-Beuve não estão mal. Mas cumpre sobretudo citar Deltour e Gascq-Desfossés.[106]

---

105 Albertine confia no julgamento de dois "mestres" da crítica literária: Sainte-Beuve, contra cujo método Proust escreveria um livro, e Merlet (1828-1891), professor colegial de retórica que publicara inúmeros livros que "permitiam" o acesso dos alunos aos grandes clássicos franceses. (N. E.)

106 Nicolas-Félix Deltour (1822-1904), professor e escritor conhecido por seu estudo *Os inimigos de Racine* (1859). Léon Gascq-Desfossés era autor de um *Teatro escolhido* de Racine, em cuja introdução ele citava justamente as opiniões de Voltaire sobre a peça *Athalie*. Junto com Deltour, Desfossés publicaria uma obra didática, intitulada *Recueil de sujets de composition française donnés au baccalauréat ès-lettres de 1881 à 1885*. Encontram-se nessa coletânea de textos do exame do "baccalauréat" os assuntos citados pelas personagens do livro. (N. E.)

Durante esse tempo eu pensava na folha de bloco que me passara Albertine: "Eu o amo muito", e uma hora mais tarde, enquanto descíamos os caminhos, demasiado a pique para o meu gosto, que levavam a Balbec, dizia comigo que com ela é que eu teria o meu romance.

O estado caracterizado pelo conjunto de signos segundo os quais habitualmente julgamos estar enamorados, como as ordens que eu dava no hotel de não me despertarem para nenhuma visita, a não ser de uma ou outra daquelas moças, aquelas palpitações de coração enquanto as esperava (qualquer que fosse a que estivesse para chegar), e, naqueles dias, a minha raiva quando não podia achar um barbeiro e devia apresentar-me com a barba por fazer diante de Albertine, Rosemonde ou Andrée, sem dúvida esse estado, renascendo alternativamente para uma ou outra, era tão diferente do que chamamos amor como difere da vida humana e dos zoófitos, cuja existência, individualidade se se pode dizer, é repartida entre diversos organismos. Mas a História Natural nos ensina que semelhante estado existe, e que a nossa própria vida, por pouco avançada que esteja, não é menos ilustrativa da realidade de estados que não suspeitávamos antes e pelos quais temos de passar, ainda que para abandoná-los em seguida. Tal era, no meu caso, aquele estado amoroso simultaneamente dividido entre várias moças. Dividido ou antes indiviso, pois as mais das vezes o que me era delicioso, diferente do resto do mundo, o que começava a me ser tão caro a ponto de que a esperança de encontrá-lo no dia seguinte era a melhor alegria de minha vida, era todo o grupo de moças, tomando no conjunto daquelas tardes nos alcantis, durante aquelas horas ligeiras, naquela faixa de relva onde estavam pousadas aquelas figuras, tão excitantes para a minha imaginação, de Albertine, de Rosemonde, de Andrée; e isto sem que soubesse dizer qual delas me tornava tão preciosos aqueles lugares, qual delas tinha eu mais desejos de amar. No começo de um amor, como no seu final, não nos sentimos exclusivamente ligados ao objeto desse amor, mas antes o desejo de amar, de que ele vai proceder (e mais tarde a recordação que deixa), erra voluptuosamente numa zona de encantos intermutáveis — encantos às vezes simplesmente de natureza, de gula, de habitação — bastante harmônicos entre si para que ele não se sinta, em presença de nenhum, em terra estranha. Ademais, como diante das moças não sentia eu o fastio que o hábito cria, cada vez que me encontrava na sua presença tinha a faculdade de vê-las, isto é, de sentir um espanto profundo.

Sem dúvida, esse espanto é em parte devido a que a criatura nos apresenta então uma nova face de si mesma; tão grande é a multiplicidade de cada uma, tal a riqueza de linhas de seu rosto e de seu corpo, linhas das quais tão poucas tornamos a encontrar na simplicidade arbitrária de nossa lembrança, logo que nos separamos da pessoa. Como a memória escolheu determinada particularidade que nos impressionou, isolou-a, exagerou-a, fazendo da mulher que nos pareceu alta um estudo em que o comprimento de seu talhe é desmesurado, ou de uma mulher que nos pareceu rosada e loira uma pura "harmonia em rosa e ouro", no momento em que essa mulher está de novo perto de nós, todas as outras qualidades esquecidas que fazem equilíbrio com aquela assaltam-nos, diminuindo a altura, afogando o róseo, e substituindo o que viemos exclusivamente procurar por outras particularidades que lembramos haver notado da primeira vez e não podemos compreender que contássemos tão pouco com revê-las. Recordamos: vamos ao encontro de um pavão e damos com uma peônia. E esse inevitável espanto não é o único; pois ao lado deste há outro, que provém, não já da diferença entre a realidade e as estilizações da lembrança, mas da diferença entre a criatura que vimos da última vez e esta que nos aparece agora com outra luz, mostrando-nos um novo aspecto. O rosto humano é realmente como o do deus de uma teogonia oriental: todo um racemo de rostos superpostos em planos diferentes e que não se veem ao mesmo tempo.

Mas em grande parte o nosso espanto se origina de que a criatura apresenta também uma mesma face. Seria mister um esforço tão grande para tornarmos a criar tudo o que nos foi oferecido por algo que não é o nosso próprio ser — ainda que seja o sabor de um fruto — que, mal recebemos a impressão, descemos insensivelmente a encosta da lembrança, e, sem o notar, dentro em pouco estamos já muito longe do que sentimos. De modo que cada novo encontro é uma espécie de reafirmação que nos traz de volta ao que muito bem tínhamos visto. Mas já não nos lembrávamos, porque o que chamamos recordar uma criatura é na realidade esquecê-la. Enquanto ainda sabemos ver, no momento em que nos aparece o traço esquecido, nós o reconhecemos e temos de retificar a linha desviada, e vinha daí que, na perpétua e fecunda pela qual me eram tão saudáveis e suaves aqueles cotidianos encontros com as moças à beira-mar, entrassem em partes iguais as descobertas e as reminiscências. Acrescente-se a isso a agitação despertada pela ideia do que elas eram para mim, nunca idêntica ao que eu supusera, motivo pelo qual a esperança do próximo encontro nunca se parecia com a esperança precedente, mas com a recordação, vibrante ainda, da última entrevista, e assim se compreenderá como cada passeio impunha a meus pensamentos uma violenta mudança de rumo, e não na direção que eu me traçara na solidão de meu quarto, com o espírito descansado. E essa direção ficava olvidada, abolida, quando eu voltava vibrando, como uma colmeia, com todas as frases que me haviam perturbado e continuavam ressoando dentro em mim. Toda criatura se destrói quando deixamos de vê-la; seu aparecimento seguinte é uma criação nova, diversa da imediatamente anterior, se não de todas. Porque dois é o número mínimo de variedade que reina nessas criações. Se recordamos um olhar enérgico e um rosto atrevido, o próximo encontro inevitavelmente nos chocará, isto é, veremos quase exclusivamente um lânguido perfil e uma sonhadora doçura, coisas que nos passaram por alto na recordação precedente. No confronto de nossa recordação com a realidade nova, é isso que há de marcar nossa decepção ou surpresa, e se nos afigura um retoque da realidade, avisando-nos de que havíamos recordado mal. E por sua vez esse aspecto do rosto, anteriormente desdenhado, e justamente por isso mais sedutor agora, mais real e significativo, se converterá em matéria de sonhos e recordações. E o que desejaremos ver agora será um perfil suave e lânguido, uma expressão doce e sonhadora. Mas da vez seguinte de novo virá aquele elemento voluntarioso do olhar penetrante, do nariz pontiagudo e dos apertados lábios, a corrigir o desvio existente entre o nosso desejo e o objeto que julgava corresponder-lhe. É claro que essa fidelidade às impressões primeiras, e puramente físicas, que sempre tornava a encontrar junto de minhas amigas, não se referia unicamente às suas feições, pois já se viu como era eu sensível à voz delas, ainda mais inquietante (porque a voz nem sequer oferece as superfícies singulares e sensuais do rosto, mas faz parte do inacessível abismo que dá a vertigem dos beijos sem esperança), aquela voz semelhante ao soar único de um pequeno instrumento em que cada qual punha toda a sua alma e que era exclusivamente seu. Às vezes me espantava ao reconhecer, depois de passageiro esquecimento, a linha profunda de alguma dessas vozes traçada por determinada inflexão. Tanto assim que as retificações que tinha de fazer a cada novo encontro, para tornar ao perfeitamente exato, eram tão próprias de um afinador ou de um professor de canto como de um desenhista.

A harmoniosa coesão em que se neutralizavam desde algum tempo, pela resistência que cada uma opunha à expansão das demais, as diversas ondas sentimentais que elas em mim propagavam, tudo se rompeu em favor de Albertine, numa tarde em que brincávamos de anel. Era num bosquezinho situado junto aos alcantis. Colocado entre duas meninas que não pertenciam ao bando (minhas amigas as haviam levado porque naquela tarde tínhamos de ser muitos), olhava eu com inveja o rapaz que estava ao lado de Albertine, pensando que, se estivesse no seu lugar, poderia talvez tocar as mãos de minha amiga naqueles minutos inesperados que talvez nunca mais voltassem e que tão longe podiam levar-me. Já o simples contato das mãos de Albertine, sem pensar nas consequências que pudesse trazer, me parecia delicioso. Não porque nunca tivesse visto mãos mais bonitas que as suas. Sem sair do grupo de suas amigas, as mãos de Andrée, delgadas e muito mais finas, tinham uma espécie de vida particular, dócil ao seu comando, mas independente, e muitas vezes aquelas mãos se estiraram diante de Andrée como magníficos lebréus, com atitudes de preguiça ou de profundo sonho, com bruscos alongamentos de falange, o que tinha levado Elstir a fazer vários estudos daquelas mãos. Num deles se via Andrée com as mãos expostas ao calor do fogo, e pareciam, com aquela luz, tão diafanamente douradas como as folhas de outono. As mãos de Albertine eram mais grossas, e cediam por um momento à pressão da mão que as estreitava, mas logo sabiam resistir, dando uma sensação muito particular. A pressão da mão de Albertine tinha uma suavidade sensual muito em harmonia com a coloração rosada, levemente malva, da sua tez. Com essa pressão parecia que a gente penetrava nela, na profundidade dos seus sentidos, da mesma forma que a sonoridade do seu riso, indecente como um arrulho sensual, ou certos gritos. Era uma dessas mulheres cuja mão é tão agradável de apertar que ficamos reconhecidos à civilização por ter feito do *shake hand* um ato permitido entre rapazes e moças que se encontram. Se os arbitrários costumes da cortesia tivessem substituído essa forma de saudação por outra, teria eu olhado todos os dias as mãos intangíveis de Albertine com tão ardente curiosidade de conhecer o seu contato como a que sentia por saber o gosto de suas faces. Mas no prazer de reter suas mãos entre as minhas demoradamente, se fosse eu o seu parceiro do jogo, via eu alguma coisa mais do que esse mesmo prazer; quantas confidências, quantas declarações caladas até então por timidez não poderia ter confiado a certos apertos de mão, que fácil lhe teria sido responder do mesmo modo, mostrando-me que aceitava!

Que cumplicidade, que início de volúpia! Meu amor podia fazer mais progressos em alguns minutos passados junto dela do que em todo o tempo em que já a conhecia. E não podia conter-me de nervoso, pois via que aqueles momentos logo acabariam, deixaríamos de jogar o anel, e então já seria tarde. Deixei que me apanhassem o anel de propósito e, no meio do círculo, fazia que não o via passar e seguia-o atentamente com a vista, à espera de que chegasse em mãos do vizinho de Albertine, a qual, rindo-se doidamente, e com a animação e a alegria do jogo, estava toda rósea.

— Estamos justamente no bosque bonito — disse-me Andrée, mostrando as árvores que nos rodeavam, com um risonho olhar que era só para mim e que parecia passar por cima dos jogadores, como se nós dois fôssemos os únicos bastante inteligentes para nos desdobrarmos e poder dizer a propósito do jogo uma coisa de caráter poético. E levou a sua delicadeza de espírito até o ponto de cantar, sem vontade, o "Por aqui passou, senhoritas, o furão do bosque bonito, por aqui passou o furão", como essas pessoas que não podem ir ao Trianon sem dar uma festa Luís XVI ou que se divertem em mandar cantar uma canção no mesmo ambiente para que foi escrita. E por certo me entristeceria por não encontrar encanto algum nessa identificação proposta por Andrée, caso tivesse lazer para pensar em tal coisa. Mas meu pensamento andava por outras bandas. Todos os jogadores começavam a espantar-se da minha estupidez, ao ver que eu não apanhava o anel. Olhei para Albertine, tão linda, tão indiferente, tão satisfeita, para Albertine que, sem o prever, ia ser minha companheira de jogo quando eu apanhasse o anel das mãos designadas, graças a uma artimanha de que ela não suspeitava e que muito a teria irritado. Com o ardor do jogo, o penteado de Albertine estava meio desfeito e caíam-lhe pelo rosto umas mechas crespas que, com a sua negra secura, melhor realçavam o rosado da pele.

— Você tem as tranças de Laura Dianti, Éléanor de Guyenne e

da sua descendente que Chateaubriand tanto amou.[107] Devia usar sempre os cabelos um pouco desfeitos — disse-lhe ao ouvido para aproximar-me dela. De súbito o anel passou para o vizinho de Albertine. Lancei-me a ele. Abri-lhe brutalmente as mãos e ele teve de ir para o meio do círculo, enquanto eu ocupava o seu lugar junto a Albertine. Momentos antes eu o invejava, ao ver que suas mãos, deslizando pelo barbante, se encontravam a todo momento com as de Albertine. Mas agora que me havia tocado o seu lugar, eu, muito tímido para procurar esse contato, muito emocionado para poder saboreá-lo, não senti mais que o rápido e doloroso palpitar de meu coração. Houve um momento em que Albertine inclinou para mim o seu rosto cheio e róseo, com uma expressão de cumplicidade, fazendo que tinha o anel para enganar o furão, a fim de que não olhasse para o lugar por onde estava realmente passando. Logo compreendi que os olhares de inteligência que Albertine me dirigia eram pura artimanha do jogo, mas emocionou-me bastante o ver passar pelos seus olhos a imagem, puramente simulada pela necessidade do jogo, de um segredo, de um acordo que não existia entre nós, mas que desde então me pareceram possíveis e me haveriam de ser divinamente gratos. Quando me exaltava com essa ideia, senti uma leve pressão da mão de Albertine na minha e o seu dedo acariciante que deslizava sob o meu, e vi que me lançava um olhar, procurando que ninguém o notasse. De uma só vez, toda uma multidão de esperanças, até então invisíveis para mim, se cristalizaram: "Aproveita-se do jogo para fazer sentir que me ama", pensei eu, no auge da alegria; mas caí imediatamente das minhas alturas, ao ver que Albertine me dizia, raivosa:

— Mas pegue o anel, que diabo!, faz uma hora que o estou

---

107 Pensava-se que a belíssima mulher que aparece no quadro de Ticiano *Jovem durante sua toilette* fosse Laura Dianti (1476-1534), amante do duque de Ferrara. Éléanor de Guyenne (1122-1204) também tinha fama de ter belos cabelos. Mas a "descendente que Chateaubriand tanto amou" não descende, na verdade, de Éléanor: trata-se da marquesa de Custine, de cujos cabelos Chateaubriand fala no primeiro capítulo do livro XIV de suas *Mémoires d'outre-tombe*. (N. E.)

passando para você. — A dor entonteceu-me, soltei o barbante, e o que fazia de furão viu o anel e lançou-se sobre ele; e tive de voltar para o centro do círculo, desesperado, a olhar como seguia o jogo em desenfreada ronda, alvo dos motejos de todas elas e posto na contingência, para responder-lhes, de rir também, quando tinha tão pouca vontade de o fazer, enquanto Albertine não parava de comentar: — Quando a gente não pode prestar atenção, que não jogue, para não fazer os outros perderem. Nos dias em que se brincar de anel não o convidamos, Andrée, ou então eu não venho. — Andrée estava muito acima do jogo cantando a sua canção do Bosque Bonito, que Rosemonde continuava, por espírito de imitação e sem convicção alguma, e, para desviar as censuras de Albertine, disse-me: — Estamos a dois passos desses Creuniers que você tem tanta vontade de ver. Olhe, vou levá-lo até lá por um lindo caminhozinho, enquanto estas loucas fazem de crianças de oito anos. — Como Andrée era muito boa comigo, pelo caminho lhe fui dizendo de Albertine tudo o que me parecia mais adequado para que esta me correspondesse.

Ela respondeu-me que também a estimava muito, que a achava encantadora; contudo, meus elogios à sua amiga não pareciam causar-lhe prazer. De repente, no caminhozinho, estaquei, tocado no coração por uma suave recordação de infância; acabava de reconhecer nas folhas recortadas e brilhantes que avançavam para a clareira uma moita de espinheiros sem flor, ali desde o fim da primavera. Em torno de mim flutuava uma atmosfera de antigos meses de Maria, de tarde de domingo, de crenças, de erros esquecidos. Desejaria apreendê-la. Parei um segundo e Andrée, com encantadora adivinhação, deixou-me conversar um instante com as folhas do arbusto. Pedi-lhes novas das flores, daquelas flores de espinheiros semelhantes a alegres meninas estouvadas, faceiras e piedosas. "Essas meninas partiram há muito tempo", diziam-me as folhas. E talvez pensassem que para o grande amigo delas que eu pretendia ser, não parecia absolutamente informado sobre os seus hábitos. Um grande amigo, mas que não tinha tornado a vê-las desde tantos anos, apesar das suas promessas. E no entanto, como Gilberte fora o meu primeiro amor como menina, tinham elas sido o meu primeiro amor como flor.

— Sim, eu sei, elas se vão pelos meados de junho — respondi —, mas dá-me prazer ver o lugar onde moravam. Vieram ver-me em Combray no meu quarto, trazidas por minha mãe quando eu estava doente. E nos encontrávamos aos sábados de tarde no mês de Maria. Aqui elas podem ir às novenas?

— Oh!, naturalmente. Aliás, gostam muito dessas meninas na igreja de São Dinis do Deserto, que é a paróquia mais próxima.

— E como fazer agora para vê-las?

— Oh! Não antes do mês de maio do ano que vem.

— Mas posso ter certeza de que elas estarão aqui?

— Regularmente, todos os anos.

— Não sei é se encontrarei o lugar.

— Como não! Essas meninas são tão alegres... só param de rir para entoar cânticos, de modo que não há engano possível e da beira do caminho você reconhecerá o perfume delas.

Fui ter de novo com Andrée e recomecei a fazer-lhe elogios de Albertine. Parecia-me impossível que não lhos repetisse, tal a minha insistência. E no entanto nunca soube que Albertine tivesse tomado conhecimento deles. Contudo Andrée tinha, muito mais do que ela, entendimentos das coisas do coração, o refinamento na gentileza; achar o olhar, a frase, o ato que mais engenhosamente pudesse dar prazer, calar uma reflexão que arriscasse magoar, fazer sacrifício (e com o ar de que não fosse um sacrifício) de uma hora de brinquedos, até de uma matinê, de um *garden-party*, para ficar perto de um amigo ou de uma amiga triste e mostrar-lhe assim que preferia a sua simples companhia a prazeres frívolos, tais eram as suas costumeiras delicadezas. Mas depois que a gente a conhecia mais um pouco diria que se dava com ela o mesmo que com esses heroicos poltrões que não querem ter medo e cuja bravura é particularmente meritória, diria que no fundo da sua natureza não havia nada dessa bondade que ela manifestava a todo instante por distinção moral, por sensibilidade, por nobre vontade de mostrar-se boa amiga. A julgar pelas encantadoras coisas que ela me dizia de uma possível afeição entre mim e Albertine, parecia que deveria empenhar-se com todas as suas forças para efetivá-la. Ora, talvez por acaso, jamais fez uso algum do menor dos nadas de que dispunha e que poderiam unir-me a Albertine, e eu não juraria que os meus esforços por que Albertine viesse a amar-me não tenham, se não provocado da parte de sua amiga manobras secretas destinadas a contrariá-los, despertado nela uma cólera bem oculta aliás, e contra a qual ela própria talvez lutasse por delicadeza. De mil refinamentos de bondade que tinha Andrée, Albertine seria incapaz, e no entanto eu não estava certo da profunda bondade da primeira como o fiquei mais tarde da bondade da segunda. Mostrando-se sempre ternamente indulgente para com a exuberante frivolidade de Albertine, Andrée tinha com ela palavras, sorrisos que eram de amiga e, mais ainda, agia como amiga. Eu a vi, dia a dia, para fazê-la aproveitar seu luxo, para tornar feliz essa amiga pobre, ter, sem nenhum interesse, mais trabalho que um cortesão que captar o favor do soberano. Era encantadora de doçura, de palavras tristes e carinhosas quando lamentavam diante dela a pobreza de Albertine e esforçava-se mil vezes mais por ela do que o faria por uma amiga rica. Mas se alguém arriscava que Albertine talvez não fosse tão pobre como diziam, uma sombra apenas perceptível velava a fronte e os olhos de Andrée; parecia de mau humor. E se chegavam até a dizer que afinal de contas ela talvez não fosse tão difícil de casar como pensavam, Andrée protestava com veemência e repetia quase raivosamente: "Oh!, ela não poderá casar, eu bem sei, e isso me dá uma pena!". Mesmo no que me tocava, era a única daquelas meninas que jamais me repetiria alguma coisa pouco agradável que pudessem ter dito de mim; ainda mais, se era eu próprio que o contava, fingia não acreditar ou dava uma explicação que tornava a coisa inofensiva; ao conjunto dessas qualidades é que chamamos tato. É o apanágio das pessoas que, se vamos ao campo de honra, nos felicitam e acrescentam que não havia motivo para um duelo, a fim de ainda aumentar aos nossos olhos a coragem de que demos prova, sem ser a isso constrangidos. São o contrário das pessoas que nas mesmas circunstâncias dizem: "Deve ter sido muito penoso esse duelo, mas por outro lado você não poderia engolir uma afronta daquelas, não poderia fazer outra coisa". Mas como em tudo há prós e contras, se o prazer, ou pelo menos a indiferença de nossos amigos em nos repetir alguma coisa de ofensivo que se disse a nosso respeito, mostra que não se colocam absolutamente em nossa pele no instante em que nos falam, e enterram-lhe o alfinete e a faca como numa bexiga, a arte de ocultar-nos sempre o que nos pode ser desagradável no que ouviram dizer de nossas ações ou da opinião que estas lhe inspiraram, pode provar na outra categoria de amigos, a dos amigos cheios de tato, uma forte dose de dissimulação. Não tem inconveniência se com efeito não podem pensar mal de nós e se o que lhes dizem os faz apenas sofrer como o faria a nós memos. Pensava que era esse o caso de Andrée, sem ter no entanto absoluta certeza.

Tínhamos saído do bosque, enveredando por uns atalhos muito pouco frequentados que Andrée conhecia perfeitamente.

— Olhe — disse ela de repente —, aqui estão os seus famosos Creuniers, e você ainda tem muita sorte, pois estão justamente na hora e na luz com que Elstir os pintou. — Mas eu ainda estava muito triste por haver caído, durante o jogo do anel, de tão alta cima de esperanças. Assim, não foi com o prazer que sem dúvida experimentaria que pude distinguir de súbito a meus pés, aconchegadas entre as rochas onde se abrigavam do calor, as deusas marinhas que Elstir espiara e surpreendera, sob uma sombria transparência, tão bela como o seria de um Leonardo, as maravilhosas sombras ocultas e furtivas, ágeis e silenciosas, prestes, ao primeiro remoinho de luz, a escorregar sob a pedra, a esconder-se numa cova e prontas, passada a ameaça do dardo luminoso, a voltar para junto da rocha ou da alga, sob o sol esfarelador dos alcantis, e do oceano descolorido, cujo sono parecem velar, guardiãs imóveis e leves, deixando aparecer à flor d'água o seu corpo escorregadio e o olhar atento de seus olhos escuros.

Fomos ao encontro das outras para regressar. Eu sabia agora que amava Albertine; mas, ai de mim, não me importava de lho dizer. Era que, desde o tempo dos brinquedos nos Campos Elísios, se as criaturas a que se prendia sucessivamente o meu amor permaneciam quase idênticas, tornara-se diferente a minha concepção do amor. De uma parte, a confissão, a declaração de meu afeto àquela que eu amava não mais me parecia uma das cenas necessárias e capitais do amor, nem este uma realidade exterior, mas tão somente um prazer subjetivo. E esse prazer, eu sentia que Albertine tanto mais faria o necessário para alimentá-lo quanto continuasse a ignorar que eu o experimentava.

Durante todo esse trajeto de volta, a imagem de Albertine, afogada na luz que emanava das outras, não fora a única existente para mim. Mas como a lua, que durante o dia não é mais que uma pequena nuvem branca de uma forma mais caracterizada e mais fixa, assume todo o seu poder quando o dia se extingue, assim, desde que entrei no hotel, foi apenas a imagem de Albertine que se elevou no meu coração e começou a brilhar. Meu quarto me parecia subitamente novo. Por certo, fazia muito que não era mais o quarto inimigo da primeira noite. Modificamos incansavelmente a nossa morada em derredor de nós, e, à medida que o hábito nos dispensa de sentir, suprimimos os elementos de cor, de dimensão e de odor que objetivavam o nosso mal-estar. Já não era o quarto, bastante poderoso ainda sobre a minha sensibilidade, não certamente para me fazer sofrer, mas para me dar alegria, a cuba dos belos dias, semelhante a uma piscina pela metade, de que eles faziam reverberar um azul úmido de luz a que cobria por um momento, branca e impalpável como uma emanação do calor, uma vela refletida e fugidia; nem o quarto puramente estético das noites pictoriais; era o quarto onde eu estava desde tantos dias que não mais o via. Pois eis que acabava de recomeçar a abrir os olhos para ele, mas desta vez sob essa perspectiva egoísta que é a do amor. Pensava que o belo espelho oblíquo, as elegantes estantes envidraçadas dariam a Albertine, se viesse visitar-me, uma boa ideia de mim. Em vez de um lugar de transição onde eu passava um instante antes de me evadir para a praia ou para Rivebelle, o quarto se me tornava real e caro, renovava-se, pois cada móvel seu eu o olhava e apreciava com os olhos de Albertine.

Alguns dias depois da partida de anel, tendo-nos alongado por demais num passeio, como ficássemos muito contentes por encontrar em Maineville dois pequenos *tonneaux*[108] de dois lugares, que nos permitiam volver para a hora do jantar, a já grande vivacidade de meu amor a Albertine teve como efeito que fosse sucessivamente a Rosemonde e Andrée que propus subissem comigo, e nem uma única vez a Albertine, e depois que, convidando de preferência Andrée ou Rosemonde, levasse todo mundo, por motivos secundários de hora, de caminho ou de capas, a resolver, como a contragosto meu, que o mais prático seria levar comigo Albertine, a cuja companhia fingi mais ou menos resignar-me. Infelizmente, tendendo o amor à assimilação completa de uma criatura, e como nenhuma é comestível apenas por conversação, Albertine, por mais que se mostrasse gentil comigo durante esse regresso em que a levei para casa, deixou-me feliz, mas ainda mais esfaimado dela do que na partida e a contar os momentos que havíamos passado juntos apenas como um prelúdio, sem grande importância em si mesmos, dos outros que viriam. Tinha no entanto esse primeiro encanto que não mais se torna a encontrar. Eu ainda não tinha pedido nada a Albertine. Ela podia também supor que só me inclinava a rela-

---

108 Veículo a cavalo, descoberto, de duas rodas, no qual se entrava pela parte traseira. (N. E.)

ções sem finalidade precisa, em que devia minha amiga encontrar esse vago delicioso, rico de surpresas esperadas, que é o romanesco.

Na semana seguinte, quase não procurei ver Albertine. Fingia preferir Andrée. Inicia-se o amor, e a gente desejaria continuar para aquela a quem ama o desconhecido que ela pode amar, mas tem-se necessidade dela, tem-se necessidade de tocar menos o seu corpo que a sua atenção, o seu coração. Insinua-se numa carta certa maldade que forçará a indiferente a pedir-nos uma gentileza, e o amor, seguindo uma técnica infalível, aperta para nós, num movimento alternado, a engrenagem sem a qual não se pode mais amar nem ser amado. Dedicava a Andrée as horas em que as outras iam a alguma matinê que eu sabia que Andrée sacrificaria por mim com prazer, e que mesmo com aborrecimento teria sacrificado, por elegância moral, para não dar às outras nem a si mesma a ideia de que atribuía valor a um prazer relativamente mundano. Arranjava-me assim de modo a tê-la cada tarde inteiramente ao meu dispor, pensando não tornar Albertine ciumenta, mas aumentar meu prestígio a seus olhos, ou pelo menos não perdê-lo revelando a Albertine que era ela e não Andrée que eu amava. Não o dizia tampouco a Andrée, de medo que ela lho fosse contar. Quando falava de Albertine com Andrée, afetava frieza pela qual Andrée foi talvez menos enganada do que eu com a sua aparente credulidade. Ela fingia que acreditava em minha indiferença por Albertine e que desejava a união mais completa possível entre mim e ela. É provável que, pelo contrário, não acreditasse na primeira nem desejasse a segunda. Enquanto lhe dizia pouco me importar com sua amiga, só pensava numa coisa: entrar em relações com a sra. Bontemps, que estava por alguns dias nas proximidades de Balbec, e em cuja casa Albertine devia ir passar três dias. Naturalmente, não deixava transparecer esse desejo a Andrée e, quando lhe falava da família de Albertine, era no tom mais indiferente. As respostas explícitas de Andrée não pareciam pôr em dúvida a minha sinceridade. Por que então num daqueles dias lhe escapou dizer-me: "*Justamente* vi a tia de Albertine". Certamente não me havia dito: "Bem destrincei, nas suas palavras lançadas como que por acaso, que você só pensava em travar relações com a tia de Albertine". Mas era mesmo à presença, no espírito de Andrée, desse pensamento que achava mais bonito ocultar-me, que parecia ligar-se à palavra "justamente". Era da família de certos olhares, de certos gestos que, embora não tendo uma forma lógica, racional, diretamente elaborada para a inteligência de quem escuta, lhe chegam no entanto com a sua verdadeira significação, do mesmo modo que a palavra humana, mudada em eletricidade no telefone, se refaz em palavras para ser entendida. A fim de apagar do espírito de Andrée o pensamento de que me interessava pela sra. Bontemps, não mais lhe falei nela com distração, mas com malevolência; disse-lhe haver encontrado outrora aquela espécie de louca e esperava que isso nunca mais me acontecesse. Ora, pelo contrário, procurava encontrá-la de qualquer maneira.

Procurei obter de Elstir, mas sem dizer a ninguém que lho havia solicitado, que lhe falasse em mim e me reunisse com ela. Prometeu-me apresentá-la, espantando-se todavia de que eu o desejasse, pois a julgava uma mulher desprezível, intrigante, e tão desinteressante quanto interesseira. Pensando que, se visse a sra. Bontemps, Andrée o saberia mais cedo ou mais tarde, achei que era melhor avisá-la.

— As coisas de que a gente mais procura fugir são aquelas que se chega a não poder evitar — disse-lhe eu. — Nada no mundo pode aborrecer-me tanto como encontrar a senhora Bontemps, e, no entanto, não escaparei, Elstir deve apresentar-ma.

— Eu nunca duvidei um só instante — exclamou Andrée num tom amargo, enquanto o seu olhar, ampliado e alterado pelo descontentamento, se prendia a um não sei quê de invisível. Essas palavras de Andrée não constituíam por certo a mais ordenada exposição de um pensamento que pode assim resumir-se: "Bem sei que você ama Albertine e que faz o possível para aproximar-se da sua família". Mas eram os destroços informes e reconstituíveis desse pensamento que eu fizera explodir, ao topar nele, malgrado Andrée. Da mesma maneira que o "justamente", essas palavras só tinham significação em segundo grau, isto é, eram daquelas que (e não as afirmações diretas) nos inspiram estima ou desconfiança para com alguém ou nos fazem romper com ele.

Visto que Andrée não me acreditara quando lhe dissera que a família de Albertine me era indiferente, é porque pensava que eu amava Albertine. E provavelmente não se sentia feliz com isso.

Ela geralmente fazia o papel de terceiro nos meus encontros com Albertine. No entanto havia dias em que eu devia ver Albertine a sós, dias que eu esperava em febre, que passavam sem nada me trazer de decisivo, sem ter sido esse dia capital cujo papel eu confiava imediatamente ao dia seguinte, que tampouco o sustentaria; assim desabavam um após outro, como vaga, esses cimos logo substituídos por outros.

Cerca de um mês depois do dia em que brincáramos de anel, disseram-me que Albertine devia partir na manhã seguinte para ir passar quarenta e oito horas em casa da sra. Bontemps, e, obrigada a tomar o trem muito cedo, viria pousar na véspera no Grande Hotel, de onde com o ônibus poderia, sem incomodar as amigas em cuja casa morava, tomar o primeiro trem. Falei nisso a Andrée.

— Não acredito — respondeu-me Andrée com um ar descontente. — Aliás, isso não adiantaria nada, pois estou certa de que Albertine não há de querer vê-lo, se vier sozinha ao hotel. Não seria protocolar — acrescentou, usando de um adjetivo que apreciava muito, desde pouco, no sentido de "o que se faz". — Digo-lhe isso porque conheço as ideias de Albertine. A mim, que me importa que você a veja ou não? Tanto faz.

Veio ter conosco Octave, que não se fez de rogado para dizer a Andrée o número de pontos que alcançara na véspera no golfe e depois Albertine, que passeava manejando o seu diabolô como uma religiosa o seu rosário. Graças a esse jogo, podia ficar horas sozinha sem se aborrecer. Logo que se juntou a nós, apareceu-me a ponta do seu nariz, que eu omitira ao pensar nela naqueles últimos dias; sob os cabelos negros, a verticalidade da fronte opôs-se, e não era a primeira vez, à imagem indecisa que eu dela guardara, ao passo que, com a sua brancura, beliscava fortemente a minha vista; surgindo da poeira da lembrança, Albertine recompunha-se diante de mim.

O golfe dá o hábito dos prazeres solitários. O que proporciona o diabolô certamente também o é. No entanto, depois de vir ao nosso encontro, Albertine continuou a jogar, como uma dama, a quem amigas vêm fazer visita, não para, por isso, de trabalhar no seu crochê.

— Parece que a senhora de Villeparisis — disse ela a Octave — fez uma reclamação ao senhor seu pai — e ouvi atrás desse "parece" uma dessas notas que eram próprias de Albertine; cada vez que verificava tê-las esquecido, lembrava-me ao mesmo tempo já haver entrevisto atrás delas o rosto decidido e francês de Albertine. Eu poderia ser cego e conhecer tanto nessas notas, como na ponta de seu nariz, algumas das suas qualidades vivas e um pouco provincianas. Aquelas e esta se equivaliam, e poderiam substituir-se, e a sua voz era como o que dizem há de realizar o fototelefone do futuro: no som se recortava nitidamente a imagem visual. — Aliás, não escreveu apenas ao seu pai, mas também ao prefeito de Balbec, para que não joguem mais diabolô no dique. Mandaram-lhe uma bola à cara.

— Sim, ouvi falar dessa reclamação. É ridícula. Já temos tão poucas distrações aqui.

Andrée não se meteu na conversa. Ela não conhecia, como tampouco Albertine nem Octave, a sra. de Villeparisis.

— Não sei por que essa dama fez tamanha história — disse no entanto Andrée. — A velha senhora de Cambremer também recebeu uma bola e não se queixou.

— Vou explicar-lhe a diferença — respondeu gravemente Octave, riscando um fósforo —, é que, a meu ver, a senhora de Cambremer é uma mulher da sociedade e a senhora de Villeparisis é uma arrivista. Não vão ao golfe esta tarde? — E deixou-nos, bem como Andrée. Fiquei sozinho com Albertine.

— Olhe — disse ela —, arranjo agora os cabelos como você gosta, veja a minha mecha. Todo mundo faz troça disso e ninguém sabe para quem o arranjo. Minha tia também vai rir de mim. Não lhe direi tampouco o motivo.

Eu via de lado as faces de Albertine, que muitas vezes pareciam pálidas, mas, assim, eram regadas de um sangue claro que as iluminava, lhes dava esse brilho que têm certas manhãs de inverno em que as pedras, parcialmente ensolaradas, parecem granito cor-de-rosa e ressumbram alegria. A que me dava naquele momento a vista das faces de Albertine era igualmente viva, mas levava a desejo outro que não o do passeio, mas do beijo. Perguntei-lhe se eram verdadeiros os projetos que lhe atribuíam.

— Sim — disse-me ela —, passo esta noite no seu hotel, e até, como estou um pouco resfriada, vou deitar-me antes do jantar. Poderá vir assistir ao meu jantar, ao lado de minha cama, e depois jogaremos o que quiser. Ficaria contente se você fosse à estação amanhã de manhã, mas tenho medo de que isso pareça esquisito, não digo a Andrée, que é inteligente, mas às outras que lá estarão; daria história se o repetissem à minha tia; mas podemos passar este serão juntos. Disso minha tia não saberá nada. Vou dar até logo a Andrée. Então, até já. Venha cedo, para que tenhamos boas horas ao nosso dispor — acrescentou, sorrindo.

A estas palavras, remontei mais além aos tempos em que amava Gilberte, àqueles em que o amor me parecia uma entidade, não somente exterior, mas realizável. Ao passo que a Gilberte a quem via nos Campos Elísios era uma outra que não aquela que reencontrava em mim logo que me via sozinho, de súbito, na Albertine real, aquela que eu via todos os dias, a quem julgava cheia de preconceitos burgueses e tão franca com a sua tia, acabava de encarnar-se a Albertine imaginária, aquela por quem, quando ainda não a conhecia, me julgara furtivamente olhando no dique, aquela que me parecera recolher-se a contragosto enquanto via que eu me afastava.

Fui jantar com minha avó, sentia em mim um segredo que ela não conhecia. Também quanto a Albertine, amanhã as suas amigas estariam com ela, sem saber o que havia de novo entre nós, e quando beijasse a sobrinha na fronte, a sra. Bontemps ignoraria que eu estava entre ambas, naquele arranjo de cabelos que tinha como finalidade, oculta a todos, ser agradável a mim, a mim que até aquele momento tanto invejara a sra. Bontemps, que, aparentada com as mesmas pessoas que a sobrinha, tinha de carregar os mesmos lutos e fazer as mesmas visitas de família; acontecia agora que eu significava para Albertine muito mais do que a sua própria tia. Perto da tia, era em mim que ela estaria pensando. O que se ia passar dali a pouco, eu não o sabia muito bem. Em todo caso, o Grande Hotel e o serão não me pareceriam mais vazios; continham a minha felicidade. Chamei o elevador para subir ao quarto que Albertine tomara do lado do vale. Os mínimos movimentos, como o de sentar na banqueta do ascensor, me eram doces, pois estavam em relação imediata com o meu coração, eu não via nas cordas com cujo auxílio o aparelho se elevava, nos poucos degraus que me restava subir senão as rodas, os degraus materializados da minha alegria. Não tinha mais que dois ou três passos a dar no corredor antes de chegar àquele quarto onde estava encerrada a substância preciosa daquele corpo róseo — aquele quarto que, mesmo que ali se devessem desenrolar atos deliciosos, conservaria essa permanência, esse ar de ser, para um passante não informado, semelhante a todos os outros, que fazem das coisas as testemunhas obstinadamente mudas, os escrupulosos confidentes, os depositários invioláveis do prazer. Aqueles poucos passos do patamar à escada de Albertine, aqueles poucos passos que ninguém mais podia deter, eu os dei com delícia, com prudência, como que mergulhado num elemento novo, como se, avançando, eu fosse lentamente deslocando felicidade, e ao mesmo tempo com um sentimento desconhecido de onipotência e de que entrava enfim na posse de uma herança que sempre me pertencera. Depois, de súbito pensei que fizera mal em ter dúvidas, ela me dissera que fosse quando estivesse deitada. Era claro, eu batia com os pés de alegria, quase derrubei Françoise que estava no meu caminho, eu corria, com os olhos fulgurantes, para o quarto de minha amiga. Encontrei Albertine no leito. Descobrindo-lhe o pescoço, a camisa branca mudava as proporções do seu rosto, que, congestionado pela cama, ou pelo resfriado, ou pelo jantar, parecia mais róseo; pensei nas cores que tivera algumas horas antes, a meu lado, no dique, e das quais ia afinal saber o gosto; a face estava atravessada de alto a baixo por uma de suas longas tranças negras e aneladas que, para me agradar, ela desfizera inteiramente. Olhava-me a sorrir. Ao seu lado, na janela, o vale estava alumiado pelo luar. A vista do pescoço nu de Albertine, daquelas faces muito róseas, me havia lançado em tal embriaguez, isto é, pusera de tal modo para mim a realidade do mundo não mais na natureza, mas na torrente de sensações que eu tinha dificuldade em conter, que essa vista rompera o equilíbrio entre a vida imensa, indestrutível que rolava no meu ser, e a vida do universo, tão mesquinha em comparação. O mar, que eu distinguia junto ao vale, na janela, os seios arqueados dos primeiros alcantis de Maineville, o céu onde a lua ainda não subira ao zênite, tudo aquilo me parecia mais leve de carregar do que plumas para os globos de minhas pupilas, que eu sentia dilatadas, resistentes, prontas a soerguer muitos outros fardos, todas as montanhas do mundo, sobre a sua delicada superfície. Seu orbe não se achava suficientemente preenchido pela própria esfera do horizonte. E tudo o que a natureza me pudesse trazer de vida me pareceria bem tênue, os sopros do mar me pareceriam muito curtos para a imensa aspiração que erguia meu peito.

Inclinei-me sobre Albertine para beijá-la. Mesmo que a morte me devesse ferir naquele instante, isso me pareceria indiferente, ou antes impossível, pois a vida não estava fora de mim, estava em mim; eu sorriria de piedade se um filósofo tivesse emitido a ideia de que um dia, mesmo afastado, eu teria de morrer, que as forças eternas da natureza sobreviveriam a mim, as forças dessa natureza sob cujos pés divinos eu não passava de um grão de poeira; que, depois de mim, ainda haveria aquelas rochas arredondadas e cheias, aquele mar, aquele luar, aquele céu! Como seria isso possível, como poderia o mundo durar mais do que eu, já que eu não estava perdido nele, ele é que estava contido em mim, em mim que ele estava muito longe de encher, em mim, onde, sentindo lugar para acumular tantos outros tesouros, eu lançava desdenhosamente, para um canto, céu, mar e rochedos.

— Pare com isso, ou eu toco a campanhia — exclamou Albertine, vendo que eu me lançava sobre ela para beijá-la. Mas eu dizia comigo que não era para não fazer nada que uma moça fazia entrar um rapaz ocultamente, arranjando-se para que sua tia não o soubesse, e que aliás a audácia dá resultado para os que sabem aproveitar-se das ocasiões; no estado de exaltação em que me achava, o rosto redondo de Albertine, alumiado de um fogo interior como por uma lâmpada, tomava para mim tal relevo que, imitando a rotação de uma esfera ardente, me parecia como girar essas figuras de Michelangelo arrastadas num imóvel e vertiginoso turbilhão. Eu ia saber o cheiro, o gosto que tinha aquele róseo fruto desconhecido. Ouvi um som precipitado, prolongado e estridente. Albertine tinha tocado a campainha com todas as suas forças.

Eu julgava que o amor que tinha por Albertine não era fundado na esperança da posse física. No entanto, quando me pareceu resultar da experiência daquela noite que essa posse era impossível e que, depois de não ter duvidado no primeiro dia, na praia, que Albertine fosse fácil, e ter passado depois por hipóteses intermediárias, pareceu-me assentado de maneira definitiva que ela era absolutamente virtuosa; quando ao voltar da casa da tia, oito dias mais tarde, ela me disse com frieza:

— Perdoo-lhe, até lamento que o tenha magoado, mas não recomece — ao contrário do que se dera quando Bloch me disse que se podiam possuir todas as mulheres e como, se em vez de uma moça real, eu tivesse conhecido uma boneca de cera, aconteceu que pouco a pouco se foi destacando dela o meu desejo de penetrar na sua vida, de acompanhar nas terras, onde ela passara a sua infância, de ser iniciado por ela numa vida de esporte; e minha curiosidade intelectual sobre o que ela pensava deste ou daquele assunto não sobreviveu à crença na possibilidade de beijá-la. Meus sonhos a abandonaram logo que cessaram de ser alimentados pela esperança de uma posse da qual eu os julgara independentes. Desde então se viram livres de reportar-se — conforme o encanto que eu lhe encontrara certo dia, principalmente conforme as possibilidades e as ocasiões que eu entrevia de ser amado por ela — a uma ou outras das amigas de Albertine, e, mais que a todas, a Andrée. No entanto, se Albertine não tivesse existido, eu talvez não tivesse o prazer que comecei a sentir cada vez mais nos dias seguintes, diante da gentileza que me testemunhava Andrée. Albertine não contou a ninguém o fracasso que eu sofrera com ela. Era uma dessas bonitas moças que, desde a extrema juventude, pela sua beleza, mas principalmente por um atrativo, um encanto que permanece bastante misterioso, e que talvez tenha a sua fonte nas reservas de vitalidade onde os menos favorecidos pela natureza vêm desalterar-se, sempre — na sua família, no meio de suas amigas, na sociedade —, agradaram mais que outras mais belas, mais ricas; ela era dessas criaturas a quem, antes da idade do amor, e muito mais ainda quando ele chega, se pede mais do que elas pedem e até mais do que elas podem dar. Desde a infância Albertine tivera sempre em admiração diante de si umas quatro ou cinco pequenas companheiras, entre as quais se encontrava Andrée, que lhe era tão superior e o sabia (e talvez essa atração que Albertine exercia tão involuntariamente estivesse na origem e tivesse servido de fundamento para o pequeno bando). Essa atração exercia-se mesmo bastante longe, nos meios relativamente mais brilhantes onde, se havia alguma pavana a dançar, solicitavam antes Albertine que outra moça mais bem-nascida. A consequência era que, não tendo um níquel de dote, vivendo bastante mal, aliás, a cargo do sr. Bontemps, que diziam ser um corrupto e que desejava desembaraçar-se dela, era no entanto convidada, não só para jantar como para morar em casa de pessoas que, aos olhos de Saint-Loup, não teriam nenhuma elegância, mas que, para a mãe de Rosemonde ou para a mãe de Andrée, mulheres muito ricas mas que não conheciam essas pessoas, representavam alguma coisa de enorme. Assim Albertine passava todos os anos algumas semanas com a família de um diretor do Banco de França, presidente do Conselho Administrativo de uma grande companhia de estradas de ferro. A mulher desse financista recebia personagens importantes e nunca dissera "o seu dia" à mãe de Andrée, a qual achava essa dama impolida, mas nem por isso deixava de sentir-se menos prodigiosamente interessada por tudo quanto se passava em casa dela. Assim, exortava todos os anos Andrée a convidar Albertine para sua vila, porque, dizia ela, era uma boa ação oferecer uma estada na praia a uma moça que não possuía meios para viajar e com quem a tia quase não se importava; a mãe de Andrée não era provavelmente movida pela esperança de que o diretor de banco e a sua mulher, sabendo que Albertine era mimada por ela e sua filha, formassem melhor conceito a respeito de ambas; com mais forte razão, não esperava que Albertine, entretanto tão boa e hábil, soubesse fazer com que a convidassem, ou pelo menos com que convidassem Andrée para os *garden parties* do financista. Mas todos os dias ao jantar, enquanto assumia um ar desdenhoso e indiferente, ficava encantada ao ouvir Albertine contar o que se passara no castelo durante a sua permanência, as pessoas que ali foram recebidas e as quais conhecia quase todas de vista ou de nome. Até o pensamento de que não as conhecia senão dessa maneira, isto é, de que não as conhecia (ela chamava a isso conhecer as pessoas "desde sempre"), dava à mãe de Andrée uma ponta de melancolia, enquanto fazia a Albertine perguntas a respeito deles com um ar altivo e distraído, da ponta dos lábios, e que poderia deixá-la incerta e inquieta no tocante à importância da sua própria posição, se não se tranquilizasse a si mesma, recolocando-se na "realidade da vida" quando recomendava ao mordomo: "Diga ao *chef* que as suas ervilhas não estão suficientemente cozidas". Tornava então a encontrar sua serenidade. E estava mesmo resolvida a que Andrée não desposasse senão um homem de excelente família, naturalmente, mas bastante rico para que ela pudesse também ter um *chef* e dois cocheiros. Era isso o positivo, a verdade efetiva de uma situação. Mas que Albertine houvesse jantado no castelo do diretor de banco com esta ou aquela senhora, que esta a tivesse mesmo convidado para o inverno seguinte, isso não deixava de trazer à moça, para a mãe de Andrée, uma espécie de consideração particular que se aliava muito bem à piedade e até ao desprezo provocados pelo seu infortúnio, desprezo aumentado pelo fato de haver o sr. Bontemps traído a sua bandeira — e até vagamente panamista, diziam — aliando-se ao governo.[109] O que não impedia aliás a mãe de Andrée de, por amor à verdade, fulminar com o seu desdém as pessoas que pareciam acreditar que Albertine fosse de baixa extração.

— Como, é o que há de melhor, são Simonet, com um *n* só. —

---

109 O adjetivo "panamista" referia-se às pessoas envolvidas no escândalo do Panamá, acontecido no ano de 1892, que comprometeu alguns políticos pertencentes ao governo francês. Uma sociedade havia sido fundada para abrir um canal através do istmo do Panamá. Para tanto, utilizariam o dinheiro proveniente da venda de títulos. Mas a sociedade faliu, deixando na mão 800 mil compradores. Ora, para conseguir o dinheiro desses investidores, a sociedade fundada por Ferdinand de Lesseps havia conseguido a autorização do Parlamento francês e corrompido alguns parlamentares. (N. E.)

Por certo, devido ao meio em que tudo isso evoluía, em que o dinheiro desempenha tal papel, em que a elegância faz com que nos convidem mas não com que nos desposem, parecia que nenhum casamento "aceitável" pudesse ser, para Albertine, a consequência útil da consideração tão distinta de que gozava e que não teriam achado compensadora da sua pobreza. Mas só por si mesmos, e sem trazer esperanças de uma consequência matrimonial, esses "sucessos" excitavam a inveja de certas mães maldosas, furiosas por verem Albertine recebida "como filha da casa" pela mulher do diretor do banco, e mesmo pela mãe de Andrée, que elas mal conheciam. Assim, diziam a amigos comuns delas, e dessas duas damas, que estas ficariam indignadas se soubessem a verdade, isto é, que Albertine contava em casa de uma (e vice-versa) tudo o que a intimidade em que a admitiam imprudentemente lhe permitia descobrir em casa da outra, mil pequenos segredos que seria infinitamente desagradável à interessada ver desvendados. Essas mulheres invejosas diziam isso para que fosse repetido e para malquistar Albertine com as suas protetoras. Mas essa política, como muitas vezes acontece, não tinha nenhum êxito. Sentia-se demasiado a maldade que a ditava, o que não fazia senão desprezar um pouco mais àquelas que haviam tomado a iniciativa de tal coisa. A mãe de Andrée estava bem assente a respeito de Albertine para que pudesse mudar de opinião. Considerava-a uma "infeliz", mas de índole excelente, e que não sabia o que mais inventasse para agradar.

Se essa espécie de voga que obtivera Albertine não parecia comportar nenhum resultado prático, imprimira à amiga de Andrée o caráter distintivo dos seres que, sempre procurados, não têm jamais necessidade de oferecer-se (caráter que também se encontra, por motivos análogos, em outro extremo da sociedade, entre mulheres de grande elegância) e que é de não darem mostras do sucesso que obtêm, mas antes ocultá-lo. Ela nunca dizia a respeito de alguém: "Ele tem vontade de conhecer-me", falava de todos com grande benevolência, como se fosse ela que corresse empós e procurasse os outros. Se lhe falavam de um jovem que momentos antes acabava de lhe fazer em colóquio as mais dolorosas censuras porque ela lhe recusara um encontro, muito longe de se gabar publicamente, ou de querer-lhe mal, fazia o seu elogio: "É um excelente rapaz". Estava mesmo muito aborrecida de que se agradassem dela, pois isso a obrigava a causar sofrimento, ao passo que, por natureza, gostava de causar prazer. Gostava de causar prazer a ponto de ter chegado a praticar uma mentira especial a certas pessoas utilitárias, a certos homens que venceram. Existente aliás em estado embrionário em um número enorme de pessoas, esse gênero de insinceridade consiste em não saber contentar-se com um único ato, em causar, graças a este, prazer a uma única pessoa. Por exemplo, se a tia de Albertine desejava que a sobrinha a acompanhasse a uma matinê pouco divertida, Albertine, indo lá, poderia achar suficiente o proveito moral de haver causado prazer à sua tia. Mas acolhida gentilmente pelos donos da casa, preferia dizer-lhes que desejava desde muito visitá-los, que escolhera aquela ocasião e solicitara a permissão de sua tia. Isso ainda não bastava; naquela reunião, se encontrava uma das amigas que tivera um grande desgosto, Albertine dizia-lhe: "Não quis deixar-te sozinha; pensei que te faria bem teres-me perto de ti. Se preferes que deixemos a reunião, vamos a outra parte, farei o que quiseres, desejo tanto ver-te menos triste..." (o que aliás também era verdade). No entanto, às vezes acontecia que o objetivo fictício destruísse o objetivo real... Assim, Albertine, tendo um serviço a pedir a uma de suas amigas, ia com esse fim visitar certa senhora. Mas chegando à casa dessa boa e simpática senhora, a moça obedecia sem querer ao princípio da utilização múltipla de único ato, achava mais afetuoso parecer que viera apenas pelo prazer que sabia que ia sentir em rever a referida senhora. Esta ficava infinitamente sensibilizada com que Albertine houvesse feito um longo trajeto por pura amizade. Vendo a dama quase comovida, Albertine a estimava ainda mais. Apenas acontecia isto: experimentava tão vivamente o prazer de amizade pelo qual pretendia mentirosamente ter vindo que temia que a mulher duvidasse de sentimentos na realidade sinceros, se ela lhe pedisse o serviço para a amiga. Julgaria que Albertine viera para isso, o que era verdade, mas concluiria que Albertine não tinha prazer desinteressado em vê-la, o que era falso. De sorte que Albertine partia sem haver pedido o serviço, como os homens que foram tão bons com uma mulher na esperança de obter os seus favores que não se declaram para conservar a essa bondade um caráter de nobreza. Em outros casos, não se pode dizer que o fim verdadeiro fosse sacrificado ao fim acessório e imaginado depois, mas o primeiro era de tal modo oposto ao segundo que, se a pessoa que Albertine comovia, declarando-lhe um, houvesse sabido do outro, o seu prazer logo se mudaria na pena mais profunda. O prosseguimento da narrativa fará, muito mais adiante, melhor compreender esse gênero de contradição. Digamos, com um exemplo tirado a uma ordem de fatos muito diversos, que são muito frequentes nas mais variadas situações que a vida apresenta. Um marido instalou a amante na cidade onde o seu regimento está acampado. Sua mulher, que ficara em Paris, e estava meio a par da verdade, desola-se, escreve ao marido cartas de ciúme. Ora, a amante é obrigada a passar um dia em Paris. O marido não pode resistir aos rogos de acompanhá-la e obtém uma licença de vinte e quatro horas. Mas como é bom e sofre por fazer sofrer a mulher, chega à casa desta e diz-lhe, derramando algumas lágrimas sinceras, que, impressionado com as suas cartas, encontrara um meio de escapar para vir consolá-la e beijá-la. Encontrara assim um meio de dar, com uma única viagem, uma prova de amor ao mesmo tempo à amante e à esposa. Mas se esta última soubesse por que razão viera ele a Paris, a sua alegria se transformaria sem dúvida em dor, a menos que ver o ingrato a tornasse, apesar de tudo, mais feliz do que infeliz com as suas mentiras. Entre os homens que me pareceram praticar com mais assiduidade o sistema dos fins múltiplos, encontra-se o sr. de Norpois. Aceitava algumas vezes servir de mediador entre dois amigos brigados, e isso fazia com que o considerassem o mais prestativo dos homens. Mas não lhe bastava parecer que prestava serviço àquele que lho viera solicitar, apresentava ao outro as gestões que fazia junto a ele, como empreendidas, não o pedido do primeiro, mas no interesse do segundo, o que convencia facilmente um interlocutor previamente sugestionado pela ideia de que tinha diante de si "o mais obsequioso dos homens". Dessa maneira, representando nas duas cenas, fazendo o que em linguagem de teatro se chama de contraparte, jamais deixava a sua influência correr o mínimo risco, e os serviços que prestava não constituíam uma alienação, mas uma frutificação de parte de seu crédito. Por outro lado, cada serviço, parecendo duplamente prestado, tanto mais aumentava a sua reputação de amigo prestativo, e ainda de amigo prestativo eficiente, que não dá estocadas em sombras, cujos passos dão sempre resultado, o que demonstrava o reconhecimento dos dois interessados. Essa duplicidade no obséquio era, e com desmentidos como em toda criatura humana, uma parte importante do caráter do sr. de Norpois. E muitas vezes no Ministério servia-se de meu pai, que era bastante ingênuo, fazendo-o acreditar que o servia.

Agradando mais do que desejava, e não tendo necessidade de proclamar seus sucessos, Albertine guardou silêncio quanto à cena que tivera comigo junto ao seu leito, e que uma moça feia desejaria fazer conhecer ao universo. Aliás, sua atitude naquela cena, eu não ma conseguia explicar. No que concerne à hipótese de uma virtude absoluta (hipótese a que primeiro atribuíra a violência com que Albertine havia recusado deixar-se beijar e enlaçar por mim e que de resto não era de modo nenhum indispensável à minha concepção de bondade, da honestidade fundamental de minha amiga), não deixei de examiná-la por várias vezes. Essa hipótese era inteiramente contrária à que eu construíra no primeiro dia em que vi Albertine. Depois, tantos atos diferentes, todos de gentileza para mim (uma gentileza carinhosa, às vezes inquieta, alarmada, ciumenta de minha predileção por Andrée), banhavam de todos os lados o gesto de rudeza com que ela tocara a campainha para escapar-me! Por que então me pedira que fosse passar o serão junto ao seu leito? Por que falava sempre a linguagem do carinho? Em que repousa o desejo de ver um amigo e temer que ele prefira uma outra amiga, procurar agradar-lhe, dizer-lhe romanescamente que os outros não saberão que ele passou a noite perto de você, se lhe recusa um prazer tão simples e se para você isso não é igualmente um prazer? Em todo caso, eu não podia crer que a virtude de Albertine fosse até esse ponto e chegava a perguntar-me se não teria havido na sua violência uma razão de faceirice, por exemplo, um cheiro desagradável que ela julgasse ter em si e com o qual temesse desagradar-me, ou de pusilanimidade, se por exemplo acreditasse, na sua ignorância das realidades do amor, que o meu estado de fraqueza nervosa pudesse ter algo de contagioso por intermédio do beijo.

Ela ficou certamente desolada por não me haver podido dar prazer e presenteou-me com um pequeno lápis de ouro, por motivo dessa virtuosa perversidade das pessoas que, enternecidas com a nossa amabilidade e não querendo conceder o que esta reclama, procuram no entanto fazer outra coisa em nosso favor: o crítico cujo artigo lisonjearia um romancista convida-o em vez disso para jantar, a duquesa não leva o esnobe em sua companhia ao teatro, mas envia-lhe o seu camarote para uma noite em que ela não o ocupar. Tanto aqueles que fazem o mínimo e poderiam nada fazer são levados pelo escrúpulo a fazer qualquer coisa. Eu disse a Albertine que, dando-me aquele lápis, me causava grande prazer, menor no entanto do que o prazer que teria se, na noite em que viera pousar no hotel, me tivesse deixado beijá-la.

— Isso me tornaria tão feliz... e que mal lhe podia fazer? Espanta-me que você mo tenha recusado.

— O que me espanta — respondeu-me ela — é que você ache isso espantoso. Eu me pergunto que meninas não terá você conhecido para que o meu procedimento lhe tenha causado surpresa.

— Estou desolado por havê-la magoado, mas mesmo agora

não posso achar que tenha feito mal. Minha opinião é que são coisas que não têm a mínima importância e não compreendo que uma moça que pode tão facilmente dar prazer não o consinta. Entendamo-nos — acrescentei, para dar uma meia satisfação às suas ideias morais, lembrando-me de como ela e suas amigas haviam arrasado a amiga da atriz Léa —, eu não quero dizer que uma moça possa fazer tudo e que não haja nada de imoral. Assim, olhe, essas relações de que falavam no outro dia a respeito de uma pequena que reside em Balbec e que existiriam entre ela e uma atriz, acho isso ignóbil, de tal maneira ignóbil que penso que foram inimigos da moça que inventaram isso e que não é verdade. Isso me parece improvável, impossível. Mas deixar-se beijar, e ainda mais por um amigo, já que você diz que eu sou seu amigo...

— Você o é, mas tive outros antes de você, conheci rapazes, asseguro-lhe, que me tinham igual amizade. Pois não houve um só que se tivesse atrevido a coisa semelhante. Bem sabiam eles o par de tapas que lhes estava reservado. Aliás, nem pensavam nisso, a gente apertava a mão muito francamente, muito amigavelmente, como bons camaradas, jamais se falaria em beijos e não éramos menos amigos por isso. Olhe, se faz questão da minha amizade, pode ficar contente, pois é preciso que eu o estime muito para perdoar-lhe. Mas estou certa de que você pouco se importa comigo. Confesse que é Andrée que lhe agrada. No fundo, tem razão, ela é muito mais amável do que eu, e é encantadora! Ah!, os homens!

Apesar de minha decepção recente, essas palavras tão francas, dando-me grande estima a Albertine, me causavam uma doce impressão. E talvez essa impressão fosse para mim, mais tarde, de grandes e lamentáveis consequências, pois foi por ela que começou a formar-se esse sentimento quase familiar, esse núcleo moral que devia sempre subsistir no meio de meu amor por Albertine. Tal sentimento pode ser causa das maiores penas. Pois, para sofrer verdadeiramente por uma mulher, cumpre haver acreditado completamente nela. De momento, esse embrião de estima moral, de amizade, permanecia no meio da minha alma como uma pedra de espera. Nada poderia, somente, contra a minha felicidade, se tivesse permanecido assim, sem aumentar, numa inércia que devia conservar no ano seguinte e, com mais forte razão, durante as últimas semanas da minha primeira estada em Balbec. Estava em mim como um desses hóspedes que seria apesar de tudo mais prudente expulsar, mas que deixamos no seu lugar sem incomodá-los, de tal modo os tornam provisoriamente inofensivos a sua fraqueza e o seu isolamento no meio de uma alma estranha.

Meus sonhos se encontravam agora de novo com a liberdade de reportar-se a esta ou àquela das amigas de Albertine, e de preferência a Andrée, cujas gentilezas talvez me comovessem menos se não estivesse certo de que eram conhecidas por Albertine. Sem dúvida a preferência que desde muito eu vinha fingindo por Andrée me fornecera — em hábitos de conversações, de declarações de afeto — a matéria de um amor já completamente pronto para ela, ao qual não tinha até então faltado mais que um sentimento sincero que se lhe acrescentasse e que agora o meu coração, de novo livre, poderia fornecer. Mas para que eu a pudesse amar verdadeiramente, era Andrée muito intelectual, muito nervosa, muito doentia, muito semelhante a mim. Se Albertine me parecia agora vazia, Andrée estava cheia de qualquer coisa que eu já conhecia demasiado. Julgara no primeiro dia ver na praia a amante de um corredor, embriagada pelo amor dos esportes, e Andrée me dizia que, se havia começado a praticar esportes, fora por ordem de seu médico, a fim de tratar da sua neurastenia e das suas perturbações de nutrição, mas que as suas melhores horas eram aquelas em que traduzia um romance de George Eliott. Minha decepção, consequência de um engano inicial sobre o que era Andrée, não teve, de fato, nenhuma importância para mim. Mas o engano era do gênero dos que, se permitem que nasça o amor, e não são conhecidos como enganos senão quando o amor já não tem remédio, se tornam uma causa de sofrimentos. Esses enganos, que podem ser diferentes dos que eu cometi quanto a Andrée e até inversos, provêm muita vez, no caso de Andrée em particular, de que assumimos suficientemente o aspecto, as maneiras do que não somos, mas desejaríamos ser, para iludir à primeira vista. À aparência exterior, à afetação, à imitação e ao desejo de ser admirado, seja pelos bons, seja pelos maus, acrescentam a falsa aparência das palavras, dos gestos. Há cinismos, crueldades, que não resistem à prova mais do que certas bondades, certas generosidades. Da mesma forma que muita vez se descobre um avarento vaidoso num homem conhecido por suas caridades, a jactância do vício nos faz imaginar uma Messalina numa honesta rapariga cheia de preconceitos. Julgara encontrar em Andrée uma criatura sadia e primitiva, quando não era mais que alguém que procurava saúde, como o eram talvez muitas pessoas em que ela julgava encontrá-la e que não a tinham em realidade, da mesma maneira que um gordo artrítico de rosto vermelho e vestido de flanela branca não é forçosamente um Hércules. Ora, há certas circunstâncias em que não é indiferente para a felicidade que a pessoa a quem amamos pelo que parecia ter de são não passasse em realidade de um desses enfermos que só recebem a saúde de outrem, como os planetas tomam emprestada a sua luz, como certos corpos não fazem senão deixar passar a eletricidade.

Não importa, Andrée, como Rosemonde e Gisèle, e até mais do que elas, era afinal de contas uma amiga de Albertine, que partilhava da sua vida e imitava as suas maneiras, a ponto de que no primeiro dia eu não tivesse distinguido uma da outra. Entre aquelas moças, caules de rosas, cujo principal encanto era se destacarem sobre o mar, reinava a mesma indivisibilidade que no tempo em que não as conhecia, e em que o aparecimento de qualquer uma delas me causava tanta emoção, anunciando-me que o pequeno bando não estava longe. Ainda agora a vista de uma me causava um prazer no qual entrava, numa proporção que eu não saberia dizer, a possibilidade de ver as outras seguirem-na mais tarde e, ainda que não viesse, naquele dia, o ensejo de falar a respeito delas e saber que lhes seria contado que eu estivera na praia.

Já não era simplesmente a atração do primeiro dia, era uma verdadeira veleidade de amar que hesitava entre todas, de tal modo era cada uma o natural resultado da outra. Minha maior tristeza não consistiria em ser abandonado pela que eu preferia entre elas; mas imediatamente preferiria, por haver nela fixado a soma de tristeza e de sonhos que flutuava indistintamente entre todas, aquela que me tivesse abandonado. Ainda neste caso, era a todas as suas amigas, para quem logo eu perderia todo o prestígio, que teria inconscientemente lamentado naquela, havendo-lhes consagrado essa espécie de amor coletivo que o político ou o autor dedicam ao público, pelo qual não se consolam de ser abandonados, depois de terem obtido todos os seus favores. Mesmo os favores que não pudera obter de Albertine, eu não os esperava tão logo desta ou daquela que me deixara à noite dizendo-me frases ou lançando-me olhares ambíguos, graças aos quais era para essa última que se voltava o meu desejo durante um dia inteiro.

E ainda mais voluptuosamente errava entre elas o meu desejo, porque uma fixação relativa dos traços já estava suficientemente estabelecida naquelas faces móveis para que fosse possível distinguir, ainda que devessem mudar, a maleável e flutuante efígie. Às diferenças que havia entre aqueles rostos, estavam sem dúvida muito longe de corresponder diferenças iguais, em comprimento e largura, das feições de uma e outra daquelas raparigas, feições que talvez pudessem ser superpostas, por mais dessemelhantes que nos parecessem. Mas é que o nosso conhecimento dos rostos não é matemático. Primeiro, não se começa por medir as partes: temos por ponto de partida uma expressão, um conjunto. Em Andrée, por exemplo, a finura dos doces olhos parecia casar-se ao nariz estreito, tão delgado como uma simples curva traçada para que pudesse prosseguir numa única linha a intenção de delicadeza divisada anteriormente no duplo sorriso dos olhares gêmeos. Uma linha de igual finura riscava-lhe os cabelos, ágil e profunda como essa com que o vento sulca as areias. E devia ser hereditária, pois os cabelos brancos da mãe de Andrée eram fustigados de igual maneira, formando aqui onda, ali uma depressão, como a neve que ergue o abate conforme as desigualdades do terreno. Por certo, comparado à fina delineação do de Andrée, o nariz de Rosemonde parecia oferecer largas superfícies como uma alta torre assentada em poderosa base. Ainda que a expressão baste para fazer crer em diferenças enormes entre as coisas separadas por um infinitamente pequeno, e ainda que o infinitamente pequeno possa por si só determinar uma expressão absolutamente particular, uma individualidade, o fato é que nem o infinitamente pequeno de uma linha nem a originalidade de expressão eram a causa única de que os rostos de minhas amigas aparecessem irredutíveis uns aos outros. Entre eles a coloração abria uma separação mais profunda ainda, não tanto pela variada beleza dos tons que lhes fornecia, tão opostos que eu sentia diante de Rosemonde — inundada de um róseo sulfurino sobre o qual ainda reagia a luz esverdeada dos olhos — e diante de Andrée — cujas faces pálidas recebiam tanta e tão austera distinção de seus cabelos negros — o mesmo gênero de prazer como se alternadamente olhasse para um gerânio à beira do mar ensolarado e para uma camélia dentro da noite; mas sobretudo porque as diferenças infinitamente pequenas das linhas se ampliavam desmesuradamente, assim como mudavam de todo as relações de proporção entre as superfícies, graças a esse elemento novo da cor, o qual, tanto quanto dispensador de tons, é um grande gerador, ou pelo menos modificador das dimensões. De sorte que os rostos, construídos talvez de modo muito pouco diferente, conforme os alumiasse o fogo de uns cabelos vermelhos ou de uma tez rosada, ou então a luz branca de uma palidez fosca, alongavam-se ou alargavam-se, convertiam-se em outra coisa como esses acessórios dos balés russos, que consistem às vezes, se vistos à luz do dia, numa simples rodela de papel e que o gênio de um Bakst, conforme a iluminação escarlate ou lunar em que mergulha o cenário, faz incrustar-se duramente neste, como uma turquesa na fachada de um palácio, ou molemente abrir-se, rosa de bengala no meio de um jardim.[110] Assim, ao tomar conhecimento dos rostos, nós os medimos, é verdade, mas como pintores, não como agrimensores.

Com Albertine acontecia o mesmo que com suas amigas. Certos dias, delgada, pálida, aborrecida, uma transparência violeta a descer-lhe obliquamente ao fundo dos olhos, como algumas vezes se vê no mar, ela parecia estar sentindo uma tristeza de exilada. Noutros dias, sua face, mais polida, envisgava os desejos em sua superfície envernizada e os impedia de passar além, a não ser que de súbito eu a visse de lado, pois suas faces foscas como uma branca cera na superfície eram róseas por transparência, o que dava tanta vontade de as beijar, de tocar aquela tez diferente que se furtava. Outras vezes, a alegria lhe banhava as faces de uma claridade tão móvel que a pele, tornando-se fluida e vaga, deixava passar como olhares subjacentes que a faziam parecer de outra cor mas não de outra matéria que os olhos; às vezes, sem querer, ao olhar para sua face pintalgada de pontinhos castanhos e onde flutuavam apenas duas manchas mais azuis, pensava-se num ovo de pintassilgo, e muitas vezes era como uma ágata opalina, trabalhada e polida somente em dois lugares, onde, no meio da pedra escura, brilhavam, como as asas transparentes de uma borboleta azul, os olhos — em que a carne se torna espelho e nos dá a ilusão de que deixa, mais do que nas outras partes do corpo, a gente aproximar-se da alma. Mas em geral tinha boa cor e mostrava-se mais animada; algumas vezes, só era cor-de--rosa, no rosto branco, a ponta do nariz, fino como o de uma gatinha travessa, com a qual se tinha vontade de brincar; às vezes tinha

---

110 Referência ao pintor russo Léon Bakst (1866-1924), que trabalhara nos cenários para algumas das apresentações dos balés russos, como *O pássaro de fogo* (1910), *Daphnis e Chloé* (1912) e *Jogos* (1913). (N. E.)

as faces tão tersas que o olhar resvalava, como pelas de uma miniatura, sobre o seu rosado esmalte, ainda mais delicado e íntimo graças à tampa entreaberta e superposta de seus cabelos negros; também acontecia que sua tez chegasse ao rosa violáceo do ciclâmen, e, quando estava congestionada ou febril, tomava o púrpura sombrio de algumas rosas, de um vermelho quase negro, dando então ideia de uma compleição mórbida que rebaixava meu desejo a qualquer coisa de mais sensual e fazia seu olhar exprimir algo de mais perverso e malsão; e cada uma dessas Albertine era diferente, como é diferente cada uma das aparições da bailarina de que se vão transmutando as cores, a forma, o caráter, conforme os jogos inumeravelmente variados de um projetor luminoso. Talvez porque fossem tão diversas as criaturas que contemplava em Albertine naquela época é que mais tarde vim a tomar o hábito de tornar-me eu próprio outra personagem, de acordo com a Albertine em que pensava: um ciumento, um indiferente, um voluptuoso, um melancólico, um furioso, recriados, não só ao acaso da lembrança que renascia, mas segundo a força da crença interposta, para uma mesma lembrança, pelo modo diferente como a apreciava. Pois sempre tinha de voltar a isso, a essas crenças que na maior parte do tempo nos enchem a alma sem o sabermos, mas que têm no entanto mais importância para a nossa felicidade que determinada criatura que estejamos a ver, porque é através delas que a vemos, são elas que conferem à criatura contemplada a sua efêmera grandeza. Para ser exato, devia dar um nome diferente a cada um dos "eus" que depois pensou em Albertine; mais ainda, devia dar um nome diferente a cada uma daquelas Albertines que apareciam diante de mim, jamais a mesma, como — chamados sempre por mim, para maior comodidade, o mar — esse mares que se sucediam e diante dos quais, outra ninfa, se destacava Albertine. Mas da mesma maneira, embora mais utilmente, de quando se diz numa narrativa o tempo que estava fazendo em determinado dia, deveria eu sempre nomear a crença que reinava em minh'alma cada dia que via

Albertine, crença que formava atmosfera, o aspecto dos seres, da mesma forma que o aspecto dos mares depende dessas névoas apenas visíveis que mudam a cor de tudo por sua concentração, sua mobilidade, sua disseminação ou sua fuga — como a que Elstir havia rompido uma tarde, não me apresentando às moças com quem se detivera e cujas imagens me haviam aparecido de súbito mais belas, quando se afastavam —, névoa que tornara a se formar alguns dias mais tarde, quando as conhecera, velando-lhes o brilho, interpondo-se muitas vezes entre elas e meus olhos, opaca e suave, semelhante à Leucótea de Virgílio.[111]

Sem dúvida, para mim, as faces de todas elas tinham mudado muito de significação desde que a chave para as ler me fora de certo modo fornecida pelas suas próprias palavras, e às quais tanto mais valor podia eu atribuir porque à vontade as provocava com as minhas perguntas, fazia-as variar como um experimentador que submete a diversas contraprovas a verificação das suas hipóteses. E é afinal um modo como qualquer outro de resolver o problema da existência, esse de aproximar suficientemente as coisas e as pessoas que de longe nos pareceram belas e misteriosas, para descobrirmos que não têm mistério nem beleza; é uma das higienes que se podem escolher, higiene talvez não muito recomendável; mas dá-nos certa calma para passar a vida e também para nos resignarmos à morte, uma vez que nos faz não lamentar coisa alguma, persuadindo-nos de que alcançamos o melhor, e de que o melhor não é grande coisa.

Substituíra eu, no fundo do cérebro daquelas moças, o desprezo à castidade, a recordação de cotidianas escapadas, por honestos princípios, talvez suscetíveis de ceder, mas que até então haviam preservado de qualquer deslize aquelas que os receberam no seu meio burguês. Ora, quando nos enganamos desde o prin-

---

111 Filha de Cadmos, deusa da luz branca que, para tentar socorrer Ulisses, quase se afoga. No texto de Virgílio ela não é nomeada. (N. E.)

cípio, mesmo quanto às pequenas coisas, quando um erro de hipótese ou de memória nos faz procurar o autor de alguma frase malévola em direção falsa, pode ser que só descubramos o nosso engano para o substituir, não pela verdade, mas por outro engano. Eu tirava, no concernente à maneira de viver dessas moças e ao modo de tratá-las, todas as consequências da palavra inocência que lera em seus rostos, quando conversávamos familiarmente. Mas talvez o tivesse lido atabalhoadamente, no lapso de uma decifração demasiado rápida, e ali não estivesse escrita, como não o estava o nome de Jules Ferry no programa da matinê em que pela primeira vez ouvira a Berma, o que não me havia impedido de sustentar ao sr. de Norpois que Jules Ferry, sem sombra de dúvida, escrevia *levers de rideaux*.[112]

No caso de qualquer das minhas amigas do pequeno bando, o último rosto que eu tinha visto, como não havia de ser o único de que me lembrasse? Pois de nossas lembranças relativas a uma pessoa a inteligência elimina tudo o que não concorre para a utilidade imediata de nossas relações cotidianas (ainda, e por isso mesmo, que essas relações sejam impregnadas de um pouco de amor, o qual, sempre insatisfeito, vive no momento que vai chegar). Ela deixa escorregar a cadeia dos dias passados, só lhe segura fortemente o último elo, muitas vezes de um outro metal que o dos elos desaparecidos na noite e, na viagem que fazemos através da vida, só considera como real o país em que presentemente nos achamos. Mas nenhuma das minhas primeiras impressões, já tão remotas, podia encontrar, em minha memória, qualquer recurso contra a sua deformação diária; durante as longas horas que passava a conversar, a merendar, a brincar com aquelas meni-

---

112 A expressão "levers de rideaux" significa as pequenas peças de abertura de uma apresentação, quando as cortinas ("rideaux") são levantadas. O absurdo da presença de Jules Ferry (1832-1893) vem da confusão com o nome do político com o de um autor dramático da época, Gabriel Ferry. Jules fora ministro da Instrução Pública e, por duas vezes, presidente do Conselho. (N. E.)

nas, nem sequer me lembrava que eram as mesmas virgens impiedosas e sensuais que vira desfilar como num afresco diante do mar.

Sim, os geógrafos, os arqueólogos nos conduzem à ilha de Calipso, exumam até o palácio de Minos. Apenas, Calipso não é mais que uma mulher, e Minos, um rei sem nada de divino.[113] Mesmo as qualidades e os defeitos que a História nos ensina terem sido então apanágio dessas pessoas muito reais, muitas vezes diferem consideravelmente daqueles defeitos e qualidades que havíamos emprestado aos seres fabulosos que tinham o mesmo nome. Assim se dissipara toda a graciosa mitologia oceânica que eu havia composto nos primeiros dias. Mas não é de todo indiferente que nos aconteça ao menos algumas vezes passar o tempo na familiaridade do que havíamos julgado inacessível e que tínhamos desejado. No convívio das pessoas que a princípio achamos desagradáveis, persiste sempre, até no meio do prazer fictício que podemos acabar sentindo junto delas, o gosto alterado dos defeitos que conseguiram dissimular. Mas nas relações como as que eu tinha com Albertine e suas amigas, o prazer verdadeiro que está na sua origem deixa esse perfume que não há artifício que consiga dar aos frutos forçados, às uvas que não amadurecem ao sol. As criaturas sobrenaturais que elas haviam sido um instante para mim infundiam ainda, sem que eu o soubesse, algo de maravilhoso nas relações mais banais que tinha com elas, ou, antes, preservavam essas relações de terem jamais o que quer que fosse de banal. Com tanta avidez procurara meu desejo a significação dos olhos que agora me conheciam e me sorriam, mas que no primeiro dia tinham cruzado meus olhares como raios de um outro universo, tão larga e minuciosamente distribuíra ele a cor e o perfume pelas superfícies carnosas daquelas raparigas, que, estendidas na rocha, me esten-diam

---

113 Calipso é a deusa que recebe Ulisses e o retém durante dez anos em sua ilha. Minos, rei poderoso e sábio, era filho de Zeus e da ninfa Europa. Proust parece aludir ao palácio de Knossos, cidade do rei Minos. (N. E.)

simplesmente sanduíches ou brincavam de adivinha, que, em muitas daquelas tardes, quando, deitado no solo, fazia como esses pintores que buscam a grandeza do clássico na vida moderna e dão a uma mulher que corta a unha do pé a mesma nobreza que tem o "menino extraindo um espinho",[114] ou, como Rubens, transformam conhecidas suas em deusas para compor um quadro mitológico,[115] contemplava eu todos aqueles lindos corpos de morenas e loiras, tipos tão opostos, em torno de mim espalhados pela relva, sem os esvaziar talvez do medíocre conteúdo com que os enchera a existência diária e, no entanto, sem recordar expressamente a sua celeste origem, como se, semelhante a Hércules ou Telêmaco, estivesse a brincar rodeado de ninfas.

Depois se acabaram os concertos, chegou o mau tempo, minhas amigas deixaram Balbec, não todas juntas como as andorinhas, mas durante a mesma semana. Albertine foi primeiro, subitamente, sem que nenhuma das suas amigas pudesse compreender, nem então, nem mais tarde, por que voltara de repente a Paris, onde não a chamavam estudos nem distrações.

— Ela não disse nem por que e depois se foi — resmungava Françoise, que aliás desejaria fizéssemos o mesmo. Achava-nos impertinentes para com os criados, já muito reduzidos em número, mas retidos pelos raros hóspedes retardatários, e para com o gerente, "que comia dinheiro". É verdade que desde muito o hotel, que não tardaria a fechar, vira partir quase todos: mas também nunca estivera tão agradável como agora. Não era essa a opinião do gerente; ao longo dos salões onde a gente enre-

---

114 Alusão a uma estátua do período helênico, ainda exposta no Palácio dos Conservadores, em Roma, que representa um jovem extraindo um espinho de seu calcanhar. A ideia da "mulher cortando a unha" é uma alusão a certos retratos pintados em pastel por Degas. (N. E.)

115 Alusão à série de telas representando Maria de Médicis junto de Juno, de Minerva e das Três Graças, ou ao quadro *Oferenda a Vênus*, em que se reconhece a mulher do próprio pintor. (N. E.)

gelava e a cuja porta não velava mais nenhum *groom*, ele media os corredores, de casaca nova, e tão cuidado pelo barbeiro que a sua face apagada parecia constituída por uma mescla em que, para uma parte de carne, houvesse três de cosmético, e a mudar incessantemente de gravata (essas elegâncias custam menos caro do que assegurar o aquecimento e conservar o pessoal, e o que já não pode enviar dez mil francos para uma obra de caridade faz ainda facilmente de generoso dando cem *sous* de gorjeta ao telegrafista que lhe traz um despacho). Dir-se-ia que estava inspecionando o nada, que queria dar, graças ao seu aspecto pessoal, um ar de coisa provisória à miséria que se sentia naquele hotel, onde a temporada não fora das melhores, e parecia o fantasma de um soberano que volta para assombrar as ruínas do que foi outrora o seu palácio. Descontentou-se ainda mais quando o trem local, que já não tinha passageiros suficientes, cessou as atividades até a primavera seguinte.

— O que falta aqui — dizia o gerente — são os meios de locomoção. — Apesar dos prejuízos registrados, fazia projetos grandiosos para os anos seguintes. E, como era capaz de reter belas expressões quando se aplicavam à indústria hoteleira e tinham por efeito engrandecê-la: — Eu não estava suficientemente secundado, embora tivesse uma boa equipe na sala de jantar — dizia ele —, mas os *grooms* deixam muito a desejar; vão ver que falange eu conseguirei reunir no próximo ano. — Enquanto isso, a interrupção dos serviços do BCB. obrigava-o a mandar buscar a correspondência e não raro a conduzir os viajantes de carro. Eu pedia muitas vezes para sentar ao lado do cocheiro, e assim dava passeios em qualquer tempo, como no inverno que passara em Combray.

Às vezes, no entanto, a chuva muito forte nos retinha, a minha avó e a mim, como o Cassino estivesse fechado, em peças quase completamente vazias, como no porão de um navio, quando sopra o vento, e onde diariamente, como durante uma travessia, uma nova pessoa daquelas com quem passáramos três meses sem travar relações, o presidente do Conselho de Rennes, o decano de Caen, uma senhora americana e suas filhas, vinham ter conosco, entabulavam conversa, inventavam algum modo de tornar as horas menos compridas, revelavam uma habilidade, ensinavam-nos um jogo, convidavam-nos para tomar chá, ou para ouvir música, ou para uma reunião em determinada hora, combinando todas essas distrações que possuem o verdadeiro segredo de agradar-nos, tão só porque não aspiram a isso e simplesmente nos ajudam a matar as nossas horas de tédio — enfim, travavam conosco, no final de nossa estada, amizades que no dia seguinte vinham a ser interrompidas pelos seus sucessivos regressos. Cheguei até a conhecer o jovem rico, um de seus dois amigos nobres e a atriz, que voltara por alguns dias; mas a pequena sociedade compunha-se apenas de três pessoas, pois o outro amigo regressara a Paris. Convidaram-me para jantar com eles no seu restaurante. Creio que ficaram muito satisfeitos por ter eu declinado do convite. Mas tinham-no feito o mais amavelmente possível, e embora na verdade partisse do jovem rico, pois os outros eram apenas seus hóspedes, como o amigo que o acompanhava, o marquês de Maurice Vaudémont, era de casa nobilíssima, e instintivamente a atriz, ao perguntar se eu não queria ir, disse para lisonjear-me:

— Isso daria tanto prazer a Maurice...

E quando encontrei os três no *hall*, foi o sr. Vaudémont, enquanto o jovem rico se mantinha calado, quem me perguntou:

— Não nos dará o prazer de jantar conosco?

Em suma, pouco aproveitara eu de Balbec, coisa essa que mais desejos me dava de ali voltar. Parecia que me demorara muito pouco tempo. Essa não era a opinião de meus amigos, que me escreviam perguntando se eu tencionava viver definitivamente em Balbec. E ao ver que era o nome de Balbec que eles se viam obrigados a escrever no envelope e como, em vez de dar para uma campina ou para a rua, a minha janela dava para os campos do mar, cujo rumor ouvia durante a noite, e a que, antes de adormecer, confiara o meu sono como uma barca, tinha a ilusão de que essa promiscuidade com as ondas devia materialmente, sem que eu o soubesse, fazer penetrar em mim a noção do seu encanto, à maneira dessas lições que a gente aprende dormindo.

O gerente me oferecia melhores quartos para o ano próximo, mas eu agora estava ligado ao meu, onde penetrava sem mais sentir o cheiro do vetiver, e de que meu pensamento, que dali se elevava outrora com tanta dificuldade, acabou por tomar tão exatamente as dimensões que tive de obrigá-lo a um tratamento inverso quando me deitei em Paris em meu quarto de sempre, que era de teto baixo.

Pois com efeito fôramos obrigados a partir de Balbec; fazia já frio e umidade muito penetrante para que se pudesse resistir naquele hotel desprovido de lareiras e calefação. Aquelas últimas semanas, esqueci-as quase imediatamente. O que via invariavelmente quando pensava em Balbec eram aqueles instantes da manhã que minha avó me fazia passar deitado no escuro, por ordem do médico, pois naquela tarde deveria sair com Albertine e suas amigas. O gerente dava ordens para que não fizessem ruído no meu andar, e ele mesmo velava por que fossem obedecidas. Devido à luz muito forte, eu conservava fechados o mais tempo possível os grandes cortinados violeta que tanta hostilidade me demonstraram na primeira noite. Mas apesar dos alfinetes com que Françoise os sujeitava de noite e que só ela sabia retirar, apesar das cobertas, da toalha de mesa de cretone vermelho, dos diversos panos apanhados aqui e ali para ajustar às cortinas, não chegava a uni-las de todo, de sorte que a escuridão não era completa; parecia que no tapete haviam estado a desfolhar anêmonas, e eu não podia deixar de ir por um instante banhar meus pés desnudos naquelas ilusórias pétalas escarlates. Na parede fronteira à janela, parcialmente iluminada, havia um cilindro de ouro, sem base alguma, colocado verticalmente, e que ia mudando vagarosamente de lugar, como a coluna de fogo que precedia os hebreus no deserto.[116] Tornava a deitar-me; obrigado a experimentar sem um movimento, apenas pela imaginação, e todos ao mesmo tempo, os prazeres dos jogos, do banho, da marcha, que a manhã aconselhava, a alegria fazia bater-me ruidosamente o coração, como uma máquina em pleno funcionamento, mas imóvel, e que, para descarregar sua velocidade, apenas pode girar sobre si mesma no mesmo lugar.

Sabia que minhas amigas estavam no dique, mas não as via, enquanto passavam pelas serranias desiguais do mar, ao fundo do qual, empoleirada entre os seus azulados cimos, como um povoado italiano, se distinguia às vezes numa brecha de nuvens a aldeiazinha de Rivebelle, minuciosamente detalhada pelo sol. Não via minhas amigas, mas (enquanto chegavam até meu belvedere os pregões dos vendedores de jornal, dos jornalistas, como lhes chamava Françoise, e os apelos dos banhistas e das crianças que brincavam, pontuando à maneira dos gritos dos pássaros marinhos o rumor das vagas que rebentavam suavemente) eu lhes adivinhava a presença, ouvia-lhes o riso envolto, como o das nereidas, na suave arrebentação que me subia até os ouvidos.

— Nós espiamos para ver se descia — dizia-me à tarde Albertine —, mas as suas janelas ficaram fechadas até durante o concerto. — Às dez horas, com efeito, ele explodia sob as minhas janelas. Nos intervalos dos instrumentos, quando o mar estava muito cheio, ouvia-se, contínuo e ligado, o deslizar da água de uma vaga, que parecia envolver as arcadas do violino nas suas volutas de cristal e lançar a sua espuma por cima dos ecos intermitentes de uma música submarina. Impacientava-me por não haverem ainda trazido as minhas coisas para vestir-me. Dava meio-dia, e afinal chegava Françoise. E durante meses seguidos, naquela Balbec que eu tanto desejara, porque só a imaginava batida pela tempestade e perdida entre a bruma, o tempo fora sempre tão deslumbrante e fixo que, quando Françoise vinha abrir a janela, nunca me vi desiludido em minha esperança de encontrar a mesma nesga de sol dobrada

---

116 Alusão a uma passagem do Velho Testamento (Êxodo, XIII, 21). (N. E.)

no ângulo do muro externo, e de uma cor imutável que impressionava, mais ainda do que por ser um signo do estio, pelo seu tom melancólico, como o de um esmalte inerte e artificial. E enquanto Françoise tirava os alfinetes dos cortinados, despregava os panos, corria as cortinas, o dia de verão que ela ia descobrindo parecia tão morto, tão imemorial como uma suntuosa e milenária múmia que a minha velha criada não fizesse mais que ir cautelosamente desenfaixando de todos os seus panos, antes de fazê-la surgir embalsamada em sua túnica de ouro.

resumo
(os números entre parênteses indicam as páginas)

em torno da sra. swann

Quando da primeira visita do sr. de Norpois em nossa casa, mamãe lamenta a ausência do professor Cottard e de Swann. Papai, pelo contrário, lamenta apenas a ausência do "conviva iminente", do "sábio ilustre", Cottard, e não do esnobe Swann — mudanças por que passaram tais personagens (18-20); quem era o marquês de Norpois, ex-ministro e embaixador por quem papai nutre viva simpatia (21-23); o gênero de inteligência do marquês talvez não interessasse mamãe, que ela julgava um pouco antiquado, mas empenha-se em admirá-lo para poder louvá-lo com sinceridade diante de papai (26-27); essa primeira visita do marquês coincide com a minha primeira ida ao teatro, para ver Berma no papel de Fedra; papel do marquês na permissão de assistir a essa peça e na mudança radical das intenções de meu pai com relação à minha carreira literária — papai chega a me pedir para que escreva alguma coisa, contando que "o velho Norpois" a fará publicar na *Revue des Deux Mondes* (28-29); quando me ponho a escrever, o tédio faz cair a caneta de minha mão (30).

Quero ouvir Berma numa peça que não seja vulgar (31); meu médico desaconselha a saída (32); na expectativa das verdades que me seriam reveladas pela artista, repito para mim versos de *Fedra*, de Racine (33); o consentimento de meus pais, entretanto, me deixa arrependido de ter querido tanto ir ao espetáculo e passo a me sentir culpado em infringir as regras de meu tratamento (33-34); uma frase no cartaz diante do teatro decide finalmente por minha ida (35).

Françoise assume "artisticamente" a preparação do jantar (35-36); só sinto prazer enquanto ainda não ouço Berma (36); as cortinas são erguidas e, num cenário mais que modesto, dois homens encolerizados entram falando bastante alto: a primeira peça começa (38); a ela se segue um intervalo; desespero-me quando os espectadores, de retorno a seus lugares, começam a patear de impaciência pelo reinício do espetáculo (38); confundo duas atrizes com Berma, e enfim, com sua entrada em cena, cessa todo o meu prazer (39); tento imobilizar um momento em que ela permanece com o braço erguido à altura do rosto, mas a atriz muda rápido de posição (40); sirvo-me de um binóculo e não a reconheço mais (40); mesmo a declaração de Fedra a Hipólito passa por sua voz sem nenhum destaque (40-41); afinal, explode meu primeiro sentimento de admiração com os aplausos frenéticos dos espectadores (41).

De volta em casa, sou apresentado ao sr. de Norpois, que fixa sobre mim suas agudas faculdades de observador (42); não me oferece nada quanto à *Revue des Deux Mondes*, mas formula algumas perguntas e dá-me proveitosos conselhos que me tiram o gosto pela literatura (43-44); papai pede-lhe a opinião sobre certos papéis da Bolsa de Valores que comprara com a herança que me fora deixada por tia Léonie (45-46); o embaixador parece emprestar aos valores da Bolsa um mérito estético (46); papai manda-me buscar para mostrar a seu amigo um pequeno poema em prosa que eu escrevera outrora em Combray; o marquês o lê e me devolve sem dizer palavra (47); mamãe vem perguntar se pode mandar servir o jantar (47).

Enquanto passamos à mesa, papai me indaga sobre minha matinê teatral e se indigna quando revelo minha decepção (48-49); voltando-se atenciosamente para minha mãe, o sr. de Norpois destaca o perfeito bom gosto demonstrado por Berma na escolha dos papéis, bom gosto, de resto, que ela demonstra também ao se vestir (49); meu interesse pelo desempenho da Berma apodera-se das explicações do sr. de Norpois (50); ele elogia o "Michelangelo da nossa cozinha" (50); minha mãe conta muito com a salada de ananás e trufas; mas o embaixador come-a em silêncio (51-52); papai pergunta-lhe sobre sua conversa com o rei Teodósio, no momento em visita à França; o marquês declara-se grandemente satisfeito com os resultados dessa visita, que surpreendera mesmo o embaixador Vaugoubert (52-56); o contrário da falta "piramidal" do recente telegrama do imperador da Alemanha (57); mamãe comenta o projeto de viagem de papai e seu amigo à Espanha; ele lhe pergunta se já pensou no emprego de nossas férias; acha curiosa nossa opção pela praia de Balbec e tece comentários não muito elogiosos sobre sua igreja romana (58-59); ele nos narra sua visita na noite anterior à casa da "bela sra. Swann", de quem ele guarda uma impressão nada desfavorável; o marquês comenta o casamento de Odette com Swann (59-61); a história desse casamento (62-65); tento manter a conversa em torno dos Swann (66); pergunto-lhe sobre a presença de Bergotte ao jantar e ele passa a criticar meu escritor favorito e crê enfim descobrir de onde viera o estilo do texto que lhe mostrara há pouco (68-69); pergunto-lhe sobre a srta. Swann; ele promete transmitir à sra. Swann minha admiração, mas, diante de meu entusiasmo, muda definitivamente de ideia (72-76).

Depois da partida do sr. de Norpois, papai me mostra uma nota do jornal sobre Berma que vem preencher meu desejo de justificar um possível entusiasmo pelo talento da atriz (76-77); mamãe não parece satisfeita de que meu pai não pense mais em uma "carreira" para meu futuro e indago comigo se meu desejo de escrever seria realmente tão importante que valha a pena que meu pai desperdice com ele tanta bondade (78-79); meus pais comentam detalhes do jantar (79-80); depois vão até a cozinha transmitir os cumprimentos do embaixador a nosso "mestre-cozinheiro", Françoise (81-82).

No primeiro dia de janeiro, saio em visitas com mamãe, depois corro aos Campos Elísios para entregar à nossa vendedora uma carta a Swann; na volta, paro com Françoise para comprar retratos (83-84); com o vento que corre tenho a sensação e o pressentimento de que esse dia do Ano-Novo não é um dia diferente dos demais (85); vou deitar-me ouvindo os ruídos da rua e pensando nas pessoas que acabariam a noite nos prazeres (86).

Continuo a ir aos Campos Elísios nos dias de bom tempo; Gilberte, no entanto, continua ausente (87-88); afinal torna a vir brincar quase todos os dias (89); o sr. e a sra. Swann não encaram favoravelmente minhas relações com ela (90); prova disso é o desprezo de Swann pela carta que lhe enviara (90); acompanho Françoise até um pequeno pavilhão de persianas verdes, onde um prazer que não é da mesma espécie dos outros me impregna (91); a marquesa dos banheiros públicos oferece-me um de graça (92); volto para junto de Gilberte e nos entregamos a uma brincadeira que daria razão às desconfianças de seu pai (93); ao voltar para casa, recordo subitamente a imagem a que o frescor do pavilhão remetia: o gabinete de tio Adolphe em Combray (93).

O nome dos Campos Elísios torna-se suspeito de guardar inúmeras doenças; volto certa vez de lá com uma indisposição (94-95); por isso, acaba sendo necessário recorrer ao dr. Cottard (97-98); um dia, à hora do correio, mamãe coloca uma carta em cima da cama: chega enfim até mim uma carta escrita por Gilberte, que, milagrosamente, me convida a tomar parte em suas reuniões de segundas e sextas-feiras (99-102); e então me é dado conhecer a casa dos Swann (103).

Já na antecâmara, aguardo o encontro com os Swann com a mesma ansiedade que mostraria diante do rei em Versalhes (104); os bilhetes que recebo de Gilberte convidando-me para suas merendas (105); embriagado, contemplo Gilberte destruir o bolo arquitetônico que nos serve (107-108); a sra. Swann entra correndo para nos cumprimentar (109-110); o mundo misterioso, onde Swann e a esposa levam sua vida sobrenatural e para onde se dirigem depois de me apertarem a mão (111); a sra. Swann deixa a sala de jantar; Swann faz uma aparição entre nós (113); características do salão dos Swann; mudanças do antigo Swann do Faubourg Saint-Germain (116-130).

Não tomo parte apenas nas merendas de Gilberte, mas também a acompanho nas saídas com seus pais (131-134); às vezes, antes de se preparar para sair, a sra. Swann senta-se ao piano; num desses dias ela toca a "pequena frase" da sonata de Vinteuil (135-140); durante os minutos em que Gilberte vai vestir-se, o sr. e a sra. Swann comprazem-se em descobrir as raras virtudes da filha (143-144); apesar de minha intimidade crescente com eles, não afastei dali o singular encanto em que por tanto tempo imaginei estivesse mergulhada a vida dos Swann (146); encontros durante os passeios pelas alamedas do Bois de Boulogne ou do Jardim da Aclimação; "Sua Alteza Imperial", a princesa Mathilde (148-152); visitas a pequenas exposições, idas a concertos e ao teatro nos últimos dias de inverno (153); Gilberte surpreende-me por sua frivolidade, preparando-se para ir a uma matinê teatral bem no dia do aniversário da morte de seu avô (153-154).

Os Swann não me excluem nem mesmo de sua amizade com o escritor Bergotte: diferença entre o que imaginara ao ler seus livros e sua pessoa (155-158); a voz realmente estranha de Bergotte, sua personalidade, sua arte (159-169); no primeiro dia em que o vejo em casa dos pais de Gilberte, conto-lhe que ouvira recentemente a Berma em *Fedra*; ele desenvolve referências artísticas evocadas pelos gestos da atriz em cena (170-172); diferentemente do sr. de Norpois, quando a opinião de Bergotte é contrária à minha, não me reduz ao silêncio (173); comento com ele o desprezo que o embaixador me testemunhara: "Mas aquilo é um canário velho" (173); Swann se identifica com uma máxima sobre o amor dos "nervosos" (174-175); Gilberte permanece ali a ouvir-nos entre a mãe e o pai; as características que ela herdara de ambos (175-178); Swann é um desses homens que julgam descobrir nos filhos um afeto que há de fazê-los perdurar até depois da morte (179); ele atribui a mim a elevação no "nível da conversação" (180); eu, pelo contrário, julgo que parecera estúpido a Bergotte (180-181); até que Gilberte me cochicha que ele me achara muito inteligente (181); parto em companhia do escritor que me fala dos "prazeres da inteligência" e critica minha escolha pelo dr. Cottard, incapaz, segundo ele, de compreender tais prazeres (182-183); em seguida, surpreende-me falando mal de Swann, homem que desposou uma "mulher de vida fácil" (184).

O favor que me fizera Swann de me apresentar ao grande escritor não é muito apreciado por meus pais, ao menos até que lhes revelo que Bergotte me achara muito inteligente (186-188); mamãe pede que eu convide Gilberte quando receber amigos, o que evito por duas razões (188); por essa época, Bloch abala minha concepção do mundo ao assegurar que as mulheres jamais desejam outra coisa senão entregar-se ao amor; completa esse serviço levando-me pela primeira vez a uma casa de *rendez-vous* (189); avisto aí uma judia de nome Raquel que a patroa insiste sempre para que eu conheça melhor (190-191); após ter doado alguns móveis herdados de tia Léonie à patroa, deixo de frequentar o local (192); muitos outros móveis eu os vendo para dispor de mais dinheiro e enviar mais flores à sra. Swann (192); a inteligência que Bergotte me reconhecera não consegue se manifestar por qualquer trabalho notável (193-194); penso, entretanto, como meus pais, que eu levo a vida mais favorável ao talento, visto que o faço no mesmo salão que um grande escritor (194-195).

A única resistência que encontro em prosseguir minhas visitas à casa dos Swann vem apenas de Gilberte (196-197); em minha última visita a ela, acabo impedindo-a de partir para uma reunião, o que desperta a cólera silenciosa de Gilberte contra mim (196-200); escrevo-lhe cartas furiosas, na esperança vã de um pedido de reconciliação de sua parte (201-202); o mordomo dos Swann formula sem querer os sentimentos hostis de Gilberte por mim (202-203); espero cada dia uma carta dela e acabo renunciando para sempre a Gilberte; nas visitas à sua casa, certifico-me antes de sua ausência (204-207).

O interior do salão da sra. Swann (207-211); suas visitas principais: a sra. Bontemps e a sra. Cottard (212-215); novo aspecto da relação de Odette com o salão Verdurin após seu casamento com

Swann (216-218); os cálculos da sra. Bontemps para conseguir frequentar as famosas "quartas-feiras" do salão Verdurin (219-221); troca de amabilidades entre ela, Odette e a sra. Cottard no momento da despedida (221-224); parto comparando o que experimentara e as promessas que os crisântemos haviam feito nascer; pelo menos Gilberte saberia que eu visitara a casa de seus pais enquanto ela estivera ausente (226).

O dia 1º de janeiro me é particularmente doloroso por deixar claro que o início do novo ano não traz a carta de Gilberte propondo-me nossa reconciliação (227-229); sou eu mesmo o artesão de meu mal: o afastamento de Gilberte acabaria provocando minha indiferença diante dela e meu amor, mais cedo ou mais tarde, iria parar noutra mulher (229-230); acontece-me escrever a Gilberte com frequência, mas me limito a dar vazão à minha mágoa (232-234).

Mudanças no mobiliário do salão de Odette e na própria Odette desde que deixara sua casa na rua Lapérouse (234-235); Swann ainda se atém a um pequeno daguerreótipo antigo (237); em visita à sra. Swann, ela me transmite convite de Gilberte; eu continuo resistindo (241); até que resolvo surpreender Gilberte antes do jantar; vendo um vaso chinês antigo e consigo dinheiro suficiente para enviar-lhe flores diariamente (243); mas, descendo os Campos Elísios, distingo Gilberte andando devagar junto de um jovem (243-244); volto para casa desesperado: tenho os dez mil francos, mas não me servem para nada (245); ainda continuo pensando nas possibilidades de uma reconciliação (247); tenho de reconhecer que a Gilberte de verdade em nada se parece com a que trago dentro de mim (247); pouco a pouco, vai se tornando menos penoso não encontrar Gilberte e desejo partir em viagem (255); com a aproximação da primavera, a sra. Swann nos recebe em um ambiente em que predomina a cor branca (255-256); espaço minhas visitas ainda mais e procuro ver a sra. Swann o menos possível, como nos pas-seios pela avenida do Bois de Boulogne (257-263).

nome de terras: a terra

Dois anos mais tarde, parto em viagem para a praia de Balbec (266-268); reações do corpo à viagem, sobretudo quando fico sabendo que mamãe não nos acompanhará (269); minha avó escolhe um trajeto "artístico", trilhado outrora por sua escritora favorita, madame de Sévigné (270-271); o trem da uma e vinte e dois (271); vovó não aceita ir "idiotamente" a Balbec (272); medidas tomadas por mamãe para evitar meu desespero (272); despeço-me dela (272-273); o chapéu e a capa de Françoise (273--274); para ela, não existe o mundo das ideias, mas seus olhos testemunham traços das mais altas inteligências, às quais faltou apenas o saber (274); mamãe tenta consolar-me e animar--me (275).

As recomendações do médico: que eu tome "uma grande quantidade de cerveja e conhaque", o que contraria minha avó (276); volto animado do vagão-restaurante e ela me recomenda dormir (276-277); sinto prazer com minha própria voz e com os movimentos de meu corpo (277); ela me entrega um livro de madame de Sévigné; distraio-me na contemplação da cortina e dos reflexos que irradiam dos botões da túnica de um velho empregado do trem (278); aproximações entre a arte de madame de Sévigné, do pintor Elstir e de Dostoievski (279).

Prossigo viagem só no trem; sonolência embalada por seus movimentos (280); a alvorada (280); desejo de conhecer uma rapariga típica da região (281-282); faço sinal à vendedora de leite; o trem parte e, como fazemos habitualmente, projeto reencontrá-la no futuro (282-283); nomes de cidades (284).

Contrariamente ao que pensara até então, a igreja de Balbec se encontra há mais de cinco léguas de distância da praia de Balbec; decepção com sua inserção na paisagem vulgar que a rodeia (285-287); reencontro vovó no trenzinho que vai até a praia:

Françoise partira antes, para preparar a nossa chegada (287); travessia de vilarejos, seus nomes (288).

No hotel, vovó discute as "condições" com o gerente (289-290); tento refugiar-me no mais profundo de mim mesmo (290); saio em passeio pelas ruas (291); volto ao hotel: percurso no elevador (292); desespero de tentar me habituar a um quarto estranho (293-294); vovó vem em meu socorro (295); as três pancadas na parede a alertam de que preciso dela (296); mal ela sai do quarto, nessa primeira noite, volto a ser tomado por sérias apreensões (297-298); o poder do hábito (298-299).

Despertar esperançoso diante da paisagem ensolarada (300); desejo de agradar aos outros hóspedes e a uma "grande dama" sempre acompanhada de seus criados (303-306); hóspedes do Grande Hotel de Balbec (306-307); os hábitos particulares dessa "grande dama" (307); encontro no restaurante com o sr. e a srta. de Stermaria (308); um grupo de quatro amigos leva vida à parte dos outros hóspedes (309-310); o restaurante como grande aquário diante do qual se posta a população operária de Balbec (310); os quatro amigos saem para jantar em um pequeno e reputado restaurante (311); minha preocupação em conseguir me fazer notar por alguns daqueles hóspedes (311-313); dentre todos, o desprezo mais doloroso é o do sr. de Stermaria (313).

Poderíamos adquirir prestígio se entrássemos em contato com a "velha fidalga", a marquesa de Villeparisis (314); infelizmente vovó, sempre encerrada em seu universo particular, não quer se encontrar com essa sua velha amiga (315); a sra. de Villeparisis não conhece nem mesmo o sr. de Cambremer, convidado ao hotel pelo advogado de Cherburgo (316); este se vangloria da nobreza de seu convidado e consegue entrar em relação com o sr. de Stermaria (317-318); aproveito o afastamento de seu pai para poder observar melhor a srta. de Stermaria (318); o sr. de Stermaria volta para junto da filha e do advogado, passada a primeira emoção, e chama pelo garçom, Aimé, sinalizando sua intimidade com o pessoal do hotel (320-321); fico ainda mais intimidado no refeitório quando o hotel é visitado pelo impassível "patrão", o gerente geral da rede de hotéis (321).

Se eu levo uma vida triste por falta de amizades, Françoise, pelo contrário, travara muitas (322-324); afinal, travamos nós também amizade pelo encontro casual de vovó e sua antiga companheira de escola, a sra. de Villeparisis (324); ela toma o costume de sentar-se conosco todos os dias (325); a estima do mordomo Aimé e de Françoise pela nobreza (325-326); a marquesa se mostra grandemente solícita e amável conosco (327-328); ela se espanta com a correspondência diária entre vovó e mamãe (327); e ainda critica a preocupação exagerada de madame de Sévigné com a filha, o que vovó também dispensa discutir (328); a sra. de Villeparisis se encontra com Françoise e pergunta por nós; Françoise nos transmite os recados "textualmente" (328-329); nossa criada não acredita que a sra. de Villeparisis possa ter sido encantadora quando jovem (329); vovó pensa em perguntar à marquesa sobre seu parentesco com os Guermantes, o que provoca minha indignação (329).

A princesa de Luxemburgo passa pelo hotel e deixa um cesto de maravilhosas frutas para a sra. de Villeparisis (329); dias mais tarde, encontramo-nos com a marquesa depois do concerto, na praia; meu esforço para ficar à altura das obras de Wagner ali executadas (330); somos apresentados à princesa de Luxemburgo; esta, ansiosa em nos dar provas de amabilidade, nos presenteia abundantemente, como se fôssemos animaizinhos (331-332); a sra. de Villeparisis surpreende-me revelando conhecer meu pai e o sr. de Norpois, juntos em viagem à Espanha (332-333).

Volta da "jovem amante do rei dos selvagens" ao hotel, para indignação do decano e da mulher do notário (333-334); a visita à princesa de Luxemburgo não lhes escapara e eles desejam confirmar a nobreza da sra. de Villeparisis; a mulher do decano a toma por uma prostituta disfarçada de princesa, erro de avaliação comum na burguesia (334).

Tomado de febre, o médico de Balbec me pede que evite passar o dia todo à beira-mar e vovó decide aceitar o convite da sra. de Villeparisis para alguns passeios de carro (336); reflexos marítimos no interior do quarto (337); aos domingos, além do carro da marquesa, há os dos hóspedes que partem para o castelo da sra. de Cambremer e o daqueles que, sem terem sido convidados, não querem permanecer no hotel (338-339); os empregados do hotel parados diante do pórtico (338-339); partida no carro da marquesa; visão da macieira que, no ano seguinte, volto a procurar em Paris (339-340); visões do mar e associações poéticas com Baudelaire e Leconte de Lisle (340); a sra. de Villeparisis nos dá mostras de perfeito conhecimento de arquitetura e arte que ela atingiu graças ao convívio com artistas que vinham em visita ao castelo em que morava com os pais; ela comenta indiferente seu hábito de pintar (341-342); espantamo-nos com a ousadia das ideias liberais da marquesa (342); ela possui uma visão apenas mundana de autores como Chateaubriand, Balzac e Victor Hugo e acha graça que eu os admire (343); citando o "sr. de Sainte-Beuve", ela afirma a necessidade de ter conhecido pessoalmente esses artistas para poder julgar seu verdadeiro valor (345).

Encontro com raparigas da região (346-348); anos depois, em Paris, não me contentaria em olhá-las de passagem; em busca de uma desconhecida que me atraíra, vejo-me cara a cara com a velha sra. Verdurin (348); nos passeios pelas cercanias de Balbec, vejo uma leiteira que parece se interessar por mim; recebo uma carta que creio vir dela e decepciono-me ao ver que é uma carta de Bergotte, de passagem pela praia (348-349).

Um dia, em passeio a Carqueville, minha avó se afasta com a marquesa para deixar-me só diante da igreja coberta de hera; saindo da igreja, encontro um grupo de garotas sentadas diante da ponte (349-350); tento entrar em contato com elas (350-351); em passeio a Hudimesnil com vovó e sua amiga, sou tomado de sensação de profunda felicidade, análoga à que me deram os campanários de Martinville, quando contemplo um grupo de três árvores (352-353); a sensação permanecerá indecifrada, o carro se afasta e vejo as árvores agitando desesperadamente seus braços (354-355); no caminho de volta, passando pelos bosques, ouço os pássaros se responderem de árvore em árvore (355); o valor das impressões colhidas naquele final de tarde (355-356).

Muitas vezes, já é noite quando voltamos a Balbec; arrisco timidamente citar para a sra. de Villeparisis alguns versos sobre a lua escritos por Chateaubriand, Vigny ou Victor Hugo; ela se indigna que eu possa admirar esses autores com quem convivera em criança (356-359); as luzes do hotel, tão hostis quando de nossa chegada, são agora protetoras (359); enquanto esperamos no *hall*, a sra. de Villeparisis volta a contar certos fatos de sua infância (360-363); depois do jantar, já em meu quarto, comento com minha avó as boas qualidades de sua amiga (363) e lhe digo que não poderia viver sem ela, o que provoca em ambos grande emoção (364-365).

A sra. de Villeparisis nos previne da chegada de um sobrinho seu vindo de uma cidade de guarnição próxima a Balbec (365); numa tarde muito quente, vejo-o passar diante do refeitório do hotel (366-368); ele é extremamente frio no momento de nossa apresentação (369); só depois vejo como ele se converte no mais amável e atento rapaz que conhecera, o que, embora me pareça comovente, me cansa um pouco (370-371); desde os primeiros dias, Robert de Saint-Loup conquista minha avó, principalmente pelo cuidado e pelo respeito que demonstra por mim (372-374).

Fica estabelecido entre mim e ele que somos amigos íntimos e para sempre (374); às vezes, meu pensamento discerne em Saint-Loup um ser geral, o "nobre", e censuro-me por esse prazer de considerar meu amigo uma obra de arte (375-376); ele faz o possível para que seus amigos burgueses o perdoem por sua origem aristocrática (376); sorrio ao observar em Robert a marca das lições dos jesuítas (377).

Bloch vem nos visitar no hotel e pronuncia errada a palavra "lift" (378-379); ele acusa-me de ser esnobe; a má-educação é o seu defeito capital (379-384); seu respeito e admiração pelo pai (385); fala mal de mim a Saint-Loup, e a mim me fala mal de Robert (385); de resto, Bloch às vezes tem rasgos de bondade (386).

Saint-Loup e eu somos convidados a jantar em sua casa (387); todos lamentam muito haver deixado em Paris o estereoscópio, signo de distinção para os convidados do sr. Bloch pai (389); mas o jantar tem de ser adiado porque Saint-Loup espera um tio que vem passar dois dias com a sra. de Villeparisis (389); as características que Robert atribui a esse tio, chamado Palamède (390-392).

Na manhã do dia seguinte, vejo um homem de uns quarenta anos que me lança um olhar atrevido, prudente, rápido e profundo (392-393); vem-me ao pensamento que talvez fosse algum ladrão de hotel (393); pouco depois, vejo-o em companhia da sra. de Villeparisis e de Robert de Saint-Loup, vestindo roupas muito sóbrias; seu olhar atravessa-me novamente com a rapidez do relâmpago (394); a sra. de Villeparisis nos apresenta seu sobrinho, o barão de Charlus (394-395); pergunto a Robert se o barão é da família dos Guermantes (395); reconheço no barão o mesmo olhar que pousara em mim anos antes, em Tansonville, quando a sra. Swann chamava por Gilberte (397).

Por sua enorme sensibilidade e cultura, o sr. de Charlus muito agrada à minha avó (397-400); no momento de nos despedirmos, o sr. de Charlus, que não me dirigira a palavra, convida-me com minha avó para tomarmos chá depois do jantar no apartamento de sua tia (401); a mulher do notário finge-se de doente para justificar sua permanência no hotel aos domingos (401).

Ao chegarmos ao salão da sra. de Villeparisis, o barão de Charlus estende-me dois dedos para que os aperte, sem volver o olhar e interromper a conversação (401-402); a sra. de Villeparisis mostra-se surpresa com a nossa chegada (401-402); os olhos de Charlus (403); sua frieza comigo pode ser por causa de sua aversão feroz aos jovens (403-404); vovó encanta-se ainda mais com o barão ao ouvi--lo falar das cartas de madame de Sévigné como ela própria o faria (405); discurso antissemita do barão (407); ele empurra energicamente para dentro a orla de cor de um lenço que traz no bolso (408).

Minha avó me faz sinais para que vá me deitar (408); um instante depois, batem à porta: é o sr. de Charlus, que vem me oferecer de me emprestar os livros de Bergotte (408-409); na manhã seguinte, ele se aproxima de mim na praia e faz um comentário maldoso sobre minha suposta falta de preocupação com vovó (410).

Havendo partido o sr. de Charlus, Robert e eu vamos jantar em casa de Bloch; este julga divertidíssimas as histórias de amigos do sr. Bloch pai (411-414); sem nunca ter lido Bergotte, Bloch pai critica o escritor (414); meu amigo é grandemente admirado pelas irmãs (414-416); os filhos consideram o sr. Bloch um homem superior e chegam a descobrir uma semelhança, ainda que remota, entre ele e o duque d'Aumale (416-417); ele fala de um clube no qual, segundo ele, Bergotte jamais seria admitido (417-418); as irmãs de Bloch perguntam ao irmão sobre o valor de Bergotte (419); o sr. Nissim Bernard, tio rico da sra. Bloch, figura constantemente insultada (420-421); ele mente ter conhecido o marquês de Marsantes, pai de Saint-Loup (422); como mostras de tratamento régio, o sr. Bloch nos oferece "champanhe" e entradas para um espetáculo no Cassino (423); faz-nos admirar um quadro que apreciava tanto que o trouxera para Balbec: um "Rubens" (423); logo mergulha na leitura do *Diário Oficial* (423); Bloch pergunta a Saint-Loup quem era o "fantoche de paletó escuro" com quem Robert estivera passeando (424); Bloch surpreende--me dizendo ignorar o nome da sra. Swann (424-425).

Françoise se decepciona ao conhecer Bloch (425); mesmo Saint-Loup, a quem adorava, lhe desilude quando ela descobre que ele é republicano (426); o comportamento de Robert diante das classes sociais (426-427); sua relação com uma "mulher de teatro" que causa desgosto à sua família (427-431); ele a apresenta às pessoas de sua classe a quem ela muito desagrada (432); Raquel critica as "peruas e galinhas sem educação" e diz ter recebido sinais de todos os homens, o que aumenta a antipatia de Robert pela alta sociedade (432); envia constantemente mensagens à amante, que ela deixa sem resposta (433).

Vovó diz alegremente que Saint-Loup acaba de lhe perguntar se não quer que ele a fotografe, o que tomo por prova de vaidade e me desagrada profundamente (433-434); vovó parece me evitar (434).

Na ausência de Robert, sento-me só na praia, observando as pessoas (435); sou arrebatado pela passagem do grupo insolente de raparigas em flor (435-446).

Volto para repousar em meu quarto porque devo ir jantar em Rivebelle com Robert (447); no percurso, o aspecto receptivo e inofensivo de rostos que me pareceram estranhos, intoleráveis na noite de minha chegada ao hotel (447-449); indago comigo se as meninas que acabo de ver moram em Balbec e quem são; lembro-me do comentário de um senhor: "É uma amiga da menina Simonet"; penso em verificar esse sobrenome na lista de hóspedes (449-451); saio do elevador e posto-me diante da janela ao fundo do corredor, prestando a devida devoção à "vista" que se me oferece (451); as mudanças no quadro que se avista da janela de meu quarto (452-456); chegam afinal os dias em que já não posso entrar no hotel pela janela do refeitório, por causa de todo um enxame de pobres e de curiosos, atraídos por aquele esplendor (456); Aimé vem até meu quarto trazer-me em pessoa as últimas listas de hóspedes e insiste em dizer que Dreyfus é "mil vezes culpado" (456); não posso contar com Robert para tentar me aproximar das moças (457).

Vamos jantar em Rivebelle (458); a chegada ao restaurante (458); o mecanismo rigoroso de controle do que beberia desaparece; torno-me um homem novo, consumindo doses e doses de cerveja e champanhe (460-461); sou conduzido pela música e pela vibração de bem-estar de meus nervos (462); o restaurante de

Rivebelle reúne, em um mesmo momento, mais mulheres que o acaso dos passeios me depararia em um ano (463); se Saint-Loup parte com algum grupo de amigos, volto sozinho ao hotel de Balbec, entregue às sensações do momento, sentindo que posso ser feliz, indiferente aos perigos da estrada e à possibilidade de conversar com a srta. Simonet (465-467); antes de conhecer a amante atual, Saint-Loup tinha vivido no mundo restrito da libertinagem (468-470); desejaria ser apresentado a suas conhecidas do restaurante de Rivebelle (470); meu quarto de hotel, tão hostil na primeira noite, acolhe-me (470-472).

De súbito, desperto, notando que, graças a um longo sono, não ouvira o concerto sinfônico (472-473); vovó abre a porta de meu quarto e lhe faço algumas perguntas sobre a família Legrandin (473); mais uma vez escapara à impossibilidade de dormir, uma nova vida se abre diante de mim (473); subitamente me lembro da jovem loira de ar triste que vira em Rivebelle (473-474).

Interrogo hóspedes do hotel a respeito do belo cortejo de raparigas, ninguém pode me informar (474); ao próprio grupo falta nitidez (474-475); em breve a estada de Saint-Loup atinge o fim; à noite, está mais livre e continua a levar-me seguidamente a Rivebelle (476-477); certa noite, avistamos o pintor Elstir sentado só em uma das mesas; lhe enviamos uma carta e, no final do jantar, ele vem até nós (477-478); entre as poucas palavras que nos diz, nada me responde, nas diversas vezes em que lhe falo de Swann (479); ele me pede que o vá visitar em seu ateliê (479); proponho-me ir ao seu ateliê nos dois ou três dias seguintes, mas avisto uma das raparigas do bando e não penso senão num modo de encontrá-las (480-481); minha avó acha absurdo e pouco gentil que ainda não tenha ido fazer uma visita ao pintor (482); arranjo todos os pretextos para ir à praia nas horas em que espero encontrá-las (484); elas são para mim ondulações monstruosas e azuis do mar (485); como eu agora me interesse extremamente pelo golfe e pelo tênis, vovó me testemunha um desprezo que parece provir de ideias um pouco estreitas (485); acabo por obedecê-la e vou visitar Elstir (485); e seu ateliê me aparece como o laboratório de uma espécie de nova criação do mundo (486-491).

Junto do ateliê, aparece a jovem ciclista do bando; Elstir me diz que ela se chama Albertine Simonet (496-499); tento levá-lo para um passeio, na esperança de rever as meninas (500); descubro um pequeno quadro intitulado *"Miss Sacripant,* outubro de 1872" (500-503); Elstir pede que lhe dê a tela, pois sua mulher está chegando ao ateliê; só compreendo sua beleza depois de conhecer os quadros com temas mitológicos do pintor (503-506); Elstir termina o quadro que pintava e saímos para um passeio (506-507).

De repente, encontramos as raparigas; na certeza de ser apresentado, simulo indiferença (508-511); meu olhar cruza com o olhar de uma delas (511); variações na beleza de Albertine (511-512); aproximo-me de Elstir e confesso que gostaria de conhecê-las (514); descubro a identidade de *"Miss Sacripant"*: trata-se de Odette de Crécy (515-517); chego enfim a outra descoberta: Elstir é o sr. Biche, pintor protegido outrora pelos Verdurin (518-519).

Mesmo aborrecido, diviso já uma possibilidade de encontrar as raparigas (519); vovó presenteia Saint-Loup com cartas de Proudhon (520-521); convidado apenas cortesmente, Bloch decide ir visitar Saint-Loup em Doncières (522-523); recebo uma carta de Robert (523-524); as aquarelas de Elstir que vira mudam meu modo de ver o desleixo das mesas após a refeição (524-525).

Alguns dias depois da partida de Saint-Loup, consigo que Elstir dê uma reunião íntima, onde hei de encontrar Albertine (525); no momento em que o pintor me chama para apresentar-me a ela, dissimulo meu interesse, terminando de comer uma bomba de café e entabulando uma conversa com um senhor que acabara de conhecer (527); em face da medíocre e tocante Albertine com quem eu tinha falado, vejo a misteriosa Albertine diante do mar (531); encontro-a, pouco tempo depois, numa manhã em que chovera (532); Octave, o jogador de bacará, aproxima-se de nós (534-535);

cruzamos por Bloch, que me dirige um sorriso ladino e insinuante (536); Albertine revela que o acha "um belo rapaz", que, entretanto, a desagrada; suas opiniões antissemitas (537); encontramos Andrée (539); Octave é parente dos Verdurin (540); saúdo as srtas. d'Ambresac, que Albertine também cumprimenta e externa em seguida sua opinião bastante irônica sobre as "patinhas brancas" e ainda revela-me que uma delas está noiva de meu amigo Robert de Saint-Loup (541); as formas da inteligência não tinham chegado todas em Albertine ao mesmo grau de desenvolvimento (542).

Dois dias depois, numa visita a Elstir, ele me fala da grande simpatia que Andrée me dedica (543); numa das manhãs seguintes, encontro Albertine lançando ao ar um diabolô (544); encontramos Gisèle (545); Albertine nota meu interesse pela amiga, que está de partida para Paris, pois tem de fazer exames de segunda época (546); planejo tomar um trem para Paris para poder me encontrar com ela (547); alguns dias depois, já conheço a todo o bando juvenil do primeiro dia; dentro em pouco, passo todo o dia com elas (548).

Suas feições (549-550); desvencilho-me dos convites da sra. de Villeparisis, de Robert e de Elstir para poder ficar sempre junto delas (550); Andrée é infinitamente mais delicada, mais afetuosa, mais fina que Albertine (551); como ela é extremamente rica, e Albertine, pobre e órfã, fazia-a aproveitar seu luxo (553); como todos os dias, exceto nos de chuva, saíamos de bicicleta pelo litoral ou pelos campos (554); em visita com minhas amigas ao ateliê de Elstir, contemplo algumas pinturas de regatas e de reuniões esportivas (556); Albertine ouve com apaixonada atenção os detalhes de toalete descritos por Elstir (557-558); o pintor menciona os "maravilhosos tecidos" compostos por Fortuny (557-558); depois dessa conversa sobre pintura e arte indumentária, já não posso desprezar as modistas (562).

Seguidamente encontramos as irmãs de Bloch; Albertine manifesta novamente opiniões antissemitas (562-563); certos dias merendamos nalguma das granjas-restaurantes dos arredores de Balbec; muitas outras vezes, sentados na relva (563); esgotadas as provisões, nos entregamos aos jogos (564); as palavras trocadas entre as moças do pequeno bando e eu são pouco interessantes, interrompidas da minha parte por longos silêncios, o que não me impede de, ao ouvi-las, degustar as diferenças entre o "canto" de cada uma delas (566-569); Albertine entrega-me um bilhete em que vem escrito: "Eu o amo muito" (571); discussão da composição literária que Gisèle fizera em seu exame: uma carta de Sófocles a Racine (571-575).

Durante esse tempo, penso no bilhete que me passara Albertine, dizendo comigo que com ela é que teria meu romance (576); meu estado amoroso permanece simultaneamente dividido entre várias moças (576-577); tudo se rompe em favor de Albertine, numa tarde em que brincamos de passar anel (579-583); com meu fracasso no jogo, saio em passeio com Andrée e estaco diante de uma moita de espinheiros, os mesmos de minha infância em Combray (583); o caráter contraditório de Andrée (584-585); sei agora que amo Albertine (587); alguns dias depois da partida de anel, dissimulo meu interesse por ela, convidando outras das raparigas para me acompanhar em meus passeios (588); só penso em uma coisa: entrar em relações com a sra. Bontemps, tia de Albertine (589); cerca de um mês após o dia em que brincáramos de anel, Albertine vem passar uma noite no Grande Hotel; Andrée me garante que a amiga não vai querer me ver (591); Octave vem ter conosco e Andrée lhe transmite a indignação da sra. de Villeparisis com os jogadores de diabolô (592-593); consigo marcar um encontro com Albertine em seu quarto no hotel (593); tento beijá--la e ela toca a campainha (596); ela pede que eu não recomece; resumo da vida pregressa de Albertine, menina pobre, mas sempre muito procurada e sem necessidade de oferecer-se (597-599); carinho e inveja que lhe vota a mãe de Andrée (600); desolada de não me haver podido dar prazer, presenteia-me com um pequeno lápis de ouro (604); ela se espanta que eu tenha me surpreendido com sua recusa (604); suas palavras francas me causam uma doce impressão (605).

Meus sonhos se encontram de novo com a liberdade de reportar-se a esta ou àquela das amigas de Albertine e de preferência a Andrée; mas ela é muito intelectual, muito nervosa, muito doente, muito semelhante a mim (606); o meu desejo erra ainda mais voluptuosamente (608).

Acabam-se os concertos, chega o mau tempo, minhas amigas deixam Balbec; Albertine parte primeiro, subitamente, sem justificativa (615); Françoise também deseja partir para liberar os criados do hotel retidos pelos raros hóspedes retardatários (615); apesar do prejuízo, o gerente do hotel continua pensando alto (616); acabo entrando em relação com hóspedes que se mostraram inicialmente tão arredios (617); aquelas últimas semanas, esqueço-as completamente; restam apenas os momentos da manhã, o riso de minhas amigas contra as ondas, o sono que me impedia de ouvir o concerto, o dia de verão imemorial descortinado por Françoise (618-620).

posfácio

arte e crítica de arte na *recherche**

* "Kunst und Kunstkritik in der *Recherche*" (tradução de Guilherme Ignácio da Silva).

1.

A associação de crítica, estética e romance na escrita de Proust já foi devidamente destacada por Benjamin, de forma inaugural e decisiva, em seu ensaio "A imagem de Proust". Benjamin caracteriza a *Recherche* como um texto que "conjuga a poesia, a memorialística e o comentário", e no qual tudo, até a sintaxe de frases transbordantes, "excede a norma". Esta observação vale, em última instância, para as referências a outras artes, que, no conjunto da *Recherche*, somam um volume de cerca de seiscentas páginas. Mais da metade dessas referências alude à literatura e ao ato da escrita no sentido mais amplo, cerca de um terço às artes visuais, que são mencionadas ao longo de todo o texto, enquanto as referências à música no volume *A prisioneira*, e à literatura, em *O caminho de Guermantes* e também em *O tempo redescoberto*, têm uma intensificação que merece ser assinalada.

Esta simples observação quanto à quantidade confirma a funcionalidade da crítica de arte no texto de Proust, que foi designada pelo conceito de "crítica temática", enquanto os pastiches foram denominados "crítica literária em ação". Também já foi suficientemente assinalado o significado central do debate de Proust com a crítica literária de Sainte-Beuve e a orientação teórica de John Ruskin. Proust se opunha energicamente à crítica predominantemente biográfica praticada pelo primeiro, e ao que ele chamava de "idolatria da arte" na obra crítica do inglês.

Parte dessas reflexões acerca da teoria da arte tinha como ponto comum o fato de acentuarem a especificidade da literatura em relação às demais artes. Ao mesmo tempo, podemos reconhecer, no entanto, que as artes tratadas na reflexão crítica e estética são funcionalizadas de forma distinta. É o que tentaremos mostrar a partir de exemplos tirados de textos de crítica e, depois, observar como se dá a incorporação dessas reflexões artísticas no texto da *Recherche*, tentando, na maioria das vezes, recorrer a exemplos extraídos do volume *À sombra das raparigas em flor*.

O recurso à literatura, assim como o recurso à música, é mais que enfático no texto de Proust; ele está intimamente agregado aos pontos de transição narrativa, enquanto a alusão à arte visual representa um domínio de referência permanente, mas raramente colocado em primeiro plano.

Não se deve, entretanto, negligenciar que Proust combina quase sempre os mais diferentes domínios de referências. Alusões à pintura são exemplificadas a partir da música. Esta, por sua vez, é colocada em relação com alusões à literatura e vice-versa. Desse modo, a referência a outras artes encena um movimento que aparece como o efeito mais notável de uma autorreflexividade geral do narrador.

Ao mesmo tempo, a crítica desenvolve e organiza também as passagens narrativas. Isso tudo liga o romance de Proust a outros textos da modernidade, que tentam restituir um contínuo perdido da experiência pela construção de um espaço para a reflexão.

É compreensível colocar em relação essa estratégia do entrelaçamento narrativo-reflexivo de observações, que se ocupam da arte, como tema central da reconstrução de lembranças e memória. Pois o conjunto de recursos críticos que se transforma no ato de narrar constitui de fato um espaço estruturado de lembranças e recordações através de signos culturais. Por isso a técnica das reflexões estéticas e narrativas surge como uma tecitura, que segue, em parte, uma certa constância, em parte, entretanto, está baseada em associações passageiras.

Essas associações deixam a memória sempre renovada e criam desse modo um "museu de semelhanças e analogias". Partamos então do princípio de que cada memória é também uma forma de acumulação, e assim podemos ver que essas "aberturas de caminho" servem de vazão a sistemas de acúmulo organizados diferentemente. Enquanto as referências musicais e literárias quase sempre desenvolvem uma estrutura dinâmica, as referências à pintura são menos variáveis; a "memória visual" baseia-se em primeiro lugar na existência limitada, mas sempre disponível, de ícones.

O conceito "ícones" é empregado aqui no sentido literal, pois se destaca que quadros são citados só muito pontualmente e, com frequência, não são analisados detalhadamente. Eles só se tornam mais do que simples símbolos de memória quando são submetidos a um jogo de mudança de semiotização e dessemiotização, a uma figuração e desfiguração textual na qual os signos culturais finalmente fundam traços de cognição duráveis, no sentido de Maturana.

Neste acúmulo de lembranças visuais, o jovem crítico engajado Marcel Proust não surpreende na escolha dos quadros. O museu minuciosamente reconstruído dos quadros tratados por Proust mostra, ao lado dos impressionistas, principalmente obras que tinham seu lugar na memória cultural da tradição europeia. E assim não há surpresas nessa galeria de quadros; uma reorganização dos cânones está fora de questão.

O fato de que um autor da modernidade tenha construído para si dessa maneira um espaço preenchido pelo cânone cultural já aceito, só é possível quando a oscilação entre lembrar e esquecer, que constitui o movimento próprio de cada cultura, e que se espelha também neste romance, dá-se num contexto no qual memória e cultura ainda são congruentes.

Certamente colocam-se aqui algumas questões fundamentais. Deve o pastiche da tradição pictórica, que Proust nos apresenta, fornecer uma "contrafatura" do próprio exercício da arte e, com isso, ao mesmo tempo, criar um campo referencial que suprima a diferenciação corrente entre tradição e modernidade no conceito de um "museu imaginário"? Em favor disso temos a ostensiva preponderância que mantém, no romance, as descrições de imagens imaginárias que se ocupam da obra de Elstir. Também em favor disso está o fato de que o olhar narrativo em direção à pintura, que as pesquisas muitas vezes já ressaltaram, segue de certo modo uma linha artístico-histórica e provoca, finalmente, a impressão de uma simultaneidade que se deve a uma superação individual, mas não, em última instância, psicológica.

Eis minha última pergunta: pode-se ver o conceito estético de um recurso assim entendido como uma estratégia de "reencontro" ("Wiederfindung"), no sentido heideggeriano do termo, como uma releitura que serve para determinar o próprio lugar que uma obra vai ocupar em determinada cultura?

Em favor dessa última hipótese está o fato de que, no museu imaginário de Proust, os impressionistas não têm apenas grande peso, mas também assumem significação toda especial. A referência a eles desenvolve, assim como o recurso ao pintor holandês Vermeer, reflexões sobre a teoria dos signos. O dito de Van Gogh, segundo o qual na pintura de Vermeer nenhuma cor está correta, mas que, ao mesmo tempo, tudo está em seu devido lugar, aproxima-se da reflexão de que o recurso de Proust a essa tradição da pintura visa muito conscientemente a uma posição de ruptura no desenvolvimento da arte visual, a saber, o ponto no qual a técnica mimética de representação vai sendo dissolvida por um arranjo de signos. O dito de Van Gogh parece formular justamente a importância desse arranjo interno que, num certo sentido, zomba da técnica mimética que prescreveria uma escolha de cores própria aos objetos representados.

A relação entre "aparência" e "essência" surge na obra de Proust de um ponto de vista que ultrapassa ao mesmo tempo as tentativas anteriores dos próprios impressionistas. Isso é confirmado pela descrição do quadro de Elstir, que transforma todo um período da história da arte em pastiche, para finalmente conseguir desenvolver uma concepção própria de imaginação. Vale lembrar que, nos quadros de Elstir, Marcel perceberá que um simples transeunte burguês com seu chapéu recebe a mesma atenção que o monumento artístico retratado. E, quando ele volta para o hotel, vindo desse "verdadeiro laboratório de recriação do mundo", ele passa a admirar o desleixo dos objetos sobre as mesas após o jantar. A modernidade de Proust encontra nessa forma de reconstrução da tradição preconizada por Elstir seu paradigma.

Com isso Proust coloca em questão a versão corrente da modernidade estética enquanto uma inovação permanente e radical. Ele segue aqui, sem dúvida, uma linha já sinalizada por Baudelaire. Se olharmos para o cenário das referências culturais de Proust, ele pode até parecer a princípio um tradicionalista. Suas reflexões sobre as experiências visuais, que organizam a caminhada do narrador do livro, permitem, entretanto, que ele ultrapasse de longe essa orientação tradicional. Assim como Elstir, ele alcança o caminho que lhe é próprio pela "despotencialização" do outro. Que a figura da *Gioconda* contemplada na casa de Swann não signifique para Marcel nada mais que um belo "robe de chambre", um belo penhoar, ou que um quadro de Rubens assuma para ele o mesmo charme de um par de "botas com cadarço", elucida de maneira irônica esse estado de coisas.

Tais passagens secundárias deixam claro que, para Marcel e Elstir, esse criador de um modo de lidar com a tradição, seja ele irônico ou sério, periférico ou detalhado, trata-se de alcançar uma espécie de potencialização do sujeito da percepção. Tudo o que aparece em seu horizonte de contemplação é parte de um conjunto que existe graças a seu olhar subjetivo sobre a realidade e que, ao mesmo tempo, delineia sua experiência da realidade, mas que não tem tanta importância enquanto referência factual imutável.

Esse movimento crítico de despotencialização e reconstrução das referências culturais segue um desenvolvimento histórico. São conhecidos os esboços de crítica de arte que precedem a redação da *Recherche*, que serão em seguida transformados em trechos da narrativa de Marcel. Já essa reformulação narrativa por que passa um tipo de crítica distanciada e reflexiva naqueles ensaios cria os pressupostos necessários da narrativa do romance proustiano. Exemplos disso são a dissolução da diferença entre narração e crítica no ensaio "Sobre a leitura" e a solução ficcional que tal tema receberá na *Recherche*, nas cenas, por exemplo, em que o jovem herói lê, em Combray. Ou ainda o desenvolvimento de uma crítica constituída da pluralidade de tipos de discurso, crítica que vem se desdobrando desde o projeto *Contre Sainte-Beuve*. Não custa lembrar que um dos pontos que constitui ainda a originalidade de tal projeto contra o método crítico de Sainte-Beuve era justamente a encenação ficcional de um diálogo entre o narrador e sua mãe, quando ele ainda estava deitado em sua cama, no final da manhã.

A reconstrução das marcas de mudança e dos desenvolvimentos históricos na crítica de arte proustiana garante ao mesmo tempo a própria atualidade dessa narrativa assim como sua continuidade. Como se sabe, a poética do romance desenvolvida de forma imanente no exemplo de Bergotte determina a produção do autor a partir de sua capacidade de tornar-se um espelho, de liberar uma força de reverberação, de reflexão.

"Assim, os que produzem obras geniais não são aqueles que vivem no meio mais delicado, que têm a conversação mais brilhante, a cultura mais extensa, mas os que tiveram o poder, deixando subitamente de viver para si mesmos, de tornar a sua personalidade igual a um espelho, de tal modo que a sua vida aí se reflete, por mais medíocre que aliás pudesse ser mundanamente e até, em certo sentido, intelectualmente falando, pois o gênio consiste no poder refletor e não na qualidade intrínseca do espetáculo refletido."

O gênio torna-se aí um meio da transformação. Não é de outra forma que um escritor contemporâneo a Proust, Robert Musil, define o gênio como o mestre que executa uma metamorfose das coisas conhecidas, sem implicar, entretanto, uma criação absolutamente nova.

Essa associação de crítica e narração, que acaba se transformando em uma marca distintiva da escrita proustiana, é uma estratégia textual que o pós-moderno Leslie Fiedler chegou a definir como "morte da crítica", quando no "êxtase da leitura" a crítica se transforma em literatura e vice-versa. Diferentemente do que Fiedler descreve, na obra de Proust, crítica e narração estão sempre numa relação de tensão, a mistura radical de tipos de texto aparentemente tão diferentes permanecendo um signo de uma "diferença irrevogável" deste livro.

De qualquer modo, podemos ver que as formas de discurso "poesia" e "crítica" chegam mesmo a se substituir, mesmo que utilizem registros diferentes. Mas no texto da *Recherche* desaparece até mesmo a diferença entre imagens imaginárias e autênticas, fantasias visuais e textuais. Um exemplo significativo disso é o episódio já muito citado da avó do herói quando se propõe a escolher presentes para o neto em Combray; ela prefere substituir detalhadas fotografias de monumentos arquitetônicos ou de cidades por quadros pintados por grandes mestres. O herói assinala que a boa vontade da avó em separar radicalmente a "verdadeira arte" de simples reproduções automáticas traria resultados desastrosos — pois, mais tarde, quando ele fosse visitar os lugares e os monumentos ali representados, não conseguiria reconhecê-los. Num plano mais geral, a avó está indo contra o princípio de indiferenciação entre os domínios do real e do imaginário que o texto da *Recherche* tenta alcançar, princípio que, para quem precisa apenas de um guia turístico, pode revelar-se desastroso...

Aqui se renova o paralelo com Musil, que, no começo dos anos 1920, começou a trabalhar nos esboços de seu livro *Um homem sem qualidades*. Como Proust, este autor não apenas desenvolve seu trabalho narrativo de maneira semelhante ao da crítica. Sua reflexão ensaística, que também antecede o texto literário, para defini-lo então finalmente em seu interior, esboça também, como Proust, uma poetologia. Esta conserva o gesto da crítica e necessita, por sua vez, não de um objeto real, mas de um objeto criado.

Assim, destaca Musil em sua "utopia do ensaio", que, no jogo entre "verdade e subjetividade", nenhuma percepção deve ser considerada definitiva. Não me parece casual que ele siga aqui uma reflexão que, desde o início da modernidade, sempre foi desenvolvida como exemplo da percepção visual, pois nessa linha da tradição insere-se Proust.

Ainda no que tange à questão da subjetividade e sua relação com os objetos, vale lembrar que também um livro de filosofia como a *Dialética negativa* de Adorno também procura evitar a denotação conceitual, o pecado que ele detecta na "dialética esclarecida", na medida em que esta utiliza o termo "constelação" para designar o entrelaçamento reflexivo dos fatos e, ao mesmo tempo, o toma, contrariamente ao que Benjamin entende por esse conceito, exclusivamente na sua acepção visual. Ora, a "constelação" possui, por um lado, uma particularidade dinâmica: ela é o conhecimento do processo, que "armazena em si" um objeto. Por outro lado, baseia-se de maneira explícita em uma representação visual, que põe em contato contemplação e fantasia.

Creio que esse termo "constelação" possa ser transferido para a configuração narrativa da crítica de arte de Proust na *Recherche*, uma vez que sua crítica faz conviver em uma mesma constelação as obras mais diferentes e sua própria escrita. Vide, por exemplo, o pastiche notável dos Goncourt no início de *O tempo redescoberto* que, por oposição ao que o próprio texto de Proust já executara, traça uma visão absolutamente superficial do salão dos Verdurin: os "pseudo-Goncourt" são assim convocados a integrar uma nova "constelação", a "transitar" na órbita bastante específica da *Recherche*.

Também Musil recorre a uma representação visual quando tenta descrever o papel da crítica e a particularidade dos ensaios: ele compara os últimos a uma "percepção do momento". Como o teórico Adorno e o autor Musil, Proust também tenta tomar posse da realidade no jogo oscilante de reflexão ensaística, de crítica explícita e imanente, argumentação conceitual e com sinais visuais de sugestão operante.

2.

No centro da crítica proustiana está o poder da arte, que chega à identidade de seu objeto pelo jogo entre a fundamentação e a despotencialização do significado. Para mostrar que apenas ela é capaz de atingir a verdadeira realidade, à qual visam tanto a lembrança como a narrativa, o texto de Proust utiliza uma metáfora visual. Crítica e narração andam lado a lado. Assim, Marcel descreve a profundeza da verdadeira arte como sendo de natureza tridimensional (ou até com uma dimensão a mais, a do tempo). Já as verdades do entendimento, pelo contrário, são descritas como superficiais, sem profundidade e sem contornos precisos. Ele caracteriza seu conceito de romance segundo uma relação entre a geometria plana e a espacial.

De maneira semelhante Musil opõe à argumentação conceitual metáforas visuais. Suas imagens geométricas de fantasia resultam de uma tensão entre sentimento e verdade, poesia e crítica, arte e ciência e, ao mesmo tempo, a ultrapassa.

A narrativa proustiana se desenvolve, assim como a de Musil, a partir de esboços de textos críticos. Só gradualmente o recurso ensaístico a nomes e obras reais será incorporado à obra ficcional. Toda a passagem, por exemplo, em que a sra. de Villeparisis nos passeios pelos arredores de Balbec despreza os autores admirados pelo herói e prossegue comentando animada como os conheceu quando vinham em visita ao castelo de seus pais está retomando, de modo ficcional, as críticas de Proust ao método de análise puramente biográfica das obras literárias executado por Sainte-Beuve. Uma personagem fictícia apodera-se, assim, dos pontos de vista de um crítico de renome no século XIX e condensa em si todo um projeto de crítica que Proust desenvolvera antes de começar seu grande livro.

Esse mesmo processo de incorporação repete-se de modo análogo no âmago do próprio texto, em que a crítica a obras imaginárias acaba colocando de lado a crítica a obras autênticas. Tal processo, que está intimamente ligado ao tema da memória, possui dois aspectos essenciais.

Primeiramente, a crítica de arte na *Recherche* torna consciente o lugar específico da reflexão individual, justamente na medida em que ela recapitula todo um desenvolvimento histórico-artístico que a antecede. Ela situa, por exemplo, o tema da memória em um contexto histórico particular. De modo a criar uma realidade própria, Proust reconstrói em sua narrativa a virada epistemológica decisiva da memória em imaginação no domínio da reflexão e da práxis estéticas, que, na metade do século XIX, caracteriza o início da modernidade europeia.

O precursor é Baudelaire, que consegue fazer de um pintor não muito significativo, como Constantin Guys, um modelo de uma "teoria da modernidade", porque não analisa seus quadros de um ponto de vista estético, mas os toma como ponto de partida de uma reflexão teórica, e, em seguida, de uma associação estética com a literatura.

Um tal abandono da análise crítica, já assinalado inicialmente por Baudelaire em sua crítica de arte, em favor de um jogo entre reflexão e imaginação, é levado às últimas consequências na obra de Proust. Nela, esse fato se mostra não apenas na produção mas também na própria ameaça de não realização de sua construção estética. Em sua crítica de arte imaginária a própria narrativa torna-se um jogo com signos, não mais com referências. É o caso das numerosas alusões que faz a avó do herói às cartas de madame de Sévigné: não se trata de forma alguma de analisar criticamente o significado do gênero epistolar no contexto da literatura francesa do século XVII, mas de utilizar as cartas para caracterizar uma personagem que não fica muito à vontade quando tem de entrar em relação direta com as situações da vida e necessita portanto de uma espécie de "selo", no caso, trechos das cartas, para colar sobre as coisas, tranquilizar-se. Algo como dizer sempre: "Ah, sim. Tudo isso já estava em madame de Sévigné".

Dessa configuração inicial resulta o segundo aspecto da reflexão proustiana sobre a arte. Pois ela não é simples constatação, ela se fixa antes como "ato de leitura", ato que ela descreve e encena. E acaba dando livre curso a uma força de identidade imagética, que não desenvolve de maneira argumentativa, mas sugestiva.

A ordenação das imagens do romance proustiano pode ser também interpretada em um sentido psicológico, na medida em que essa ordenação não é nada mais que a reunião de cenários ficcionais montados pelo narrador para que se encene, até de maneira cômica, a atividade crítica. Como no caso da cena em que o sr. de Norpois tece comentários sobre a arte da atriz Berma, que, segundo ele, demonstra "perfeito bom gosto [...] na escolha dos papéis" e de suas roupas. Logo em seguida, o herói lê no jornal que Berma é uma grande atriz. Com isso fica claro que, tanto a unidade do texto como a instância desse narrador são efeitos de uma imensa construção. O recurso da narrativa proustiana à crítica e, paralelamente, à despontencialização de referências autênticas faz com que o contorno do que lhe é próprio seja formado a partir de um processo de figuração, baseado tanto em uma ordenação retórica como em uma organização e desorganização já confirmadas dos signos culturais.

Resta saber se tal identidade forjada para além de uma ordenação retórica consegue permanecer estável enquanto ordenação apenas pela combinação de signos culturais codificados. Quanto a isso, vê-se que a transformação constitutiva da crítica em narrativa no romance de Proust, ou, ainda, a transformação da reflexão distanciada em imaginação, tem seu paradigma na representação mimética tradicional.

Na verdade, nesse jogo oscilante de despontencialização crítica das referências autênticas e recriação criativa, nessa oscilação entre desconstrução e reconstrução, a própria mimese acaba se tornando mais um brinquedo nas mãos de Proust.

3.

Neste ponto é interessante retomar brevemente os três domínios da crítica imanente da arte realizada por Proust na literatura, na música e na pintura, para tentar trazer novamente à tona a questão da entrada da crítica no romance. Uma análise rápida das passagens sobre o escritor Bergotte já nos mostra claramente que a linguagem sensível do estilo de Bergotte, sempre representado nas descrições da natureza, define a própria narrativa proustiana assim como a do narrador Marcel. Ao mesmo tempo, fica clara a relação característica para Proust entre a escrita e a crítica, uma vez, justamente, que o texto da *Recherche* repete uma reflexão sobre a língua, que o próprio Proust já desenvolvera enquanto crítico, quando atacara a poesia simbolista em seu ensaio polêmico intitulado "Contra a obscuridade". Aí ele destaca claramente que existem "afinidades antigas e misteriosas entre nossa língua materna e nossa sensibilidade que, em vez de uma linguagem convencional como são as línguas estrangeiras, fazem dela uma espécie de música latente". Não é outra coisa o que o herói perceberá na voz tão particular de Bergotte e nas vozes das "raparigas em flor".

Outros episódios do livro sustentam também que o tema da narrativa não se separa da crítica de arte, que é transformada em ato pela narração. A opinião do sr. de Norpois sobre Bergotte e sua avaliação negativa do texto de Marcel sobre os campanários de Martinville esboçam de maneira exemplar uma evolução interna do próprio Proust, que lhe permite formular de maneira alegremente irônica os disparates críticos do embaixador.

Uma ligação equivalente entre crítica de si mesmo e reflexão pessoal caracteriza finalmente as diversas passagens sobre a literatura de Bergotte, que acabam se constituindo em um enorme pastiche histórico-literário. Lembranças do escritor Anatole France, referências a John Ruskin, a Paul Bourget e outros escritores vêm aí reunidas, de maneira que Proust possa apresentar suas próprias facetas, sua própria visão sobre a arte. É de grande significado que tais reflexões coloquem em paralelo ao mesmo tempo crítica literária, crítica de música e crítica da pintura. Elas tentam desenvolver uma semiótica comum entre as artes, na qual cheguem a deduzir uma percepção, a partir de um conjunto de percepções conscientes e inconscientes. A descrição da morte de Bergotte diante de um quadro de Vermeer, no quinto volume, é um exemplo disso: ali, diante da delicadeza da pintura de um pequenino trecho de muro, ele se dá conta do que ele próprio, enquanto escritor, deveria ter realizado nos últimos tempos de sua atividade criativa.

4.

A representação da música no texto da *Recherche* tem como antecedente o ensaio "Um domingo no conservatório", publicado por Proust no ano de 1895. Não é por acaso que as descrições estéticas da música que aí se encontram se baseiem na obra *O mundo como vontade e representação*, do filósofo Schopenhauer. Pois nessa obra interessa sobretudo a Proust a diferença entre reflexão e intelecto de um lado, intuição e sentimento de outro, o que ele tenta justamente colocar em destaque em seu texto. Quando, em 1895, ele observa a Suzette Lemaire que a essência da música está em "despertar em nós esse fundo misterioso, e inexprimível pela literatura, de nossa alma, que começa [...] onde a ciência estaca e que podemos chamar por isso de religioso", ele está "psicologizando" a experiência artística. Nisso torna-se estável não apenas o sujeito crítico, no qual se esclarecem as leis de sua própria visão quanto à especificidade dos objetos, mas sobretudo que ele está baseado em percepções visuais, ou seja, transformado de maneira consciente.

Essa transformação formula de maneira intuitiva aquilo que o protagonista tentará decidir de maneira reflexiva. Marcel leva em sua memória "uma transcrição sumária e provisória". Ele possui, enquanto ouvinte de música, percepções visuais, que estão conectadas a lembranças. Trata-se evidentemente de afirmar que sentimentos originam-se de suas percepções imaginativas da música, que, por sua vez, despertam sensações corporais. Isso quer dizer que cada melodia reconstrói algo que foi perdido e aponta assim para uma ordem secreta.

A história da arte aparece a Marcel como "uma longa assimilação" das coisas passadas "em uma matéria variada talvez, mas em suma homogênea". Essa reflexão estabelece não apenas a relação do autor Proust com a tradição, quando este toma a modernidade como uma reorganização da tradição. Ela também prefigura a própria lei específica da lembrança, que dá forma à escrita de Marcel. A música é a possibilidade de "descer em si mesmo, de descobrir em si o novo: a variedade que havia procurado em vão na vida, nas viagens, cuja nostalgia entretanto me fora dada".

Esse exemplo, também extraído da crítica musical narrativa, mostra que o status da crítica tem como objetivo a autorreflexão, e não leva em conta a distância com relação ao objeto artístico. A música, assim como a pintura, permite a Marcel "conhecer a essência qualitativa das sensações de um outro". Ao mesmo tempo, elas lhe abrem a possibilidade de tornar-se efetivamente outro, de reunir em si as mais variadas individualidades.

O tão conhecido sexteto de Vinteuil, que o herói ouvirá em um dos últimos volumes do livro, fornece um exemplo dessa retroversão daquilo que é estranho ao interior do sujeito. Também durante a audição desse trecho de música fantasias visuais são resgatadas por Marcel. Dessa vez, trata-se de uma paisagem íntima, em formas, tons e cores convertidos uns nos outros. O efeito do sexteto tem origem em toda uma série dos mais diversos elementos, que só se reunirão ao final do livro.

Assim como a crítica, a narração e a oscilação entre crítica e narração, a própria música é caracterizada por um movimento de decomposição e recomposição. Isso tudo será explicado psicologicamente: o homem deve possuir "um duplo" de todos os seres que conhece. Essa segunda imagem, que sobrevive em sua memória, provoca uma metamorfose e uma transformação infinitas de percepções posteriores. Esse entrelaçamento de fantasia visual e efeito psicológico é signo da conexão íntima da reflexão sobre a arte representada no romance com os ensaios de crítica de arte de Proust. A chamada "contemplação artística" que aí é descrita implica inicialmente uma entrega aos objetos da natureza ou aos signos da cultura. Entretanto, para atingir uma imagem linguística ou pictórica dos objetos, assim como para um efeito da música, é necessário chegar a um momento imaterial. Para consegui-lo, o artista dirige seu olhar tanto para o mundo como para si mesmo. E é desse olhar duplo, que deriva da reflexão crítica, dessa oscilação entre crítica e imaginação, que advém a força sugestiva do trabalho ficcional.

5.

Também no início da crítica implícita da pintura na *Recherche* estão os ensaios que antecedem a redação do romance. A diferença estabelecida por Marcel entre a beleza superficial, banal, e a beleza ideal, que a pintura de Elstir consegue representar, tem origem, como se sabe, nas reflexões que já em 1895 Proust desenvolvia em seu ensaio "Chardin e Rembrandt". Aí a pintura de Chardin lhe aparece como um exemplo de possibilidade de uma beleza puramente material das coisas banais, que acaba levando a um esquecimento de si mesmo da parte daquele que a contempla. Mais tarde isso seria dito de forma lapidar a respeito de uma aquarela de Elstir, que está baseada na "pulsação de um minuto feliz".

Dessa forma, já em seus ensaios de juventude Proust antecipa uma definição da arte, que a *Recherche* mais tarde desenvolveria, mas que entretanto ganharia aí um significado diferente: a representação de uma beleza que não está "nos objetos", que é comparada a "órbitas vazias", que apenas o artista pode representar, e "cuja luz é a expressão mutante, o reflexo tomado emprestado à beleza, o olhar divino".

O texto do romance representa todas essas reflexões sobre crítica de arte de forma narrativa. Marcel sempre será incitado a escrever por impressões sensoriais, por um perfume ou o reflexo da luz do sol. Cores, formas e cheiros fornecem a ele modelos para sua fantasia. Nela renova-se a reconstrução de impressões visuais de particular importância, como no exemplo do "pequeno pavilhão verde cheirando a mofo" que ele visita em companhia de Gilberte, que traz à mente a lembrança do pequeno gabinete de seu tio, em Combray, e o herói tenta se lembrar de imagens e, a partir dessas imagens lembradas, erigir, instituir sua memória.

Assim a crítica textualmente estruturada caminha sempre na fronteira entre impressões mentais e impressões visuais codificadas. As imagens fictícias, que o narrador Marcel descreve enquanto crítico, englobam para ele algo de fantástico — a fronteira de uma qualidade atingida de uma impressão sabida e não sabida. O ato da visão, no qual se estreitam sujeito e objeto, imagens que se originam da oscilação entre impressões e imaginação, desenvolve toda uma psicologia do sujeito criador a partir do gesto crítico. Ela é autorreflexiva e sublinha a opinião axiomática de Proust de que cada descrição da realidade, quer se dê através de imagens ou de palavras, é uma transformação.

Essa reflexão ficará evidente na descrição das pinturas marítimas de Elstir, nas quais o narrador identifica uma característica específica: elas podem ser comparadas a metáforas linguísticas.

Sua transformação da realidade utiliza modificações de impressões visuais. A pintura de Elstir persegue de maneira consciente os enganos de nossa visão, entrega-se ao jogo entre luz e sombras, compraz-se em ultrapassar os limites das impressões, e, com isso, conseguir forjar uma perspectiva totalmente original das coisas. Tal perspectiva se furta a conceitos de compreensão e funda para si um tipo de fantasia visual totalmente autônomo.

Uma correspondência psicológica desse procedimento de representação pictórica encontra-se na cena conhecida, em que Marcel começa a construir mentalmente imagens visuais para certas impressões acústicas. Mesmo essa forma de engano individual será comparada às transformações artísticas em curso na pintura. Ao contemplar a pintura da esposa de Elstir, Marcel conclui com efeito que cada artista pode evidenciar "a lei, a fórmula de seu dom inconsciente", quando entra em posse de suas ideias sobre a realidade que vai fixar em imagens.

Uma vez que as imagens são transformações trazidas à realidade pelo olhar do artista, Marcel as compara, quando começa a falar de uma galeria com pinturas de Elstir, às "imagens luminosas de uma lanterna mágica que seria, no caso, a mente do artista". Ele fica fascinado pela impressão de ilusão de óptica e sabe que tais objetos representados têm de ser decifrados com o auxílio da razão. Ele reconhece signos autônomos, que são "independentes dos nomes dos objetos" que "nossa memória lhes impõe quando enfim os reconhecemos". Ao mesmo tempo as imagens de uma tradição passada, que Elstir, assim como o próprio Proust, utiliza em seus pastiches, aparecem como "uma espécie de fragmentos antecipados de suas próprias obras".

Ainda aqui podemos identificar nessa crítica de arte sobre forma narrativa executada por Proust um paralelo com as reflexões estéticas de Baudelaire sobre a pintura. A imagem da lanterna mágica tem seu correspondente na descrição que faz Baudelaire da figura do "flâneur", que ele transforma no próprio símbolo da modernidade, na medida justamente em que o compara a um caleidoscópio. Também para Baudelaire, a arte moderna, que ele equipara à romântica, vai além da lei da mimese, assim como dos signos de lembrança. É o que aparece em seu estudo programático sobre a pintura de Constantin Guys, o chamado "pintor da vida moderna": a arte, que deriva de percepções visuais fugazes, reclama justamente uma atividade de conciliação entre imaginação e fantasia — ela precisa se tornar uma "arte mnemônica", o que, entretanto, significa que ela deve se livrar das impressões imediatas e da simples cópia.

No lugar de uma cópia detalhada deve-se colocar a sinceridade. Os quadros de Guys são pintados de memória, eles têm origem em toda uma série de esboços nos quais as superfícies são transformadas em espaço e em profundidade. Assim, experimenta o pintor "um duelo entre a vontade de ver tudo, de não se esquecer de nada, e a faculdade da memória que adquiriu o hábito de absorver com vivacidade a cor geral e a silhueta, o arabesco do contorno".

Aqui se inserem as chamadas "formas primitivas" desenvolvidas por Walter Benjamin quando pensa em Baudelaire e, ao mesmo tempo, no livro de Freud *Além do princípio do prazer*. Segundo Benjamin, "o tornar-se consciente e a transmissão da herança de traços de memória são incompatíveis em um mesmo sistema". Pois a memória (Gedächtnis) é essencialmente conservadora, pensada na preservação das impressões; já a lembrança (Erinnerung) é destrutiva, em seu processo de decomposição. Dessa oposição entre lembrança e memória constrói-se o caminho proustiano da crítica, que lida com signos culturais de memória, na direção de uma crítica ficcionalizada, que abre espaço à fantasia.

Nisso segue Proust o afastamento já assinalado por Baudelaire com relação à mimese. No lugar dos signos de representação aparece uma ordem autônoma de signos visuais, longe do ateliê de um Courbet, ordem que decididamente estabelece a nova percepção da arte de Baudelaire. Em seu texto sobre o Salão de 1859 ele formula de maneira programática que todo o mundo visível não é nada mais do que um "depósito de imagens e signos", cujo significado relativo apenas a imaginação pode decifrar. Nos quadros de Delacroix reconhece Baudelaire a superação da decadência, na medida justamente em que eles seguem uma percepção que está fixada em objetos, mas que se torna esteticamente inovadora pela sensibilização da imaginação daquele que os observa.

6.

A crítica de arte imaginária na *Recherche* desenvolve não apenas essas relações históricas com o início da modernidade europeia. Ela possui também um significado psicológico que não deve ser visto separado dos temas centrais do romance, pois se trata de conseguir que fantasias e experiências reais, reflexões artísticas e fantasias textuais, se relacionem e criem uma nova forma de percepção.

O fato de que, para poder caracterizar a influência de Giotto sobre Marcel, Proust fale de uma substituição psicológica importante para o herói das mais variadas impressões visuais (que vão desde a imagem da criada grávida no primeiro volume até a imagem da jovem Albertine brincando com um diabolô referindo-as a figuras alegóricas do pintor), parece-me confirmar que é apropriado caracterizar o princípio de organização de seu texto tendo por base o conceito de transversais. Tal conceito pode também tornar acessível o domínio psicológico do processo, que engloba a reflexão da análise textual da *Recherche*. Cabe lembrar que se identificou a estratégia psicológica da "repetição" e da "identificação" como base desse trabalho estético.

O fato de que a arte está ancorada no imaginário, como fica claro na experiência artística de Marcel, chama a nossa atenção para o papel do imaginário no domínio da memória, para o seu valor na construção da lembrança, assim como na orientação do sujeito que rememora, que está sempre tentando construir para si um espaço interno próprio de experiência e que procura compor a estrutura da memória segundo modelos visuais.

Contrariamente a isso, temos a estrutura narrativa do texto, dominada pela lei de uma superposição, e que se baseia, de forma evidente, na contínua reorganização e "despotencialização" de relações semânticas e referências a modelos artísticos.

Pois, de um lado, a narrativa não será julgada por uma reflexão de crítica artística, mas segundo uma lei interna própria. Isso se mostra claramente no fato de que a interpretação de Ruskin da obra de Giotto seja substituída pela da personagem Swann: passamos do detalhado trabalho interpretativo do crítico inglês que Proust amara e traduzira para as semelhanças que Swann crê encontrar entre uma das figuras alegóricas desenhadas por Giotto e a cozinheira grávida que trabalha na casa de tia Léonie, em Combray.

Por outro lado, essa substituição não conduz a uma centralização definitiva do texto, pois este permanece, no que tange ao jogo entre crítica, signos de memória e narrativa, uma guirlanda de transformações metafórico-alegóricas de imagens e lembranças visuais.

A situação é totalmente diferente quando observamos as consequências psicológicas da experiência artística de Marcel, que é indissociável de uma transformação da crítica em obra ficcional. Pois sua experiência artística na Capela da Arena, narrada no penúltimo volume da obra, está sobrecarregada de fantasia erótica e, no lugar das percepções estéticas, surgem as imaginárias, que acabam substituindo a especificidade da obra de arte lembrada e citada por uma projeção puramente psíquica.

O fortalecimento interno do mundo do sujeito pelo julgamento crítico pessoal e sua separação com relação às coisas, que já era a característica principal dos ensaios de crítica de arte, será gradativamente substituído no romance por fixações imaginárias.

A metáfora da "decifração", que se designou como característica do modo como Marcel lê as coisas, e que se refere à decifração dos "hieróglifos" da própria vida, está ancorada, antes de tudo, em um contexto psicológico e de discurso histórico-imagético. Pois, na memória, a experiência artística e as lembranças históricas conectam a cidadezinha de Combray a Veneza, e o "azul-escuro" de Giotto não será mais percebido nos anjos pintados por ele, mas antes na cozinheira da casa da tia. Tudo isso tem origem em um espaço psíquico que, no caso, pode ser visto como uma espécie de geografia imaginária de Proust.

De um lado, é importante perceber que a reflexão crítica de Marcel sobre a literatura e as possibilidades de escrita individual está organizada por referências a experiências artísticas visuais. Nesse ponto baseia-se Proust abertamente na apresentação daquilo que Baudelaire chamava de "universo dos signos"; ao mesmo tempo, ele situa essa hipótese em um horizonte de experiências vividas historicamente. Os signos referenciais e autênticos e as frases de sua crítica de arte ficcional englobam assim um duplo sentido, uma espécie de contrassenso, do qual ele trata nos *Cadernos manuscritos do tempo redescoberto*.

Por outro lado, é necessário observar a especificidade dessa recodificação e decifração individuais, já que elas se concentram por fim em uma percepção particular das cores. O "azul-escuro" que se observa sobre um afresco de Giotto está ligado para Marcel não apenas à memória da avó, que se comprazia em identificar o "mesmo azul" nos campanários da igreja de Santo Hilário, em Combray, mas também à reminiscência de um casaco que, no quinto volume, Albertine vai receber de presente de Marcel na véspera de sua partida, e do qual ele se lembra ao contemplar uma pintura de Carpaccio, já no penúltimo volume.

A fixação sobre a cor azul cita toda uma tradição literária que acaba passando aqui por uma recodificação radical, uma vez que ela apaga sistematicamente as referências e as substitui por projeções mentais sucessivas.

Sabe-se que a cor azul torna-se para os literatos do romantismo a metáfora central da criação e da destruição do sentido, metáfora que será central enquanto estratégia literária moderna. O recurso literário à cor azul, que aqui não se poderia discutir em detalhes, mas apenas resumir, mostra-se, desse modo, desde o século XIX bastante ambivalente.

Em primeiro lugar, a cor será com frequência semanticamente "funcionarizada"; ela fará referência a quadros e experiências que estão presentes na memória cultural. Um segundo uso desse valor simbólico muito condensado da cor se dá quando este será utilizado de maneira não codificada e no centro de um outro contexto significativo. Já uma terceira estratégia, que encena uma relação ambivalente entre imagem e texto, é justamente a que podemos identificar na obra de Proust. Ela baseia-se em um entrelaçamento de referências heterogêneas, cultural e psiquicamente codificadas, entrelaçamento que evita qualquer tipo de clareza.

Assim como na pintura moderna, a partir de sua separação da ideia de mimese e depois de ter atravessado a fase de abstração geométrica e se concentrar finalmente no monocromatismo, na materialidade do meio cor, faz também a literatura, nesse mesmo sentido, da realidade que se acha diante dela seu objeto enquanto signo. A pretensa clareza do valor das cores, assim como a recodificação semântica inconsciente da simples percepção das cores, assinala que cada experiência cultural resulta de um processo semiótico, que não existe qualquer imediatez ou espontaneidade dos signos.

Desse conhecimento constrói-se a relação entre os meios de expressão, a relação mutante entre as artes e o recurso do narrador a representações visuais, ambos constituindo-se no centro da crítica de arte ficcional de Proust e, ao mesmo tempo, tornando-se espécie de hipóteses iniciais daquilo que executará o narrador no romance. A realidade narrada pelos quadros de Elstir e a cor azul utilizada por Giotto vão além da simples evidência das percepções visuais. No texto de Proust elas acabam se tornando paradigmas de uma reflexão sobre a narrativa e a natureza da própria obra. Elas deixam claro que a autenticidade do que é estético não se forma a partir da simples cópia, mas da união entre observação e fantasia, e que os quadros atuam "como formas intelectuais".

Exatamente nesse ponto o capítulo de Proust sobre Giotto recapitula a reflexão estética de Baudelaire. E aqui fica novamente claro que esse romance constrói sua própria modernidade não apenas a partir de uma simples retomada, mas também de uma ampla releitura da tradição. O debate ficcional de Proust com Giotto é uma "reescritura", assim como o debate de Baudelaire com o pintor Delacroix. Baudelaire situa Delacroix no início da modernidade, na medida em que o tratamento livre que ele dá às cores transforma-se em paradigma da própria escrita de Baudelaire. Do mesmo modo, Proust situa Giotto no limiar entre Idade Média e Renascença. Enquanto um fala de "ressurreição" e "modernidade", o outro fala de Renascença. Em ambos os casos, o projeto de algo novo não se origina de um resgate, mas sim de uma reavaliação dos cânones; não de um recomeço radical, mas sim de uma "impressão confusa" do já conhecido, à qual Proust será apresentado por Monet.

Não me parece ser por acaso que a série de quadros de Monet da catedral de Rouen em momentos diferentes do dia fascinam Proust: trata-se de quadros que, antes de tudo, são um jogo com a cor azul. Também sua releitura estética e psicologicamente impregnada da tradição coloca da mesma forma a relação entre o "universo real" e o "universo imaginário". Tanto para Proust como para Baudelaire a concentração sobre a materialidade da cor pode produzir uma experiência que vai além dos signos referenciais da convenção. Assim como em Baudelaire, a subjetividade radical da fantasia corresponde à memória e conhecimento imagético da memória e o da poesia comentam-se uns aos outros. Ao mesmo tempo, uma reorganização de base da tradição estética corresponde ao arranjo psíquico convencional das imagens na memória. Na medida em que os signos psíquicos e culturais passam a andar lado a lado, desaparece por completo a diferença entre crítica e projeto estético.

Rolf Renner

professor da Universidade de Freiburg, na Alemanha, e presidente do Centro de Estudos Franceses da mesma cidade.

Este livro, composto na
fonte Walbaum e paginado
por warrakloureiro, foi impresso
em pólen soft 70 g na
gráfica BMF, São Paulo,
Brasil, abril de 2021.